Super ET

Dello stesso autore nel catalogo Einaudi

Wu Ming
L'Armata dei Sonnambuli

Einaudi

www.einaudi.it

ISBN 978-88-06-24360-9

L'Armata dei Sonnambuli

A Stefano Tassinari

Volete, allora, che il mio corpo parli? Lo farà, e vi prometto che nelle risposte che vi darà ci sarà molta piú verità di quanto possiate immaginare. Non certo perché il mio corpo ne sappia piú di voi, ma perché nelle vostre ingiunzioni c'è qualcosa che non formulate ma che io capisco bene, una sorta di ingiunzione silenziosa alla quale il mio corpo risponderà.

Ascolterò quel che non dici e ti obbedirò, fornendoti dei sintomi di cui sarai costretto a riconoscere la verità, poiché risponderanno, senza che tu lo sappia, alle tue ingiunzioni non formulate [...]. Piú o meno in questi termini si svolge il discorso dell'isteria.

MICHEL FOUCAULT

Furono i supplizi d'ogni genere, la tortura, i roghi, le forche, a darci feroci abitudini. I governanti invece di educarci, ci hanno resi cosí barbari perché essi lo sono. Ora raccolgono i frutti.

GRACCO BABEUF

Ouverture

1.

Adunchi come becchi di rapaci, arrossati dal gelo del mattino, bitorzoluti e tumefatti dal bere. Schiacciati da un colpo di piatto ricevuto servendo la patria o celebrando il dio Bacco. Storti da un pugno ben piazzato in una rissa tra cani che si contendono un osso, una moneta o la fessura d'una donna. Mozzati dal fendente di un creditore o di un assassino maldestro. Larghi e rubizzi, con narici enormi e cavernose.

I nasi hanno tante forme, pensava l'uomo in nero, che nascondeva il proprio dietro il bavero rialzato della giacca e la sciarpa di lana, mentre si faceva largo tra la folla lungo il viale di Buona Novella. Sgomitava, spingeva, e intanto frugava i volti a uno a uno, in cerca di uno sguardo complice, ma quel che vedeva era solo una siepe di nasi puntati nella stessa direzione, quella da cui doveva giungere la carrozza.

I nasi del popolo lo disgustavano. Grondanti per il freddo, coperti di nei e verruche, quegli organi deformi ricordavano le parti anatomiche di bestie selvagge, benché a un livello piú basso della Creazione, buoni soltanto per annusare i miasmi dei bassifondi.

Nulla meglio di quella carrellata di nasi rappresentava la plebe di Parigi.

E forse sarebbe stato piú appropriato ribattezzarla Nasonia. Del resto, perché no? Se il mondo veniva messo a testa in giú, tutto diventava possibile, anche cambiare il nome alle città o ai mesi del calendario.

L'uomo in nero era lí per impedirlo. O per morire nel tentativo. Dal bordo della strada perlustrava la folla in cerca di una risposta. Dov'erano i volti che attendeva? Possibile che non fossero al loro posto? Possibile che li avessero risucchiati quelle propaggini affamate?

Il percorso terminò a ridosso di una figura alta, anch'essa vestita di scuro, ma di una sfumatura blu notte.

– Non c'è nessuno, a parte quelli, – disse Nero indicando tre uomini nella folla, dall'altra parte della strada. Sotto i tricorni che portavano in capo, uno aveva capelli biondi, un altro grigi e il terzo, visibilmente piú anziano, sembrava calvo. – Qualcosa è andato storto.

– Dobbiamo agire comunque, – disse l'altro.

– In cinque?

– C'è nebbia, nella calca può ben darsi che altri…

– «Può ben darsi» è appiglio da poco, mio signore.

– È quello che abbiamo.

– Il piano è scoperto. Ci faremo ammazzare senza scopo.

– Lo scopo lo abbiamo. E se il popolo…

– Il popolo? – sibilò Nero, soffocando la rabbia. – Questa è plebaglia sanculotta. Non vedono l'ora di assistere al macello. Nell'ultimo anno siete stato lontano da Parigi. La città è uscita di senno.

– Ci sarà pure qualche suddito leale…

– Forse. Ma disposto a suicidarsi per noi?

– No, a rischiare la vita per sua maestà!

– Siamo troppo pochi.

– Che fareste, dunque? – domandò il barone. – Lascereste spiccare la testa al re di Francia senza muovere un dito?

Nero tacque. Non sapeva cosa rispondere. E se avesse risposto, avrebbe avuto difficoltà a farsi udire, perché tutto questo se l'eran detti sussurrando, ma ormai i tamburi sovrastavano le voci. Il convoglio apparve in fondo al viale.

Quando la carrozza fu a cento passi, il barone estrasse la sciabola da sotto il pastrano e uscí dalla ressa. Nero lo seguí, e nel mentre fece un cenno ai tre sull'altro lato. Anch'essi uscirono dai ranghi.

Il barone sollevò l'arma e gridò: – Popolo di Francia! Con noi chi vuole salvare il re!

– Salviamo il re! – ripeterono Biondo, Grigio e Calvo.

– Salviamo il re! – gridò Nero, senza smettere di guardarsi intorno.

2.

«Contegno e calma», prescriveva un manifesto affisso al muro. «Le donne non escano di casa», auspicava un altro foglio pochi passi piú in là.

Orphée d'Amblanc mostrò la carta civica ai volontari che gli sbarravano il passo. Ognuno di loro portava sul bavero un cartellino che lo identificava come addetto all'ordine pubblico. Le quarantotto sezioni di Parigi avevano messo a disposizione piú di duecento uomini ciascuna, moschetto a tracolla e in tasca sedici cartucce. D'Amblanc, in quanto medico, aveva ottenuto la dispensa dal servizio, e ora si interrogava sulla necessità di uno spiegamento di forze tanto imponente. La città appariva tranquilla e i giornali elogiavano «l'austera dignità di un popolo sovrano nell'esercizio del suo potere». Tuttavia, nessuno poteva sapere cosa sarebbe successo, se invece di ottantamila uomini in armi ce ne fossero stati solo la metà. Guardandosi attorno, D'Amblanc era incline a pensare che il morbo monarchico non sarebbe comunque dilagato. Il processo, le manovre sottobanco e i tentativi di fuga avevano spogliato il re di ogni sacralità. Luigi Capeto era un cittadino della Repubblica che aveva commesso una sequela di crimini e come tale andava giustiziato. «Non si può regnare impunemente»: la frase di Saint-Just era ormai un ritornello da osteria.

Lungo la strada, un'atmosfera di attesa e incredulità. Con le sezioni in assemblea permanente, i volontari in armi, le donne a casa, le botteghe serrate e migliaia di cittadini già assembrati sotto la ghigliottina, i semplici passanti erano rarità. Nei loro volti, D'Amblanc cercava di cogliere il sentimento che egli stesso avvertiva. Si era svegliato all'alba al suono di tamburi, campane e cannoni. Da allora, la sinfonia del Grande Evento non s'era mai interrotta, arricchita dal trotto della cavalleria, dal passo marziale delle truppe, dal rullare dei carri militari.

Guardò l'orologio da tasca. Per le dieci in punto doveva bussare al portone della signora Girard. La terapia magnetica non ammetteva dilazioni.

Mezz'ora piú tardi, il boia di Parigi avrebbe raccolto la testa del cittadino Capeto.

D'Amblanc si domandò quanti altri, in un momento come quello, avrebbero rinunciato allo spettacolo, per dare la precedenza al proprio dovere.

Immaginò la carrozza verde del sindaco di Parigi, attorniata da cavalieri, sciabole e picche. Il Capeto a bordo, in preghiera, le mani giunte al centro del petto. Accanto a lui, l'amico prete, nato in Irlanda ma cresciuto a Tolosa, che lo aveva accompagnato durante il processo. Di fronte a loro, due gendarmi, intenti a mascherare il proprio stupore.

A quell'ora il convoglio doveva essere all'altezza di San Dionigi.

D'Amblanc ripose l'orologio e si affrettò, in direzione opposta rispetto al gran viale dove si stava scrivendo la storia di Francia.

3.

– Salviamo il re!

A quel grido, il funzionario della sicurezza generale Armand Chauvelin si volse di scatto.

– Di là! – fece segno ai suoi e si lanciò nella corsa.

Cinque sagome erano al centro del viale, armi sguainate.

Non piú di un centinaio di passi, calcolò Chauvelin mentre si sforzava di accelerare, piú forte dell'emicrania che lo tormentava dal primo mattino.

Cento passi e avrebbe catturato i capi della congiura.

Dai muri di folla a destra e a sinistra giungevano incitamenti e risate.

– Guardate quei matti!

– Prendeteli!

– Fatene ragú!

– Se volevano crepare, facevano prima a darsi fuoco!

– Sí, almeno ci scaldavamo anche noi!

I tamburi non avevano cessato di battere, la carrozza e la scorta non si erano fermate.

Appena fu abbastanza vicino da non sbagliare, Chauvelin puntò la pistola e sparò su un tizio col pastrano giallo, il piú visibile di tutti.

L'uomo si accasciò, gli altri fuggirono. Con uno scarto improvviso e a colpi di spada, si aprirono un varco in mezzo alle guardie che bordeggiavano il viale, in corrispondenza di una smagliatura fra i corpi, dovuta all'imbocco di una strada laterale.

Due di essi, alla disperata, cercarono di entrare in una casa, ma la porta era chiusa e mancò il tempo di forzarla. Uno venne abbrancato dalla folla, preso a calci e pugni, massacrato. L'altro riuscí a divincolarsi e fuggire, prima che i suoi assalitori gli strappassero dal viso la sciarpa che l'aveva coperto lasciando liberi soltanto gli occhi. Gli ultimi due si tuffarono di nuovo nella ressa e la risalirono, come nuotatori esperti, proprio nella direzione dalla quale sopraggiungeva il convoglio.

Fu quello a bloccare la corsa di Armand Chauvelin, costringendolo a farsi da parte, per cedere il passo alla scorta, poi alla carrozza.

Lo sguardo del poliziotto si insinuò nell'abitacolo e colse il profilo del passeggero. La sagoma dell'uomo che era stato, e che adesso era l'ombra tremula di un essere invertebrato, una chiocciola che si ritrae nel guscio, spaventata.

Quando il convoglio fu transitato, Chauvelin si ritrovò a fissare impotente la selva di corpi che aveva inghiottito i fuggitivi.

Uno dei suoi lo affiancò.

– Ne abbiamo persi tre.

– Uno era il capo, sono pronto a scommetterci, – disse Chauvelin abbassando la pistola. – Gli altri?

Il sottoposto indicò i due cadaveri che giacevano sul lastrico, circondati dalla folla.

– Non potranno dirci niente.

Armand Chauvelin fece una smorfia di disappunto. La notte precedente aveva chiuso la rete tesa per sventare il complotto monarchico. Prima dell'alba gli agenti del comitato avevano arrestato i congiurati nelle loro case, uno dopo l'altro. Duecento uomini, che avrebbero dovuto trovarsi lungo il percorso del corteo per sobillare il popolo e liberare Luigi Capeto. Purtroppo, non c'era stato il tempo di torchiarli a dovere, e sul luogo preciso dell'appuntamento aveva raccolto versioni discordanti. Pochi passi di differenza e quella giornata si sarebbe conclusa con una vittoria piena. Invece era certo di aver mancato il capo e nessuno degli interrogati sembrava conoscerlo. Un uomo abbastanza saggio da non mostrarsi mai ai suoi scherani.

L'agente Chauvelin diede l'ordine di portare via i corpi, mentre l'emicrania, dal covo dietro l'occhio destro dove stava annidata, iniziava a diffondersi in tutta la testa.

4.

Te lo si conta noi, com'è che andò. Noi che s'era in Piazza Rivoluzione. Qualchedun altro te lo conterebbe – e magari te l'ha già contato – come son buon tutti, cioè a dire col salinzucca di poi, dopo aver occhiato le stampe sui libri, varda, c'è Madama Ghigliottina, c'è il ritratto di Robespierre, volti la pagina e c'è la mappa delle battaglie, e dal capo alla coda si snocciano gli anni cosí, come fossero olive: 1789, 1793, 1794. Uno sa già com'è andata a finire – tanto, dice, per quelli come noi come deve finire? – e allora la conta dal difuori della mischia, tutto compunto, come da invetta a una torre.

Quelgiorno pure noialtri si immaginò di alzare una torre. Una torre di legno, per salirci sopra, piú in alto dei tetti dei palazzi piú alti. In piazza si stava tutti pigiati, fitti come le setole di un pennello, ché perlomeno il freddo porco lo si tiene a bada, o magari è solo un'impressione, ché spartire il male è già mezza goduria. Però a quelmodo, uno finisce che non vede niente, dal gran che c'erano schiene e bertocche, per non dire dei vecchi che ti si grappavano ai panni per non cadere! Figura la scena: un fantolino monta in groppa al babbo, ma dadietro sgolano che lo deve metter giú, quel figlio d'un cane, e un garzo bisunto dice che mica son spettacoli da puttini, questi.

Fu cosí che soquanti ci si fissò con l'idea di tirar su un ponteggio, ma siccome il legno e le corde sbrisga che si trovavano, s'è deciso di montarlo a furia di ciance, un fracco di ciance, e dal gran che si parlava il ponteggio è diventato una torre, piú alta di Nostra Dama e di quella di Babele.

– Ché torre e torre! – percula uno. – Bastano dei trampoli. Cosa stai ad andare tanto in alto per vedere cogliere una zucca?

E gli aspiranti carpentieri: – Eh, no! Bisogna lasciar lí di pensare a quella zucca come al centro della Francia! Incomincia un mondonuovo, e il posto dei veri repubblicani è invetta alla torre, a risguardare la protagonista di oggi, ovvero la calca pulciosa con tanto di pezze al culo, il popolo famelico e smerdo eppure in piedi, assetato di sangue, enormissimo drago di fremenda bellezza!

Qualcheduno applaude, ché il discorso non gli par punto una brutta tirata, e già un altro salta su a dire che la torre, a costruirla, servirebbe anzi a guardare lontano.

– Mentre qui si fa la festa a Luigino, in Belgio le nostre armate si battono contro il nemico, difendono la rivoluzione, srandellano i cagnacci di altri re, principi e nobilardi, gente che si stirpa i capelli perché in un paese vicino si hanno dei sudditi che non sono piú dei sudditi, e dei re che non sono piú dei re, anzi, che non sono piú e basta.

Soquanti gli si fa notare che il Belgio è bello in là, per poterlo vedere da invetta a una torre in Piazza Rivoluzione, ma quello non sente ragioni, oramai s'è inspirtato.

– Ad averci la torre, – grida, – la si poteva adoperare come attracco per dei palloni erostatici e inviare laggiú degli osservatori volanti, dove i nostri soldati combattono e crepano, cosí la si dava anche a loro la buona notizia che…

– Vàrdalo, ecco il boia! – sgola qualcheduno, e richiama le menti a terra, vicino al selciato.

– Macché, è il sindaco, quello là.

Colli si slungano come polli o giraffi per sbirciare oltre le spalle e le bertocche fitte, piedi si alzano sulle punte come un esercito di ballerine sdozze, e commenti e bestemmie si intrecciano in delle stuoie, che poi ogni tanto spunta una parola, una frase…

– A morte!

– Compermesso…

– Compermesso una sega, stiamo mica entrando a messa.

– Ahi!

– Cosí t'impari a spingere. Chi credi d'essere, il gran mostardiere?

– Ma Luigi quand'è che arriva? Ho le dita gonfie dal freddo mastino.

– Ehi, guardate la mano di lui lí! Pare una poppa di vacca!

– Mica è il freddo. Quella è cancrena.

– Non è vero, varda, muovo le dita!

– Sí, sí, muovi, finché non ti avanzano in tasca…

Ancertopunto sale tutto un brubrú, è arrivata in piazza una novità nuova, vola nelle fiate e tutti se la passano, tipo malocchio o raffreddore.

– Sí, sí, te lo dico io, li han brancati e frollati finché non han tirato gli ultimi.

– Ma quanti erano?

– Boh, dieciventi. Gridavano: «Viva il re!»

– Chi è il figlio d'un cane che ha urlato «Viva il re»?!

– Io, io, ma stavo solo riferendo!

– Io li ho visti, avevano certi spiedi! Se li son magnati vivi con stivali e cappelli. E se qualcuno è ancora in piedi, lo mandano a chiedere l'ora al vasistas diritto filato dopo Luigi, vedrai.

E risate ed evviva, gravi accenti e ghigni, lagrime di rabbia e di gioia. Quel che capitava in Belgio, ai confini con l'impero e sui mari, dipendeva da quel che capitava liggiú, di fronte agli occhi di tutti, sul palco di Madama Ghigliottina.

Poi succede una cosa strana.

Quando spunta la carrozza, si fa un cimitero.

Non un fiato da sopra né da sotto, come ci avessero infilato un tappo in bocca e l'altro in culo. Infino gli ambulanti stanno zitti, e smettono di vendere lupini e ceci al forno.

Da non crederci che tutta 'sta gente qua riesce a fare tanto silenzio. Si sente addirittura il cigolare dello sportello che si apre.

Eccolo lí. Il Capeto. Un omarino grassoccio, con le gambette e un grosso naso. Non meno grosso dei nostri, eh, ma è come lo porta, si capisce, ché a noi la canna ci sta d'ingombro, mentre lui la punta avanti come la prua d'una nave. Allora, manco avessero dato il segnale, la cagnara riprende, e giú insulti, e gridi e starnazzi:

– A morte il re!

– Traditore succhiasangue!

– Baciachiappe degli Austriachi!

– Etciú!

– Salute.

– Grazie, colpa di 'sto freddo bastardo, ci manca solo che per vedere crepare Luigino mi ammalo e ci vado pure io, al camposanto.

Luigi s'era tolto la giacca e solo con la camiciola doveva sentire un bel giazzo, perché era tutto sgrullato dai brividi, che poi chilosà se era il freddo cagnaccio di cui sopra o invece lo scacazzo di morire. Come che fosse, gli han fatto salire le scale, e in cima lo spettava il boia Sanson, che gli ha cavato la cravatta, poi con un paio di forbici gli ha tagliato il codino. Un po' sarto e un po' barbiere, il nostro Sansone, che ti preparava per il ballo con Madamigella Mortazza.

Soquanti là sotto si davan dei pizzicotti:
– È tutto vero?
– Sí, compare, stavolta sí. Alla faccia di chi non c'è e si perderà lo spettacolo.

5.

L'uomo dal costume grigio aprí gli occhi d'improvviso, come se un pensiero fosse giunto dal mondo dei vegli a scuoterlo forte nelle nebbie del sonno e del vino. Si guardò la punta dei piedi, poi risalí tutto il corpo: indossava ancora il costume di Scaramouche. Mosse la testa di lato e vide un ammasso di stoffe e sottane. Colombina dormiva sodo al suo fianco. Le accarezzò i capelli, ricordando la baldoria della notte trascorsa, ma il pensiero che era venuto a prenderlo a calci produsse nella sua mente un'immediata contezza.
– Vacca boia! Il re!
Colombina si svegliò e in un attimo drizzò la schiena.
– Il re? Dove?
Scaramouche sgranò gli occhi insieme a un rosario di bestemmie.
– In piazza!
Colombina lanciò un urlo, balzò fuori dalle coperte e corse alla seggiola dove aveva abbandonato gli abiti normali.
– Via, via! Non abbiamo il tempo, – le gridò Scaramouche afferrandola per un braccio.
– In costume di scena?! – opinò l'attrice, ma intanto infilava una manica del pastrano che le veniva offerto.
Coperti e intabarrati a dovere, i due attraversarono le quinte e la platea vuota, a rotta di collo fino all'uscita del teatro. Sulla strada li congelò per un istante la brezza del mattino

e, non appena ripartirono, Colombina rischiò di scivolare su una pozzanghera ghiacciata. L'uomo in grigio scomodò altri santi, prese per mano la ragazza e si mise a correre, allontanando i passanti con il bastone di scena e gridando di fare largo. I due vennero inseguiti dagli insulti fino allo sbarramento di guardie che chiudeva la piazza. Scaramouche rimbalzò su una barriera di moschetti e si ritrovò col culo per terra. Si rialzò, spazzando il fango dal pastrano.

– Dobbiamo entrare in Piazza Rivoluzione, cittadino!

Il miliziano si succhiò i denti.

– Non ci sta piú manco uno spillo. Se faccio passare te, schiaccio le balle a qualcheduno sotto il palco.

– Ma noi vogliamo assistere.

– Piacerebbe anche a me, cittadino. Invece mi tocca star qua a impedire che la piazza scoppia.

– *Azidänt al diével!* – imprecò Scaramouche nel suo idioma d'origine.

Trascinò via Colombina e cercarono un accesso sguarnito, attraverso le viuzze laterali. Non c'era niente da fare. I soldati bloccavano ogni pertugio, a Parigi non s'era mai visto un dispiegamento di forze tanto imponente.

Colombina tremava.

– Ho freddo, Léo, – disse, perché era quello il vero nome dell'attore. E pure lei, Colombina, ne aveva uno: senza trucco e costume era per tutti Colette. In verità, indossava anche altri nomignoli, vezzeggiativi piú intimi e non proprio convenienti, per lo piú improntati alla sineddoche, una parte del corpo per intenderlo tutto, ovvero la di lei intera persona, corpo e anima. Tuttavia le si doveva volere un gran bene per poterli adoperare. Come gliene voleva Léo, che adesso rabbrividiva accanto a lei, nella bruma di gennaio. Sotto i cappotti, i costumi di scena erano troppo leggeri, tutto cotone sottile per non sudare durante la recita.

– Léo, sto morendo di freddo, – si lagnò ancora Colette corrucciando il visino.

Non aveva bisogno di sentirselo dire, pure lui aveva le chiappe gelate. Cercarono un androne dove ripararsi dal gelo e lí si abbracciarono stretti, massaggiandosi a vicenda le spalle e le braccia per far muovere il sangue.

Mentre massaggiava, Léo pensava che tutta la maledetta Parigi era lí ad assistere al grande spettacolo, di cui si sarebbe parlato per secoli, e lui non aveva un posto nemmeno in loggione.

Strane reazioni provocano negli esseri umani certe inattese circostanze, come quella che colse Léo e Colette in quel riparo fortuito. Il gelo, la rabbia e tutto quel soffregare si combinarono in una miscela esplosiva e di lí a poco le mani, riscaldate dall'attrito, cominciarono ad aprirsi un varco sotto i vestiti, non troppo largo da lasciar passare il freddo, né troppo stretto da concedere accesso soltanto a un dito. Il resto lo fecero l'impulso naturale e la spinta dei fianchi.

6.

Da dove stava, Marie Nozière vedeva una figuretta tonda, traballante sulle gambe secche e storte. Tra loro una distesa di cuffie, cappelli e berretti frigi, da sotto i quali sbuffava il fiato del popolo di Parigi. Marie aveva già visto il re, da piú vicino, quando aveva partecipato alla marcia su Versailles, l'anno della presa della Bastiglia. Lo aveva visto affacciato al balcone della reggia, insieme alla regina e a Lafayette. Un giorno e una notte sotto la pioggia si era dovute stare perché quei tre si mostrassero al popolo. La sua amica Annette s'era beccata la polmonite e quasi aveva reso l'anima al Creatore.

L'idea di marciare su Versailles per costringere il re a traslocare a Parigi, piú vicino al popolo e all'assemblea nazionale, l'avevano avuta le donne, anche se adesso qualcuno fingeva di non ricordarselo, e invitava il gentil sesso a starsene a casa, ché la decapitazione di un re non è spettacolo da femmine. Col zullo! Quel giorno di tre anni prima, le donne avevano alzato sulle picche le teste delle guardie, per far capire che Parigi non scherzava. Chi l'avrebbe detto che si sarebbero ritrovate in quella piazza ad attendere che rotolasse la testa del re. Se solo si fosse accontentato di restare a Parigi, invece di provare a svignarsela alla chetichella, per cercare asilo da qualche parente austriaco della regina...

Uno strattone alla sottana la costrinse a guardare in basso.

– Mamma, non vedo! Tirami su!

Marie sbuffò.

– Pesi troppo.

– Ma non vedo! – si lagnò il ragazzino.

Un mucchietto d'ossa, pelle e muscoli acerbi sotto i vestiti troppo larghi. Eppure le arrivava già alle spalle. Questo le dava la misura del tempo passato da quando il fantolino le era sgusciato fuori dal ventre.

– Voglio vederlo.

Lei gli tappò la bocca con la mano e si alzò sulle punte degli zoccoli, allungando il collo. Il re stava dicendo qualcosa. Altroché, stava parlando alla folla. A Marie parve che tutti drizzassero le orecchie per afferrare quelle ultime parole e lo stesso fece lei. Udí la parola «accusa». Udí la parola «Francia». Ma il boia Sanson e i suoi aiutanti strattonarono il re verso la panca e lo distesero per il lungo.

– Che ha detto? – chiese Marie a quelli piú avanti.

Una cuffia ruotò. Sotto la cuffia, una donna né giovane né vecchia.

– Che non s'è pentito, maledice chi lo scanna e il suo sangue schizzerà su di noi.

– Fin qua non credo, – aggiunse un gecco poche teste piú in là.

– Avete i tarli nelle urecchie? – sibilò un altro. – Ha detto sono innocente, il mio è il sangue della Francia…

– Silenzio! Il re ha detto che ci perdona tutti, altroché! – sentenziò un terzo.

Perdono o no, il collo del re era ormai nel buco.

Marie sentí di nuovo tirare la sottana.

– Prendimi su, prendimi su!

Il ragazzino fece per arrampicarsi. Lei gli mollò uno scappellotto.

7.

L'ansimo dei due amanti attirò un inquilino del caseggiato. Difficile dire se, quando si avvicinò ai fornicatori agitando un pugno sulla testa, lo fece per eccitazione, buon costume, o scandalo per una simile attività in una tanto solenne occasione. Nel primo caso si sarebbe trattato di un invidioso, nel secondo di un bacchettone, nel terzo di un monarchico.

Léo, prossimo al parossismo, ritenne odiosa ognuna delle tre ipotesi e, senza smettere di rimbalzare contro il ventre di Colette, impedí al figuro d'avvicinarsi puntandogli al petto la mazza di Scaramouche.

– Alla larga, o vi percuoto come un cane!

Il tizio fece tre passi indietro e con uno strascico di borbottii lamentosi andò a rintanarsi nell'ombra del proprio uscio.

Il grido di piacere di Colette fu coperto da una bordata piú forte di una salva di cannone. Il popolo nella piazza eruttava

la propria gioia. Léo non volle essere da meno e accompagnò
il proprio orgasmo, con quanto fiato aveva.

– Viva la Repubblica!

8.

Non un fiato mentre la mano di Sanson smolla la fune
e... *Tump*. Un bel suono secco, da far rinculare la testa nelle spalle, come si fosse tartarughi. È stato un attimo, poi un
boato e un zullo di cappelli in aria, e soquanti l'han perso
nella calca, ma chissene, quello era il giorno! Un miliziano
della guardia nazionale ha tirato su la zucca di Luigi e ce l'ha
fatta vedere che spioveva. Qualcheduno delle prime file si è
slerciato, e capace che si è tenuto le petacche e le terrà finché campa, ci va in giro come fossero medaglie. Sanson ha
gettato nella calca il regale paltò e subito l'han fatto a stracci, sbrandellato, ché tutti si voleva una reliquia, un cicinino
di stoffa dell'ultimo re di Francia. Mica era rimpianto per
la monarchia, tutto l'incontrario; era la fotta di dire: «C'ero
anch'io. C'ero, quando per una volta, una buona volta, UNA
SACROSANTA SMERDISSIMA VOLTA, la mannara era in mano al
popolo e il re stava sotto!»

Volavano dei coriandoli, coriandoli di storia, per noialtri
era quello il carnevale, e soquanti si son messi a cantare, anzi, soquante: un crocchio di femmine, con delle voci strille
che subito si son tirate dietro tutti, tutti noi che non si avrà
mai bastante parole per contare a chi non c'era la bellezza
di quel momento, eppure te lo si sta già contando, son queste le parole che abbiamo.

Figurala come riesci: tutta una piazza, piena sgionfa fino
a schioppare, che sgola *La Marsigliese*! C'è chi piange e chi è

preso dalla ridarola, e infino i muti cantano, cioè muovono la
bocca senza che si sente un cazzo, e anche i ciechi zullano in
aria i cappelli, e sbrisga che dopo li ritrovano, roba da andarsene a crapa ignuda, ma chissene, questo è il giorno. Il giorno
di noialtri. Oggi viene al mondo la Repubblica, ma davvero.

E dopo?

Adesso te lo si conta, com'è che andò dopo. Non come
son buoni tutti, ma come si è buoni noi.

9.

– Allora, come vi sentite? Ne traete beneficio?

– Sí, dottore. Ora respiro meglio, – sentenziò la donna con
gli occhi chiusi nel tono di voce tipico del sonno magnetico.

Bene, pensò D'Amblanc con le mani distese, a un palmo
dai capelli castani della signora Girard, il naso immerso nel
loro profumo. Gelsomino, decise, mentre ancora una volta
se ne riempiva le narici.

– Quanto volete rimanere in questo stato?

– Trenta minuti, – dichiarò la signora.

D'Amblanc rimase sorpreso.

– È il doppio delle altre volte. Posso domandarvi come
mai?

– Perché oggi siete distratto e l'effetto è minore. La vostra mente è lontana da qui.

– Avete ragione, – ammise D'Amblanc, sforzandosi di
scacciare dalla testa l'eco dei tamburi che saliva dalla strada. – Cercherò di far meglio.

Chiuse gli occhi anche lui, per aiutare la concentrazione.

– Avrò bisogno lo stesso di trenta minuti, – ribadí lei,
– ma non alla solita maniera.

– Che intendete dire?

– Penso che mi farebbe bene un massaggio.

D'Amblanc deglutí a fatica.

La terapia del sonnambulismo, cosí come l'aveva imparata, prevedeva che le mani restassero ferme in un punto preciso, o tutt'al piú che si muovessero intorno al corpo del paziente, a una distanza di tre-quattro dita. La stessa terapia, però, imponeva al medico di seguire alla lettera le indicazioni del sonnambulo, poiché egli, in quello stato, conosceva meglio di chiunque altro il proprio malessere e i rimedi per alleviarlo. Se il sonnambulo fissava giorno e ora della seduta, il magnetista doveva presentarsi puntuale. Se il sonnambulo suggeriva una cura, il magnetista doveva assecondarlo.

– D'accordo, – rispose infine. Appoggiò le mani sulle spalle della donna e prese a muoverle in modo ritmico.

– Dovrò continuare cosí per trenta minuti? – domandò per ingannare l'eccitazione.

– Credo che sarebbe meglio concentrarsi sulla sede della malattia, – rispose la sonnambula. – E poiché il mio è un problema di asma…

Le mani del dottore si bloccarono di colpo.

– Credo sarebbe meglio concentrarsi qui, – continuò la donna toccandosi il diaframma, – e qui dietro, nel punto corrispondente della schiena.

D'Amblanc sentí il cuore battere piú forte e, mentre seguiva le indicazioni appena ricevute, si interrogò sulla natura di certe richieste da parte di una donna sposata. Quelle carezze erano *davvero* utili contro l'asma? O magari curavano *un altro* malessere della donna? E non poteva darsi che fossero l'avverarsi di un desiderio del terapeuta, trasmesso alla paziente attraverso il flusso magnetico? Franz Anton Mesmer, il padre del magnetismo, era stato spesso accusato di manipolare le sue pazienti.

Attraverso i vetri della finestra, giunse l'eco di un boato lontano.

– Mio Dio! – esclamò la donna, uscendo di colpo dal sonno magnetico. Si voltò verso il dottore e D'Amblanc si scoprí nella posizione di uno spasimante che cinge la vita dell'amata. Ritirò le mani, rosso d'imbarazzo. La signora Girard chiuse gli occhi, la fronte le si imperlò di sudore e prese ad ansimare, col fiato di nuovo corto.

D'Amblanc ordinò alla domestica di aprire la finestra per fare entrare un po' d'aria. Sfregò le mani tra loro, quindi ne posò una sulla fronte della signora e l'altra sulla schiena. In pochi secondi il respiro tornò regolare.

– È passato? – chiese lui dopo qualche istante.

– Sí. È passato.

Cécile Girard riaprí gli occhi, che erano di un verde primaverile, e a D'Amblanc parve di notarli per la prima volta.

– Dio abbia pietà di noi, – mormorò la donna. Poi aggiunse: – Viva la Francia.

– Viva, – disse il dottore.

10.

Lontano dalla piazza, l'uomo in nero e il barone udirono il grido belluino della plebe e seppero che l'irreparabile era compiuto. Rintanati in una soffitta, immersi nel buio tagliato solo dalla luce grigiastra che filtrava da una finestrella, si fecero il segno della croce.

– Preghiamo per l'anima di sua maestà, – disse il barone.

Si inginocchiarono e abbassarono il capo sulle mani giunte, mormorando un requiem. Quando ebbero finito, Nero si affacciò dalla finestrella e sbirciò i tetti di Parigi. In lontananza risuonava sconcia *La Marsigliese*.

Fino a quel momento la loro fuga era stata fortunata, ma non potevano trattenersi a lungo.

– Mio signore, dovete lasciare la città al piú presto. Se il piano è stato scoperto sospetteranno di voi.

– Non hanno alcun indizio, – rispose l'altro.

– Non potete rischiare, – insistette Nero. – Dovete andarvene.

Il barone socchiuse le palpebre.

– Non avete dunque intenzione di seguirmi. Perché? Nero rispose senza esitazione.

– Perché uno deve rimanere. Ho ancora dei contatti in città. Posso raccogliere informazioni e spiare quello che accade.

L'altro annuí.

– Vi cercheranno. Non vi daranno quartiere.

– Troverò un luogo dove nascondermi. Da lí attenderò il momento opportuno per agire.

Dalla finestra provenivano flebili le ultime strofe della canzone.

– Dopo quest'oggi potrebbe volerci molto tempo, – disse il barone.

Nero lo sapeva. Sapeva a cosa andava incontro e l'idea di affrontare quella prova disperata lo esaltava invece di spaventarlo. Ma era ben consapevole di non potersi crogiolare in quello stato d'animo. Avrebbe avuto bisogno di tutta la freddezza e la lucidità possibili.

– La fretta ci è nemica. Dobbiamo sapere aspettare –. Fece un mezzo inchino. – Se non dovessimo rivederci… È stato un onore, mio signore.

I due si strinsero la mano.

– L'onore è stato mio. Dio vi protegga, cavaliere.

Non aggiunsero altro. Il barone guadagnò l'uscita e l'altro sentí i passi cigolare giú per le scale. Poi silenzio. Niente rumori, niente canti. Ma la canaglia là fuori, e lontano

nella piazza, avrebbe festeggiato con ferina sguaiatezza, ne
era certo. Per tutto il giorno e la notte seguente avrebbero
trincato, biascicato cibo e canzonacce, copulato e concepito
figli. E certo avrebbero riempito le strade di Parigi coi loro
nasi mostruosi e deformi.

Attese ancora qualche minuto, per dare al barone il tempo
di allontanarsi. Quindi scese per le stesse scale e si mescolò
alla gente. Colse brandelli di una conversazione tra bifolchi
in berretto frigio:

– L'avete sentito, il Capeto? Ci ha maledetti tutti quanti.

– Sbrisga. Ci ha perdonati come Gesucristincroce.

– Io ero sotto il palco, varda qua gli schizzi! Ha detto che
finiremo tutti scannati!

Nero pensò che Luigi avrebbe dovuto pensarci quando
era ancora vivo. Un sovrano privo di nerbo è la rovina dello stato.

Dovevano cambiare molte cose, perché il passato avesse
un futuro.

II.

Marie Nozière camminava con il figlio per mano. Se lo
tirava dietro: voleva star certa che la seguisse a casa e non si
perdesse apposta in mezzo alla gente per fare il vagabondo
tutto il giorno. Intorno a loro qualcuno andava di lungo a
lanciare in aria il cappello, altri scambiavano baci e abbracci.
Molti si accalcavano nelle taverne, le mescite di vino erano
piene. Chi vendeva felicità in fiaschi e bottiglie faceva otti-
mi affari, pensò Marie. Nei vicoli c'era gente che svuotava
la vescica messa a dura prova dal gelo, dalla birra e dal vino:
uomini in piedi contro i muri pisciavano a fiotti, e donne
accovacciate facevano rivoli da sotto le gonne.

Il ragazzino ridacchiò e guadagnò un altro scapaccione.

Sull'uscio di casa c'era già un capannello di cuffie, sottane e coccarde.

– Ecco Marie!

L'allegria delle donne fu un abbraccio brusco e caldo nel gelo del giorno.

– Te l'hai visto bene?

– Macché… – rispose Marie. – Piccolo piccolo.

– Sophie s'è macchiata lo scialle.

Una di loro mostrò il tessuto come fosse uno stendardo. Un'altra diede di gomito a Marie.

– Dovevi sentire cos'ha promesso a Sanson se le mollava il codino del re…

– Sí, un pezzo del re per un pezzo del boia. E che gran pezzo! – sghignazzò un'altra.

Marie lanciò loro un'occhiataccia.

– Non dite 'ste cose davanti al garzo, merda!

Rifilò uno schiaffo al figlio, come fosse colpa sua. Quello provò a protestare, ma temette che la madre gliene mollasse un altro, e preferí starsi zitto.

– Invece le tue belle parole le può sentire, madama? – la sfotterono le altre.

– Comunque bisogna festeggiare.

– Bisogna.

– Porca merda se bisogna.

D'un tratto si zittirono, riconoscendo il tizio che si avvicinava.

– Attente, ronza la cagnaccia, – disse piano una.

– Chete, – intimò Marie. – Questo lo conosco, non morde.

L'amica scrollò le spalle: – Te mi sa che ti assaggerebbe volentieri…

Marie la ignorò.

– Cosa cerchi, Treignac?

L'uomo fu trafitto dagli occhiacci delle donne. Lo chiamavano Treignac, come il villaggio della Corresa dov'era nato. In realtà si chiamava Passounaud, ma non lo sapeva quasi nessuno. Lui stesso si presentava a tutti come Treignac. Rispose con un'altra domanda:

– Eri in piazza?

– No, a farmi il bagno nella Senna. E te? Sei venuto per ingabbiarci?

– No, be'… – disse quello grattandosi la testa. – Pensavo che si poteva brindare.

Tirò fuori da sotto il pastrano un fiasco di vino e sulla faccia gli si aprí un mezzo sorriso.

Marie fece un gesto per indicare le compagne.

– Che aspettiamo? Brindiamo.

Treignac la guardò deluso, ma lei gli tolse il fiasco dalle mani.

– Viva la Repubblica! – disse. Diede un sorso e lo passò alle altre. Il fiasco fece il giro di mani e bocche, un «Viva!» a ogni gollata, fino a tornare, quasi vuoto, al punto di partenza.

Bevve anche Treignac. Marie indicò il ragazzino.

– Il mio Bastien non lo fai bere?

Quando anche il garzo ebbe avuto il suo sorso, Marie invitò le amiche in casa.

– Te aspetta qui, vé, – ordinò al figlio. – Quando esco voglio trovarti, altrimenti te le suono.

Detto questo girò la chiave nella toppa ed entrò, seguita dalle altre, che lanciarono sorrisetti e battute a mezza voce all'indirizzo di Treignac. La porta fu richiusa.

L'uomo sospirò e scompigliò i capelli del ragazzo.

– Di' un po', l'hai vista la testa?

Quello tirò su col naso.

– Nossignore, – disse. – Stavo troppo sotto.

L'uomo strinse un occhio e si chinò in avanti.

– Sanson è un mio compare, – mormorò con aria complice mentre prendeva di tasca un pezzetto di stoffa sfilaccia-
to. – Mi ha tenuto da parte un brandello della giacca del re.
Prendilo, è tuo.

Il ragazzo rimase incantato a osservare la reliquia. Poi allungò una mano arrossata dal freddo e agguantò il cimelio.
Treignac fece per andarsene, ma Bastien lo trattenne per il
pastrano.

– Prendimi con te, Treignac!

– A fare che?

– A pescare gli amici del re. Conosco tutte le muste di
Sant'Antonio, ce le ho stampate qui –. Si batté la fronte.
– Nessuno mi bada e io bado a tutti.

Treignac sogghignò.

– Hai anche una bella lingua… – sembrò valutare i pochi chili d'ossa e carne che aveva davanti. – E il moccio al
naso –. Infine aggiunse: – Fatti trovare qui quando ripasso
e ne parliamo.

Ciò detto, se ne andò per dov'era venuto.

Il ragazzo sedette sul gradino e prese a rigirare tra le mani
il frammento di stoffa regale. Quello sí che sarebbe durato.
Piú di una macchia di sangue sullo scialle. Anche piú di una
ciocca di capelli.

Atto primo

Zucchero e libertà

CONVENZIONE NAZIONALE
Presidenza di Rabaut de Saint-Étienne
Estratto dalla seduta di giovedí, 7 febbraio 1793
(anno II della Repubblica francese)

CHÉNIER, a nome del comitato d'istruzione pubblica:

È per orgoglio che i re incoraggiano le lettere; le nazioni libere devono invece sostenerle per spirito di riconoscenza, di giustizia e di sana politica. Non sono qui per dare a questa verità uno sviluppo utile ai Francesi o ai legislatori; ma, in risposta a una petizione inviata al vostro comitato d'istruzione pubblica, io vengo, in suo nome, a interessare la gloria nazionale alla sorte di un vecchio straniero, di un letterato illustre, che da trent'anni considera la Francia come la sua patria, e il cui talento ha conquistato la stima dell'Europa.

Goldoni, autore saggio e moralista, che Voltaire ha definito «il Molière italiano», chiamato a Parigi nel 1762, dall'antico governo. Egli godeva, dopo il 1768, di un trattamento annuale di quattromila lire. Dal mese di luglio scorso, però, egli non ha ricevuto piú nulla; e cosí uno dei vostri decreti ha ridotto all'indigenza questo vegliardo ottuagenario che, con scritti eccellenti, ha molto meritato dalla Francia e dall'Italia. All'età di ottantasei anni, non avendo piú altra risorsa che il buon cuore di un nipote, il quale divide con lui gli scarsi guadagni di un duro lavoro, egli va verso la tomba tra le malattie e la miseria, ma benedicendo il cielo di morire cittadino francese e repubblicano.

Voi condividerete, cittadini, l'emozione che ha provato il vostro comitato d'istruzione pubblica.

Se voi siete costretti, qualche volta, a esercitare il rigore in nome della nazione francese, sentite anche il bisogno di essere i rappresentanti della generosità. Voi porgerete una mano soccorrevole a ciò che vi è di piú sacro sulla terra: la virtú, il genio, la vecchiaia e la sorte avversa; voi non chiederete di aggiornarvi, perché la natura non si aggiorna, e tra qualche giorno la vostra beneficenza arriverebbe forse troppo tardi.

Vi propongo pertanto il seguente progetto di decreto:

La Convenzione nazionale, dopo aver ascoltato il suo comitato d'istruzione pubblica, decreta quanto segue:

Art. 1. Il trattamento annuale di quattromila lire, accordato a Goldoni nel 1768, gli verrà pagato d'ora in avanti dalla tesoreria nazionale.

Art. 2. Ciò che gli è dovuto di tale trattamento, dopo il mese di luglio scorso, gli verrà pagato all'impronta, in base alle sue richieste.

La Convenzione adotta questo progetto di decreto e ordina l'iscrizione del rapporto nel «Bollettino».

I rovesci della sorte

6-7-8 febbraio 1793

I.

– Ma è piú bella l'avventura, senza ieri né domani, tutto il mondo fra le mani, per fermarsi o per andar!

Scaramouche terminò la sua tirata con le braccia al cielo e Léo Modonnet, l'attore che lo impersonava, sparí dietro le quinte in uno scrosciare di applausi.

Il teatro era pieno, tutto esaurito per la terza sera di fila. Nulla di strano, pensò Léo, quando si diffonde la voce che su un palcoscenico minore, tra molti bravi gregari, si esibisce anche un cavallo di razza, uno che dovrebbe stare alla *Commedia francese*, e per vederlo dovresti metterti in coda e pagare fior di quattrini.

I colleghi, tuttavia, non lo accolsero come si aspettava. Sui volti, al posto della giusta riconoscenza o dell'ammirazione, lesse piuttosto tristezza, scoramento, e si chiese se non fossero cosí abbattuti per l'ulteriore conferma di quale voragine di talento si stendesse fra lui e loro.

Domandò lumi a Colette: almeno lei doveva essere orgogliosa della prova del suo uomo.

– È morto Goldoni, – gli rispose la donna senza alzare gli occhi.

– *Carlo* Goldoni? – la incalzò Léo, piú per darsi il tempo di concepire l'accaduto che per un implausibile dubbio sull'identità del defunto.

– Ce lo ha detto Hugo, pochi attimi dopo che sei andato in scena.

– Dovevate fermarmi! – si inalberò Léo. – Come si può recitare in un momento simile?

Scrollò il capo, incredulo. Le labbra ripeterono sottovoce, un paio di volte, il nome del maestro. I ricordi fecero pressione in testa: Bologna, Villa Albergati… Ricordi di bambino, storie troppo lontane, ma arricchite e favoleggiate nel corso del tempo, grazie ai racconti dei piú grandi. Se n'era parlato a lungo di quella visita, l'ultima dell'avvocato Goldoni nella tenuta del marchese. Il maestro era sulla via di Parigi, ma si era fermato a Bologna un mese, trascorso in gran parte a letto per colpa di un fastidioso e cocciuto reuma.

L'attore lo aveva rivisto a Parigi molti anni dopo. Goldoni era anziano e cieco da un occhio, eppure sempre saggio e brillante, sempre…

Léo si scosse e fece segno di aprire il sipario. L'attacco del secondo atto spettava di nuovo a lui e il pubblico lo accolse con entusiasmo, ma egli levò in alto le braccia e agitò le mani come per dire: «No, no, aspettate». Quando il silenzio calò sulla platea, riempí d'aria il petto e disse:

– Cittadini, mi giunge ora notizia che poco fa, mentre qui si recitava e si rideva, un uomo nobile moriva in solitudine e povertà, nella sua casa di Parigi: il grande Carlo Goldoni, il Molière italiano, la cui dipartita ci lascia orfani del suo genio…

Al nome di Goldoni, un brusio montò dalla platea, ma Léo non si lasciò distrarre:

– Un maestro, un re tra i suoi pari, che aveva patito i rovesci della sorte, privato della pensione e spesso incompreso.

Il brusio si trasformò in uno scambio plurimo di ingiurie, la platea parve dividersi in due fazioni, qualcuno già si accapigliava. Léo esitò, perse per un attimo il filo dell'improvvisazione, quindi riprese con impeto rinnovato:

– Quando un uomo simile a un sole declina e scompare, chi rimane nel buio ha il dovere di onorarlo. Noi, sudditi suoi nel reame dell'arte...

Una sedia volante andò in pezzi sul palco. Léo fissò il punto dov'era atterrata e, vista la distanza, giudicò che non fosse diretta contro di lui. Nondimeno, giudicò pure che fosse arrivato il momento di andarsene.

– Noi, dicevo, continueremo a recitare in suo onore. Ma non stasera. No. Adesso è il momento del lutto e del raccoglimento. Cittadini, la rappresentazione finisce qui.

Mentre usciva, insieme ad altri oggetti che non si prese la briga di identificare, volarono anche parecchi insulti. Paradossalmente, erano proprio gli inviti alla calma a essere pronunciati nella maniera piú stentorea e cattiva.

Dietro le quinte, Léo pensò che il parapiglia fosse nato perché il pubblico, anche di fronte a un lutto cosí grave, desiderava lo stesso vederlo recitare, in quel ruolo di cui tutti parlavano, e non sentirlo improvvisare un epitaffio.

Il capocomico gli corse incontro agitando i pugni:

– Che ti è saltato in testa? Sei ammattito? Vorranno indietro il prezzo del biglietto! Cinquanta soldi per almeno cento persone! L'impresario ci farà causa.

– È morto Goldoni, – rispose Léo. – E io stasera non recito piú.

Le facce dei colleghi trasudavano approvazione.

Léo capí: ci si attendeva da lui un gesto risolutivo, una parola d'ordine.

– Andremo tutti quanti alla casa del maestro, – propose, – per rendergli l'omaggio che merita.

Le voci che si levarono tutt'intorno gli diedero conferma di aver interpretato al meglio il desiderio dei suoi sodali.

– Un gesto doveroso.

– Giustissimo.

– Iniziativa encomiabile.

– Un faro s'è spento.

E cosí antifonando, come un sol uomo, schizzarono in strada dall'uscita sul retropalco.

Fino a via Santo Salvatore era una bella camminata, ma Léo non accusava stanchezza alcuna. E dire che nella giornata aveva mangiato poco e male, ma ora procedeva in fretta, alla testa dei colleghi, un manipolo in abiti eccentrici, coccarde tricolori bene in vista, per le strade di una città gelida e con poca voglia di dormire.

Colette si sforzava di seguirne il passo, di stargli a fianco, anche se questo voleva dire cambiar spesso andatura, i lembi della gonna tenuti sollevati dalle mani.

– Dove giriamo ora?

– Non ricordo bene, Léo. Direi di svoltare a destra e poi dovremmo essere arrivati.

Preso da una ridda di pensieri, Léo svoltò dove indicato. Mentre tutti camminavano in fretta, le braccia a seguire l'alternarsi dei passi, Léo procedeva a capo chino, le mani allacciate dietro la schiena, il che gli conferiva un'aria di preoccupata autorità.

– Eccoci, – trillò Colette. – Santo Salvatore dev'essere la prossima.

Sotto le finestre di casa Goldoni, il gruppetto sostò in silenzio per qualche istante, i visi all'insú, come se da sopra potesse scendere un alito, uno spirito, una voce. Attraverso uno dei vetri, s'intravedeva soltanto una luce flebile. Qualcuno vegliava.

Dal centro del gruppo, a rompere il silenzio, venne fuori un tono baritonale.

– E ora che siamo qui che facciamo, Léo?

L'interpellato avvampò.

– Che facciamo? Ci raccogliamo, meditiamo sulle sorti umane e della nostra arte. La prima cosa è doverosa nel caso di ogni dipartita, e la seconda, la seconda… – Léo parve trattenere a stento uno scoppio di pianto, portandosi la mano destra alla fronte. Dopo un lungo sospiro proseguí. – Qualcuno… – Léo si guardò intorno. – Qualcuno terrà un discorso funebre.

Le voci di risposta si sovrapposero.

– A te il discorso, Léo.

– Un altro? Ma non s'era già udito poco fa?

E la voce baritonale: – Non sei piú sul palco, Léo.

Con consumata abilità, Léo destinò agli interlocutori tre distinte occhiate: ringraziamento, lieve compatimento, compatimento pieno.

Guardò di nuovo in alto e Colette si accorse che la commozione era vera. Per certo, una lacrima scendeva sulla guancia.

– Avanti, Léo, andiamocene, – disse la voce baritonale, – ci siamo fatti notare anche troppo. Non hai visto prima che è successo?

– Ho visto, sí, Saint-Jacques, per questo vi ho messo fretta. Eravamo tutti d'accordo, o no? Mi sembra di ricordare una voce che diceva: «Sí, certo, è doveroso, un gesto dovuto», e un'altra lamentarsi che s'era spento un faro, una luce, una luce posta in cima a un faro, il Colosso di Rodi… E non ero io, Saint-Jacques.

– Ha ragione, Saint-Jacques, se siamo qui un motivo c'è, e non è contro la legge rendere omaggio a un grand'uomo.

– Un uomo nobile, senza pari.

Léo annuí. Cercò nella tasca del pastrano, frugò in maniera sempre piú concitata, poi si fermò, come un meccanismo che avesse esaurito la carica.

– Il libro, – mormorò.

– Che libro, Léo?

– Come, che libro? Le *Memorie* del Goldoni. Ho lasciato il volume in teatro. Tocca tornare indietro.

– Le *Memorie*? Ma sono parecchi volumi in quarto.

Léo impallidí alla luce del lampione.

– Ne posseggo solo il secondo tomo. Quello piú importante.

– Ah, be'. Comunque siamo stanchi, e il nostro dico che l'abbiamo fatto. Il gesto di reverenza e omaggio, dico.

I due si guardarono in silenzio. L'ultimo che aveva parlato aggiunse, in tono diplomatico: – Improvvisa, no?

– No, amici e colleghi, no. Meglio leggere parole scritte dal maestro, parole in grado di ispirarci e guidarci. Le mie non sarebbero mai all'altezza.

– Torna tu, corri, – Colette fece un gesto con la mano, come a spingerlo. – Noi attendiamo qui sotto.

Si accese una piccola rivolta.

– Come, attendiamo? Al freddo? Di notte?

– Attendi tu, se ci tieni. Fa troppo ghiaccio.

– Animo, Léo, improvvisa. Come prima. Sarà un grande discorso.

– Sí. E sbrighiamoci.

Per tutta risposta, Léo girò sui tacchi e si avviò in fretta lungo la strada appena percorsa. Non fece che pochi passi quando una voce lo bloccò.

– Fermatevi, cittadino. E anche voi, fermi tutti.

La cagnaccia. In forze. Riconobbe un tizio che in teatro era in prima fila. L'uomo lo indicava a dito parlottando a bassa voce con il capo della sbirraglia.

– Cittadini, siete tutti in arresto per turbamento dell'ordine pubblico.

Due sbirri lo raggiunsero e gli bloccarono le braccia, ognuno su un lato. Il capo gli si parò innanzi, un caio dalle ossa grosse e i lineamenti volgari.

– Siete voi Léo Modonnet, l'attore?

– Sí, sono io. Ma non ho fatto nulla.

– Con le mani forse no, ma con la bocca avete fatto eccome. Ci abbiamo messo del bello e del buono a sedare il parapiglia.

Léo guardò con disprezzo l'uomo che li aveva guidati fino a loro, quello che stava nelle prime file a teatro. Il capocagnaccia proseguí.

– Dunque, muoviamoci. O con le buone o con i ferri ai polsi, a voi la scelta.

2.

L'interno dello stanzone principale della casa d'arresto era affollato. Gli attori della compagnia trovarono una sistemazione: c'erano panconi di legno e vecchie sedie, e un grande specchio su una parete. Una volta doveva essere stata la dimora di un nobile e adesso era ridotta a galera. O meglio, non proprio a galera: era un luogo dove tenere quelli in attesa di giudizio. Si divisero a gruppetti, interrogando con lo sguardo gli altri detenuti senza ricevere come risposta altro che vuote occhiate. Léo si ritrovò solo, nel senso di isolato, per quanto fosse possibile in quel posto fitto d'umanità.

L'area delle donne era separata da un cordone simile alla gomena di una nave e da alcuni sgherri che non uscivano mai, nemmeno loro, dallo stanzone. Solo che loro avevano turni, pensò Léo. Cercò gli occhi di Colette. Li incontrò, ma quelli si negarono dopo un istante di contatto. Colette girò la faccia e Léo reagí con disappunto. Fu tentato di chiamarla a gran voce, poi pensò che era inutile peggiorare la situazione: prometteva di peggiorare da sola. Tanto valeva adattarsi a quella gattabuia. Si allungò sulla panca che lo sgherro gli aveva assegnato e la sentí dura, forse mal piallata, visto che il legno faceva nodi proprio sotto il coccige. Si spostò, si sistemò, trovò requie. Lo sguardo si perse sull'alto soffitto a botte, ma l'udito era vigile e coglieva parole, mozziconi di frasi, e alcune lo riguardavano. Un collega si era lanciato in una tirata a mezza voce di cui capí distintamente poche parole: «Coglione», «Italiani», «Strafare», «Eccoci qui».

La notte passò, l'aria si fece greve dell'odore dei corpi, si respirava male, le finestre erano sbarrate da assi di legno. Alla fine di un vago dormiveglia Léo si ritrovò di fronte il volto di uno degli sbirri che lo scrollava senza tanti complimenti e gli urlava di mettersi in piedi, sangueddío, che dovevano interrogarlo. Si alzò, fece cenno di pazientare un istante e camminò a larghi passi verso lo specchio. Gli sgherri lo raggiunsero, gli confermarono che sí, era abbastanza bello per affrontare Nogaret.

3.

– Prima di tutto alcune discrepanze, cittadino. Dalla carta civica risultate nato a Boulogne, da altri documenti risultate nato a Bologna. Il che mi pare piú probabile, dato che vi chiamate Leonida Modonesi, noto come Léo Modonnet. Ditemi dunque: Boulogne sul passo di Calais, Boulogne in Vandea o Bologna in Italia?

– Sono nato a Bologna.

Il funzionario registrò il dato senza mutare espressione.

– Siete voi una spia del papa?

– Un spia del papa? No, sono un attore, e di una certa notorietà, non mi sono mai occupato...

– ... che dell'arte, – finí la frase il funzionario. – Quello che hanno risposto tutti gli altri. Che vi dipingono come un esaltato e scaricano su di voi ogni responsabilità del tafferuglio scoppiato in teatro.

Léo sospirò. Era il momento di mostrarsi per quel che era: fondamentalmente non un pavido.

– Voi vi riferite al discorso in morte del cittadino Goldoni. Sí, è stata una mia iniziativa, ma del tutto estemporanea, all'improvvisa, vecchio stile. La notizia ci è giunta durante la rappresentazione e io ho pensato bene... Ma non si tratta d'altro che di questo, cittadino: un compianto per la fine di un uomo nobile.

Nogaret elargí un sorriso amaro. Aveva una faccia triste, notò Léo, solcata da due rughe ai lati della bocca che lo facevano assomigliare a un cagnone.

– Ecco cosa implica l'occuparsi solo dell'arte, cittadino Modonnet. Sfuggono le implicazioni di ciò che si fa e si dice sul palco o sui banchi, per strada e nella vita. Il vostro ambiguo discorso ha eccitato gli animi e ha causato turbamento all'ordine repubblicano –. Consultò il rapporto che teneva sul tavolo. – Tutta l'enfasi sull'*uomo nobile... Un re tra i suoi pari... Un uomo simile a un sole... Noi sudditi...* Ebbene, è parsa a molti una chiara allusione alla caduta della monarchia. Il potere rivoluzionario rispetta la libertà d'opinione, ma attenzione a quel che si dice: se io vi trovassi colpevole di propaganda monarchica ne andrebbe della vostra libertà, se non della vita.

Léo rinunciò a rimarcare di non aver mai pronunciato la parola «Arte». Siccome l'aveva pensata, non poteva negarlo, credette giusto e utile proseguire su un registro sicuro.

– Colpevole non mi ritengo né sono, cittadino. Sono fedele alla Repubblica e ho gioito per la morte del tiranno.

Per un istante tornò alla gioia condivisa con Colette la mattina che avevano decapitato il Capeto, ma scacciò il ricordo, non era il momento adatto.

– Se acconsentite, vi racconterò i motivi profondi del discorso che ho tenuto e che hanno le loro premesse nella storia della mia vita.

Nogaret fece una smorfia. – Acconsento per quanto attiene le motivazioni del discorso, non certo per quanto riguarda la storia della vita. Non dico che mi manchi la voglia, ma il tempo certamente.

– Qualche ragguaglio dovrò ben fornirlo, – disse Léo, – altrimenti non si capirebbe il perché del discorso... Le motivazioni sentimentali, intendo dire. Vi basterà sapere che io conobbi Goldoni in tenerissima età (mia, non sua). Cadde malato quand'era ospite nella magione del marchese Albergati, suo buon amico, nella mia città. Io sono figlio d'arte, mio padre era il capocomico della compagnia che risiedeva presso il teatro nella villa del marchese, e cosí...

Il funzionario alzò una mano.

– Al dunque, cittadino Modonnet. Le ragioni sentimentali, per usare le vostre parole, del discorso e del suo tenore quantomeno ambiguo se non apertamente sedizioso.

Léo annuí.

– Per farla breve, signor... cioè, cittadino, quella grande anima, quel grande genio, novatore di tutta l'arte nostra mi prese sulle sue ginocchia quando ero bimbo. E quando lo incontrai di nuovo qui a Parigi mi rivolse parole che furono un'autentica lezione di vita.

– Capisco. Un padre spirituale, dunque.

– Ben detto, cittadino. Un padre e un maestro.

– Niente allusioni alla situazione politica, dunque.

– Nessuna allusione, cittadino.

– E che cosa vi disse Goldoni?

– Se non attiene al caso in esame preferirei tacerlo.

Nogaret scrollò le spalle.

– Si trattava di una curiosità, ma sappiate che potrei forzarvi, se lo ritenessi opportuno –. Fece una pausa, scorrendo il rapporto e il documento d'arresto. Proseguí: – Sentite: non è che la vostra prestazione qui di fronte a me sia stata cosí convincente. La Repubblica vive un momento cruciale e non può permettersi che i suoi cittadini abbiano certe disattenzioni. Ammesso e non concesso che non si tratti di malafede –. Alzò la mano per far tacere Léo, il quale aveva aperto la bocca per obiettare. – Tuttavia ritengo che quanto dite sia in buona misura vero. Quindi ve la caverete con poco. Ma attenzione, doppia e tripla attenzione: o sarò costretto, in futuro, a prendere misure piú gravi.

Léo deglutí.

– Vi ringrazio, cittadino.

– E sbagliate, cittadino Modonnet. Non vi sto in alcun modo favorendo. Sto esercitando la giustizia. E già che ci siamo, attenzione anche a un'altra cosa. Chi era in sala mi riferisce che il discorso non fu gran che, e che Goldoni avrebbe meritato di meglio. Meno iperboli, piú accenti sentiti e sinceri. Io vi ho veduto recitare in diverse occasioni, cittadino Modonnet, e sí, devo dire che voi tendete all'enfasi.

– Voi trovate? – disse freddamente Léo.

– Sí, Modonnet, – rispose il funzionario in tono rassegnato. – È la scuola italiana: tecnica, estro, mistificazione. Ora andate.

– Sono libero?

– Niente fretta, Modonnet. Per il momento tornerete alla casa d'arresto in attesa di un ordine di rilascio.

4.

L'ordine di rilascio giunse soltanto l'indomani. Gli altri attori erano usciti subito, poiché non responsabili di nulla: nessuno aveva preso la parola, e la gita notturna sino alle finestre di Goldoni non costituiva reato.

Léo si chiese con chi l'avessero sostituito per la rappresentazione della sera prima: chiunque fosse, il detentore naturale del ruolo stava per tornare. L'aria era fredda, pungente, ma il sole brillava alto e l'umore era buono. Il flusso di persone in attesa di interrogatorio era durato incessante, ora dopo ora, e la casa d'arresto era ormai affollatissima. Anche adesso che lo accompagnavano fuori, una lunga teoria di uomini e donne, di svariate condizioni, faceva la fila per mostrare carta civica o passaporto prima di essere rinchiusa.

Mentre camminava verso il teatro pensò che occorreva allestire al piú presto un lavoro del maestro: quello sarebbe stato l'omaggio vero. L'omaggio piú giusto. Occorreva solo convincere François Barbier, detto La Résistance, il capocomico, uomo esperto ma non brillante. Léo, ancorché a digiuno, camminò di buona lena ripromettendosi una maggiore attenzione, un maggior controllo sulle proprie reazioni, domandandosi quale commedia potesse adattarsi alle caratteristiche degli attori. Dunque, Colette non sosteneva bene se non ruoli molto leggeri, Saint-Jacques poteva essere un buon Pantalone, un po' corpacciuto per la verità, e gli altri, qualcosa si sarebbe trovato da fargli fare. Erano buoni mestieranti, in fondo.

Giunse di gran carriera in via della Mosca, dove si apriva l'uscita del retropalco, pronto a esporre le ultime considerazioni ai colleghi – doveva recuperare, lo sapeva, in fondo avevano passato un brutto momento per colpa sua. Ma tutto si era risolto bene, in fondo.

Dopo qualche passo, Léo sgranò gli occhi e mise a fuoco. La Résistance sembrava montare la guardia a un mucchio di masserizie.

Le masserizie erano il suo baule, la sua sacca, una valigia con dentro altri costumi di scena, tutti suoi.

Giunto di fronte all'uomo, Léo chiese:

– Che ci fa la mia roba in strada, Barbier?

– Ti precede, Modonnet. Non fai piú parte della compagnia.

Gli altri attori uscirono per strada. Colette, notò Léo, era seminascosta dalla mole di Saint-Jacques, e non poté coglierne l'espressione.

– Il motivo? Anche se lo immagino, per la verità.

– Visto che lo immagini, risparmierò le parole.

Léo si rivolse agli altri in tono freddo, deglutendo la rabbia.

– Anche voi, amici, siete della stessa opinione?

– Quel che opinano conta poco, – rispose il capocomico. – Il proprietario del teatro ha detto o te o noi. Io avrei fatto lo stesso. Incasso perso, due spettatori in ospedale, un bel po' di sedie rotte. Tutto a causa tua.

Léo vide la scena con gli occhi della mente: lui che si portava davanti agli altri attori, uno dopo l'altro, a chieder conto del loro tradimento con voce tra l'irato e il supplicante. Brutta scena, pensò. Un cliché da lasciar perdere. Si limitò a una domanda retorica.

– Siete tutti d'accordo, dunque?

Tacquero.

Gli occhi di Colette incontrarono i suoi. Riprovazione, una lontana tristezza, una fondamentale indifferenza. Ecco quel che vi lesse Léo.

– Codardi. Non meritate la mia arte.

Ora il problema era trasportare tutta la roba. Il primo problema, in verità, di una lunga serie.

«JOURNAL DE LA RÉPUBLIQUE FRANÇAISE»
di Marat, l'Amico del Popolo
deputato alla Convenzione nazionale

ut redeat miseris, abeat fortuna superbis

Dal n. 133 del lunedí, 25 febbraio 1793

È incontestabile che i capitalisti, gli aggiotatori, i monopolisti, i commercianti di lusso, i nobilastri, gli oppositori, sono tutti, chi piú chi meno, servitori dell'antico regime, che rimpiangono gli abusi dei quali profittavano per arricchirsi sulla pelle della nazione. Come potranno contribuire, dunque, alla fondazione del regno dell'uguaglianza e della libertà? Nell'impossibilità di cambiare il loro cuore, visto che i mezzi impiegati finora per richiamarli al dovere sono risultati vani, e disperando di vedere il legislatore prendere grandi misure per forzarli, non vedo che la distruzione totale di questa genia maledetta, che possa dare tranquillità allo stato, perché costoro non cesseranno di tramare finché saranno in piedi. Oggi, essi raddoppiano gli sforzi per straziare il popolo con la crescita esorbitante dei prezzi dei generi di prima necessità e il timore della carestia.

In attesa che la nazione, stanca di questi disordini rivoltanti, prenda la decisione di purgare la terra della libertà da questa razza criminale, che i suoi rappresentanti vigliacchi incoraggiano al crimine con l'impunità, non ci si deve stupire se il popolo, spinto alla disperazione, si fa giustizia da sé. In tutti i paesi dove i diritti del popolo non sono titoli vani, stabiliti con toni fastosi da una semplice dichiarazione, il saccheggio di alcuni magazzini, alle porte dei quali si appenderebbero gli accaparratori, metterebbe presto fine alle malversazioni che riducono alla disperazione cinque milioni di persone e ne fanno morire migliaia di miseria. I deputati del popolo non sapranno far altro che cianciare su questi mali, senza mai presentarne il rimedio?

Lasciamo perdere le misure repressive della legge; è fin troppo evidente che queste sono sempre state e sempre saranno senza effetto. Le sole efficaci sono le misure rivoluzionarie. Ora io non ne conosco altra, che possa adattarsi alle nostre deboli concezioni, se non quella di investire il comitato di sicurezza generale del potere di ricercare i principali accaparratori e di sottoporli a un tribunale dello stato, formato da cinque membri, scelti tra gli uomini piú integri e sinceri, per giudicarli come traditori della patria.

SCENA SECONDA
Il libero commercio
25-26 febbraio 1793

I.

Alle nove del mattino, Marie Nozière entrò nella drogheria del cittadino Vaillant e domandò tre libbre di sapone, dieci candele e un panetto di zucchero.

Lo speziale parecchiò sul bancone una cassa di legno e due grossi vasi. Stese sul piatto della stadera una carta incerata e pesò la merce con gesti precisi, segnando le cifre a gesso sul legno davanti a sé. Mentre era alle prese con l'aritmetica, uno spiffero ghiaccio lo avvisò dell'arrivo di nuove clienti. Alzò la testa, le salutò una per una, quindi chiuse i tre pacchi e comunicò il totale: nove lire e quindici soldi.

L'annuncio diede il via al solito rosario: quei baiocchi erano quattro giornate di lavoro di una brava cucitrice. Mugugni che di norma si ammollavano in una battuta, ma quel giorno nessuna era in vena di scherzi.

Marie passò le dita sui conti del bottegaio, afferrò il gesso che ancora rotolava sul bancone e scrisse:

Zuccaro, 20 s.
Sapone e candelle, 12 s.

Tirò una riga dritta come una coltellata, ci segnò sotto numeri e calcoli, e alla fine dello sforzo disse che avrebbe pagato due lire e diciotto soldi.

– Come volete, – rispose Vaillant, – per quella cifra lí posso darvi, vediamo, un cucchiaio di zucchero, quattro candele e…

Il bottegaio sentí di nuovo lo spiffero e vide altre cinque megere infilarsi nella porta. Adesso nella stanza c'era almeno una dozzina di donne, pigiate tra il banco e le scaffalature.

– Non avete capito, – disse Marie schiaffando sul tavolo tre assegnati da venti. – Quelli lí sopra sono i prezzi in vigore da stamattina.

– In vigore? E chi li ha invigoriti?

– Noialtre, – si fece avanti Georgette, e frullò la mano per indicare il crocchio che si era addensato dietro di lei.

Il negoziante buttò un'occhiata distratta sul tariffario che gli si voleva imporre.

– Per quelle cifre lí non avrei convenienza nemmeno a far venire i sacchi dal magazzino.

– Ai sacchi ci pensiamo dopo, – gli sorrise Marie. – Scommetto che ne hai pure di farina, di quella che al mercato non si trova da quattro giorni.

Il bottegaio fece un passo indietro e con le mani sui fianchi spinse in avanti la pancia, come per farsene scudo.

– State dicendo che sono un monopolatore?

Marie alzò le spalle e il tono di voce.

– Dateci quello che chiediamo al prezzo onesto che chiediamo, e nessuno lo dirà. Anzi, diranno che siete un esempio… – cercò le parole, – di pubblica virtú.

Vaillant puntò un gomito sul bancone e si prese in mano il mento con aria pensosa. L'altro braccio, intanto, scivolava sotto il ripiano e ricompariva armato di un mannarino, che piantò di netto sul banco davanti a sé. Le donne trasalirono.

– Questo esempio vi basta, cittadina Nozière?

Uno spruzzo d'acqua zozza cancellò l'espressione minacciosa dalla sua faccia.

– Tie'! – esclamò Georgette.

Il bottegaio portò le mani al volto, si dimenò, sputò e bofonchiò piú volte «Puah!» Marie, lesta, gli sottrasse il mannarino. Alle sue spalle, cinque siringhe brandite come pistole erano pronte a sparare ancora melma e piscio di cavallo. Nel mentre, altre donne si accalcavano fuori la porta e quelle dentro cominciavano a urtare scatole e vasi e a piluccarne il contenuto.

Vaillant decise che era meglio accontentare le clienti, piuttosto che farsi derubare o sfasciare il negozio.

– Mi arrendo, – disse alla fine, sotto la minaccia della lama che aveva tenuto per il manico fino a poco prima. – Ecco i vostri pacchi, cittadina Nozière.

Raccolse gli assegnati dal bancone e con gran flemma si mise a cercare il resto di due soldi.

Il bottegaio Vaillant aveva servito a malapena una decina di clienti, quando sentí la voce di Treignac aprirsi un varco tra quelle che stavano in fila.

– Largo, largo! Che è 'sta ressa?

Erano andati a chiamarlo a bottega perché venisse a mettere pace, e non aveva fatto in tempo a togliersi il grembiule lercio del mestiere. Treignac infatti era ciabattino, ma per conto della rivoluzione esercitava anche l'incarico di sbirro del circondario, con tutta l'equità di cui era capace.

Non ebbe difficoltà a raggiungere il bancone e a frapporsi tra quello e le donne.

Treignac già lo sapeva che Marie Nozière era tra le muse di quei disordini, ma quando se la trovò davanti, dall'altra parte di un arnese affilato, ci restò male lo stesso. Primo, perché era la piú tignosa di tutte le donne del foborgo e, secondo, perché avrebbe preferito incontrarla in un'occasione piú distesa.

L'apparizione dello sbirro, invece, stampò sul viso di Vaillant un ghigno compiaciuto.

– Commissario Treignac! – esclamò pieno di riconoscenza. – Meno male che siete arrivato. 'Ste megere mi stanno derubando.

– Balle! – gridarono diverse voci.

– Nessuno ruba niente, – spiegò Marie. – Compriamo la merce al prezzo di tre anni fa, prima che le sanguisughe si mettessero a far quattrini sulla nostra fame.

Treignac si schiarí la voce. Era assai piú uomo d'azione che di parola, ma s'era preparato il predicozzo strada facendo.

– Tutti vogliamo prezzi piú bassi, – disse. – Ma non li ottieni dalla sera alla mattina. Stanno facendo la legge che tassa i ricchi e permette di usare il gruzzolo per avere pane a buon mercato. Bisogna portare pazienza. O forse a voi dispiace che i ricchi pagano quella tassa?

La tirata trovò le donne impreparate e Vaillant ne approfittò per rincarare la dose.

– Per avere cannella a buon mercato si impedisce il libero commercio! Volete un governo che abbassa il prezzo dello zucchero o un governo che garantisce la libertà?

– Vogliamo zucchero e libertà! – rispose Marie e subito l'accoppiata si trasformò in parola d'ordine.

– Zucchero e libertà! – gridarono le bocche dietro di lei. – Zucchero e libertà!

– Lo zucchero è un bene di lusso, – provò a ragionare Treignac, sovrastando lo strepito. – È normale che costi piú del pane.

– Tre anni fa lo pagavamo venticinque soldi alla libbra, oggi ne costa cento!

– È colpa dei monopolatori!

– A morte!

– Chete, chete, – fece segno lo sbirro, schiacciando con i palmi aperti le voci che montavano. – Gli accaparratori verranno puniti. Ma bisogna esser certi di colpire i veri farabutti. Non si può fare di ogni verdura un mazzo.

Vaillant si intromise ancora, col dito alzato, nonostante lo sguardo gelido di Treignac, che avrebbe fatto volentieri a meno dell'aiuto del bottegaio.

– Noialtri negozianti non abbiamo colpe. I prezzi che facciamo dipendono dai prezzi che ci fanno i fornitori.

– Piantala, Vaillant, – ribatté Marie, agitando il mannarino in direzione dello speziale. – È da un pezzo che ti teniamo d'occhio: nascondi la roba in magazzino, poi la vendi a peso d'oro.

Il bottegaio arrossí e batté un pugno sopra il bancone, ma prima che gli riuscisse di spiccicar parola intervenne di nuovo Treignac.

– Questa è un'accusa grave e tocca dimostrarla.

Marie puntò il mannarino verso lo speziale.

– Benissimo. Andiamo al suo magazzino, allora.

Treignac tentò d'aprir bocca, ma le parole si attorcigliavano, mescolate alla rabbia. Infine riuscí a calmarsi e a tendere una mano.

– E sia. Però tu molli la mannaia.

I due si fronteggiarono immobili. A Treignac parve che nell'espressione austera di Marie filtrasse una punta di soddisfazione e, sí, forse anche di gratitudine. Dovette sforzarsi per non sorriderle.

Il mannarino si posò sul suo palmo aperto.

2.

Il magazzino di Vaillant si trovava a ridosso dei cantieri e delle rimesse navali che occupavano la riva destra della Senna.

Il bottegaio, Treignac e Marie Nozière si incamminarono lungo via dei Cantieri, seguiti a distanza da una folla che s'andava ingrossando a ogni isolato. Giunti in faccia al portone verniciato di verde, il proprietario aprí quattro diverse serrature, tolse il lucchetto al catenaccio e lo strattonò a fine corsa.

All'interno, una feritoia stretta, lungo tutta la parete di destra, faceva entrare la luce del mattino, tagliata in nastri dalle sbarre di un'inferriata. Il locale restava comunque a mezz'ombra e i sacchi si distinguevano appena, ammucchiati sul pavimento, ma saltava subito all'occhio che ce n'era una quantità esagerata per il giro d'affari di un dettagliante, specie in un quartiere popolare, dove il commercio di spezie non muoveva grosse quantità.

Treignac domandò al bottegaio di accendere un paio di lanterne, e quello, quando l'ambiente fu piú illuminato, si affrettò a sbrodolare spiegazioni non richieste.

– A chi non s'intende di approvvigionamenti, – disse col solito dito alzato, – tutta questa roba può sembrare tanta, ma dovete sapere che i prodotti coloniali non arrivano a Parigi tutti i santi giorni, come le verze o le patate di campagna. Si tratta di prodotti che bisogna acquistare da un mese per l'altro, e che fortunatamente non hanno il problema della conservazione: zucchero, caffè Moka, vaniglia, tè Pondicherry, cacao. Tutta roba che rimane buona per parecchie settimane, a volte addirittura da un anno all'altro, come il vino. Se andate in un magazzino di liquori trovate anche lí botti e bottiglie in quantità.

– Sbrisga, – lo incalzò Marie. – Facci vedere cosa c'è nei sacchi.

– Silenzio! – la gelò Treignac. Poi, rivolgendosi al negoziante: – Portate qui le bolle di consegna e le distinte di pagamento, e mostrateci la merce relativa a ognuna.

– Ascoltate, Treignac, – disse il bottegaio. – Io vi ringrazio del vostro intervento, ma non fatemi perdere un'intera giornata a farvi l'inventario del magazzino.

La voce di Marie attraversò lo stanzone.

– Potete farvi aiutare da un po' di onesti cittadini.

Mentre lo speziale diceva la sua, la donna si era avvicinata alla porta del magazzino e ora la spalancava, lasciando entrare, oltre a una valanga di luce, anche la cagnara di un centinaio di persone che s'erano radunate là fuori.

– Il cittadino Vaillant, – disse Marie, – vuole che l'aiutiamo a trovare i sacchi di farina che tiene qua dentro. Non riesce piú a ricordare dove li ha imbucati.

Treignac arrivò di gran carriera e affiancò la donna. Alla vista dello sbirro, la prima fila esitò a farsi sotto.

– È vero, Treignac? – domandò un facchino. – Mia moglie non trova farina da quattro giorni perché Vaillant la nasconde?

– Non lo sappiamo, Germain. Adesso si controlla per bene tutto il magazzino e se le accuse avranno riscontro, il gladio della legge colpirà il colpevole.

La frase gli era uscita bene, ma non ebbe il tempo di compiacersene, perché venne subissata da un altro commento.

– Lo sapete cos'ha scritto Marat, proprio stamattina? Che in tutti i paesi dove i diritti del popolo non sono soltanto pezzi di carta, basterebbe il saccheggio di qualche magazzino e i monopolatori appesi fuori della porta, per farla finita con gli intrallazzi di pochi che ne tengono migliaia nella miseria.

– E te, Philippe, come lo sai, che non sai leggere? – chiese Treignac.

– Stamattina, al mercato, non si parlava d'altro e anche lí un paio di arraffoni come Vaillant ne hanno fatto le spese. Vero, Renaud?

– Verissimo, Philippe. Andiamo a cercare quella farina.

I due uomini varcarono con decisione la soglia del magazzino, subito seguiti da un piccolo drappello. Gli altri erano ancora indecisi e Treignac comprese che restava solo il tempo di un ultimo tentativo.

– Io invece l'ho letto, l'articolo di Marat, – disse picchiandosi una mano sul petto. – E non dice affatto quello che dite voi. Al contrario: dice che ci vuole un tribunale per punire gli affamatori e che i cittadini piú ricchi devono mettersi d'accordo per…

– Varda, Treignac! C'è davvero, la farina!

Treignac s'interruppe e, oltre la distesa di sacchi e casse di legno, vide due braccia che s'alzavano in alto e lasciavano cadere una polvere bianca, subito imitate da molte altre, man mano che i sacchi di farina venivano violati.

A quel segnale, la folla dei dubbiosi si lanciò dentro compatta e senza piú remore, finché tutto il magazzino fu offuscato da un'unica nube. Gli uomini spingevano per farsi sotto coi cappelli, e le donne reggevano l'orlo delle sottane a mo' di scodella, per portar via la farina che altri gettavano fuori dai sacchi prima di caricarseli sulla schiena.

Vaillant si buttò contro un tizio che se ne andava via tranquillo con un sacco sulle spalle. I due caddero per terra, in una slavina bianca. Si accapigliarono là in mezzo, rotolando fra gli scaffali, ma quando Treignac intervenne per separarli, trovò soltanto lo speziale, bianco dalla testa ai piedi, intento a tamponarsi un labbro spaccato.

– Bisogna chiamare la guardia nazionale! – gridò rivolto allo sbirro.

– Eccola lí, la guardia, – rispose Treignac, indicando un gendarme che usciva dal magazzino con una pila di pani di zucchero in bilico tra le braccia.

– Sono rovinato! – piagnucolò Vaillant spazzandosi la giubba. – Qua mi rubano merce per migliaia di lire!

– Cosí tante? – lo fulminò Treignac. – Immagino sarete assicurato, allora. Fate denuncia, con l'elenco dettagliato di tutto quanto vi hanno rubato, compresa la farina. Anzi, sapete che vi dico? Andate a prendere le vostre carte e venite con me dal commissario. Tanto qui non rimediereste altro che botte e io non ho gli uomini per difendervi. Vi aspetto alla porta, cittadino Vaillant.

Lo sbirro non badò alla risposta, che per di piú giunse incomprensibile, per via del labbro gonfio e della tartaglia improvvisa che aveva colto lo speziale. Cacciò le mani in tasca e si allontanò, pensando a cosa scrivere nel rapporto per il comune.

Sull'uscio, si imbatté in Marie Nozière che cercava invano di garantire l'equa distribuzione del bottino. Pochi infatti sembravano capire l'incongruenza di accaparrarsi merci accaparrate, e la maggior parte dei saccheggiatori se ne usciva dal magazzino carica di tutto quanto riusciva a trasportare.

– Visto, Treignac? – lo apostrofò la donna. – Te l'avevo detto che Vaillant era un arraffone. Ha avuto quel che meritava.

– Sicura? – replicò lui. – Non chiedevate la pena di morte per gli accaparratori e la vendita della merce requisita a un giusto prezzo? Mi pare che oggi non otterrete nessuna delle due. Ma se a voi sta bene, esultate pure.

Cosí dicendo, Treignac si appoggiò con la schiena allo stipite del portone e osservò il popolo di Sant'Antonio fare scorta di vaniglia per i successivi vent'anni.

3.

Non si finisce di suonarle ad Austriachi e Alemanni che già si dichiara guerra agli Albioni. Mica una novità. Si è sempre in guerra con l'Anglaterra, nei secoli dei secoli, per terra o per mare, da questa o da quell'altra parte del mondo. L'ultima, dieci anni fa, la si sarebbe anche vinta, però è come persa, perché ci è costata la bancarotta. Che se uno chiede perché l'abbiamo fatta, perché Luigino ha dato tutta quella grana agli Inglesi americani contro quelli d'Anglaterra, be', la risposta è liscia come il deretano della signora de Ladovie: per vendetta della guerra di prima, quando ci soffiarono il Canadà. Si va avanti cosí dai tempi di Marco Caco.

Adesso che si è spiccata la zucca a Luigi, gli Albioni si incazzano, manco fosse stato il loro re. Per quelli era un nemico, ma la volta che a fargli la festa siamo noialtri stracciaculi, una mucchia di aristocazzi milordoni ci restan male, poverelli. Loro che si tengono Giorgio il Matto anche se è talmente fuori di zucca che zulla la sua merda 'dosso ai ministri e ai maggiordomi come fossero tutti uguali. Uno scempio, a vederla da una certa altezza; uno spasso se la guardi da sotto (bastante da non trovarti sulla traiettoria, beninteso).

E cosí, rieccoci ai ferri corti *talisqualis*.

Com'è quella frase di Saint-Just? «Non sono gli uomini, ma gli stati a farsi la guerra». Sorbe! Cosí si parla! Pare un garzotto dal gran che è belloccio e giovenco, ma la lingua e la penna le usa come scimitarre, mica per pulire orelli a tariffa, a differenza di certi altri. Pure Robespierre non era punto perlaquale, dice che in guerra comandano i generali, non i cittadini. Ma c'è un ma: Brissot e i suoi amici della Gironda han detto che senza guerra non si tiene su la rivoluzione, che si deve srandellare o saremo srandellati. Pure Danton ha voluto la leva a sorte, trecentomila lanci di dadi. Fanno seicentomila braccia in meno a travagliare. E subito i piú incazzosi, quelli come Hébert, han voluto sgolare ancora piú alto: – Pena di morte per i renitenti!

Magari ci hanno ragione loro. Anche se di legna da fare ce n'è già tanta qui a casa, ché magari fosse bastato il capino di Capeto, invece sbrisga. Dice il saggio: «Perché giocare alla palla quando puoi giocare al biliardo?» E la canzone: «La testa del re | sempre una è. | Ma se sono un po' di piú | falle rotolare giú». E già te le immagini scendere ruzzoloni per i vicoli di Sant'Antonio fino al fiume, *burubumburubum*, fino a vedere la luce della Libertà, come direbbero gli scaldasedie alla Convenzione.

Qualche zucca bisognerebbe alzarla bene in alto, ché possa vederla meglio, la luce. Quelle dei monopolatori tanto per cominciare. Si riconoscerebbero dai capelli strappati e dagli occhi cavati dalle donne. Lo scempio che san fare le femmine, manco i corvi... Stasera te le ritrovi all'assemblea di sezione con certe muste che fai meglio a guardarti le unghie se non vuoi che te la grattino loro la rogna. Stanno tutte ingruppate, che paiono una cosa sola, un mostro bertoccuto e chioccio, con certe grinfie dritte e puntute come ferri da maglia. Mai fermi quegli spilloni, suegiú, suegiú, e quando ti fissano tutte quante in una volta ti viene da pensare che là sotto potrebbero esserci le tue budella, una bella sciarpa di trippa e il signore è servito. Parlottano, ribollono, petiscono. Propongono gli appelli agli scaldasedie della sezione, cosí quelli possono inoltrarli, presentarli, proporli, insomma farli votare alla Convenzione. Ma là dentro di buoni ce n'è pochini. S'era provato a eleggere il prete Roux, quello che dice che Dio ci ha fatti tutti uguali e non devono piú esserci né aristocrassi né ricchi, ma non ne ha presi bastante di voti. In compenso lo si è eletto in comune, e almeno lí azzanna niente male.

Ché la detta Libertà mica te la regalano e se te la regalano ti chiedono in cambio qualcosa che vale pure di piú. Se sei morto di fame che te ne fai della libertà? Da morti sarete liberi, dicevano i preti di prima. Li abbiamo cacciati. Il nostro Prete, Jacques Roux «il Rosso», lui dice che devi pure essere libero dalla fame e dalla miseria, altrimenti sei ancora schiavo. E quando qualcheduno riporta le sue parole in sezione, è tutto un pendolare di cuffie, perché le donne di Sant'Antonio son d'accordo, altroché. Anche se certe faccende non possono entrare nelle teste delle femmine, i pulcini nel nido coi becchi aperti ce li hanno loro... e neanche pochi. Si ringalluzzano l'una con l'altra, poi è Marie Nozière a parlare per tutte. Vedova di guerra, un marito disperso a Valmy che l'ha lasciata con un bamboccio in carico. Mica suo di lui, ma di chissachí, chissadove e chissaquando... senza esser figlio del mestiere, ben inteso, ché una volta un gecco sprovvido ha fatto dello spirito in merito e si è ritrovato a ululare con uno di quei ferri piantato in una chiappa. Di lei si sa che è arrivata dal Sud ancora garzotta, con il moccioso al collo e le pezze al culo, come tanti che scappano da una sorte anche piú smerda di quella che ci tocca qui. S'è messa subito a smagliare e ha imparato bene e anche meglio. Ha pure preso su la parlata, ché ormai quasi non la distingui da chi al foborgo ci è nato e cacato.

Tutti i denti in bocca, Marie. Petto coccardato, fianchi forti. Ti fa pensare all'amor di patria che le faresti se riuscissi a valicare la trincea di ferraglia per scambiare con lei il bacio fraterno dei repubblicani. Chi ci ha provato è finito peggio di quell'altro, gli han dovuto riattaccare il naso con lo spago. E buona grazia che lei non l'aveva masticato prima di sputarlo.

Soquanti pensano che è stata la legge sul divorzio a fare increstare cosí le femmine, ché prima i mariti le battevano a piacere da ciucchi e da sobri, e loro mute sotto. Poi è arrivata la nuova legge e adesso non solo se batti la moglie puoi avere il benservito, ma Saint-Just dice che chi mena una donna dovrebbe essere mandato a ballare con la Camarde. E in verità piú d'uno si tocca assieme collo e coglioni.

Com'è come non è, stasera in sezione c'è l'universo mondo. Stipati peggio del giorno della festa a Luigino, l'aria finisce subito e si rimane a respirare sudore, alito all'aglio e scuregge. Ma vale la pena, ché dopo la buriana dei giorni scorsi c'è da arrotare parole come baionette.

I due grand'uomini, Marat e Robespierre, han detto che non è colpa del popolo, che la nostra fame è legittima (troppo buoni!) e l'incazzo un dovere, ma gli eroi della Bastiglia non si dannano l'anima per un po' di zucchero (facile a dirsi, quando ce l'hai). Tantomeno le eroine della marcia di Versailles. Insomma, tutta rabbia sprecata e gran cuccagna per i provocatori che smanticiano sulla brace, loschi figuri, foresti, agenti inglesi, oppure donne di altri quartieri, e forseforse nemmeno donne, ma maschi camuffati da femmine, per avere un aspetto maternale e innocenziale. Uno degli scaldasedie si sgargarozza rosso fino ai capelli, sguaiando che manco si sono presi la briga di radersi, gli infamoni travestiti e sobillatori, con certe barbacce ruvide e sdozze.

Soquanti si voltano verso le magliare, ché ce n'è diverse che sfoggiano bei mustacchi di natura e pure ciuffazzi villosi un bel po' sotto le urecchie. E infatti la Nozière si fa subito sentire e rificca le parolone in bocca al deputato a una a una, strillando che a confondere gli infami con la fame è un bel gioco di prestigio, ma piluccata la polpa, resta il nocciolo duro: il massimale sui prezzi. Bisogna farlo per legge, altrimenti che li tengono a fare i loro bei culi sui seggi della Convenzione?

Uno della sezione salta su a dire che col zullo che sarebbe un affare! Se metti il *maximum*, i bottegai inguattano e incettano, si mettono a smerciare sottobanco e fanno il mercato nero.

– E tu quelli li devi mettere sulla carretta coi nobilardi, ché sono nemici del popolo tanto quanto! – si sgola la Nozière.

Le magliare acclamano le parole di Marie la Gagliarda, zullate come sassi in faccia al Deputato Gaglioffo. Tutti i sanculotti si spellano le mani.

Ed ecco che già prende la parola un altro, un vasaio della Porta:

– La cittadina Nozière ci ha pure ragione, mica la gente può mettersi a saccheggiare i negozi qua e là, bisogna che l'autorità stani i monopolatori controrivoluzionari e li punisca!

Un bel discorso liscio e tondo che convince tutti e chiama in causa chididovere: gran occhiare in giro per scovare il poliziotto finché non lo si trova vicino all'uscio (dove altro può stare la cagnaccia?) Appoggiato allo stipite, tricorno e coccarda, il nostro Treignac ascolta e pare proprio che fa di sí con la testa, come un cavallo ammaestrato.

Marie Nozière però alza ancora la voce su tutto il brusicare della sala e dice: – Serve prima la legge. Fare la legge e farla applicare. La Repubblica non la fai con le ciance. Se i nostri uomini son buoni per morire al fronte, i nostri figli devono poter mangiare!

E ha tanta ragione da vendere che se gliela pagassero potrebbe smettere di smagliare *hic-et-numquam*.

4.

Quando vide Treignac andarle incontro con il garzotto in braccio, Marie sentí il cuore saltare un battito. La paura le strinse lo stomaco, la stessa sensazione di quando aveva saputo che Jacques era dato per disperso in battaglia. Vale a dire morto. Vale a dire niente piú abbracci, niente piú canzoni, niente piú amore la domenica. Vale a dire sola.

La candela che teneva in mano tremolò. Fece un passo avanti, incerta sulle gambe, il fiato sospeso. Poi vide Treignac sorridere e riprese a respirare. Bastien dormiva con la testa appoggiata alla sua spalla.

– Si era addormentato all'osteria di Férault, – disse Treignac.

Marie accarezzò il ciuffo del figlio. Respirava con la bocca aperta. Fece segno a Treignac di portarlo dentro casa.

Lui depose il bambino sul letto, in un angolo della stanza, e si pulí la giacca dal moccio, mentre lei avvolgeva il figlio nelle coperte.

Treignac si guardò attorno. La stanza era invasa di stoffe, gomitoli, ferri da uncinetto. Dell'uomo che aveva abitato con lei non si conservava traccia. Treignac usò la candela che lei aveva poggiato sul caminetto per accenderne un'altra e fare un po' piú di luce.

– Grazie, – la sentí dire mentre era ancora girata verso Bastien.

– Di niente. Mi son detto che l'avrei trovato lí.

Marie si voltò a fronteggiarlo. Era molto piú bassa di lui, ma lo fissava senza timore, come al solito.

– Ce l'hai mandato tu?

– No. Ma lo conosco, – rispose Treignac. – Dovresti tenerlo d'occhio, sai?

Si pentí subito di averlo detto, immaginando che Marie avrebbe sferrato uno dei suoi attacchi, invece sedette sul bordo del letto con le mani in grembo. Mani piccole, forti, arrossate. Appariva stanchissima. Aveva meno di trent'anni, ma già una rete di rughe sottili segnava gli occhi e i lati della bocca.

– Cucio uniformi e maglie dieci ore al giorno. La sera vado in sezione. Dimmi quando lo tengo d'occhio. Forse devo legarlo, gli metto un guinzaglio come a un cane... Almeno con te fa qualche spicciolo –. Sollevò lo sguardo, nel quale lui riconobbe il lampo di quella mattina, nella bottega di Vaillant. – Se gli succede qualcosa...

Il poliziotto fece mezzo passo avanti, imbarazzato dalla propria mole.

– Cheta. Finché sta con me non gli succede niente.

Lei non smise di fissarlo, come volesse saggiare la sua sincerità.

– 'Notte, Treignac, – disse infine.

– Buonanotte.

Lo accompagnò alla porta e, quando fu uscito, chiuse a chiave e sprangò con il paletto.

– Mamma... – sentí chiamare dal letto in ombra.

– Zitto e dormi.

Si chinò a orinare nel pitale. Sciacquò le mani e il viso in una bacinella, quindi soffiò sulle candele e si distese accanto al bambino.

– Mamma... Jacques non tornerà mai piú?

– No.

– E mio padre?

– Non c'è mai stato. Ti ho detto di dormire, adesso.

Dopo pochi istanti di silenzio, il bambino bisbigliò ancora nel buio.

– Io sto con Treignac.

Estratto da

MEMORIE PER SERVIRE ALLA STORIA
E AL FONDAMENTO DEL MAGNETISMO ANIMALE
di Armand-Marie-Jacques de Chastenet de Puységur (1784)

Credete & Volete

Nel sostenere la causa del Magnetismo animale, non posso che sostenere quella del suo celebre inventore. Nel mio tentativo di fornire qualche nozione sulla causa che mi porta ad agire, il signor Mesmer non vedrà, spero, altro che lo zelo ardente che mi anima per la sua gloria.

Non pretendo di illustrare la teoria del Magnetismo animale, né di entrare nella discussione circa le sue analogie con l'intero sistema del mondo: solo il signor Mesmer può intraprendere un compito tanto grande. Ciò che mi impongo è, semplicemente, di dire come procedo per guarire certe malattie, & come si producono su molti malati gli effetti, tanto sorprendenti quanto inattesi, di cui si sente parlare.

Io credo che esista un fluido universale, il quale tiene in vita tutta la natura. Io credo che questo fluido, sulla terra, sia in continuo movimento. La sola idea palpabile che noi ne abbiamo è quella che ricaviamo dall'elettricità.

Il Magnetismo minerale avrebbe dovuto darcene un'idea meno palpabile, ma ancor più certa; perché come può spostarsi, senza un movimento, un ago calamitato? Il Magneti-smo animale, costituendo oggi l'ultima prova di questo flui-do universale & sempre in movimento, offre all'umanità un mezzo sicuro per guarire dalla maggior parte dei suoi mali.

L'uomo, come tutto ciò che esiste, è a suo modo saturo di fluido universale, & può essere considerato come una macchi-na elettrica animale, la piú perfetta che esista, poiché il pen-siero, che regola tutte le sue azioni, può condurlo all'Infinito.

Se la base del mio sistema è vera, allora l'uomo non ha bisogno di alcun accessorio per agire in maniera salutare sui suoi simili, poiché la nostra elettricità animale tende sempre a portarsi laddove la dirige la nostra volontà.

Come accade per l'elettricità artificiale, le nostre pun-te, che sono le dita, sono sufficienti a sottrarre l'eccesso di fluido che si riscontra in certi malati, & la mano intera per infonderlo dove manca: ma da ciò non bisogna credere che sia necessaria una gestualità cosí minuziosa per operare con successo sui propri simili.

La nostra organizzazione elettrica è cosí perfetta, che con il solo ricorso alla volontà si possono operare dei fenomeni che, per quanto assai fisici, hanno l'aria di essere miracolosi.

SCENA TERZA
Il magnetista
24 marzo 1793

I.

– Rilassatevi. Non aprite gli occhi e ascoltate soltanto la mia voce. Immaginate il flusso magnetico che va dalla mia mano all'altra, passando attraverso di voi. Una corrente calda e benefica. Come vanno le emicranie?

– In certi giorni mi fanno impazzire. In altri dànno tregua.

– Stamattina come vi sentite?

– Sento che il dolore potrebbe montare da un momento all'altro.

– Perché dite questo?

– C'è un ostacolo che blocca il flusso magnetico.

– Molto bene. Credete di poterne rintracciare l'origine?

– Sí. È il mio fallimento.

– Cosa ve lo fa pensare?

– Un sogno. Una serpe attraversa il sentiero, io la taglio in due con un colpo di spada, ma la metà con la testa striscia dentro un buco nel terreno e mi sfugge.

– Conoscete il significato?

– Sventare una congiura senza decapitarla è come proclamare la Repubblica senza eliminare il re.

– Vi riferite alla congiura per salvare Luigi XVI?

– Ho tagliato la coda del serpente. La testa è in cerca di un altro corpo sul quale innestarsi. La rivoluzione è ancora minacciata. Solo chi sarà disposto a perdere tutto potrà esserne all'altezza.

– Chi stabilisce tale altezza?

– La storia. Vi furono popoli liberi che caddero da piú in alto.

– Eravate favorevole alla condanna a morte del re?

– Ho condiviso il monito di Saint-Just e di Robespierre: o la Repubblica o il Capeto. La monarchia si fondava sul diritto di sangue, dunque era il sangue che andava versato. Per qualcuno non è abbastanza, il sangue del Capeto scorre ancora nelle vene dei suoi famigliari e ogni aristocratico è un potenziale monarca. Marat chiede centomila teste. Marat è un folle, eppure sembra disposto a ogni sacrificio, e il popolo di Parigi lo venera.

– Lo invidiate per questo?

– Lo temo.

– Per quale motivo?

– Perché non teme nulla.

– Come va il dolore adesso?

– All'inizio del trattamento aumentava, ora sembra che stia scemando.

– Molto bene. I vostri nervi sono piú distesi. Credete che possiamo sospendere?

– Sí.

2.

Il dottor Orphée d'Amblanc, seduto allo scrittoio, attese che l'agente Chauvelin si rimettesse la giacca.

– Se riusciste a vincere le vostre resistenze, raggiungereste un sonnambulismo piú profondo. La mente acquisirebbe una maggiore cognizione dello stato di salute generale, e potreste fornirmi piú elementi per la terapia.

– Rassegnatevi, D'Amblanc. Le resistenze rimarranno.

Chauvelin si accomodò di fronte al dottore, dopo aver liberato la sedia dalla sua borsa di cuoio. Il mobilio non era composto da molto altro. Avanzavano un armadio, un piccolo comò pieno di fiale e, nella stanza attigua, un armadio e il letto.

– È una pratica benefica, – insistette l'altro, – ormai dovreste averlo capito.

Chauvelin terminò di armeggiare con i bottoni della giacca.

– Sono in parecchi a pensare il contrario. Il fatto che io mi fidi di voi non significa che tutti i magnetisti siano in buona fede.

D'Amblanc si alzò, versò due dita di liquore in un paio di bicchieri e ne porse uno all'agente di sicurezza.

– Non esistono i magnetisti, – lo incalzò, – esiste solo il magnetismo. Chiunque può servirsene, purché lo voglia. Si tratta soltanto di acquisire una tecnica e un certo abito mentale.

– È proprio questo che desta preoccupazione, – concluse Chauvelin.

La mano di D'Amblanc indicò la borsa che l'altro aveva portato con sé.

– Ho il presentimento che parte di tale preoccupazione si trovi lí dentro.

Chauvelin incurvò gli angoli della bocca nell'imitazione di un sorriso.

– Questa è chiaroveggenza.

– Oh, nient'affatto, – si schermí D'Amblanc. – Finora non eravate mai venuto con nulla di piú voluminoso di un tascapane. La novità mi ha spinto ad azzardare un'ipotesi.

Gli strilli di una giornalaia inquinarono il silenzio della stanza, nonostante la finestra chiusa. Chauvelin sorseggiò il liquore e si passò la lingua sulle labbra sottili. Quando il trambusto cessò, raccolse la borsa e depositò sullo scrittoio un volumetto. Sul frontespizio si leggeva:

Jacques-Pierre Brissot
SULLA CONTRORIVOLUZIONE DEI SONNAMBULISTI
Parigi, 1791

– Immagino conosciate il contenuto di questo pamphlet.
D'Amblanc annuí. Ricordava bene l'allarme lanciato da
Brissot. Visionari e madonne in lacrime erano un pericolo
per la Nuova Francia. Un timore che si poteva anche condividere, se non fosse che Brissot aveva infilato nello stesso
mazzo truffatori, mesmeristi, sonnambuli e invasati. Si era
servito di un fenomeno inquietante per rinnegare il proprio
passato di magnetista e ripulirsi l'abito in vista di una brillante carriera politica.

Chauvelin attese che il dottore terminasse di sfogliare
l'opuscolo.

– Con quel che accade in Vandea, – riprese, – piú di un
deputato è convinto che Brissot avesse ragione. La ribellione
monarchica è cominciata con le profezie di qualche papista
che pretendeva di parlare con la Vergine Maria.

D'Amblanc scosse la testa con aria di sufficienza.

– Il magnetismo animale è una terapia. Serve a curare le
persone, non a incontrare i santi.

Chauvelin infilò di nuovo la mano nella borsa e ne estrasse alcuni fascicoli. Sul primo foglio di ognuno campeggiava
il timbro del comitato.

– Questi rapporti vengono dall'Alvernia. Riferiscono di
casi… – l'agente di sicurezza cercò la parola adatta, – insoli-
ti. Il sospetto dei miei superiori è che tali casi siano collegati
all'azione di magnetisti e sonnambulisti –. Si strinse nelle
spalle. – Potrebbe anche trattarsi di una mera congettura:
io non sono in grado di valutarlo –. Puntò gli occhi in quelli
del medico. – Forse potreste farlo voi.

– Io? – domandò D'Amblanc.

Il poliziotto inclinò appena la testa di lato, come per studiare l'interlocutore.

– Ciò che servirebbe è un'indagine sul campo, – disse.

Seguí un momento di silenzio, il tempo che D'Amblanc superasse lo stupore.

– Mi state chiedendo di andare in Alvernia per vostro conto?

– Per conto del comitato di sicurezza generale, – precisò l'altro.

– Ma io sono un medico, non un poliziotto.

– Voi padroneggiate la tecnica e avete un certo abito mentale, – ribatté Chauvelin giocandogli contro le sue stesse parole. – Chi meglio di voi...

– È una richiesta assurda! – insistette D'Amblanc.

– Assurda, dite? – Chauvelin inarcò un sopracciglio. – I dipartimenti dell'Alvernia sono tra i piú turbolenti, refrattari e bigotti di tutta la Repubblica. Lo scorso febbraio, durante i sorteggi per la leva di massa, sono scoppiati disordini in ogni villaggio. Due seminaristi ne hanno approfittato per invitare i contadini ad arruolarsi nell'esercito di Dio e del re. La guardia nazionale ha dovuto assediare una cascina zeppa di villici infervorati e armati di forconi che si sono lasciati massacrare piuttosto che arrendersi. Il comitato teme lo scoppio di una seconda Vandea. Trovate assurdo che voglia escludere l'azione di agenti monarchici in grado di influenzare la popolazione con pratiche magnetiche?

Mentre esponeva gli argomenti, il tono di Chauvelin si era fatto via via piú freddo. D'Amblanc cercò qualcosa per ribattere.

– Qui a Parigi ho i miei pazienti, – disse. – Non posso lasciarli all'improvviso. E poi, cosa pensate che possa mai scoprire laggiú?

L'agente di sicurezza fissò D'Amblanc da sopra il bicchiere.

– Tutto o niente. Detto fra noi, dottore, penso che non potreste avere occasione migliore per rassicurare chi guarda con sospetto alla dottrina del magnetismo animale e alle vostre pratiche sonnamboliche.

3.

Dimenticandosi di pranzare, D'Amblanc uscí in strada e si avviò verso la casa della signora Girard. Sfilò davanti alle fucilaie che lavoravano nella bottega di un falegname dall'altra parte della strada. Il falegname era alla guerra, difendeva la patria, e nella bottega le donne costruivano fucili per la Repubblica. D'Amblanc porse il saluto, ma senza applaudire, come facevano quelli che supplivano con un ostentato entusiasmo alla mancanza di convinzione. Le donne risposero con lazzi e apprezzamenti scurrili. Poco distante, la giornalaia continuava a lanciare il suo richiamo, sventolando il foglio di Hébert.

– La gran rabbia di papà Duchesne contro il re di Spagna, amicone dei Capeto e di tutti gli aristocrassi! La sua gran gioia per la guerra dichiarata agli Spagnardi. Un nemico in piú per la Francia è un trionfo in piú per la libertà!

Sulla prima pagina spiccava la vignetta con il papà Duchesne, «mercante di stufe», armato di una pipa e di una carota di tabacco. Sotto, il motto: «Io sono il vero papà Duchesne, fottetevi!»

D'Amblanc prese a camminare svelto. Non aveva bisogno di porre attenzione al percorso, poteva lasciare che i pensieri si aggrovigliassero e dipanassero liberi. Era come se fossero visibili, come se fosse avvolto in una nube che costringeva i passanti a scansarsi. E ognuno, in strada avrebbe potuto dire: «Largo a un uomo che sta ragionando su un vero problema, qualcosa da cui potrebbe dipendere il destino altrui».

Soltanto uno si provò di appellarlo e invogliarlo a fermarsi, sospendendo quel vorticare di idee. Appena voltato l'angolo, D'Amblanc quasi inciampò nelle masserizie di un rigattiere, che in quel punto invadevano la strada. L'uomo lo salutò. Era un confidente della polizia. Faceva buoni affari con merce insolita: gigli di Francia staccati da chissà dove, statue di santi, corone, mitrie, stucchi. D'Amblanc scavalcò uno stemma nobiliare deposto per terra, tra la ruota di un carro appoggiata al muro e un san Sebastiano dipinto su tela. I colori, un tempo vividi, si erano ridotti a sparse croste sul legno. Al santo mancavano il naso e un pezzo del viso.

– Cittadino, vogliate fermarvi, – lo invitò il rigattiere. – Date un'occhiata. C'è ogni ben di dio, è il caso di dire.

Lui rispose senza fermarsi, un cenno della mano e poche parole.

– Grazie, cittadino, ma vado di fretta.

Non piú in fretta dei pensieri, comunque. Girato un angolo, finí impelagato in un gruppo di curiosi di varia estrazione, uomini e donne, che assistevano a uno spettacolo di strada. Un sedicente scienziato andava a dimostrare i prodigi dell'elettricità. Per farlo, utilizzava dei passeri.

C'era una macchina a frizione, con un disco di vetro che girava dentro un telaio e sfregava su quattro cuscinetti di cuoio. Attraverso la rotazione impressa da una manovella, la macchina si caricava di fluido elettrico e un tubo di ottone lo trasferiva in una bottiglia di Leida. La bottiglia immagazzinava il fluido, finché l'uomo smetteva di girare la manovella e afferrava un bastone di legno. Un'estremità del bastone era collegata alla bottiglia, mentre l'altra terminava con due punte di rame. L'imbonitore la avvicinava al passero e una scarica elettrica lo tramortiva. L'uomo descriveva con paroloni appropriati l'azione appena condotta e i suoi effetti, poi riprendeva: manovella, bottiglia, asticciola e passero folgorato.

D'Amblanc osservò l'uccello perdere i sensi e poi rianimarsi, tremante, all'interno della piccola gabbia. Lo scienziato annunciò il gran finale parlando della dimostrazione «completa» delle potenzialità del fluido. Il gran finale si dimostrò semplicemente una scarica abbastanza forte da sbalzare il passero e mandarlo zampette all'aria, stecchito, sul fondo della gabbia. Il pubblico applaudí e lo «scienziato» fece girare il cappello, che raccolse qualche moneta.

D'Amblanc si decise a proseguire. La moda scientifica che aveva imperversato negli anni precedenti alla rivoluzione non sembrava spegnersi, almeno a livello della strada. Affrettò il passo, e tornò a pensare alla conversazione di quella mattina. Finí per associare l'immagine della borsa di Chauvelin a un vaso di Pandora. Qualcosa che forse sarebbe stato meglio non aprire.

Alla sua proposta D'Amblanc non aveva detto né sí né no. Aveva preso tempo. Per leggere i rapporti e riflettere sul da farsi.

Si sforzò di scovare nelle parole di Chauvelin un significato recondito, un messaggio cifrato, senza riuscire a scalfirne la superficie.

4.

La mano era posata sul ventre della donna in corrispondenza dell'ombelico, ad appena mezzo palmo dal seno e dal pube. L'altra mano era sulla schiena, nell'avvallamento sopra le terga. D'Amblanc stava attento a tenere il corpo distante da quello della paziente, e nondimeno il suo profumo lo assediava. Cécile Girard era seduta su una sedia senza braccioli, le spalle discoste dallo schienale, in modo che la mano del terapista potesse passare nello spazio intermedio. Testimone della magnetizzazione era l'anziana serva, come sempre intenta all'uncinetto vicino alla finestra. D'Amblanc tentava di non pensare alla sua presenza e di concentrarsi sul bene della paziente. La signora Girard aveva le palpebre abbassate, il respiro regolare, le labbra appena dischiuse lasciavano intravedere la dentatura perfetta.

– Sentite che vi faccio del bene? – chiese D'Amblanc.

– Sí. Continuate, vi prego.

– Sta a voi decidere quando interrompere il trattamento. Percepite il calore del fluido?

– Sí. Mi attraversa da parte a parte.

D'Amblanc mosse impercettibilmente le dita e avvertí il fremito sotto il tessuto del vestito. Si bloccò. La vecchia serva muoveva i ferri da maglia sempre piú lenta: aveva la testa reclinata di lato, si stava appisolando.

D'Amblanc tornò a concentrarsi sulla paziente. Ne osservò il profilo, le orecchie piccole, la leggera peluria sulla nuca.

– Volete dirmi qual è la causa del vostro male? – chiese.

– Forse potrei dirvi cosa turba voi, dottore, – rispose la donna.

D'Amblanc accusò il colpo e arrossí.

– Non è di me che dobbiamo parlare, – si difese, – ma del vostro asma. Cosa lo provoca?

– Di certo uno scompenso nel fluido.

D'Amblanc soppesò la risposta.

– E a cosa pensate sia dovuto tale scompenso?
Silenzio.

D'Amblanc fu incerto se ripetere la domanda. Insistere non era un buon metodo. Lanciò ancora un'occhiata alla vecchia serva accanto alla finestra. Dormiva, cullata da qualche bel sogno, stando all'espressione beata del volto.

Il profumo era piú intenso che mai.

Decise di ritentare.

– Potete dirmi qual è l'ostacolo al regolare scorrimento del fluido magnetico?

Questa volta la risposta arrivò immediata.

– La menzogna.

Fu il turno di D'Amblanc di rimanere zitto. In nessuna delle precedenti sedute la signora Girard aveva mai accennato ad altro che non fossero i propri disturbi: mancanza di appetito, tristezza, crisi di pianto.

– Riuscite a essere piú precisa? – domandò.

– Vivo circondata dalla menzogna. Si può dire che l'ho sposata.

D'Amblanc non capí, ma sapeva che il sonnambulo deve essere assecondato, affinché l'autodiagnosi abbia esito.

– Come può un fattore tanto aleatorio interrompere il flusso magnetico dentro di voi e intaccare i vostri polmoni?

– La menzogna non è aleatoria, dottore, – rispose lei. – È una cosa concretissima, che scava dentro. Non dimenticate che sono la moglie di un avvocato.

D'Amblanc trattenne lo stupore. Poi, senza pensarci sopra, decise di azzardare.

– Credete si possa agire sulla causa dello scompenso?

Di nuovo silenzio. Il salotto di casa Girard sembrava avulso dal mondo. L'unico rumore era il leggero russare della serva.

La mano della signora Girard gli sfiorò la coscia. Dopo un attimo di esitazione, D'Amblanc aumentò leggermente la pressione sul ventre di lei, che rispose con un tocco audace ma delicato, in grado di sprigionare il desiderio di una presa piú decisa. D'Amblanc si accorse che anche la sua mano si era mossa, fino a sfiorare la pelle del seno lasciata scoperta dalla scollatura. L'indice carezzò il piccolo incavo sotto la gola, mentre il respiro di entrambi si fece piú pesante. La mano della donna salí lungo il fianco. D'Amblanc trasalí, come scottato, e il suo movimento brusco svegliò la vecchia.

La signora Girard aprí gli occhi e si volse verso di lui, che si aggiustò i polsini e si alzò per congedarsi.

Pochi minuti dopo era già in strada, tentando di contenere alla meglio la nube di pensieri.

5.

Quella sera, alla luce tenue di un candelabro, D'Amblanc costrinse la nube dentro un paio di pagine del suo quaderno, in una grafia fitta e allungata.

Non poteva negare di essersi sentito attratto dalla signora Girard fin dalla prima seduta di magnetizzazione, anche se era certo che la propria condotta non fosse mai stata meno che professionale. Il dubbio che consegnava alle pagine del quaderno era quello di avere esercitato una qualche forma di involontario condizionamento su di lei, attraverso la magnetizzazione. Non aveva forse immaginato in precedenza di essere toccato da quelle mani? Certo che sí. In quale altro modo si spiegava il fatto che un'irreprensibile donna sposata – a uno degli avvocati piú in vista della Gironda, per di piú – cedesse all'attrazione per un altro uomo, nel salotto di casa, in presenza di una serva, ancorché assopita?

D'Amblanc ricordava quante signore dabbene raggiungevano una vera e propria estasi erotica durante le crisi convulsive che Mesmer provocava loro. Ma durante le sue sedute non era mai capitato. Forse, si disse, perché non era mai stato tanto attratto da una donna come dalla signora

Girard. C'era qualcosa di conturbante in lei, non solo la bellezza, il profumo. Era la calma, una sorta di accondiscendenza ispirata dal desiderio, un affidarsi ciecamente alle cure, senza che questo implicasse sottomissione, quella che doveva soltanto al marito. Era come il darsi con docilità di una tigre.

Era cosí? Attraverso le sonnambulizzazioni aveva domato una tigre?

D'Amblanc sapeva che non avrebbe trovato le risposte quella sera. L'accadimento pomeridiano aveva risvegliato un vecchio tarlo.

Riascoltò le proprie parole di quella mattina: «Il magnetismo animale è una terapia. Serve a curare le persone, non a incontrare i santi».

Preparò un foglio e intinse la penna nel calamaio. L'intenzione era di scrivere al suo maestro, ma cambiò subito idea. Non aveva abbastanza elementi per disturbare nel suo ritiro un uomo che nel frattempo era passato dall'esercito alla vita di campagna. Chastenet, già marchese di Puységur, colui che aveva ribaltato la dottrina di Mesmer per farla camminare sui piedi, non avrebbe preso in considerazione meno che un numero cospicuo di indizi, e probabilmente solo per rintuzzare con gentilezza i rovelli di un adepto pedante.

D'Amblanc depose la penna e si rilassò sulla sedia. Notò il faldone di fascicoli dell'agente Chauvelin. Li aveva lasciati sulla sedia quel mattino, senza nemmeno aprirli, e lí erano rimasti tutto il giorno, come un paziente in attesa d'essere ricevuto.

E in effetti questo erano quei rapporti, pensò D'Amblanc: storie di persone. Potenziali pazienti.

Prese il primo della risma e lo aprí. Era il caso di una pastorella del Massiccio Centrale che sosteneva di parlare con gli angeli, i quali le avevano preannunciato la fine del mondo e l'avvento del regno di Cristo e dei santi. Quando dialogava con gli angeli, la ragazzina sembrava come addormentata, non percepiva la presenza delle persone intorno a sé, rispondeva soltanto alle domande della madre.

D'Amblanc richiuse il fascicolo e, controvoglia, ne prese un altro. Bernard Jaranton, detto «l'uomo-cinghiale». Un caso di licantropia, a quanto poteva capire.

Un terzo fascicolo riguardava una giovane sonnambula che se ne andava in giro di notte per i boschi e in tale stato sviluppava abilità e forza inusitate.

D'Amblanc accantonò il plico, mentre gli tornavano in mente le parole di Chauvelin: un'altra Vandea. Bande controrivoluzionarie che attraversano le campagne, briganti in agguato nei boschi, esecuzioni sommarie nelle piazze. Il secondo fronte, quello interno.

D'Amblanc era stato medico di battaglione, in un'altra guerra, e le ferite riportate gli sarebbero state sufficienti per tutta la vita. D'istinto lasciò scorrere la mano in corrispondenza delle vecchie cicatrici sul torace e sul costato. Quel pomeriggio, quando la signora Girard ne aveva sfiorata una, un brivido gli aveva percorso le ossa, accompagnato dal suono delle sue stesse urla, scaturito da un angolo della memoria. Baluginare di lame, lembi di pelle sanguinanti. Quando quelle visioni tornavano in superficie, anche il dolore ricominciava. Del resto, pensò, senza quel periodico riaffiorare, non avrebbe mai scoperto il magnetismo animale.

Era stato il suo luogotenente a consigliargli le cure di Franz Anton Mesmer. L'uomo era molto grato a D'Amblanc per avergli salvato una gamba dalla cancrena e, felice di potersi sdebitare, gli aveva scritto una lettera di presentazione, senza la quale la terapia magnetica sarebbe costata un occhio della testa. D'Amblanc avrebbe fatto qualunque cosa pur di non vivere sotto la spada di Damocle di quel dolore improvviso, che lo torceva come un ramo nel fuoco. Cosí era partito per la capitale.

I rintocchi del campanile gli ricordarono che ore fossero e d'un tratto sentí addosso la stanchezza della giornata. Si preparò per andare a dormire e quando fu sotto le coltri si concesse di tornare indietro, al passato recente e lontanissimo che aveva preceduto la rivoluzione. Gli albori della ricerca sul magnetismo, le vasche di rame, le convulsioni.

In principio era la voce.

6.

Guardate le sterle del Piccolo Carro, *mein Freund*. Guardate *die Bärin*... l'Orsa. Voi immaginate le linie della costellazione come fossero concrete *und real*. Quelle linie collegano corpi celesti lontanissimi, la loro prossimità non è che una illusione, un effetto di perspectiva. Noi li nominiamo, vediamo in essi disegni, una carta del cielo. Ma essa è tale soltanto per noi. *Das Gesetz*... la legge che regola le relazioni tra gli asteri e che sostiene la volta del cielo l'ha stabilita Newton. *Die Schwerkraft*... La forza di gravità è ciò che ci tiene con i piedi in terra e che regge l'universo.

La gravità è responsabile di fanomeni dalla vasta portata, della statica e della dinamica dell'universo. Ma come può un objecto influenzarne un altro senza toccarlo? I nostri piedi toccano la terra, ma gli asteri non si sfiorano nemmeno. In cielo, che cosa veicola la forza di gravità? È forse magia, zauberia? La fisica non può ammettere nel suo dominio influenze non spiegabili in termini scientifici. Qualcosa deve colmare le abissali distanze tra gli asteri.

Un flusso, simile a quello electrico o magnetico, che pervade l'*universum*. Un flusso che attraversa ogni cosa e ogni creatura vivente. Un flusso che lega tutto a tutto.

Alcuni individui riescono ad auscoltarlo. È come sentire il respiro del mondo. Il suono è simile a quello di uno harmonium. Sentite? È il legame con il suolo su cui poggiamo i piedi, con l'erba che copre il prato, con gli insecti che camminano tra gli steli, con gli alberi, i voglatili posati sui rami, le pietre, e finanche gli objecti, tabelli di legno, colonne, nippe, costruiti della stessa materia. *Teile des gleichen Universums...* Parti dello stesso universo. Essi possono caricarsi di fluido e condurlo come i metalli conducono l'electricità. Cosí alcuni individui possono conzentrare in sé stessi una grande quantità di fluido, e *stärken...* Rafforzare *und* dirigiere il flusso universale.

A quale scopo? *Nur eines*: alleviare la pena delle creature viventi.

Che cosa sono il dolore, la malattia, il kranco? Dall'alba dei tempi l'Uomo si è affidato alla superstizione, stabilendo che essi sono il fructo di una colpa morale. Ma essi non sono altro che il prodotto della interruzione del flusso universale. Come un ostacolo sulla traiectoria della sfera che rolla su un platto inclinato contrasta la gravità, *ebenso*, un blocco nel flusso magnetico causa la disarmonia. Il disordine. Il male.

Qual è dunque l'akzione che rimuove l'ostacolo e consente alla sfera di rollare fino al suolo? *Ein lebhafter Schock...* una forte scossa magnetica è in grado di annulliare il blocco e ripristinare il flusso. Tale scossa produrrà nel malato sofferente una crisi convulsiva, superata la quale egli sentirà di nuovo il flusso scorrere reghelmente attraverso sé.

È quello che io, Franz Anton Mesmer, farò a voi. *Ihre Narben...* Le vostre cicatrici non fanno sempre dolore. È il ricordo che le riapre. Il ricordo cattivo rompe l'equilibrio del flusso. Noi non possiamo cancellare il ricordo, e nemmeno le cicatrici, *aber* possiamo ripristinare il flusso, il vostro legame con il tutto che vi circonda.

Aus meinen Händen... Dalle mie mani il flusso investirà l'ostacolo e lo spazzerà via.

Estratto da
TABLEAU DE PARIS, VIII
di Louis-Sébastien Mercier (1788)

Ulcera terribile sul corpo politico, ulcera larga, profonda, purulenta, che non si riesce a descrivere se non distogliendo lo sguardo. A partire dall'aria del posto, che si sente a quattrocento tese, tutto vi dice che vi state avvicinando a un luogo di prigionia, un asilo di miseria, degradazione e sfortuna.

Bicêtre serve da ritiro per coloro che la sorte o l'imprevidenza hanno ingannato, e per coloro che debbono mendicare un sostegno per la loro dura e penosa esistenza. Ed è anche una casa di reclusione, o piuttosto: di tormento, dove si ammassano coloro che hanno turbato la società: libertini d'ogni genere, truffatori, spioni, bari, ladri, falsari, pederasti.

Si rimane turbati nel vedere negli stessi spazi, a fianco di questi vagabondi, gli epilettici, gli idioti, i folli, i vecchi, i mutilati: li chiamano buoni poveri, ma dovrebbero separarli da questa folla di farabutti che ci ispirano piú indignazione che pietà!

Il numero degli abitanti di Bicêtre non è fisso; in inverno è piú consistente, perché molti poveri che trovano da lavorare in estate, sono obbligati d'inverno a rifugiarsi in questo ospedale, dove allora si contano circa quattromila-cinquecento persone.

Ahimè! Quanto somigliano alle mosche, gli uomini! Attivi d'estate, pietre in inverno. O lazzaroni di Napoli! Nudi e senza tetto, ma sotto un sole nutriente...

Estratto da

OSSERVAZIONI DI UN VIAGGIATORE INGLESE
SULLA PRIGIONE DI BICÊTRE
di Honoré-Gabriel Riqueti, conte di Mirabeau (1789)

Abbiamo avuto il coraggio di recarci a Bicêtre; dico il coraggio benché, da parte mia, io non abbia da farmene un merito; infatti, quando ho concepito il disegno di andarci, io non avevo idea di tutti gli orrori di questo odioso alloggio. Sapevo, come tutti, che Bicêtre è al tempo stesso un ospedale e una prigione, ma ignoravo che si possa costruire un ospedale per partorire malattie e una prigione per far nascere crimini.

Estratto da

SAGGIO SULLA TOPOGRAFIA FISICA E MEDICA DI PARIGI
CON UNA DESCRIZIONE DEI SUOI OSPEDALI
di Joseph-Marie Audin-Rouvière
(anno II della Repubblica francese)

Sulla porta d'ingresso di questa casa si legge: «Rispetto per la sfortuna». La sua posizione è su una collina tra i villaggi di Ville-Juive e di Gentilly, alla distanza di una lega piccola da Parigi.

I folli sono considerati incurabili appena arrivano e non ricevono alcun trattamento. In generale, sembrano trattati con dolcezza. Nel quartiere a loro destinato ci sono centosettantotto celle e un dormitorio. Durante la notte vengono rinchiusi nelle loro celle o nelle diverse sale, ma per tutta la giornata sono liberi di stare in cortile, purché non siano furiosi; il numero di questi ultimi non è considerevole e varia secondo le stagioni: io ne ho visti soltanto sei che stavano in catene.

Malgrado l'inesistenza di un trattamento, e il raggrupparsi di malattie diverse, parecchi folli ritrovano la ragione e vengono messi in libertà.

I cortili sono molto ventilati e se molte delle celle non fossero sotto il livello del terreno, e dunque umide, non sarebbero male per un uomo solo.

Il pensionante

8 aprile 1793

1.

– L'idea piú stravagante che possa nascere nella testa di un politico è quella di credere che sia sufficiente, per un popolo, entrare a mano armata nel territorio di un popolo straniero, per fargli adottare le sue leggi e la sua costituzione.

Robespierre aveva una voce corposa, buona per le geremiadi, ma quando perdeva il controllo e si metteva a gridare, spesso gli sfuggivano strilli piú acuti, da castrato, che sembravano il sintomo di una doppia natura. Allora, consapevole di quel difetto, scrutava l'uditorio con occhio piccato, per soffocare sul nascere eventuali risate.

– Nessuno ama i missionari armati, il primo consiglio che dànno la natura e la prudenza è quello di respingerli come nemici.

L'oratore indirizzò lo sguardo su Marat. Quest'ultimo non riusciva a tenere fermo il busto, e lo dondolava avanti e indietro come un pendolo fuori fase, accompagnando le oscillazioni con un tamureggiare di piedi sotto la panca.

– Qual è la decisione che una sana politica prescrive per consolidare la Repubblica nascente? Quella di imprimere nei cuori il disprezzo per la monarchia e di impressionare tutti i partigiani dei re.

Danton, vestito in abiti civili assai dimessi, annuiva con aria solenne, ma le sue labbra si muovevano, parlava tra sé, forse cercava le frasi giuste per intervenire nel dibattito.

Senza aspettare che l'Incorruttibile terminasse il suo discorso, Marat scattò in piedi sulla panca ed esplose nella sua tipica richiesta di vendetta.

– Migliaia di teste, migliaia di teste!

Come ogni pomeriggio, l'unico ad affrontare l'Amico del Popolo nelle sue escandescenze fu il serafico Brissot. Si avvicinò al furibondo, gli strinse una spalla e rispose che un tributo di sangue era pur necessario, ma si pronunciò in nome della moderazione: mille teste erano una stima esagerata, occorreva sempre mitigare le richieste piú estreme affinché la barra della rivoluzione non sfuggisse dalle mani dei nocchieri e gli scogli nemici non mandassero in pezzi la nave dello stato.

Stultifera navis, pensò l'uomo che si faceva chiamare Laplace.

Provò a intervenire Danton, ma la voce non si udiva. Marat pestava i piedi e poiché si temeva per l'integrità della panca, gli inservienti si radunarono per convincerlo con le buone o con le cattive a rimettersi seduto, o a rimanere in piedi, *ma perlamadonna, scendi da costassú!*

L'eccitazione si propagò per il cortile. Gli oscillanti oscillavano sempre piú; i biascicanti interrompevano il biascichio con frequenti schiamazzi; tra i melancolici, alcuni scoppiavano a piangere, altri si percuotevano il capo, mentre persino i catatonici sembravano sul punto di esplodere.

L'Incorruttibile cercò di sovrastare la cagnara strillando che si erano colà riuniti per decidere della morte del re! Quanti riuscivano a intendere le sue parole furono presi da un'esaltazione ancora maggiore. Alcuni si alzarono sulle sedie per intonare *La Marsigliese*, altri attaccarono la prima canzone che avevano sulle labbra. Molti battevano piedi e mani.

Dal suo punto di osservazione, l'uomo che si faceva chiamare Laplace pensò che la follia è materia di studio indispensabile per chi voglia conoscere ed esercitare il potere. Un'incognita che può entrare in gioco in qualsiasi momento, nelle vicende personali e in quelle collettive. A dispetto delle apparenze, dunque, egli si trovava in un luogo privilegiato, una vera accademia di scienza politica. Di piú: si trovava in un microcosmo della nazione. *Quod est inferius, est sicut quod est superius.* Bicêtre era la Francia: infermi di mente impegnati in discorsi piú grandi di loro. Ecco perché aveva attribuito a ciascuno il nome di un deputato della Convenzione. Non aveva dovuto faticare molto: luoghi di segregazione come quello erano piú aperti al mondo di quanto non si credesse. Da fuori giungevano corpi, cibo, voci, idee, conflitti. La notizia della nascita di un comitato di salute pubblica, composto di nove deputati da rieleggere ogni mese, era giunta quel mattino, due soli giorni dopo il fatto. Soltanto i casi piú gravi, le persone ormai dimentiche di sé, non conoscevano i nomi dei grand'uomini del momento. La maggioranza aveva contezza delle loro parole e degli atteggiamenti. Alcuni alienati li ammiravano e si immedesimavano a tal punto da *credersi* quei grand'uomini. Fra quelle mura, Robespierre, Hébert, Saint-Just, Marat erano eroi, modelli e simulacri.

Soprattutto Marat, pensò l'uomo chiamato Laplace.

Il *grande* Marat.

Che una figura simile potesse essere chiamata «grande» era sintomo della malattia grave che stagnava sul paese.

I lavori della Convenzione vennero sospesi d'imperio e i deputati piú in vista rinchiusi prima del tempo nei loro alloggiamenti.

Marat – il sedicente Marat che piú somigliava ai ritratti di Marat – seguitò a ripetere il ritornello sulle migliaia di teste, per quanto in tono piú sommesso, a causa della veste di contenzione che gli stringeva il petto.

Robespierre – che di Robespierre non aveva l'aspetto, ma solo le frasi celebri mandate a memoria – si accomiatò gridando:

– Non facciamo leggi per un solo momento, ma per i secoli. Non per noi, ma per l'universo!

Del vero Brissot, il Brissot di Bicêtre non aveva nulla. Laplace lo aveva soprannominato cosí solo perché si opponeva a Marat con determinazione. Per il resto era un tipo insignificante, e infatti si fece trascinare via senza reagire, e cosí pure Danton, che però venne messo in catene, poiché il suo ventre alla Danton risultava incontenibile nelle camicie di forza.

2.

Bicêtre era ospedale, prigione, ospízio e orfanotrofio. L'uomo che si faceva chiamare Laplace risiedeva nel padiglione dei folli, noto come San Prisco, e godeva dei privilegi riservati ai «pensionanti», cioè i convittori che pagavano una retta. Un medicastro di Parigi, previo adeguato emolumento, gli aveva scritto una domanda di ricovero per gravi attacchi di melancolia.

Aveva scelto di nascondersi in quel luogo perché teatro del massacro di settembre, quando i sanculotti avevano travolto i cancelli in cerca di aristocratici e preti. Nessuno lo avrebbe creduto tanto stupido da rinchiudersi dove, pochi mesi prima, la parodia di giustizia del popolino aveva fatto strage. Per un nemico della rivoluzione non vi era rifugio piú sicuro di Bicêtre.

Aveva scelto di restare in quel luogo perché terribile, capace di metterlo di fronte ai propri limiti. Limiti che, nella temperie che attraversava la Francia, era imperativo superare. Il contatto, la prossimità con corpi sfatti e sozzi, volti rugosi e nasi deformi, menti ingenue o deviate, rispondeva all'esigenza di fortificarsi l'anima, esercitando la volontà nel superare paure e repulsioni ancestrali.

Era l'impresa piú difficile che avesse mai affrontato. La paura che aveva conosciuto sul campo di battaglia era puramente fisica. In guerra si poteva morire trafitti da una picca, o cancellati da un cannone, o trascinati da un cavallo in fuga, legati alla staffa per un piede. Quale uomo, quale vero soldato temeva davvero tutto questo? L'idea dello scempio del corpo gli procurava una lontana tristezza, ma non lo affliggeva.

Il contatto con la follia e la deformità era ben altra cosa. Macchine umane, bestie umane, macchinari bestiali che sbavano e imprecano, e ti fissano, immobili, o percorsi da tremiti, il volto orribile a una spanna dal tuo, tanto da sentirne il fiato, la puzza della carne e delle vesti.

Grazie all'orrore, aveva cominciato a fare ciò che doveva, ciò che aveva stabilito fin dall'inizio: usare quel girone di dannati per addestrare la sua peculiare abilità. Abilità lasciata cadere anni prima, imprecisa perché non piú addestrata, ma ritemprabile e potenzialmente decisiva. Su di essa contava, per dirigere verso un esito fortunato il disastro che la Francia subiva.

La stanza dove risiedeva era in un'ala vicina a quella dei casi piú duri, quelli che mettono alla prova la pazienza e l'umore, rischiando di spingere un debole verso la follia.

Una branda in legno, con un pagliericcio pulito e buone coperte, una sedia e un tavolo con carta, penna e calamaio. Alcuni libri sopra una mensola, ricavata nella pietra del muro, e un baule di vestiti, aperto, all'impiedi.

Detestava starsene sdraiato a far niente. Aveva stilato un programma giornaliero di esercizi, preghiere, riflessioni.

Spesso ripensava al barone, ai viaggi e alle esperienze fatte insieme, prima del Grande Disordine e della Grande Parodia.

Ricordava gli albori della rivoluzione, quando il Capeto regnava in ostaggio, ridotto al fantoccio che in fondo era sempre stato.

Pensava a come il barone si era illuso sugli stati generali, per poi convincersi che la rivoluzione era la rovina del mondo. Pensava alla fuga a Coblenza e alle cannonate di Valmy. Al sangue di Valmy. Alla disfatta di Valmy.

Poi l'abbaglio finale: un complotto per far evadere il re di Francia. Mossa prevedibile, facile da intuire e da sventare.

Il barone non poteva capire: troppo legato a un'aristocrazia già appassita ben prima del Grande Disordine.

Per troppo tempo Laplace si era fatto trascinare dalle velleità, dalle false speranze negli esuli, dall'idea che «controrivoluzione» equivalesse a «restaurazione».

Il tentativo fallito di liberare Luigi gli aveva aperto gli occhi, consegnandogli una certezza che non avrebbe piú abbandonato.

La controrivoluzione è a sua volta una rivoluzione, oppure non è nulla.

3.

Gli inservienti avevano l'abitudine di picchiare sulla porta con durezza, da sbirri. Talora sembrava che usassero il palmo, invece del pugno. Il suono somigliava a uno schiaffo, che attraverso il legno diveniva un tonfo risonante.

L'uomo nella stanza diede voce a un assenso e gli inservienti entrarono. Facce grossolane, due mezzi armadi biondicci, musi segnati dalla prossimità col grado zero dell'uomo e da nasi spropositati: uno rubizzo, simile a un'escrescenza maligna, l'altro una specie di sonda, la cui punta cadeva verso il basso, sulle labbra, come attratta dal centro della terra.

– Cittadino Laplace, il governatore Pussin vuole vedervi.

L'uomo dal naso floscio era contratto, come se si attendesse un diniego e fosse pronto a convincere, o costringere, il convittore a seguirlo.

Laplace invece si infilò il pastrano, con l'aria di chi si reca a un incontro fissato da tempo. Fuori, il sole invernale prendeva forza di giorno in giorno e la luce che rischiarava il cortile era sempre piú accesa. L'ampio lastrico grigio, contornato da smilzi aceri, si apriva come una piazza d'armi al centro delle architetture massicce di Bicêtre.

Solo i pazzi piú mansueti potevano passeggiare liberi a quell'ora del giorno. Un conciliabolo d'uomini d'età difforme ma vestiti alla stessa maniera: *frac* e *culottes* di tela grezza, calze al ginocchio, zoccoli e un berretto di lana. Alcuni sedevano per terra, altri su sedie e panche, quasi tutti ostentando compunzione, dignità, come immagini di antichi ritratti, Ateniesi e Romani di un'epoca nuova, moderni Ciceroni e Temistocli. Uno di essi, a forza di ripetizioni e frasi fatte, si produsse in un'esortazione astratta ad amare e servire la patria, l'idea di patria che potrebbe avere un bambino.

Laplace lo osservò da capo a piedi: era uno di quelli che non aveva ancora ribattezzato, e prima di entrare nelle stanze del governatore, decise che lo avrebbe chiamato Lafayette.

– Vi trovo bene, cittadino Laplace. Il vostro incarnato è roseo.

– Sí, cittadino Pussin, il mio umore è stabile, e non ne sono sorpreso. Sapevo che una degenza qui mi avrebbe fatto del bene.

Pussin scorse le carte che teneva sul tavolo.

– Nel nostro ultimo colloquio vi auguravate che la prossimità con chi è toccato dalla sorte in modo piú duro del vostro vi potesse aiutare.

Laplace annuí.

– Sono certo che i benefici sarebbero anche maggiori, se potessi rendermi utile agli altri ospiti.

Pussin si accarezzò il mento con soddisfazione.

– Lasciate che vi racconti una storia, cittadino. Vent'anni fa, un uomo entrò a Bicêtre ammalato di scrofola. Lo avevano giudicato incurabile, eppure guarí, anche grazie all'incarico di sorvegliante che gli venne affidato. Senza quell'incarico, non avrebbe conosciuto la sua futura moglie, sarebbe tornato nel Giura a fare il tintore di stoffe, forse si sarebbe ammalato di nuovo. Invece rimase qui, fino a occupare un posto di grande responsabilità.

– Quell'uomo siete voi, vero?

– Precisamente.

– Un tempo erano i sovrani a guarire la scrofola.

– Oggi sovrani siamo tutti. Per questo sono favorevole all'impiego degli alienati in svariate mansioni. Ciascuno secondo le proprie capacità. Gli uomini abituati alla fatica attingono e portano l'acqua dei pozzi, i contadini si dànno da fare nell'orto, altri nelle stalle, altri anche soltanto con una scopa in mano. Voi siete uomo di una certa levatura intellettuale, vi piace leggere. Potreste pensare a come mettere a frutto queste abilità per il bene comune. Potreste insegnare l'alfabeto a chi non lo conosce, oppure leggere storie edificanti a chi si sente schiacciato dalla sorte. Pensateci, cittadino Laplace. E quando ci avrete pensato, fatemi avere la vostra proposta. Vi auguro buona giornata.

Uscendo di nuovo nel cortile, Laplace si disse che Pussin era un illuso. Come troppi in quella temperie, era votato a una causa persa, perché falsa. La regina delle false idee. La convinzione assurda che gli uomini siano uguali, a dispetto di come appaiono, della loro natura, della purezza del sangue che li vivifica. Come dire che tutte le stelle in cielo sono equidistanti e brillano con la medesima intensità, oppure che tutti i colori sono uno soltanto.

Fino a pochissimi anni prima, gli alienati di Bicêtre, in catene, arrancavano incrostati di sporcizia nella penombra umida tra i muri, senza mai ricevere sulla pelle i baci e gli schiaffi del vento. Nel loro mondo, i raggi del sole erano pochi e irresoluti spifferi di barlume, grevi di polvere e insetti, inadatti a tagliare l'aria delle celle. Le cose stavano cambiando. Jean-Baptiste Pussin stava facendo la sua rivoluzione nella rivoluzione. Applicava idee inusitate, a loro modo coraggiose: trattare gli insensati come esseri umani, mirare a una loro «guarigione». Come se si potesse alterare la volontà di Dio onnipotente a forza di teorie. Aveva tolto i ferri da polsi e caviglie, e si era messo a *parlare* agli alienati.

Mentre attraversava il cortile, Laplace osservò i folli che vagavano senza meta, come pesci in una vasca putrida. Riconobbe Mirabeau, Condorcet, Barère. Ciò che si poteva ottenere da quegli esseri segnati era renderli docili, ed era un'operazione della Volontà. Quando la cura pareva riuscire, in sostanza non si trattava che di questo: folle o non folle, un uomo ha la mente fatta di cera. Se la volontà di un essere superiore, di un uomo nobile e forte si imprime con decisione in tale duttile materia, allora ecco apparire un risultato. Non una rivoluzione, ma la volontà dell'uno che piega la volontà dell'altro, e questo accadeva dalla notte dei tempi.

4.

Lo strepito e le urla giungevano da un luogo non prossimo, ma i suoni erano alti e distinti, ancorché caotici. L'uomo chiamato Laplace passò il breve dormiveglia a chiedersi dove si trovasse e cosa fossero quelle grida. Fantasmi affollarono la mente, ma poi si fece chiara la consapevolezza di essere nel suo alloggio, a Bicêtre. Le grida erano l'espressione di qualche insensato.

Urla di rabbia, lamenti, cantilene appartenevano al paesaggio sonoro del manicomio come i canti degli uccelli appartengono ai giardini nella bella stagione, ma l'uomo che si faceva chiamare Laplace, ormai sveglio e seduto sul bordo della branda, si chiese se quei suoni potenti e inarticolati provenissero da un essere umano o, piuttosto, da un grosso animale.

L'eccitazione si era trasmessa ai cani dei sorveglianti e ad altri internati. Il frastuono prese a montare, ad avvicinarsi, ora si sovrapponevano piú voci, intente a rivendicare, lamentare, minacciare, reprimere.

Le urla cessarono di colpo, mentre si lavava mani e faccia nel bacile. Ora l'unico rumore erano zoccoli lontani di cavalli, e passaggio di ruote sul selciato. Dopo meno di un minuto, il corridoio fu riempito da passi pesanti di piú paia di gambe, e imprecazioni a denti stretti.

Aperto l'uscio, l'uomo si affacciò.

Un manipolo di sgherri trascinava un giovane.

Laplace aveva già visto quei tratti regolari e l'ossatura solida. Aveva notato altre volte quel viso, il naso armonioso, benché popolano, e il capo incorniciato da boccoli biondi. Il corpo robusto ne faceva una sorta d'incrocio fra un putto e un carrettiere.

Dunque erano suoi gli ominosi strilli uditi poco innanzi.

Si chiamava Malaprez, gli avevano detto. Con ogni probabilità, i suoi antenati erano usciti, fieri, giovani di razza e aspirazioni, dalle selve della Franconia, piú di mille anni prima, ma Dio aveva voluto che il biondo dai lineamenti perfetti fosse un bruto, un essere non molto sopra l'animale.

Laplace non era ingenuo: la volontà di Dio doveva essersi manifestata non con un singolo atto d'imperio, traendo un bruto da un ventre di donna; piuttosto, per imperscrutabili scopi, aveva corrotto la linea di sangue che portava dagli antichi fino al biondo, attraverso incroci con esseri inferiori, e questo aveva generato la follia.

No, non era ingenuo, Laplace, e nemmeno tanto arrogante da credere di conoscere la volontà dell'Onnipotente. Eppure, il fatto che Malaprez si trovasse lí, vicino a lui, sotto lo stesso tetto, coi suoi perfetti lineamenti e la terribile brutalità, doveva senza dubbio voler dire qualcosa.

Malaprez era a Bicêtre da un anno o poco piú. Come per molti, si ignoravano i motivi originali del ricovero. Si sapeva, però, che durante il massacro di settembre un randello lo aveva colpito al cranio, forse piú di una volta. Ne portava ancora i segni sulla cute, sfregi biancastri fra la chioma sottile.

Da quella notte, Malaprez aveva perso la favella e ogni barlume di senno. Si esprimeva a mugugni e, di tanto in tanto, conosceva sfoghi di rabbia animalesca.

Stretto nella camicia di forza, il giovane sfilò spinto dagli inservienti. Ora sembrava placato.

Il governatore Pussin era un illuso, certo, ma non uno sprovveduto. Vi era un *non-si-sa-mai* alla base del suo esperimento: una camicia dalle maniche chiuse e provviste di legacci, che si potevano fissare dietro la schiena. Una veste di contenzione, ben piú morbida delle catene, idea di un tappezziere dei dintorni.

Gli occhi di Laplace e quelli del folle si incrociarono.

Un attimo dopo, l'alienato, con la sola forza del tronco, riuscí a divincolarsi e tra grida altissime, agghiaccianti, prese a scalciare alla cieca intorno a sé. La camicia di forza si allentò. Laplace arretrava un passo alla volta, senza perdere di vista la scena, che aveva il fascino vuoto dell'istante che può preludere l'inferno.

Accorsero altri inservienti. Fu con la forza del peso e del numero che lo vinsero. Alla camicia di forza, stretta a dovere, si aggiunse una catena ai piedi. Tenuto sdraiato da molte braccia, nella polvere, Malaprez si divincolava. La rabbia disperata stava scemando.

Estratto dal

DECRETO GENERALE SUGLI SPETTACOLI E I TEATRI

13 gennaio 1791

Ogni cittadino potrà aprire un teatro pubblico e farvi rappresentare opere di tutti i generi, facendo, prima dell'apertura del teatro stesso, una dichiarazione alla municipalità del luogo.

Art. 6. Gli impresari, o i membri dei diversi teatri, saranno, in ragione del loro stato, sotto il controllo della municipalità e riceveranno ordini solo dagli ufficiali comunali, che non potranno bloccare né impedire la rappresentazione delle opere, fatta salva la responsabilità degli autori e dei commedianti, e che nulla potranno ingiungere ai commedianti, se non quanto previsto dai regolamenti di polizia.

Art. 7. Agli spettacoli non sarà presente più di una guardia esterna. Ci saranno sempre uno o più ufficiali civili all'interno delle sale, e la guardia non vi entrerà, a meno che la sicurezza pubblica non sia compromessa, & su richiesta esplicita dell'ufficiale civile, il quale si conformerà alle leggi e ai regolamenti di polizia.

Estratto dal

DECRETO SULLA SORVEGLIANZA DEGLI SPETTACOLI

31 marzo 1793

La Convenzione nazionale incarica il suo comitato d'istruzione pubblica di farle continuamente rapporto sulla sorveglianza da esercitare sopra i teatri e gli altri spettacoli pubblici.

In discesa

Fine aprile 1793

1.

Era una di quelle sere in cui le facce del pubblico in prima fila ti si stampano in testa. Accade quando stanno lí e ti fissano, e non dànno voce o gesto alle emozioni.

Léo guardò l'attore che lo affiancava sulla scena, un povero cane, dopo avergli porto la battuta in modo magistrale. Talento sprecato, pensò Léo: il collega cane aveva bruciato brutalmente i tempi comici. Poi è ovvio che la prima fila guarda attonita. E in seconda, terza, qualcuno già sbadiglia.

Era una compagnia di terz'ordine. La sua presenza lí, tra loro, sul palco, turbava gli equilibri degli attori mediocri. La sua bravura non alzava il livello generale della rappresentazione: era semplicemente un pesce fuor d'acqua. Per contrasto, la sua maggior abilità tecnica rendeva tutto piú farraginoso. L'unica nota positiva erano le attrici: sembravano disponibili, erano molto rispettose…

Perso dietro il filo dei pensieri, Léo sbagliò i tempi a sua volta. Provò a redimersi forzando le battute successive, ma il pubblico sembrò cogliere la disarmonia. Magari frequentava quel teatro da anni, anzi di certo era cosí. Magari la gente in prima fila era abituata allo stile e alla maniera dell'attore rimpiazzato da Léo. Di meglio non aveva trovato: fare il sostituto. La voce si era sparsa in fretta tra gli impresari: Modonnet il piantagrane. Modonnet il portaguai, Modonnet l'esibizionista. Eccolo lí, a sprecare il proprio talento in mezzo a quel branco di cani.

Léo colse con la coda dell'occhio un tizio, in seconda fila, che sporgeva il capo tra due teste, e lo scuoteva con intenzione. Léo pronunciò la battuta successiva, pensando che le commedie distese erano noiose, specie quelle in voga in Francia in quel momento: storie edificanti di gente insignificante. La testa in seconda fila oscillò di nuovo ostentando disapprovazione. Léo uscí di scena e, appena dietro la quinta, continuò a osservare il comportamento delle prime file. Ora toccava alle attrici, con vestiti aderenti e scollature generose. I sorrisi di compiacimento si sprecavano.

La scena ebbe termine e Léo rientrò. Era il momento di una lunga tirata, e lui si sentiva in grado di convincere chiunque. Incominciò: modulazione di voce, gesti ampi ma non troppo enfatici, movimenti calibrati... e testa in seconda fila che continuava a fare no, accompagnata da gesti con la mano e smorfie con la bocca. Forse erano amici dell'attore che Léo sostituiva, ma che colpa ne aveva lui se era caduto malato? Gente in malafede...

Terminò il monologo e in quel momento la testa in seconda fila si alzò e un verso risuonò nella platea.

– Bau! Bau!

Léo si bloccò e cercò gli occhi del provocatore. Lo guardavano con un'espressione di scherno.

Decise che poteva bastare. A passi lunghi scese in platea. Il tizio aveva cambiato faccia. Si era indurita. Intanto gli altri attori facevano capolino da dietro le quinte e molti spettatori erano in piedi. Léo pensò a una battuta adeguata, ma l'unica cosa che gli sovvenne fu una replica all'altezza della provocazione. Riprodusse anche lui un verso da cane.

Ringhiò.

Poi sfoggiò il miglior sorriso e avanzò verso l'avversario a braccia aperte. Giunto a distanza utile, sferrò una testata che colpí lo spettatore ma non ebbe la forza di abbatterlo.

Lui e i suoi amici reagirono e Léo finí al centro di un parapiglia. Menava schiaffi, calci e pugni alla maniera che aveva appreso da ragazzino.

Mentre lottava, quasi alla cieca, benedisse di aver avuto, pur nella sventura d'essere orfano, un padre putativo come Giovanfranco Mingozzi, guardiano delle tenute del marchese e factotum. Mingozzi, cresciuto in una città ostile e violenta, dalle strade malsicure, dove i maestri d'arme che insegnavano scherma, lotta e trovar di braccia facevano fortuna. Mingozzi gli aveva insegnato a difendersi... e a offendere, cosa che aveva deciso la sua sorte. Addio, Bologna; eccomi, Parigi.

Al tempo stesso, mentre mulinava braccia in ogni direzione, Léo si maledisse. La faccenda buttava male, molto male. Fu colpito da un cazzotto in pieno volto: almeno uno doveva arrivargli, e quell'uno era stato poderoso. Una delle lezioni di vita di suo padre era stata: «Se fai a pacche serie, giovine, una botta passa sempre la guardia».

Finí a sedere per terra. Con l'agilità di un saltimbanco fece una capriola all'indietro e si rimise in piedi, in tempo per sferrare un calcio ai genitali all'avversario di turno. Si accorse che gli sanguinava il naso e imprecò.

Si udí un colpo di pistola, e voci concitate sovrastarono lo strepito. La rissa si placò.

Moschetti e coccarde. Gattabuia per tutti, per me specialmente, pensò Léo.

2.

Nogaret lo guardò con blando interesse.

– Voi siete quel che si dice una testa calda, Modonnet. Ancora, turbamento dell'ordine pubblico e in piú un gesto che non posso che definire «aggressione». Avete deciso che la vostra testa, là dove poggia, vi è d'ingombro?

L'espressione di Léo era livida. Guai, fitti guai, una selva di cazzi, una brutta, bruttissima gatta da pelare.

– Non so davvero che cosa mi è preso, cittadino. Tra il pubblico c'era un provocatore...

Tacque, davanti alla solita mano alzata di Nogaret.

– Non sono io a dovervi insegnare il teatro, Modonnet. Il pubblico ha tutto il diritto di dissentire, mentre una reazione come la vostra comporta un'ammenda di venti lire, oppure quattro giorni di prigione. Nell'un caso o nell'altro, una segnalazione scritta col vostro nome al comitato di istruzione generale.

Una frustata di sudore freddo colpí Léo.

– No, la segnalazione no, cittadino Nogaret.

Il funzionario trasse un profondo respiro.

– Sí, la segnalazione sí, Modonnet. Ho ricevuto ordini molto chiari in proposito, e la Musa mi perdonerà se con questo la priverò dei vostri servigi –. Fece cenno alle guardie che prelevassero l'arrestato. – Sempre che non mi ringrazi, – concluse.

Léo dovette accettare lo scherno, anche se quelle parole lo ferivano. Guardò in basso, mentre gli mettevano i ferri ai polsi.

– Recitare è la mia vita. Non ho mai fatto altro.

Nogaret lo fissò sornione.

– Potreste sempre arruolarvi. La Repubblica ha bisogno di buoni patrioti. In fondo siete francese ormai.

Léo non seppe cosa replicare e si lasciò portare via in silenzio. L'ultima immagine che ebbe di Nogaret fu quella della sua faccia mogia china su una nuova pratica.

3.

I quattro giorni di galera passarono in fretta: non altrettanto le notti. Abituato a recitare ogni sera, per le prove o per il pubblico, Léo perse subito il sonno nel pantano dell'inazione. Al suo posto, sulla paglia fetida della cuccetta, trovò per compagne una sfilza di domande, sempre le stesse. Quando sarebbe tornato a recitare? E quanto avrebbe avuto da risentirne la sua carriera di attore? Parlava sul serio, quel Nogaret? La sua segnalazione avrebbe davvero avuto effetto? O era tutta una finta per impressionarlo?

Léo pensò alla scazzottata. Si consolò pensando che almeno non aveva ucciso nessuno. Pensò alla terribile notte di sette anni prima, quando aveva detto addio a Bologna in fretta e furia, con la benedizione di Mingozzi.

Oddio, benedizione… Piú simile a *un chélz int'al cul*.

Mingozzi. La rottura era stata dolorosa, segnata dalla delusione del vecchio padre per com'era «venuto su» il figlio. Giunto a Parigi, Léo aveva trascorso un anno senza scrivergli, finché una sera, parlando con saltimbanchi che erano passati per Bologna, era venuto a sapere che era morto. Dopo quel giorno, non aveva mai piú pianto, se si escludeva la lacrima versata per la morte del maestro Goldoni.

Léo, ovvero Leonida, aveva maturato l'amore per il teatro assistendo sin da fanciullo alle commedie che il marchese Albergati metteva in scena nella sua villa in campagna. Commedie sovente scritte dal medesimo marchese – che s'inorgogliva nel rammentarlo a tutti – e altrettanto sovente regalate dal maestro Goldoni, che le scriveva espressamente per l'amico.

Francesco Albergati, al pari di non pochi altri nobili d'Europa e al contrario dei molti culastracci costretti a recitare per campare, poteva permettersi di essere un *amateur*; nondimeno, era uomo di teatro a tutto tondo, o almeno in altorilievo: non pago di scrivere e allestire, faceva pure l'attore.

Nella maggior parte dei casi, le messe in scena erano riservate agli amici aristocratici (membri delle famiglie senatorie bolognesi e ospiti di rango), ma il marchese era imbevuto d'idee nuove, era in corrispondenza coi piú illuminati spiriti del suo tempo, incluso – si diceva – l'immenso Voltaire. Perciò, in talune occasioni, le recite avevano luogo sotto la volta del cielo, aperte a chiunque vivesse o lavorasse o passasse nei dintorni della villa.

In una di quelle sere, Leonida aveva visto mettere in scena *Il campiello* di Goldoni.

A quell'epoca, il maestro viveva a Versailles e insegnava italiano alle figlie di Luigi XV. Scriveva al marchese raccontando i fasti e le stranezze della corte di Francia, e quei resoconti trapelavano, gocciolavano in basso, arrivavano fino alla servitú e uscivano dai muri della villa, fabulandosi vieppiú. In quel di Zola, tre leghe a ponente di Bologna, Goldoni era una leggenda popolare.

A Leonida avevano raccontato che, durante la famosa ultima visita, il maestro lo aveva addirittura fatto sedere sulle ginocchia, *el fantolin*, e lo aveva fatto ridere mostrandogli facce buffe, strabuzzando gli occhi e gonfiando le gote. Léo aveva due anni.

Ne aveva otto quella fatidica sera, quando, terminata la commedia, si era girato verso Mingozzi e gli aveva detto: «Me, da grand, a voi fèr l'atåur!»

Mingozzi aveva scosso il capo e gli aveva risposto: «Il marchese fa l'attore perché ha i baiocchi. Te, se fai l'attore, vai a far la fame».

Giovanfranco Mingozzi aveva un fisico asciutto e muscoloso, occhi di bragia e barba nera. Nel 1760 aveva cinquantadue anni, e da ventidue lavorava per gli Albergati. In gioventú era stato soldato e tante altre cose di cui non parlava mai. Non s'era mai sposato, o almeno un suo matrimonio non risultava a nessuno, ma dicevano avesse seminato figli tra Bologna e le Romagne, oramai tutti grandi.

Pure attorniato da molte persone, il vecchio reduce si sentiva solo.

Quando una giovine serva di Villa Albergati era morta sgravando un figlio di *pater numquam*, Mingozzi s'era commosso per la creaturina e aveva impedito che la portassero alla ruota degli esposti. Il bimbo sarebbe rimasto lí: lo avrebbero cresciuto come il figlio di tutti… ma di Mingozzi un poco di piú. L'avevano chiamato Leonida, nessuno ricordava il perché. Era un nome come un altro. A Mingozzi avevano detto: «Dàgli il tuo cognome», ma lui no, lui riteneva giusto dargli quello della povera mamma, ché di lei serbasse almeno qualcosa.

La miserella si chiamava Natalina Modonesi. Di lei non si sapeva molto, anche perché era arrivata da poco, già incinta. Aveva fatto giusto in tempo ad abituarsi, a ricordare i nomi di tutte le altre, che il parto l'aveva stroncata.

Fuggito da Bologna e dall'Italia per giungere a Parigi sulle orme di Goldoni, Leonida si era cambiato nome, voltandolo in francese, e padre, creandosene uno capocomico. Meglio figlio d'arte che figlio di nessuno.

Era il 1786.

Un minuto dopo l'altro, notte dopo notte, il gocciolare dei dubbi aprí a Léo un tale buco nel cervello, che appena il cancello della prigione gli si schiuse davanti, si buttò a capofitto per le strade di Parigi, dritto al teatro piú vicino, senza nemmeno passare da casa per cambiarsi d'abito. Impresari e capocomici, d'altronde, lo conoscevano bene, e il rispetto che gli portavano non dipendeva certo dalle sue camicie pulite.

– Mi spiace, Léo, la compagnia è al completo.

– Niente da fare, Bologna. Prova a sentire al *Pantano*, mi pare cercassero.

– No, Modonnet, un posto per te non ce l'abbiamo.

L'ultimo rifiuto parve a Léo meno netto degli altri. Intravide uno spiraglio e ci si infilò di slancio.

– Ti ringrazio, Jean, – rispose. – So che vorresti darmi una parte di rilievo, è gentile da parte tua non propormi un ruolo di secondo piano, ma in questo momento...

– Le parti sono tutte assegnate, Modonnet. Non saprei cosa farti fare.

Léo non si perse d'animo, aveva bisogno di recitare, un modo doveva esserci.

– Senti, Jean: non è che potrei lo stesso fare le prove con voi? Aiutare gli attori piú giovani con le battute difficili, fare il suggeritore, sostituire alla bisogna chi dovesse mancare, prima o poi capita sempre, che manchi qualcuno, e io invece potrei imparare tutte le parti e diventare un specie di factotum, eh? Che ne pensi? *Mè a fâg ad tòtt!* Largo al *fâgtotum!* E in cambio ti chiederei solo il vitto e i quattro spiccioli che bastano a placare quella sanguisuga del mio padrone di casa.

– No, Modonnet, – fu la risposta, – non si può fare.

E mentre Léo annaspava per trovare la battuta giusta, di fronte a un rifiuto all'improvviso tanto duro, l'uomo che lo aveva pronunciato frugò in una tasca della giacca e gli sventolò un foglio davanti al naso.

Portava l'intestazione del comitato di istruzione pubblica. Era indirizzato a tutte le compagnie di attori e ai proprietari di teatri della capitale. Era un elenco di nomi, preceduto da una frase breve e definitiva:

> Visto il ripetersi sempre piú frequente di disordini e intemperanze nei luoghi dati agli spettacoli, si consiglia di prendere provvedimenti – sul palco e in platea – nei confronti dei seguenti cittadini, che tali tumulti hanno innescato e fomentato nel corso degli ultimi mesi.

Léo non dovette scorrere molti nomi prima di trovare il proprio: era il terzo della lista, dopo quelli di Fourmillon e Jeannard, due guitti notoriamente controrivoluzionari.

– Hai la rogna, Modonnet, – fu l'amara sintesi. – Un consiglio del genere è peggio di una sentenza: questi cominciano a sospendere le rappresentazioni, a chiudere i teatri, e nessuno vuole correre rischi e attirare controlli.

– Ma se ti dico che starei dietro le quinte, che salirei sul palco solo per le prove, che…

L'uomo scrollò la testa deciso, ripiegò il foglio, lo infilò nella giacca e si congedò con un «Buona fortuna» tanto falso che non puzzava nemmeno di pietà.

Il giorno ormai volgeva al termine, la luce del sole stampava riflessi sui muri dei palazzi. Léo decise di rientrare a casa, mangiare un boccone, scoprire quali nuove domande avrebbe trovato nel letto al posto del sonno.

Lungo la strada, in mezzo alla folla, osservava uomini e donne impegnati nei lavori piú diversi e si immaginava a faticare al posto loro per guadagnarsi il pane. Non sapeva fare altro che recitare, e in fondo cosa ci si poteva aspettare da un bimbo che Carlo Goldoni aveva tenuto sulle ginocchia?

Spiò da una finestra aperta gli operai di una tipografia. Sudati, le mani sporche di inchiostro, si affannavano sulle lastre, mentre un tizio magro urlava loro di fare in fretta, piú in fretta. Come facevano a sopportarlo in silenzio?

Una ragazza giovane, dagli occhi intensi, vendeva fiori malmessi all'angolo di una piazza. Léo ne studiò i lineamenti dolci, le curve aggraziate del corpo. Anche la voce era ben impostata. Una cosí, con un buon maestro di recitazione, poteva diventare di quelle attrici che fanno scegliere il pubblico tra due *pièces* di uguale valore. E invece sprecava le sue doti naturali per vendere una merce futile e ormai appassita. Sarebbe finito anche lui cosí? A irretire coi gesti e le parole un pugno di rozzi clienti, per convincerli a comprare una libbra di cetrioli?

La città si faceva sempre piú scura, i suoi pensieri anche. I passi lo condussero alla porta di casa, sulle scale, fino al ripiano che dava nel sottotetto. E lí, sul ripiano, in una mucchia informe e colorata, c'erano i suoi vestiti, i libri, una lampada, due scodelle. Addossati alla parete per lasciare libero il passaggio, già coperti di calcinacci e polvere di muro.

Léo raccolse un opuscolo sottile e spazzò la prima pagina con l'avambraccio.

IL VENTAGLIO
di Carlo Goldoni

Tratta di tasca una grossa chiave, armeggiò con la serratura e nell'unica stanza del suo appartamento si trovò di fronte un uomo a petto nudo.

– E voi chi siete? – dissero le due bocche nello stesso momento.

L'attimo dopo, entrambi pretendevano di essere il legittimo inquilino di quel buco.

L'uomo a petto nudo si fece largo verso la tromba delle scale e ci urlò dentro:

– Mastro Picard, venite un po' su, c'è qui quello di prima che non se ne vuole andare.

Giú dabbasso si sentí un rumore di serrature, poi la testa bovina di Picard si affacciò dal piano di sotto, puntò il dito verso l'alto e prima ancora di cominciare a salire, prese a gridare:

– Tu, saccodimerda! Sono quattro giorni che ti cerco, quattro giorni, mi devi due mesi d'arretrato e io nel frattempo son costretto a comprare la carne a credito, a supplicare il macellaio per colpa tua. Piglia i tuoi quattro stracci e smamma veloce. Sciò, pussa via, non la voglio piú vedere, quella tua faccia di culo.

Quando fu a destinazione, l'energumeno si avventò sulla roba di Léo, i vestiti, i libri, le lampade, e senza dire né *a* né *ba*, prese a precipitarli giú per il vano scale, raccogliendoli a bracciate come se fossero sterpi e foglie secche.

Léo avrebbe voluto con piacere saltargli addosso, fargli ingoiare la boria insieme ai denti, ma si disse che un'altra rissa, altra prigione, altre notti insonni, non erano davvero quel che ci voleva per sbrogliare il gomitolo della sua esistenza.

Si limitò a dire che aveva capito, che non c'era bisogno di quella sceneggiata, che buchi di culo come quello ce n'erano migliaia, a Parigi, anche piú economici, e che pertanto se ne sarebbe andato subito volentieri e pure chiedendo i danni per quegli effetti personali che si fossero rovinati nella caduta.

Quindi scese al pianoterra, stese un lenzuolo sul pavimento sporco, ci raccolse sopra tutti i suoi averi, legò gli angoli a coppia e, con un nodo in una mano e uno nell'altra, si appoggiò il fagotto alla schiena e uscí per strada, dove un'altra notte insonne lo aspettava indifferente, additandogli come giaciglio la nuda terra e come tetto la volta di un ponte a cavallo della Senna.

Estratto dalla
LETTERA DEI DEPUTATI
JEANBON SAINT-ANDRÉ ED ÉLIE LACOSTE,
INVIATI IN MISSIONE NELLA DORDOGNA
PER CONTO DELLA CONVENZIONE NAZIONALE,
AL DEPUTATO BARÈRE

I disordini della Vandea e dei dipartimenti vicini sono inquietanti, senza dubbio, ma sono davvero pericolosi solo perché il santo entusiasmo per la libertà è soffocato nei cuori. Ovunque ci si è stancati della rivoluzione. I ricchi la detestano, i poveri non hanno il pane e li si persuade che devono prendersela con noi.

I cosiddetti moderati, che in qualche modo facevano causa comune con i patrioti e desideravano almeno una qualsivoglia rivoluzione, oggi non ne vogliono sapere, aspirano a farla regredire, e anzi, diciamocelo: vogliono la controrivoluzione e sono legati col cuore, l'intenzione, la volontà, e presto anche con le azioni, agli aristocratici.

Il povero non ha pane e il grano non manca, ma rimane chiuso nei magazzini. Bisogna far vivere il povero con un atto d'imperio, se vogliamo che egli ci aiuti a fare la rivoluzione.

Nei casi straordinari, non bisogna considerare altra legge che quella suprema della salute pubblica.

1.

C'è dei garzi che li piazzi difronte a una mucchia di gente e ti san dire subito quanta ce n'è. Ma no a mazzi di mille, che son buoni tutti, no, precisi come Madama Ghigliottina.

Seimilatrecento, ci fa Guérin stamane, quando si prende su dalla Porta di Sant'Antonio, dove c'era la Bastiglia, e si tira dritto fino al Maneggio, per dare una bella strigliata ai ronzini della Convenzione, che se ne stanno lí a ruminare da una settimana, ma la legge sul *maximum* non la cavano fuori.

Numeri a parte, se ci pensi bene, non c'è poi tanto da sbigottire difronte a tanta smossa. Quando hai la panza e il borsello vuoti, mettere un prezzo massimo sulla roba da mangiare non è qualcosa che lo devi spiegare, basta che lo dici e son tutti d'accordo, a parte la riccaglia e i bottegai. Piuttosto devi spiegare il contrario: ci vuole una gran lingua per convincere gli stracciaculo che il prezzo del pane ha da essere libero, cioè libero di affamarli. E infatti Robespierre, Marat e Saint-Just ci s'erano messi d'impegno, da in vetta alla Montagna, a spiegarci 'sta grande verità dell'economia, e pure Danton e Barère, dalla stanza della regina, che adesso ospita il comitato di salute pubblica. Dicevano che il *maximum* non è mica giusto, che bisogna starci attenti, che se blocchi il prezzo del grano va a finire che gli zotici se lo tengono in campagna, per risparmiare sui costi del viaggio, e a noi di Parigi ci tocca coltivare sui tetti delle case. E soquanti s'erano lasciati convincere. Poi però da marzo ha preso a piovere merda, come si dice al club dei sanculotti.

Anzitutto i brissotini hanno fatto mettere Marat sotto processo perché aveva incitato ai saccheggi. Marat! L'Amico del Popolo! Una dichiarazione di guerra, dadentro anziché dafuori.

Poi in Vandea gli zotici si sono rivoltati contro la Repubblica, in nome di Luigi Carlo, il rampoldo del Capeto. Combattono con una bandiera gigliata che ci ha il suo nome scritto sopra e contano il tempo dal giorno che gli abbiamo accorciato il paparino, dicendo che adesso siamo nell'anno primo del regno di Luigi XVII. Rivogliono il papa, i nobilardi e tutti quelli che li tenevano nel fango. Agli zotici il fango piace. Ci nascono, ci vivono e ci muoiono, come le cipolle che coltivano.

Per chiudere in bellezza, il generale Dumouriez, che doveva incularsi l'Olanda, ha fatto il salto della quaglia ed è passato con gli Austriachi. E siccome Brissot e i suoi gianfotti erano compari dell'infamone, trentacinque sezioni di Parigi hanno portato alla barra una petizione, col sindaco in testa, per chiedere che i brissotini vengano sbattuti fuori dalla Convenzione, mettendoci pure un calcio nel culo.

Intanto il prezzo della roba continuava a salire, a salire… Allora lassú sulla Montagna si sono detti: ve' che qua butta male, se non gli diamo il *maximum* va a finire che diventa tutta Vandea. Altro che leva di massa, altro che volontari pronti a difendere la nazione: se uno pensa che la femmina e i garzotti moriranno di fame, col zullo che va a farsi sparare al fronte. Perché la miseria, dài che ci dài, finisce che ti fa rimpiangere la schiavitú, ché almeno un tozzo di pane, tra una frustata e l'altra, il padrone te lo dava. Cosí quelle gran zucche hanno smesso di insistere a dire e stradire che il *maximum* non si può fare. Anzi, adesso sono convinti che con una legge cosí, gli zotici e i monopolatori la piantano di imboscarsi la roba per poi aspettare di venderla quando il prezzo è salito, e quindi, guai a chi tocca la proprietà degli altri, ma aggiungono che se uno usa quel che ha per far del male al popolo, allora bisogna costringerlo a usarlo bene. Insomma si son convertiti e noialtri siam ben contenti di poterci dire d'accordo.

Ecco perché stogiorno ci s'è trovati in seimilatrecento, e si va dritti al Maneggio delle Tegolerie, per ribadire il concetto ai brissotini e a tutti i chiappecalde della Convenzione.

2.

Treignac osservò la folla circondare il palazzo e ripeté a sé stesso quel che da giorni andava ripetendo ai commissari di sezione: permettere al corteo di attraversare Parigi non era affatto una buona idea. Men che meno lasciarlo libero di arrivare fin sotto le finestre delle Tegolerie. Benché fosse di simpatie montagnarde, Treignac non aveva grande fiducia nella mitica disciplina sanculotta, quella temperanza fiera e composta incensata da papà Duchesne. Ancora meno fiducia, d'altronde, nutriva nei provocatori controrivoluzionari, sempre pronti a infilarsi dove c'era folla, per eccitare gli animi e rovinare la festa.

Purtroppo il suo parere contava ben poco, di fronte a quello dei caporioni del comune, tipi come Chaumette e il sindaco Pache, che avevano deciso di compiacere il popolo, lisciarsi gli arrabbiati, spaventare i girondini di Brissot, farsi belli coi montagnardi e ottenere il *massimo*, tutto in una sola giornata e con un solo corteo. Tanto non erano loro a dover mantenere l'ordine. Con tutto che di cortei non ce n'era uno soltanto, bensí due, e adesso magari si finiva per litigare su chi aveva il diritto di entrare per primo, se i cinquemila sanculotti di Sant'Antonio, in ragione del loro numero, o le duecento donne di Versailles, per via che s'erano fatte a piedi piú di quattro leghe.

Appoggiato al tronco di un platano, discosto dal grosso della folla, Treignac ne teneva d'occhio il ribollire, pronto all'intervento in caso di bisogno, anche se gli uomini di cui disponeva erano ben poca cosa di fronte al muro di teste che ora cingeva la Sala del Maneggio.

Fu da quella posizione che si vide venire incontro il figlio di Marie Nozière.

– Allora, Bastien, che si dice là davanti?

Il ragazzino si asciugò il naso con la manica e riferí.

– S'è deciso che entrano prima quelle di Versailles, perché la loro petizione è piú corta della nostra, e poi devono tornare a casa prima di buio.

– Giusto, – commentò laconico Treignac. – Perché tua madre continua ad agitarsi?

– È che quelli alla porta dicono che dentro c'è già troppa gente, le tribune sono piene, e allora dei nostri non ne fanno entrare piú di quaranta.

– Non bastano?

Il ragazzino annuí.

– Sí, ma si scazzano su chi deve entrare. Mia madre dice che le donne, a Sant'Antonio, sono piú di metà degli abitanti, e che allora han da essere metà anche dei quaranta che entrano, cioè venti. E poi, siccome le prime a chiedere il prezzo massimo son state loro, già due mesi fa, allora chiedono che sia una donna a presentare la petizione alla barra.

Treignac scosse la testa.

– Tua madre è strana, – disse. – Ma che dobbiamo fare, adesso? Contare quanti biondi ci sono al foborgo e metterne abbastanza tra quelli che van dentro? E gli zoppi? Quanti

zoppi abbiamo nel foborgo? Almeno tre zoppi su quaranta
bisognerà metterceli, non trovi?

Il ragazzino si fece una risata.

– E tre scrofolosi e una battona, negoddio!

Treignac si fece serio.

– Frena la lingua, garzo, o te le suono a tamburo. Che altro?

– Parlerà Muzine.

– Muzine! Sacrodio… – mormorò Treignac tra sé, guardandosi la punta delle scarpe. – Va', vai a dare un'altra occhiata. Quelli non la smettono piú di discutere.

Il ragazzino fece per allontanarsi, fiero del suo compito,
ma fatti due passi si fermò e girò la testa.

– Io però resto con te. Ti guardo le spalle, eh, Treignac?

Treignac raccolse un sassolino e glielo tirò dietro, impre-
cando che la piantasse di cianciare, se voleva guadagnarsi il
soldo che avevano pattuito.

3.

Quando sentí nelle orecchie la voce della Convenzione,
Marie Nozière non poté fare a meno di trattenere il fiato.

La Sala del Maneggio era un rettangolo lungo e stretto.
La forma si doveva alla sua antica funzione: quella di far
sgroppare cavalli, senza che i nobili fantini si bagnassero il
capo nei giorni di pioggia. Sui due lati corti, una sopra l'altra, si arrampicavano le tribune popolari, gremite di teste.
Marie riconobbe il grande stendardo che le donne di Versailles avevano portato in processione: «Vogliamo una legge sul prezzo dei grani», c'era scritto in caratteri maiuscoli,
con lettere alternate rosse e blu.

Dalla volta del soffitto, alta quanto la navata di una chiesa,
pendevano tre maestosi lampadari e un tricolore di Francia.

Le grida e le chiacchiere del pubblico rimbalzavano là contro e grandinavano giú con violenza, mentre per le parole degli oratori era tutto l'opposto, sembravano salire e dissolversi come nebbia estiva. Sui lati lunghi sedevano i deputati, e al centro della sala, intorno a diversi tavoli, prendevano posto i ministri e i membri dei vari comitati. Di fronte a questi, dietro un parapetto di legno, si apriva lo spazio per le delegazioni popolari che presentavano richieste, denunce, accuse.

I quaranta di Sant'Antonio stavano là dentro come buoi al mercato, in piedi, spingendo per avanzare di qualche posizione, affacciarsi alla barra, riconoscere questo o quel deputato.

Anche Marie cercava di guadagnare un buon posto, ma non per smania di stare in prima fila. Voleva piazzarsi di fianco a Muzine, l'uomo che avrebbe letto la petizione a nome di tutti, per esser certa di afferrare bene le sue parole. L'oratore ufficiale del foborgo, il tintore Gonchon, si era sentito male la sera prima, ed erano rimasti con la merda in tasca. C'era chi diceva che quel malore improvviso gliel'avevano suggerito alcuni amici, delusi dai suoi discorsi piú recenti, a favore di una pace tra Gironda e Montagna. Altri dicevano di averlo visto sbafarsi quindici rane e che di sicuro erano state quelle, a ballargli nello stomaco tutta notte. Sia come sia, era saltato su Jean-Claude Muzine, uno della cagnaccia, a dire che lui ce l'aveva già tutto in testa, un discorso bello forte, che senza dubbio non avrebbe fatto rimpiangere l'oratore titolare. In tanti allora l'avevano sostenuto, dicendo che lo stesso Gonchon, tra uno scacazzo e l'altro, l'aveva designato per rimpiazzarlo. Cosí lo sbirro aveva ricevuto l'investitura, e Marie non voleva perdersi il suo discorso.

Raggiunse a fatica la meta dei suoi compermesso, mentre l'oratore si schiariva la voce per cominciare.

– Cittadini, – sgolò, – siamo qui a presentarvi una petizione degli abitanti del quartiere di Sant'Antonio.

Il nome del foborgo piú rivoluzionario di Parigi strappò applausi di simpatia dalle tribune e dai banchi della Montagna. Muzine annuí soddisfatto, come se l'entusiasmo fosse rivolto a lui e al suo timbro di voce grave e compunto.

– Essi sono qui fuori, – continuò, – in numero di novemila, e domandano di sfilare davanti alla Convenzione, con tutto il rispetto che si deve ai rappresentanti del popolo, tranquillamente e senza portare armi.

Di nuovo gli applausi gonfiarono il petto dell'oratore.

– Incaricati del popolo sovrano, – riprese. – Da molto tempo, occupandovi solo di interessi particolari e di denunce degli uni contro gli altri, voi avete ritardato il cammino che dovreste intraprendere. Riuniti in questo consesso per fare il bene di tutti, per redigere leggi repubblicane, rispondete, che avete fatto? Avete fatto molte promesse e non avete mantenuto nulla.

Un brusio di dissenso si alzò senza distinzioni da Montagna e Pianura, destra e sinistra dello schieramento. Da dietro le spalle di Marie, invece, arrivavano esortazioni a mezza voce: «Bravo Muzine!», «Cantagliele secche!»

– Noi di Sant'Antonio, – si inalberò l'oratore con un bel vibrato, – siamo pronti a partire per la Vandea e a buttare a mare i rivoltosi. Bruciamo dalla voglia di mostrare ai tiranni che i repubblicani francesi sono piú forti delle loro congiure. Ma le nostre donne e i nostri bambini non hanno né cibo né vestiti: come possiamo lasciarli? Affamare il popolo significa non meritare piú la sua fiducia. Fateli anche voi, dei sacrifici: la maggior parte di voialtri dimentichi di essere proprietaria di terre. Se approverete il *maximum*, noi difenderemo le vostre proprietà e piú ancora quelle della patria. Ma non basta, mandatari: ascoltate un membro del vostro sovrano, il popolo. Le tre sezioni del foborgo di Sant'Antonio hanno stabilito quanto segue.

A quel punto, Muzine cominciò finalmente a leggere la petizione, cosí come stava scritta sui fogli che teneva in mano. Anche se la conosceva a menadito, Marie si accinse ad ascoltarla come fosse la prima volta, chiedendosi quale effetto avrebbe avuto sulla sala.

Ascoltò Muzine chiedere la partenza immediata per il fronte di tutti i soldati di stanza a Parigi, nonché dei firmatari di petizioni antirivoluzionarie, dei sospettati di incivismo, dei preti del culto cattolico, degli uomini tra i diciotto e i cinquant'anni, dei vedovi senza figli. E se non fosse bastato, si doveva tirare a sorte fra i cittadini sposati.

Le truppe cosí composte avrebbero poi eletto i loro generali. E per armarle al meglio, si doveva istituire una tassa sui cittadini piú ricchi.

– Ecco, mandatari, ciò che domandano gli uomini liberi e repubblicani, del 14 luglio e di oggi, in aggiunta al *maximum* sul prezzo del grano. Finora la rivoluzione ha pesato soltanto sui poveri, ma è tempo che il ricco e l'egoista siano pure loro repubblicani, e che sostituiscano al proprio tornaconto il coraggio.

Questa volta gli applausi giunsero solo dai banchi della Montagna e dell'estrema sinistra.

– Mandatari! – li sovrastò l'oratore con un grido da mercato. – Questi che vi abbiamo indicato sono i soli mezzi per salvare la cosa pubblica che noi riteniamo efficaci. Se voi non li adotterete, noialtri che intendiamo salvarla davvero, la Repubblica, ci dichiareremo in stato di insurrezione. Diecimila uomini sono alla porta di questa sala…

La voce di Muzine scomparve sotto una valanga di urla, improperi, rumore di sedie. Marie distinse con chiarezza diverse voci, che per chissà quali rimbalzi spiccavano sul baccano generale, invocare l'arresto dell'intera delegazione per oltraggio all'assemblea. Decine di deputati erano in piedi e agitavano le braccia, chi all'indirizzo dell'oratore e chi in direzione del presidente Lasource, il quale scuoteva una campanella muta nel tentativo di riportare ordine.

Alla fine dovette alzarsi in piedi, richiamare per nome diversi colleghi, battere i pugni sul tavolo, e nonostante questo, la sua voce giunse a fatica fino alle orecchie di Marie.

Un predicozzo soporifero, pieno di elogi e rimproveri per tutti. Un ebanista di nome Joseph diede di gomito a Marie e le sussurrò che Lasource stava in campana, da quando il suo nome era finito nella lista dei ventidue brissotini che trentacinque sezioni di Parigi chiedevano di espellere dalla Convenzione.

– Ecco perché adesso ci liscia il culo, – commentò l'uomo, mentre il presidente concludeva il suo sermone e dava la parola a un deputato che fremeva per intervenire.

Questi mosse dai banchi dei girondini e si avviò verso la tribuna a passo deciso, reggendo sottobraccio un plico di fogli, aria da attore consumato. Le voci intorno a Marie lo definirono «Quel gianmerdone di Girard», «Uno di quelli che hanno accusato Marat per i saccheggi», «Culo e camicia con Brissot».

– Cittadini, io voglio credere che questi uomini del 14 luglio siano solo sviati, ma dobbiamo temere lo stesso un simile sviamento. Occorre che la Convenzione, votandosi alla morte per salvare la Repubblica, si preoccupi fin d'ora di non lasciare la Francia senza un'autorità legittima, quando gli assassini verranno a sgozzarci a uno a uno.

Marie si domandò che c'entrasse quel discorso con le richieste della petizione: il *maximum*, l'arruolamento, la tassa per i ricchi. Ma un applauso solitario catturò la sua attenzione.

Una donna seduta in prima fila, proprio sotto i banchi dei girondini, batteva le mani al cipiglio di Girard. Era vestita da uomo, con un cappello piumato, giacca e pantaloni.

– Domando pertanto che un'assemblea di sostituti, – proseguí Girard, – si riunisca subito a Tours o a Bourges, in modo tale che, nel caso la Convenzione venga annientata, essi siano là per tenere l'autorità e non lasciarla nelle mani del comune di Parigi, che già altre volte ha tentato di usurparla.

Una Convenzione di riserva a Tours? Marie non credeva alle proprie orecchie. Un deputato strillò che Girard se l'era scritta in anticipo, la rapsodia, e che l'oratore di Sant'Antonio era in combutta con lui, e aveva tirato fuori la storia dell'insurrezione solo per dare il destro alla solita lagna brissotina: trasferire la Convenzione fuori da Parigi, lontano dal popolo dei sanculotti e dei montagnardi. Marie studiò la reazione sul volto di Girard, che restò impassibile. Al contrario, l'amazzone in prima fila scoppiò in una fragorosa risata all'indirizzo del provocatore. La donna sembrava sicura del fatto suo. Marie ebbe l'impressione di conoscerla. Dove l'aveva già vista? Diede di gomito a Georgette, che si pigiava accanto a lei, l'unica altra donna nella delegazione del foborgo.

– Chi è quella là?

– Come chi è? Théroigne de Méricourt. La puttana di Brissot. Scalda il letto a lui e a parecchi altri della Gironda. In cambio ha un posto riservato là davanti.

Allora Marie ricordò. Théroigne l'amazzone, quella che un giorno era arrivata nel foborgo a dire che le donne dovevano partire per il fronte, come gli uomini, e a raccogliere su un foglietto i nomi delle volontarie. Alla fine se n'era andata col foglietto bianco e svariate minacce di un calcio nel culo.

Una mano si alzò ancora dai banchi della Gironda e un uomo magro mosse alla tribuna. Marie osservò la faccia lunga, il naso importante, mentre un nome serpeggiava tra le file, a metà tra un sibilo e un mormorio: «Brissot».

Il deputato aveva l'aria di chi si accinge a parlare per lunga pezza, sicuro delle proprie abilità oratorie.

L'amazzone allargò le braccia e intimò il silenzio a chi le stava intorno.

– Cittadini, – attaccò Brissot, – la grandezza consiste nel coraggio, non nel fuggire i pericoli; è cosí che l'Inghilterra mette alla prova le nostre forze. Il ministro Pitt compra qualche uomo, svia i migliori cittadini e confondendo quelle energie che non può annientare, rivolta contro la libertà gli sforzi di uomini che vorrebbero vivere e morire per essa.

Un coro di «Sí, sí» sgorgò dai banchi sotto la tribuna, incitato dall'amazzone, che mulinava una mano guantata.

Marie guardò Muzine, che nel frattempo s'era seduto, bianco come un cencio, e pasteggiava con le pellicine ai margini di un'unghia. Se aveva intascato i soldi degli Inglesi, certo era molto bravo a fingersi solo un poveraccio che s'era lasciato prendere dalla fotta di apparire il piú dritto del foborgo.

– Se non adotterete le misure che l'oratore di Sant'Antonio vi ha appena dettato, – continuò Brissot in un falsetto ironico, – allora egli, dice, insorgerà contro di voi, cioè contro la nazione che rappresentate. Cittadini, se non fossimo di fronte al culmine di un delirio, l'atto di questi petizionari sarebbe un grave attentato. Essi vogliono marciare contro i rivoltosi, dicono. Ma i rivoltosi sono là, stanno alla barra. I rivoltosi della Vandea, profanando il sacro nome di Insurrezione, hanno levato contro la Convenzione uno stendardo ribelle: i petizionari li imitano. I rivoltosi della Vandea disconoscono la sovranità del popolo: i petizionari li imitano. I rivoltosi della Vandea vi chiedono un nuovo re: l'insurrezione invocata quest'oggi ci riporta alla monarchia. Pertanto, propongo di mettere agli arresti i vandeani di Sant'Antonio, per interrogarli e risalire alla fonte, ai veri ispiratori dei mali della Repubblica, a coloro che provocano le nostre divisioni.

– Ai voti, ai voti! – gridarono dai banchi della Pianura. – Si voti per appello nominale, cosí vedremo chi difende questi farabutti!

L'amazzone indirizzò un sorriso di sfida alla delegazione di Sant'Antonio. Marie pensò che, ad averla a tiro, le avrebbe sputato in faccia. Anzi, l'avrebbe presa per il collo.

Brissot levò la mano con gesto papale, a indicare che la sua ramanzina non era ancora terminata.

– Quanto a me, – disse con gli occhi al cielo, – dichiaro ai vili adulatori tanto dei re che del popolo, che possono pure pugnalarmi su questa tribuna, ma non privarmi della libertà, né rendermi spergiuro ai miei stessi giuramenti, né fare di me un oppressore dei miei compatrioti. Morire per la patria è vivere per la posterità.

Marie lo guardò esterrefatta tornare al suo posto, accompagnato dagli osanna dell'amante in prima fila. Non riusciva a capire come si fosse arrivati a quella pantomima, a parlare di pugnali e di assassini, di congiure e di arresti, di fronte alla richiesta di un prezzo massimo sulle derrate e di una tassa per i ricchi. Eppure la paternale dei deputati non accennava a scemare, e per un'altra mezz'ora si alternarono in tribuna Jacques Brival («Questo è dei nostri», «Quello che ha proposto di trasformare in cannoni tutte le statue dei re», «Uno che ha votato contro l'arresto di Marat»), Georges Couthon («Pure lui giacobino», «Abita con Robespierre in casa Duplay») e François Buzot («Un pierculo brissotino», «Però contro Marat si è astenuto», «Dicono sia un invertito»). Tutti costoro, pur con toni diversi, si sperticarono in difesa del popolo e «per questo» chiesero di arrestare i firmatari della petizione.

Giusto un certo Mallarmé («Un mangiapreti patentato», «Uno tosto, anche se viene da Nancy») fece notare ai colleghi il tempo perso dietro una frase innocua. Marie gli riservò un lungo applauso, interrotto dallo scampanellare del presidente Lasource. Fu in quel frangente che il suo sguardo e quello di Théroigne de Méricourt si incrociarono, scambiandosi una promessa d'odio reciproco.

– Cittadini, – annunciò il presidente, – debbo darvi lettura di un messaggio che ho ricevuto in questo istante: «Gli abitanti del quartiere Sant'Antonio apprendono con dolore che la loro petizione suscita scandalo. Una nuova delegazione domanda di essere ammessa, composta da cittadini che vogliono difendere la Convenzione fino alla morte».

4.

– I cittadini di Sant'Antonio non vogliono in alcun modo far perdere tempo prezioso alla Repubblica. Chiediamo di rileggere la petizione, cosí com'è scritta, senza aggiunte, per discutere solo nel merito delle questioni sollevate.

Era il medico Henri Fournier a parlare, in qualità di oratore della seconda delegazione del foborgo.

Il presidente domandò quale delle due avesse il diritto di parlare a nome del foborgo, e quale invece fosse composta da impostori.

Marie vide le guance di Fournier avvampare, poi l'uomo disse l'unica cosa che poteva dire.

– I cittadini di Sant'Antonio sono qui fuori e sono loro che ci hanno mandato. Noi non vogliamo affatto assassinarvi, com'è stato detto, ma al contrario, se vi fossero simili assassini, i nostri corpi vi farebbero scudo.

Seguí un brusio tumultuoso da parte dei girondini, che gridavano allo scandalo. Tra i banchi degli spettatori, Théroigne de Méricourt strillava come una gallina contro i montagnardi, e di nuovo Marie ebbe voglia di tirarle il collo.

Il presidente martellò il pugno invano. Soltanto un movimento fra i banchi della Montagna riuscí a far scemare il vocio. Un deputato corpulento saliva alla tribuna con passo pigro e noncurante. Faccia larga e butterata, cicatrice, a Marie non fu difficile riconoscere Danton.

Non le sfuggí nemmeno la lunga occhiata che costui rivolse pochi banchi sopra il suo, dove sedeva un individuo segaligno e pomponnato, con la parrucca incipriata, che pareva l'esatto contrario di Danton. Chiese a Fournier chi fosse l'elegantone e ne ricevette in cambio un secco: «Robespierre». Marie lo osservò durante il discorso dell'oratore e notò come l'uomo non lasciasse trasparire alcuna emozione.

Georges-Jacques Danton, membro illustre del comitato di salute pubblica, prese la parola col tono dell'avvocato che sa di aver già vinto la causa.

– Cittadini, è naturale che la Convenzione s'indigni quando le si dice che non ha fatto nulla per la libertà. Io sono ben lungi dal disapprovare questo sentimento, e so che la Convenzione può rispondere che ha colpito il tiranno, che ha creato un tribunale rivoluzionario per giudicare i nemici della patria, che infine dirige le energie della nazione contro i rivoltosi: ecco quel che abbiamo fatto. Se però un cittadino pensa che noi siamo incapaci di salvare la cosa pubblica, ed è convinto che esistano misure in grado di farlo, allora non commette un crimine affermando che la nazione ha il diritto di insorgere, se tali misure non verranno adottate.

Molte voci ricordarono all'oratore che tra la nazione e gli abitanti di un foborgo c'era una bella differenza. Le critiche però non sortirono un particolare effetto.

– Converrete senz'altro, – proseguí Danton, – che la volontà generale, la volontà della nazione, si compone di volontà individuali. Se siete d'accordo su questo, allora io dico che ogni francese ha il diritto di dire che se tale o talaltra misura non verrà adottata, il popolo può sollevarsi in massa. Non dico che non ci sia gente che cerca di fuorviare i cittadini, e non dico nemmeno che approvo senza riserve la petizione sul *maximum* che vi hanno appena presentato. Tuttavia esamino il diritto di petizione in quanto tale, e dico che in questo consesso nessuno dovrebbe permettersi di insultare un petizionario, e un singolo individuo dovrebbe essere rispettato dai rappresentanti del popolo come il popolo tutto intero. Se la Convenzione fosse certa della sua forza, essa direbbe, con dignità e passione, a chi le viene a fare certe accuse e a minacciare l'insurrezione: «Ecco quel che abbiamo fatto, e voi cittadini, che volete insorgere, l'ascia della giustizia è là per colpirvi, se vi macchierete di qualche delitto». Ecco come dovreste rispondere. Chiedo pertanto che l'assemblea si aggiorni, accordando ai petizionari l'onore della seduta.

Qualche mugugno di disapprovazione sottolineò le ultimissime parole, ma già il presidente domandava se ci fosse bisogno di mettere ai voti la proposta o se si potesse darla per approvata. Nessuno si oppose. Poi, tra i banchi a sinistra del presidente, spuntò una mano alzata, verso la quale si volsero tutti.

Robespierre.

L'avvocato di Arras si alzò in piedi. A Marie parve circonfuso di luce, o forse era soltanto l'effetto dei tanti volti che lo fissavano. Lo osservò spostarsi fino alla tribuna. Quando l'ebbe raggiunta, lo sguardo non andò sui colleghi, né sul presidente. Era come se non esistessero. Robespierre guardava loro, la delegazione di Sant'Antonio. Anzi, Marie avrebbe giurato che guardava proprio lei, dritto negli occhi.

– Cittadini. Nessuna parola che non sia quella della legge potrà spegnere il timore che l'assemblea stia tergiversando sulle richieste del popolo. Propongo quindi che entro tre giorni a partire da oggi il disegno di legge del *maximum* sul prezzo dei grani venga messo ai voti.

L'applauso scrosciante delle due delegazioni e delle donne di Versailles rimbombò sotto la grande volta, fino ai lampadari.

Marie tenne gli occhi su quell'uomo. In meno di un minuto aveva cancellato due ore di capriole inutili, fissando la scadenza che i sanculotti domandavano da mesi. Ecco un uomo che non li avrebbe traditi. L'Incorruttibile.

5.

Noi te lo si conta, ma mica c'eravamo. Lo si è urecchiato, come quasi tutti, da qualcheduno giú al foborgo, all'osteria della *Gran Pinta*. Quando le nostre due magliare e quell'altra si sono occhiate alla Convenzione, si sono odiate subito d'un odio sincero, da femmine. Soquanti dicevano che Marie e Georgette gliel'avevano giurata quelgiorno, quando batteva le mani ai brissotini che volevano gabellare noi di Sant'Antonio per nemici della rivoluzione e chiudere al fresco quel mentecazzo di Muzine. Il giorno dopo lo sapevano dalla Porta alla Senna al Trono-a-Rovescio chi era la saloppa di Brissot. E soquanti si son ricordati di quando era venuta fin là a reclutare donne per il fronte e s'era pensato che fosse una matta scappata dalla Salnitraia.

Ecco perché poi è successo quel che è successo.

Saloppa, però, va detto meglio. Ché mica eran tutte uguali precise, come pensavano certi gecchi sprovvidi. Ne avanzavano almeno di due specie.

C'erano quelle che conoscevamo noi, che facevano lo sgobbo davanti al Palazzo Egualità, o nei vicoli dei quartieri, nei sottani e negli androni. Quando la cagnaccia le pescava, piangevano anche con le urecchie, e tiravano fuori le storie delle loro vitacce schife che avresti riempito un libro intero. Erano le saloppe vergognose, costrette dalla bisogna, come si soleva e ancora si suole, per campare garzotti o vecchierelli. Molte praticavano dopo il tramonto, perché di giorno menavano travagli onesti, ma che non bastavano a sfamare la nidiata. Noi le si smerdava, ché non erano punto tempi pietosi; ma lo si faceva con ritegno, un po' perché vuoi mai che in tale bisogna ci si trovasse tua sorella, o la tua vedova (rognaccia!), o infino tua madre (ché ce n'è di tasche leggere), un po' perché se ti beccavano a «mancare di rispetto» a una femmina, foss'anche la piú impestata, ti mandavano al gabbione.

Poi c'eran le altre. E quella là era una delle altre. Quelle che avevano la vocazione. Quelle che cianciavano che le donne avevan da essere libere di farsi tirare su le sottane da tutti gli uomini che volevano. Mica sgobbavano per strada, no, si facevano pagare begli appartamenti e bella vita dalla riccaglia che le insifiliva, meglio se nobilardi e pierculi, ché avevano piú grasso da ungere. Arrivavano infino a cambiarsi nome per sembrare le grandame che non erano e alzare il tariffario.

Adesso figurale bene, fai conto di averle difronte: le amiche di Brissot son di quella razza.

La piú famosa viene dall'Olanda e ce l'hanno poi anche rimandata, s'intende. Etta Palm d'Aelders, si chiama. Lei ci mette pure un «baronessa», anche se i baroni li ha avuti solo tra le gambe, e in realtà è figlia d'un usuraio di Groninga. Dicono che da giovenca fosse tanto leggiadra e belloccia che gli uomini sgomitavano per spulzellarla e chi restava fuori andava a cercare ispirazione sotto le sue finestre con l'arnese sull'attenti. Ne ha avuti piú lei che sorci la Senna.

Nel suo circolo di femmine, prima di tornarsene da dove era venuta, pure quella cianciava di fare battaglioni di donne e mandarli al fronte a combattere con i maschi. Tanto lei mica ha mai avuto marmocchi da badare, e pure se ne avesse, li sfamerebbe col mestiere.

Un'altra stava ancora lí a Parigi. Anche lei si faceva passare per grandama, ma era la figlia di un beccaio: Olympe de Gouges (il *de* se l'era attaccato con lo sputo, per i quarti che le mancavano). Cianciava che uomini e donne avevano da essere uguali anche se la natura li aveva fatti diversi. E diceva che anche bianchi e negri sono uguali! E che il libertinaggio è meglio del matrimonio e che a darla via a chi pare e piace non c'è vergogna! Nemmeno voleva che si tagliasse la crapa a Luigi. Anzi, s'era offerta di dire lei l'arringa difensiva. Una donna! Tra un'alzata di gonna e l'altra scriveva per il teatro, ché le manine devono restare morbide per palpare la saccoccia alla riccaglia. Insomma la madama teneva la penna in una mano e l'oca del conte nell'altra, per cosí dire.

Ma la nemica delle nostre magliare, Annagioseffa Théroigne de Méricourt, era la peggio di tutte. Prima della rivoluzione campava facendo la cantante e la cortigiana. Poi, quando è iniziato il Granballo, ha pensato bene di saltare il fosso. E siccome con la gonna veniva male, per farlo s'è infilata un par di brache e si è messa a fare l'amazzone. La Furia della Gironda, la chiamano alle Tegolerie, perché regge il moccolo (e pure qualcos'altro) a Brissot e ai suoi compari.

Al foborgo si è applaudito anche coi piedi per come l'hanno conciata. Qualcheduno c'era, qualchedunaltro se l'è fatto contare. Alla *Gran Pinta* la dicono in un modo, al mercato della Porta in un altro, e giú al fiume la storia è ancora diversa, ma, piú a occhio che a croce, si può dire che le cose sono andate cosí.

Dopo che magnacumgaudio è passato il *maximum*, soquante magliare ci hanno preso gusto a stare alla Convenzione. Pareva che per noialtri stracciaculi la faccenda portava bene e anche meglio. E siccome che le donne non potevano perdere un giorno di lavoro per stare dietro a quello degli scaldasedie, qualcuna ha scodellato l'idea di portarsi il lavoro da casa, occupare la prima fila in tribuna e sferruzzare sotto il naso dei ciancioni (e chissà che qualcheduna, dopo il Massimo, non volesse applaudire ancora il Massimiliano).

Il guaio era infilarsi, ché alle nostre brave donne, mogli madri vedove senza doti e senza denti, nessuno teneva i posti riservati, come invece alle altre.

Com'è come non è, quel mattino, in fila per entrare alle Tegolerie, c'erano le piú gagliarde: Marie, Georgette, Sophie, Amandine e Madeleine, sotto braccio l'una con l'altra per reggere le spinte dadietro, e ogni tanto, quando alle spinte s'aggiungeva una mano rattosa, rifilare belle stoccate con la ferraglia puntuta che avevano appresso. E cosí, tra appelli al civismo e bestemmie all'umanità, la fila si slungava e si stringeva a fisarmonica da piú di due ore.

A un bel momento spunta l'amazzone impettita e impennacchiata, braga e cappello da uomo, fronte alta e naso dritto. Si mette a camminare tronfissima lungo la fila, dal fondo fino in cima. Tanto a lei, Annagioseffa, il posto lo tiene Piergecco Brissot in persona. Facile che ci tiene proprio una mano sopra e non la toglie manco quando lei si siede.

E cosí, a chi ha fatto la fila torna su la colazione per l'incazzo, a qualcheduno per davvero, ché a forza di strilli rimette in piazza il magro desinare del mattino e non è un bel vedere per nessuno (a parte un cane randagio che passa di lí, e rimedia bene), e tutti si sgargarozzano e tiran giú santi e antenati dalle cadreghe in paradiso. Ma quella passa davanti a tutti senza battere ciglio, che a battere cassa ci penserà poi stasera, dopo aver fatto la sua parte là dove sta andando.

Ebbene, quando passa accanto a Georgette, si vede rifilare uno scaracchio centrato proprio sulla faccia. Allora s'arresta, s'asciuga, occhia malamente la magliara, a dire: «Come osa lo sterco di cavallo schizzare cosí in alto!», poi le molla un manrovescio che il ciocco lo sentono anche in fondo alla fila e le altre devono reggere Georgette altrimenti vola a gambe per aria.

Allora sí ch'è iniziata la Carmagnola. Le son saltate sopra come gatte artigliose: Madeleine l'ha brancata per un braccio, Sophie per l'altro, una zampa a Marie e l'altra ad Amandine, mentre Georgette ordinava la sentenza, ché si sa, il tribunale delle magliare è parecchio piú spiccio di quello rivoluzionario, soprattuto se giudice e boia son la persona medesima stessa. – Ai Giardini! Ai Giardini! – ha strillato. E ce l'hanno portata di peso, dove che comincia il prato. Chi c'era dice che Georgette aveva gli occhi di fuori dalla fotta, con mezza faccia rossa e gonfia per la sganassa e l'altra metà color cadavere. – Nuda! – ha detto con un ghigno piú da donnola che da donna. E le altre giú a sbucciare l'amazzone come un cipollo: via la giacca, la camicia, giú i culotti e le mutande, con gran starnazzo d'anitra di quella. Poi l'hanno piegata in avanti, ché le chiappe sbiade fossero ben in vista all'universo mondo. Allora Georgette ha strappato un ramo da uno degli alberucoli lí attorno e ha dato un paio di frustate in aria che han fischiato forte. Quando la brissotina ha nasato cosa le toccava si è messa a strillare ancora di piú, a dimenarsi e gridare aiuto. Aiuto a chi? Marie e le altre la tenevano ben bene, pure per i capelli, e quelle non son femmine che si commuovono per il zigolare di una donna o il sudore di un cavallo. La gente della fila rideva e sguaiava con certe bocche cave e sdente, mentre la Méricourt doveva porgere il culo allo scudiscio. Cosí Georgette s'è messa di buon legno, come quando batte i panni al fiume. E ogni colpo l'ha piazzato proprio darré, dove la ciccia è tenera e fa piú male, che la sprovvida dovrà mangiare in piedi e dormire di pancia per un pezzo, dal gran che ha il culo a strisce. E chissà dove andava a parare 'sta zuffa di donne, se da dentro non arrivava qualcheduno ad accucciarle, e mica un gecco qualdunque, no. La fila s'è aperta come le acque del Mar Rosso per Mosè, invece era Marat, pustolato e stazzonoso come sempre. Mentre passava, il suo nome scivolava da una bocca all'altra come un sibilo di un pentolone che ribolle. L'Amico del Popolo ha marciato fino al groviglio di femmine e ha bloccato la cagnara senza nemmeno una parola, ma con certi occhi brutti che erano come scoppole e calcioni. Le magliare si son fatte da parte mogie mogie. Marat ha raccolto la brissotina scarmigliata e striata, e le ha buttato addosso alla meglio i suoi stracci, per il pudore repubblicano, s'intende. E mentre la portava via, tutti quanti han pensato che sorte infame toccherebbe alla patria e alla rivoluzione se si lasciasse fare alle donne, senza certi pezzi d'uomini tutti d'un pezzo come Marat che le rimettono là dove devono stare.

Però, poi, la sera e ancora i giorni dopo, alla *Gran Pinta*, non si finiva piú di raccontarsela, la sbattezzata di Théroigne de Méricourt, e qualcheduno avrebbe appeso le sue mutande sopra il bancone come un trofeo e il ramo giustiziere di Georgette ancora piú in alto, accanto al tricolore, se solo si fossero tenuti da conto. E le nostre magliare giravano tutte ingallettate e gonfie, con le coccarde davanti e didietro, e l'aria di chi aveva fatto un gran servizio alla patria.

Almeno, cosí la si è sempre saputa noialtri.

Estratto dal
RAPPORTO SEGRETO SUL MESMERISMO

Redatto da Bailly

I commissari incaricati dal re dell'esame del mesmerismo, hanno riconosciuto che le principali cause degli effetti attribuiti al magnetismo animale sono il tocco, l'immaginazione e l'imitazione, e hanno osservato che c'erano sempre piú donne che uomini in crisi.

Sono sempre gli uomini che magnetizzano le donne; le relazioni cosí stabilite non sono senza dubbio quelle di una malata nei confronti del suo medico, perché questo medico è un uomo, e quale che sia lo stato della malattia, ciò non ci spoglia del nostro sesso. D'altra parte, le donne che si rivolgono alle cure magnetiche non sono davvero malate. Molte vi ricorrono per noia o per divertimento, altre, che hanno qualche incomodo, conservano comunque la loro freschezza e la loro forza. Esse dunque hanno abbastanza fascino per agire sul medico e hanno abbastanza salute perché il medico agisca su di loro. Dunque il pericolo è vicendevole.

Il trattamento magnetico non può che essere pericoloso per la morale. Proponendosi di guarire malattie che richiedono lunghe cure, si eccitano emozioni piacevoli e care, emozioni che poi si rimpiangono, che si cerca di ritrovare perché esse

hanno un fascino naturale per noi e contribuiscono fisica-
mente alla nostra felicità, ma moralmente non sono meno
condannabili e sono anzi ancor piú pericolose, perché è piú
facile prendervi una dolce abitudine.

Fatto a Parigi, l'11 agosto 1784.

FIRMATO
Benjamin Franklin
Gabriel de Bory
Antoine-Laurent de Lavoisier
Jean-Sylvain Bailly
Michel-Joseph Majault
Charles-Louis Sallin
Jean d'Arcet
Joseph-Ignace Guillotin
Jean-Baptiste Le Roy

La scelta
Ultimi giorni di maggio, 1793

1.

L'interno era tra i piú miseri che Orphée d'Amblanc avesse mai frequentato. E dire che, in molti anni di mestiere, aveva veduto abitazioni di ogni tipo, da quelle dei ricchi commercianti alle magioni dei nobili, ai quartieri della gente che campava a forza di braccia e polmoni.

Il paziente era uno di quegli uomini. Seduto sull'alto letto di legno, che con un baule sfiancato e due sedie male impagliate costituiva tutto l'arredo, l'uomo appariva vecchio e stanco, nonostante fosse piú giovane di D'Amblanc. La complessione era buona, solida; ma le spalle erano piegate in avanti, curve, come a chiudere il petto, e la pelle del viso era un complesso reticolo di rughe, che ai lati della bocca e sotto gli occhi si trasformavano in solchi profondi.

Beautour, un manovale, era piagato da un male non frequente, solitamente diffuso tra la gente d'intelletto. Un male che negli ultimi anni, secondo l'esperienza di D'Amblanc, era divenuto meno raro e si era diffuso anche tra il popolino. Qualcuno ne aveva imputato la ragione alla moda della lettura. Sottoporre menti non preparate alla tensione intellettuale, alla lettura di storie che procuravano eccitazione, alle fantasie notturne provocate dai romanzi: tutto ciò poteva ben indurre febbri e disturbi.

D'Amblanc non credeva alle teorie che vedevano nella diffusione della lettura l'origine d'ogni male, né in senso medico né, ovviamente, politico. In ogni caso, Beautour

sapeva a malapena firmare col proprio nome, e all'interno
della sua casa l'unica cosa che si potesse leggere era un lu-
nario del 1788 appeso sulla testiera del letto. Un sole con
occhi e bocca mandava i suoi raggi ma non illuminava né
riscaldava.

Beautour non poteva dormire. Soffriva d'insonnia, e sottoponeva il suo corpo a sforzi improbi per nutrire sé stesso, la moglie e svariati marmocchi. Il giorno precedente era
crollato a terra, gli erano ceduti il fiato e le gambe. Per fortuna non si trovava in alto su un'impalcatura. Cosí andava
ripetendo la moglie, una donna minuta, le guance rosse, il
volto incorniciato da una cuffia lacera, troppo grande. I marmocchi stavano radunati su un lato della stanza, dalla parte
opposta all'unica finestra, oscuro pertugio da cui sembrava
non filtrare luce alcuna. La moglie era in piedi, e Beautour
stava seduto sul letto, per chissà quale motivo con il cappello in testa. Mandava avanti e indietro le gambe in un mo-
notono movimento, mentre, sovrastato dalla voce concitata
della donna, provava a spiegare quanto era accaduto. A un
cenno di D'Amblanc, la donna tacque e la voce di Beautour
risuonò tranquilla, appena spenta, con una cantilena regio-
nale che la rendeva infantile.

– Già mi aveva fatto bene, dottore, alla prima visita, qualche mese fa. Ma poi, con licenza parlando, è tornata fuori
la malattia che non dormo, perché dicono che è una malattia, giusto, cittadino? Insomma, eccomi qui che sono sempre piú magro.

D'Amblanc notò che i panni dell'uomo, piú che vestir-
lo, lo infagottavano. L'uso li aveva sí deformati, allungati,
allargati, strappati, ma sotto i tessuti dozzinali un corpo si
consumava.

– Non preoccupatevi, cittadino Beautour. Troverete sollievo. Avete provato i decotti che vi avevo suggerito?

La moglie intervenne.

– Cittadino D'Amblanc, non possediamo denaro per pagare le medicine.

Il dottore guardò la donna. A dispetto delle condizioni in cui versava e della vita che le era toccata in sorte, sembrava un'intelligenza vivace ed era in buona salute.

– Dovreste osservare bene quel che faccio. Io potrei insegnarvi a trattare i disturbi di vostro marito, ma occorre pazienza e convinzione.

– Pazienza e convinzione ne abbiamo, cittadino. Denaro per le medicine: quello non si ha.

D'Amblanc trasse un lungo respiro e si avvicinò al paziente. Fece cenno alla moglie dell'uomo di aprire bene gli occhi.

Incominciò il trattamento. L'uomo, che era un soggetto reattivo, cadde sonnambulizzato assai presto.

D'Amblanc uscí alla luce della domenica mattina, dirigendosi verso casa. La donna aveva estratto una smunta, smagrita gallina da sotto il letto e aveva insistito per pagare con quella. Tanto non faceva piú uova, aveva detto. D'Amblanc aveva dovuto accettare e ora camminava tenendo in una mano le zampe dell'animale, il corpo che pendeva e oscillava come un impiccato.

Ancora una volta, considerò come le capacità e le abilità di un uomo sembrassero amplificarsi, allorché i percorsi del suo fluido magnetico venivano sbloccati. C'era la possibilità, a ben vedere, che ogni uomo richiudesse in sé capacità ancora insondate, che non dipendevano da ceto, classe o educazione.

La gallina, timida e smorta, provò a frullare le ali. D'Amblanc la guardava, ogni tanto, e gli occhi incontravano quelli dell'animale, vitrei, attoniti. La gallina non perdeva l'aria di trasognata sorpresa tipica della sua specie: covava, si nutriva, viveva e moriva cosí, animale gregario quasi quanto l'uomo.

D'Amblanc ricordò di aver conosciuto, oltreoceano, un fante di linea americano che era in grado di addormentare le galline compiendo davanti ai loro occhi delle circonvoluzioni con il dito indice. Oppure teneva la gallina al suolo, di pancia, cosí che non potesse girare il capo, e di fronte al becco tracciava sulla polvere una linea diritta. Quel gesto invadeva tutta l'attenzione del volatile, che si riduceva in uno stato catatonico. D'Amblanc sorrise. Forse era possibile insegnare a una gallina a volare. Oppure a credersi un leone.

Puységur avrebbe sostenuto che sí, bastava volerlo e farlo a fin di bene.

Mesmer avrebbe aggiunto la condizione ulteriore: che il magnetizzando riconoscesse l'autorità del magnetizzatore.

Insegnare a un leone a credersi gallina, quello sarebbe stato senz'altro piú difficile.

«Oggi avete visto un nobile magnetizzare *einen Bauern*, un contadino. Ma avete mai visto un contadino fare lo stesso a un nobile?»

La domanda del taumaturgo risaliva a un giorno del 1784, impresso nella memoria di D'Amblanc con il nitore di un'acquaforte. Poco tempo prima, era giunto a Parigi un grande ammiratore di Mesmer.

Armand-Marie-Jacques de Chastenet, marchese di Puységur.

2.

– Posso magnetizzarvi, signor Race?

– Oh, be', sissignore, – risponde l'altro con un accento del Nord. – Fate pure, son qua per vossia.

Un contadino biondiccio e inquartato, lineamenti anonimi, abiti anonimi, se ne sta con la schiena dritta al centro della sala.

Sopra di lui, sfavilla un lampadario in cristallo di Boemia. Tutt'intorno, un salotto ammobiliato con gusto, cuore di una dimora ricca, nel cuore di Parigi.

Puységur pone una mano sopra la sua testa, a una spanna dai capelli.

– Chiudete gli occhi, – ordina, e il silenzio nella stanza si fa completo.

Cinquanta bocche si tappano, cinquanta paia d'orecchie ascoltano curiose, sotto un arazzo enorme che rappresenta le fatiche di Ercole.

Dalla sua sedia in prima fila, Orphée d'Amblanc studia il volto e i gesti del magnetista, il marchese di Puységur, colonnello d'artiglieria presso il reggimento di Strasburgo.

Il contadino si chiama Victor Race, viene da Buzancy, lavora da una vita nei possedimenti del marchese.

Le cinquanta teste appartengono ai tesserati della Società dell'armonia universale.

C'è il generale Lafayette, ci sono i giornalisti Brissot e Carra, c'è l'avvocato Bergasse, il banchiere Kornmann, e naturalmente c'è Franz Anton Mesmer, ansioso di vedere all'opera il famigerato sonnambulismo magnetico, lo strano fenomeno generato in provincia dalle sue teorie mediche.

Sulla pendola accanto al camino, la lancetta piú lunga fa quattro giri completi.

– Come vi sentite, signor Race? – domanda il marchese.

– Non bene come di consueto, – risponde il villico. Il suo accento piccardo è evaporato insieme all'imbarazzo.

– Per quale motivo?

– Perché voi mi mettete in mostra di fronte a tante persone.

D'Amblanc vede Brissot piegarsi in avanti sulla sedia e mutare una risata in colpo di tosse. La signora Goncourt, una delle quattro dame presenti, nasconde la bocca dietro il ventaglio di pizzo.

– Cosa vi infastidisce di questi signori? Sono tutti buoni amici.

– Due di loro sono molto increduli su quel che facciamo e ciò disturba il mio sonno magnetico. È come se un filosofo naturale si sforza di fare i suoi sperimenti mentre uno gli spacca gli alambicchi e versa in terra le pozioni.

Il marchese ordina a Victor Race di camminare nella direzione dei due scettici e di indicarli con la mano.

Il contadino attraversa la stanza con gli occhi chiusi e il passo leggero. Si ferma di fronte a Kornmann, lo addita, indietreggia, pare annusare l'aria, infine si dirige sicuro verso Mesmer.

Il tedesco resta impassibile. Puységur non è da meno: incassa il colpo senza muovere un sopracciglio.

– Molto bene, – annuncia. – Ora il signor Race farà una diagnosi completa delle malattie che affliggono il signor Kornmann, da quelle piú recenti ed episodiche a quelle croniche di piú lunga durata. Ve la sentite, signor Race? E voi, signor Kornmann, ci direte se l'elenco è corretto.

Di nuovo il contadino cammina con passo da ballerina sul grande tappeto persiano. Di nuovo si piazza di fronte al banchiere, allunga le mani e raccoglie le sue.

– Ieri ha fatto una brutta colica, – dichiara. – Ha dormito male. Sento che il suo stomaco, in questo periodo, ha un rifiuto per l'aglio.

Kornmann abbassa gli occhi, si fissa le scarpe, quasi volesse impedire al villico di leggergli in faccia i segni di altre malattie.

Ma il villico ha le palpebre abbassate, il respiro lento di chi dorme e parla come se raccontasse una visione.

– Soffre spesso di un mal di schiena, all'altezza della vita, gli farebbero bene degli impacchi di timo, mentre per il gonfiore ai…

– Va bene, va bene, grazie, – si affretta a dire il banchiere sfilando le mani da quelle di Race. – È tutto giusto, marchese. Davvero sorprendente. Questo individuo possiede una dote straordinaria.

L'ammissione scatena una tempesta di commenti, cinquanta teste si girano l'una verso l'altra, cinquanta bocche sussurrano meraviglia.

Puységur intreccia le mani dietro la schiena e fissa la platea, in attesa che tutti prestino attenzione.

– Non è l'individuo a essere straordinario, – scandisce con un dito alzato. – Chiunque può essere messo in questo stato da chiunque lo voglia, se costui si attiene ad alcuni semplici accorgimenti. L'importante è volere. Credere e volere.

Il brusio e lo stupore tornano a riempire la sala. Gli occhi si volgono verso Franz Anton Mesmer, che però è l'unico a non mostrarsi sorpreso. Il marchese ha appena negato ciò che il tedesco va dicendo da sempre, cioè che alcuni individui hanno doti terapeutiche particolari, dovute a una maggiore concentrazione di fluido magnetico, e che tale concentrazione si può ottenere e dirigere solo dopo un lungo percorso di apprendistato. Se basta solo crederci e volerlo, allora la dottrina del magnetismo animale non ha piú alcun segreto.

Mentre le voci scemano, Puységur si avvicina a Race, gli appoggia due dita sulle palpebre.

– Posso svegliarvi, ora?

– Se lo desiderate, per me è sufficiente.

– Lo desidero, – esclama il marchese.

L'uomo apre gli occhi, pare stordito.

– Bentornato, signor Race. Potete ripetermi le malattie che avete diagnosticato al signor Kornmann?

Il banchiere agita le mani davanti a sé, come per domandare di lasciar perdere.

– Me non mi sovvengo per nulla, sior marchese. Ho dormito sodo, voi lo sapete.

Il padrone di casa si volta verso la platea.

– Qualcuno vuole prendere il posto del signor Race? Ho bisogno di un soggetto che non goda di piena salute. Infatti, come ci insegna il nostro maestro, la malattia dipende da uno squilibrio magnetico e solo chi è vittima di tale squilibrio cade sonnambulo non appena riceve la dose di fluido che gli manca.

Un ventaglio chiuso si alza dietro due file di teste, che di scatto si girano e ammirano alzarsi Madama Goncourt: sguardi pieni d'interesse, non solo per il suo gesto spavaldo.

La Società dell'armonia ha conosciuto molte disarmonie per via delle grazie di questa signora.

Puységur ripete il suo scarno rituale. D'Amblanc nota che la sua pratica è molto diversa da quella di Mesmer: niente acqua, catini, sbarre di ferro, corde, crisi convulsive, catene di mani. Tutto si svolge con gesti semplici e gentili.

La signora ha gli occhi chiusi, la testa inclinata su una spalla. Dice che il suo mal di capo è svanito «come d'incanto». Dice che altre quattro sedute di sonnambulismo la libereranno per sempre da quel fastidio.

Si aggira per la stanza con il suo abito all'inglese. Elenca le malattie di Carra e del generale Lafayette. Prescrive rimedi, indica tempi di guarigione.

Quindi si ferma di fronte a D'Amblanc e con gesti lenti sfila i guanti di seta, gli porge le mani affusolate, i palmi rivolti all'insú, e aspetta che egli ci appoggi i suoi.

Molti a Parigi sostengono che le terapie magnetiche non abbiano altro scopo che questo: la prossimità fra uomini e donne, un pretesto per toccarsi a vicenda. E il piacere che ne deriva scambiato per medicina.

Molti, a Parigi, sarebbero eccitati al solo pensiero di sfiorare la signora Goncourt.

Le sue dita sono lisce e morbide. Accarezzano la pelle scivolando avanti e indietro, avanti e indietro.

– Le cicatrici vi fanno soffrire, – dice la sonnambula con estrema fatica. – Sono cicatrici di guerra.

D'Amblanc annuisce d'istinto. I polpastrelli della Goncourt mandano lampi di calore lungo le ossa delle sue mani. Ciononostante, si sforza di illuminare con la ragione quello che ha appena udito: le cicatrici, la sua partecipazione alla guerra in America non sono certo un segreto. Madama Goncourt può averne sentito parlare, anche solo di sfuggita.

D'Amblanc si azzarda a domandarle dove si trovi la vecchia ferita che piú gli duole.

La risposta tarda ad arrivare. Le dita della donna si stringono attorno alle sue.

– Nel vostro animo, – dice con un soffio. – Se vi lasciaste sonnambulizzare, ne otterreste grande giovamento.

La presa si allenta di colpo, la signora Goncourt si allontana come tirata da un filo invisibile.

Nel vostro animo.

Certo la risposta non è abbastanza precisa per essere la prova di quanto Puységur intende dimostrare. Eppure ha colto nel segno, là dove quelle cicatrici fanno *davvero* piú male. Non solo: mentre quella donna, di solito cosí altezzosa e schiva, si prendeva cura di lui, D'Amblanc ha percepito un'onda benefica risalire i nervi, le vene, lo scheletro. Il benessere che sente di provare ora è reale, fisico.

Differente da quello che ha sperimentato tante volte grazie alle vasche e alle mani di Mesmer, ma non meno intenso.

La voce di Puységur risuona nella stanza.

– Ora il corpo di questa signora è un'appendice del mio, – spiega convinto. – La sua mente e la mia sono una cosa sola. Ella fa quello che io penso, dice quello che io voglio.

Una pausa a effetto, per godersi cinquanta paia d'occhi appesi alle sue labbra.

Il marchese accenna a muovere il braccio destro e la signora Goncourt solleva il proprio sopra la testa.

Il marchese si protende appena in avanti e la signora Goncourt muove un passo alla cieca verso di lui.

Se vi lasciaste sonnambulizzare, ne otterreste grande giovamento.

L'avvocato Bergasse interviene dalla prima fila.

– Signor marchese, come possiamo essere sicuri che le stiate impartendo proprio questi comandi?

Puységur gli rivolge un sorriso lieve.

– Volete provare a sostituirmi?

Bergasse non si tira indietro. Da quando ha strappato a Mesmer la promessa, in cambio di una lauta dote, di rivelare agli adepti i segreti del magnetismo animale, si comporta come il capobranco della Società dell'armonia. Ogni occasione è buona per mostrarsi intraprendente e determinato.

Il marchese lo istruisce, gli spiega che deve concentrarsi sull'emicrania della donna e desiderare con forza di alleviarla. Solo cosí ella si lascerà andare e l'esperimento potrà riuscire. Il motivo iniziale del rapporto dev'essere la cura, altrimenti il fluido non si dirige dove dovrebbe e la sonnambulizzazione fallisce. Gli fa sollevare una mano sull'elegante acconciatura della Goncourt. Gli ordina di pensare a un'azione che ella dovrà eseguire e domanda alla signora di assecondare i pensieri del nuovo venuto.

Bergasse la fissa intensamente, la mano in posizione, ma sulle prime non accade nulla.

– Non siete abbastanza concentrato, signor Bergasse, – dice il marchese a bassa voce.

– Le ho chiesto di togliersi le… – mormora Bergasse, ma non termina la frase perché la signora Goncourt si sta sfilando le scarpe senza nemmeno chinarsi.

– Stupefacente, – commenta Bergasse.

Il marchese lo invita a non distrarsi, altrimenti la donna potrebbe svegliarsi di colpo e questo la farebbe stare male.

Bergasse torna a fissare la dama.

– Se le ordinassi di togliersi il vestito, obbedirebbe?

La domanda scuote il torpore di tutti. Un brusio percorre la fila di teste nella stanza, misto di sdegno ed eccitazione, ma Puységur lo placa con un gesto della mano.

Bergasse ne approfitta per porre la domanda.

– Posso chiedervi di spogliarvi, signora?

La donna scuote la testa.

– No, – dice. – Non potete.

– Vi domando umilmente scusa, – si affretta a dire Bergasse, che già rimpiange la propria intraprendenza.

– Farmi alzare un braccio non può nuocermi in alcun modo, – insiste la donna. – Nemmeno sfilarmi le scarpe. Non cosí per gesti indecenti. Voi potete volere che io mi spogli con quanta forza avete in corpo, ma io non lo farò.

Le guance di Bergasse avvampano, e quelle di D'Amblanc pure, come se provasse disagio per l'indelicatezza dell'altro.

– Ho agito mosso soltanto dall'amore per la scienza, – si giustifica l'avvocato, e mentre lo dice si gonfia di sdegno per coloro che hanno potuto pensare male.

Toutain si alza in piedi e sembra voglia schiaffeggiarlo, per vendicare l'onore della sua prediletta. Carra e D'Eprémesnil si mettono in mezzo e lo trattengono. Puységur è imbarazzato, non sa che fare, forse si sente responsabile dell'incidente.

Finché una voce risuona nella sala.

– Basta!

Il richiamo di Mesmer ha l'effetto di un colpo di pistola. Tutti si bloccano e si voltano verso di lui. Il tedesco ha le mani sollevate, a palmi aperti, come se potesse tenere tutti immobili con la sola forza magnetica. Ed è quello che fa. Nessuno fiata.

– Marchese, volete essere cosí gentile da assistere *Frau* Goncourt? – dice rivolto a Puységur.

Questi risveglia la donna e si accerta che stia bene. Dopo aver fissato Bergasse, anche lei afferma di non ricordare nulla di quanto le è successo nei minuti da sonnambula, e resta il dubbio che lo stia graziando piú che assolvendo. La tensione si stempera.

Se vi lasciaste sonnambulizzare…

Proprio mentre tutti si accingono a congedarsi, D'Amblanc alza la mano, dritta contro il soffitto.

– Chiedo scusa…

La voce è coperta dai primi convenevoli.

Mesmer nota il gesto e lo segnala al marchese.

Puységur chiede silenzio e fa segno di porre la domanda.

– Signor marchese, da quanto abbiamo visto, si direbbe che il sonnambulo non è alla mercé di chi lo magnetizza. Il volere dell'uno può dunque opporsi a quello dell'altro. Ebbene, in questo scontro di volontà, cosa determina la vittoria? Essa dipende dalla forza mentale, dalla distribuzione del fluido, dal grado di convinzione, dalla malattia?

Puységur annuisce e guarda la platea, studiando una frase a effetto per accomiatarsi. La frase da ricordare per sempre.

– È il bene che fa la differenza. Volere il bene e credere nel bene.

3.

D'Amblanc fu distolto dai ricordi. Davanti a casa sua c'era un uomo in berretto frigio. Tra le mani rigirava un plico.

– Cittadino D'Amblanc, vengo per consegnarvi una lettera da parte dell'ufficiale Chauvelin.

I due uomini si guardarono, poi D'Amblanc notò che lo sguardo dell'interlocutore tendeva a scendere verso il basso, verso la gallina.

D'Amblanc detestava tirare il collo ai volatili. Porse la gallina all'uomo, mentre con l'altra mano riceveva la convocazione.

– La volete? Ve la cedo volentieri.

Gli occhi dell'uomo brillarono d'interesse.

– Perché no, cittadino? Vi ringrazio, di questi tempi è peccato rifiutare. Gallina vecchia fa buon brodo.

Lo strano scambio fu compiuto e l'uomo si accomiatò fra le proteste della gallina, che batteva le ali, disseminava piume e consumava le scarne energie per dar voce al proprio disappunto.

Entrato in casa, D'Amblanc spalancò la finestra per cambiare aria e un'ape gigantesca si infilò nella stanza. Il ronzio era vibrante, un basso continuo che sembrava tenere assieme, come in un concerto, tutti i rumori della via, la vita quotidiana nel momento di piú vasta eccezionalità della storia di Francia. Stridore di ruote sul selciato, brani di canzone, vociare di bimbi, richiami in rima di venditori ambulanti e giornalaie. L'ape, compiuto il periplo dei muri, trovò un'apertura e si perse fuori, nel cielo di Parigi.

D'Amblanc la seguí finché non fu sparita dalla vista, poi scorse la lettera che teneva fra le mani.

La rivoluzione aveva cambiato le parole e i gesti con i quali l'uomo comunicava. Chauvelin ora era costretto a una missiva non da funzionario, non da amico, non da compagno di fazione: doveva tenere insieme tutti questi aspetti e allo stesso tempo tradirli un poco, a uno a uno.

Parigi, 25 maggio 1793

Esimio dottor D'Amblanc,

mi auguro abbiate avuto occasione di leggere i rapporti dall'Alvernia che vi ho lasciato durante la nostra ultima seduta. Mi farebbe piacere sapere cosa ne pensate e cosa pensate di poter fare in proposito. Il comitato, benché assillato da molte altre questioni della massima gravità, insiste affinché accettiate l'incarico e andiate a verificare personalmente se i casi in oggetto siano ricollegabili all'attività di magnetisti controrivoluzionari. So che siete restio a lasciare i vostri pazienti, ma in tutta sincerità ritengo che essi potrebbero fare a meno delle vostre cure per la durata del viaggio, e tra costoro annovero ovviamente me stesso. In certi casi un mal di testa è preferibile a un male maggiore. Consentitemi di aggiungere che cessare la frequentazione di alcune dimore private in favore di un servigio reso alla Repubblica non può che essere una scelta saggia.

Resto in attesa di una risposta e vi porgo i miei omaggi,

Uff. Armand Chauvelin
del COMITATO DI SICUREZZA GENERALE

D'Amblanc rilesse piú volte la missiva, incluso il discreto commiato finale.

La grafia e la sintassi dell'ufficiale dicevano fondamentalmente una cosa: era il momento di scegliere da che parte stare. I segnali, del resto, parlavano chiaro: la battaglia per la Convenzione era cominciata. Brissot, Vergniaud, Roland e i deputati girondini da una parte. I fratelli Robespierre, Marat, Danton e i deputati montagnardi dall'altra. E si poteva stare certi che il comune non sarebbe rimasto a guardare, dominato com'era da Roux e Leclerc, e cosí i parigini, insieme al loro procuratore Hébert, che attraverso il suo papà Duchesne istigava a fare giustizia dei traditori della rivoluzione.

Non era difficile trarre le conclusioni implicite nelle parole di Chauvelin. E c'era dell'altro. Alcuni esponenti della Gironda erano legati alla storia personale di D'Amblanc. Deputati che prima della rivoluzione erano stati mesmeristi, come Carra e Brissot. Membri di un partito che troppo evidentemente lottava per gli interessi di ceti ristretti, non parigini, mercanti, armatori navali legati agli Inglesi, controrivoluzionari in potenza che si nascondevano dietro l'ambiguo velo della moderazione. D'Amblanc li conosceva bene, proveniva dallo stesso ambiente di studiosi del magnetismo, l'ormai dissolta Società dell'armonia universale. Il loro profeta era tornato a Vienna, e chi lo aveva osannato, ora fingeva di non averlo mai conosciuto. D'Amblanc era considerato l'ultimo apostolo rimasto. L'unico in tutta Parigi capace di tenere assieme gli ideali della Repubblica e il magnetismo. Il motivo era presto detto: prima dei trattamenti somministrati da Mesmer, le ferite di guerra lo avevano fatto soffrire terribilmente; in seguito ai bagni e alle crisi convulsive, i dolori si erano diradati, come se una forza compressa avesse trovato una via per scaricarsi. Poi D'Amblanc aveva conosciuto il marchese di Puységur e quell'incontro gli aveva cambiato la vita. Ma anche Puységur rientrava nel novero delle amicizie sospette: era un aristocratico, fratello di espatriati.

D'Amblanc sapeva bene che Chauvelin non nutriva dubbi sulla sua fedeltà alla patria e agli ideali di libertà e uguaglianza che avevano mosso il popolo a compiere l'inusitato, l'inaudito e mai visto prima, a fondare una nuova norma a partire dallo strappo, dal taglio, dall'eccezione. Ma il suo passato di seguace di Mesmer e il suo presente di magnetista potevano comprometterlo agli occhi dei montagnardi. Ed erano costoro a controllare il tribunale rivoluzionario e il comitato di salute pubblica.

Inoltre – il riferimento alle dimore private parlava chiaro – D'Amblanc frequentava la casa di un altro noto brissotino, l'avvocato Girard. Per di piú al fine di curarne la moglie. D'Amblanc immaginava quale tipo di voci potessero essere nate intorno a quella circostanza. Voci che certo erano giunte alle orecchie dello scrivente, un solerte funzionario di polizia. Si meravigliò che, a conti fatti, fosse proprio quest'ultima implicazione a fargli piú male, forse perché – si disse – era la piú fondata, ancorché solo in potenza.

Il consiglio di Chauvelin era levarsi da Parigi per un po', con un incarico ufficiale del comitato. Mettere le doti di magnetista al servizio della Repubblica. Questo lo avrebbe tenuto fuori dalla mischia e avrebbe segnato definitivamente la sua appartenenza alla fazione giusta.

4.

Nella casa stagnavano gli odori di cucina, il che, a memoria di D'Amblanc, non era mai accaduto prima.

La domestica lo accompagnò lungo il corridoio sovraccarico di suppellettili, quadri e arazzi. Giunta sulla soglia dello studio, la donna annunciò l'ospite.

La signora Girard stava in piedi, accanto a una finestra, e si volse accogliendo D'Amblanc con un sorriso lontano, distaccato.

La donna teneva un libro tra le mani, che posò – aperto – sulla scrivania. D'Amblanc avanzò di qualche passo, gettando uno sguardo sulle pagine. C'era un'illustrazione, doveva trattarsi di un erbario o qualcosa di simile.

La Girard congedò la serva e per la prima volta i due furono soli nella stanza.

– Dovrò cercare altri rimedi per trovare sollievo ai miei disturbi, – esordí la donna.

D'Amblanc fu preso alla sprovvista. Si era preparato un discorso di commiato. Improvvisò una risposta che suonò stonata.

– Sono diverse settimane che non avete piú attacchi d'asma. I disturbi di cui soffrite si possono trattare in diversi modi.

– Nondimeno le sedute mi facevano del bene. Questo è un commiato, vero, dottore?

La voce era pigra, l'umore della donna vago, contrariato.

D'Amblanc si accorse di cercare il profumo di lei. Gelsomino, sí, ne era certo. L'idea che non l'avrebbe piú sentito gli causò una stretta allo stomaco.

– Faccende della massima importanza mi chiamano fuori Parigi. Un servizio alla Repubblica. Non so quando potrò fare ritorno.

La donna sedette e fece cenno a D'Amblanc di fare altrettanto. Sulle prime l'uomo rimase in piedi, bloccato in una postura rigida, quasi militaresca, poi decise di accettare.

– Vi arruolate, dunque?

– Non propriamente. Mi è stato offerto un incarico che non posso rifiutare.

– Quando sarete di ritorno, tutto potrebbe essere cambiato.

– La situazione sarà necessariamente molto diversa, forse piú chiara, – rispose lui.

La donna prese a sfogliare l'erbario. A D'Amblanc sembrò una pausa calcolata ad arte. Lei posò di nuovo il libro.

– Pensate che la melissa potrà alleviarmi?

D'Amblanc decise di esporsi, in fondo era giunto fin lí per quello.

– Ascoltate, vi prego. Voglio essere sincero. Io credo di avere suscitato in voi un qualche interesse verso la mia persona. Una forma di… attrazione. Voi siete una donna intelligente, portata all'analisi. Io sospetto di avere in qualche modo condizionato il vostro animo, attraverso la terapia. Non voglio partire senza avere sciolto questo dubbio.

Sentí di dover aggiungere altre parole, ma la ricerca si arenò davanti al sorriso di piccoli denti bianchissimi.

– Voi mi state lasciando, – disse lei. – Forse per sempre. E mentre lo fate, cercate di attribuirmi i vostri sentimenti, e di incolparne la cura che avete condotto. Cosí avete la giustificazione migliore per interromperla e andarvene lontano da me, come un dottore premuroso. Soprattutto mi negate un sentimento genuino, mio. Mi rendete due volte malata.

D'Amblanc rimase impietrito, d'un tratto nudo, scoperto come un fante rimasto solo durante un assalto.

Per sua fortuna fu ancora lei a parlare.

– Forse è la condizione di dipendenza in cui mi trovo. Non soltanto dalla terapia, ma dalle circostanze, dal mio sterile matrimonio, dai tempi che incombono su tutti noi. Dal tempo stesso. Ho quasi esaurito la mia scorta di giovinezza.

Sorrise ancora, ma fu il sorriso piú triste che D'Amblanc avesse mai visto.

– Forse, – riprese lei, – non siamo che una donna sola e un uomo tormentato separati dallo schermo delle convenienze. Lasciatemi i miei sentimenti, dottore, mentre mi lasciate al mio asma.

Versò un bicchierino di liquore da una bottiglia verde e lo porse all'uomo. Ne riempí un secondo per sé.

– Brindiamo al nostro addio e alla nostra salute.

Le labbra indugiarono sul vetro, traendo piccoli sorsi.

D'Amblanc trangugiò il liquore d'un fiato.

– Ora andate, – disse la donna. – La vostra compagnia mi aggrava, cosí come un tempo mi faceva del bene. Vi auguro ogni felicità.

D'Amblanc si alzò, il bicchiere in mano, e avrebbe voluto parlare, ma ogni parola sarebbe suonata superflua. Prima di rendersi ridicolo, salutò e prese congedo.

5.

So cosa siete venuto a dirmi, *mein Freund*. Le vostre cure con me sono finite. È giunto il tempo che andiate *allein*. Da solo, sí.

Voi cercate guarigione e della vostra guarigione vorreste fare *exemplio*, da essa vorreste dedurre una *praxi* medica. Ma la vostra ricerca è la ricerca di una vita intera, e il vostro cammino è appena iniziato. Gli altri cercano filosofie *und* formule *politische* per curare la società, ma non si può curare la società se non si cura *den Mann*... l'Uomo! Non c'è *harmonia* senza *friede*. Io ho offerto loro un nuovo modo di guardare l'universo. *Das Flut* è la *metafera* fatta realtà. Il flusso lega tutto a tutto.

Bergasse vuole che io pubblichi i segreti della *doctrina*. Brissot e Carra lo appoggiano. Non si sono fermati *auch nicht* quando ho chiesto loro una cifra *uncomensurabile* in cambio della rivelazione. Hanno raccolto tutto quel denaro, per cosa? Ho già dato loro tutto ciò che volevano e adesso si accorgono che era *zugleich* troppo e troppo poco. Vogliono abbattermi, depormi *wie einen König* per poter credere di essere i paladini della libertà e della verità. *Aber sie ist eine falsche Revolution...* una revoluzione falscia. Mi accusano di avidità, perché temono di essere dei mediocri.

Voi non siete come loro, D'Amblanc. Voi lo avete capito. *Es ist kein Geheimnis.* Non c'è nessun segreto. Esiste soltanto il flusso. Puységur lo ha dimostrato davanti ai loro aucchi, ma essi sono *blind wie Würmer...* Ciechi come vermi. Bergasse non vuole accettare questo, vuole un segreto da carpire per regalarlo al *Volk*, vuole essere un *neuer* Prometeus. Lui deve lasciarmi, altrimenti dovrebbe uccidermi alle idi di marzo. E io lo lascerò andare.

Cosí come non cercherò di trattenere voi, doctore. Voi forse avete ancora speranze. *Aber...* prima che andiate, vi dirò ancora una cosa.

Oggi avete visto un nobile magnetizzare *einen Bauern*, un contadino. Ma avete mai visto un contadino fare lo stesso a un nobile? Pensate a questo e cercate una via, piú che una guida. Vi auguro di trovare *eine authentische Revolution...* Una revoluzione autentischa, sí. Buona fortuna.

Estratto da

RICERCHE E OSSERVAZIONI
SUL TRATTAMENTO MORALE DEGLI ALIENATI
di Philippe Pinel (Parigi, 1798)

Un giovane uomo, in seguito ad avvenimenti sfortunati, perde il padre, e pochi mesi piú tardi, una madre a lui molto cara. Da allora, una tristezza profonda e concentrata, niente piú sonno, niente appetito e l'esplosione di uno stato maniacale dei piú violenti. Lo si sottopone al trattamento usuale, con salassi abbondanti, bagni, docce, uniti ad atti repressivi di un estremo rigore. Tutto questo insieme di cure fallisce. L'alienato viene infine trasferito a Bicêtre in quanto molto pericoloso. Il sorvegliante Pussin, lungi dall'accettare ciecamente un simile giudizio, lo lascia, fin dal primo giorno, libero nel suo alloggio, per studiare il carattere e la natura dei suoi mali. Il cupo tacere di questo alienato, il suo abbattimento, l'aria pensosa e concentrata, qualche scomposto commento che gli sfugge circa le sue sfortune, lasciano intravedere, attraverso idee senza coerenza, il principio della sua mania. Pussin lo consola, gli parla con interesse, arriva a poco a poco a dissipare la sua ombrosa diffidenza e a fargli sperare di ristabilirsi. La sua fiducia e la sua stima nel sorvegliante diventano senza limiti, le sue forze rinascono per gradi, insieme a tutti gli altri segni della salute, mentre la ragione fa valere di nuovo i suoi diritti; e cosí, colui che in un altro ospizio era stato maltrattato, e segnalato come il piú violento degli insensati, è divenuto, con mezzi dolci e conciliatori, l'uomo piú docile e piú degno d'interesse, per la sua toccante sensibilità.

Nel trattamento morale non si considera il folle come assolutamente privo di ragione, ovvero inaccessibile a sentimenti di timore, speranza, onore… Prima occorre sottometterlo, poi incoraggiarlo.

Il discorso del muto
Maggio 1793

1.

Il mercatino all'interno delle mura era affollato. L'uomo che si faceva chiamare Laplace guardava le sculture di ossi di pollo che uno dei pazienti vendeva al pubblico di parenti e curiosi. Andare a guardare i folli era un passatempo in voga, ma – pensò Laplace – non era necessario spingersi fino a Bicêtre. La Francia intera pullulava di pazzi.

Una delle sculture rappresentava una pastorella, e ancorché sgraziata, la figura era riconoscibile. Guardò il folle che aveva prodotto l'arcadico personaggio: era scosso da tremiti, ma ogni volta che piegava, legava o montava le strutture che componevano l'opera, le mani erano ferme come quelle di un chirurgo impegnato nell'estrazione di una pallottola.

Fra le altre figure, Laplace riconobbe una casetta, con tanto di comignolo e finestre, e una testa umana, che sembrava riprodurre fattezze concrete.

– Chi è costui? – chiese Laplace all'ombra d'uomo dietro il basso tavolino delle sculture.

– Mmm… Mm… Marat! – proruppe il folle artigiano.

Perfetto, pensò Laplace. Marat, l'amico dei folli.

Pagò l'oggetto, lo rigirò tra le mani e proseguí la passeggiata.

Si arrestò pochi passi piú in là, di colpo. Ecco il biondo Malaprez, scortato da un nerboruto inserviente. Si muoveva come se fosse infreddolito, il che era strano, vista la temperatura gradevole. Stava sotto un sicomoro, le spalle sollevate, come a proteggere il collo.

Laplace avanzò con calma in quella direzione.

Malaprez non indossava la camicia di forza. Segno che negli ultimi giorni non aveva piú dato in escandescenze.

– Fate attenzione, cittadino Laplace, – disse l'inserviente. – Questo garzo sembra cheto, ma può dare di matto in un amen. Se era per me, lo tenevo rinchiuso giorno e notte, altro che.

– Non fatevi udire dal governatore Pussin, cittadino. Permettete una parola?

– Se vi piace sprecare il fiato, fate pure. Non capirà un zullo di quel che dite.

– No, è a voi che debbo dire una parola. È una bella parola, di quelle che possono aprire le porte. Oppure chiuderle.

Sotto la frangetta di capelli spessi e bruni, l'omone corrugò la fronte. Laplace sorrise, si avvicinò e parlò a bassa voce.

– Se vi scoprono, ci vado di mezzo io. – replicò l'inserviente. Poi si guardò intorno, chinò il capo e aggiunse sottovoce: – Ce n'è anche di piú belli. E di piú comodi. Se a questo gli prende la mattana mentre lo pastrugnate, vi spappola.

Laplace serrò la mascella per restare impassibile. Si aspettava quel genere di malinteso: gli infermieri erano plebei abituati alla deboscia, anche contronatura. Inarcò un sopracciglio, imitando un'espressione divertita.

– La somma che vi metto in tasca comprerà anche i vostri patemi, cittadino. Non pensate, datemi ciò per cui pago.

2.

Quella sera, mezz'ora dopo la fine dei pasti, l'uomo che si faceva chiamare Laplace entrò nella cella di Malaprez, il bifolco che aveva perso il dono della parola.

Il bruto, steso sulla panca malmessa, alzò il capo di scatto. Ora indossava la camicia di forza. Alle spalle di Laplace, la porta si chiuse. Il contadino si agitò, si levò in piedi, scagliò contro l'intruso un'occhiata ferina, emise un verso simile al brontolio di un orso. Ciocche bionde aderivano a una fronte già imperlata di sudore. Avanzò scomposto. Camicia o non camicia, voleva colpire Laplace, atterrarlo con una spallata o una ginocchiata tra le gambe. O forse voleva mordergli il naso. Laplace si scansò ed evitò l'urto. Malaprez smorzò lo slancio prima di finire contro una delle pareti umide.

Che vuoi da me?, disse il latrato che riempí la stanza. Laplace doveva zittirlo al piú presto.

La cella era illuminata da due candele: una l'aveva in mano Laplace, l'altra era piantata in un vecchio boccale, sul pavimento in mattoni accanto al bugliolo. Le due fiamme raddoppiavano le ombre: quattro persone danzavano sui muri. Le sagome si cercavano a vicenda, ruotavano, si spostavano, correvano e rallentavano.

Malaprez voleva colpire Laplace, fargli male, molto male. Laplace voleva trovarsi con Malaprez occhi negli occhi. Che danza era?

Il minuetto dei pazzi.

La gavotta del magnetismo animale.

Investí Laplace il ricordo di una sera a Versailles. Un ricevimento, di quelli troppo affollati. Forse era il 1788. Gli ospiti avevano ballato la gavotta. I cavalieri in linea di fronte alle dame, ciascuno con un mazzolino di fiori. Dopo i passi di gruppo, il primo cavaliere e la prima dama si erano staccati danzando da soli, si erano abbracciati, poi la dama era andata ad abbracciare i cavalieri, e il cavaliere le dame. Non rammentava chi fosse il cavaliere: nel ricordo era un *quidam* con un mazzetto di giacinti rosa, rappresentante di una nobiltà esangue e rinunciataria, ombra di sé stessa. La dama era Maria Antonietta Giuseppa Giovanna d'Asburgo-Lorena, regina consorte di Francia e Navarra. Bella donna, l'austriaca, ma poco piú di questo. Laplace guardava la scena in disparte, accanto al barone.

Danza e reminiscenza durarono pochi istanti.

Al termine di una figura sin troppo elaborata, che aveva richiesto non meno di dieci passi, le iridi azzurre del contadino si trovarono innanzi quelle ancor piú cerulee del guerriero. Laplace piantò lo sguardo nelle pupille del folle, lo toccò sulla fronte madida e, col tono di chi quieta un bimbo in lacrime, disse: – Abbiamo danzato. Adesso parleremo.

Colto alla sprovvista, Malaprez chiuse la bocca e stirò la fronte, perdendo l'espressione bestiale che aveva fino a un secondo prima. Smarriti l'impeto e la cadenza, si afflosciò contro la mano di Laplace, pur rimanendo in piedi.

I polpastrelli raggiunsero le cicatrici. Laplace alzò la candela per illuminarle.

Resti di lacerazioni sottili, poco piú che graffi.

Segni lasciati da un corpo irregolare e ruvido, forse un ramo.

– Sediamoci, – disse al folle, oramai placato e in sua balia.

Il bifolco ubbidí. Si accomodarono, per quanto possibile, sulla panca.

– Ti toglierò la veste che ti stringe. Se cercherai di recarmi offesa, proverai un terribile dolore al capo. Se cercherai di recare offesa a te stesso, ti sentirai soffocare. Hai capito quel che ti ho detto?

Malaprez emise un vago mugugno.

Laplace ripeté la domanda.

Malaprez annuí.

Laplace ripeté la domanda.

Malaprez era confuso.

Per la quarta volta, Laplace ripeté la domanda.

I muscoli del viso di Malaprez si contrassero. Laplace era certo che, sotto la camicia di forza, il contadino avesse i pugni serrati.

– Per la quinta volta: hai capito quello che ho detto?

Malaprez strinse i denti finché le mandibole non parvero palloni. Per quella morsa passò una sillaba.

– Bravo, dillo ancora, – lo esortò Laplace.

– Sí, – disse Malaprez, e a quel punto il viso si distese.

3.

Jean-Baptiste Pussin osservava dalla finestra due alienati giocare alla ghigliottina. Uno faceva il condannato, l'altro il boia. La fantasmatica lama calava e il giustiziato rilasciava il collo per far penzolare la testa, evocandone la caduta nel cesto. Subito dopo, i due si scambiavano i ruoli: il testé decollato azionava l'invisibile macchina, e il boia di prima soccombeva. Poi si ricominciava. Andavano avanti cosí da almeno mezz'ora, senza dire una parola.

Pussin trovava la scena intrigante. Con ogni probabilità, nessuno dei due folli sapeva che proprio a Bicêtre, poco piú di un anno addietro, si era collaudata la ghigliottina, quella vera. Pussin ricordò la scena. Il boia Sanson, di fronte a una discreta folla, aveva infilato nel macchinario tre cadaveri spirati da poco, cambiando sempre lama tra un'esecuzione e l'altra, per stabilire quale forma fosse la piú efficiente, se quella inclinata o la piú classica falce. Aveva vinto la prima, mozzando in un batter di ciglia la testa di una prostituta. Terminato il lavoro, il boia aveva fatto i complimenti agli inventori per il brillante risultato e aveva definito la procedura, con una punta di amarezza, «sin troppo facile».

Finalmente i giustizieri giustiziati ruppero il silenzio, mettendosi a litigare sull'errore giudiziario che aveva condotto al patibolo uno dei due.

– Voi non capite: io non dovrei essere qui! – disse colui che in quel momento teneva la parte della vittima.

– Se è per questo, nemmeno io, – replicò l'altro.

Pussin trovò appropriato che la scena si svolgesse nella «piazza» del «quartiere San Prisco», ovvero la corte centrale del settimo padiglione di Bicêtre. Il padiglione dei folli era una parodia di rione cittadino: i passaggi stretti fra i suoi edifici erano chiamati via dell'Inferno, via dei Furiosi, Piazza Corte centrale, via della Fontana… Di quel rione, Pussin era il primo amministratore. Un sindaco. Il sindaco dei matti.

E in fondo, perché no?, pensò Pussin. Tutto quanto avviene qui dentro è parodia del mondo là fuori. La toponomastica, il gioco della ghigliottina… La Grande Parodia, cosí la chiamava Auguste Laplace, l'abitante piú erudito e distinto di San Prisco (e al tempo stesso il piú elusivo), durante una delle loro conversazioni. L'espressione aveva tanto colpito Pussin che ne aveva scritto nel suo diario, quello che teneva da tre anni, nel quale annotava i risultati dei suoi esperimenti.

Laplace era diverso da qualunque paziente fosse mai transitato a Bicêtre a sua memoria, e la memoria di Pussin era a lunga gittata: lavorava lí da tredici anni, e conosceva il posto da ancora prima.

Laplace diceva di essere di Aurillac, e l'accento sembrava confermarlo. Diceva di essere stato un pittore non eccelso ma di buon livello, e di aver perso ogni interesse per tele e dipinti in seguito a una crisi melancolica. Una volta Pussin gli aveva chiesto che genere di quadri dipingesse. «Soggetti sacri, – aveva risposto l'alvergnate. – Dopo la rivoluzione, non erano piú in voga».

In fabula, eccolo arrivare da via dei Furiosi. Lo si notava subito, perché indossava i propri abiti, non la tenuta grigia degli alienati.

Pussin vide che non era solo: un paziente gli camminava accanto. Alto quanto lui, ma piú grosso. Chioma bionda e scarmigliata, viso rosso, mani giunte dietro la schiena. Quando i due raggiunsero il centro del cortile, Pussin lo riconobbe: Antoine-Marie Malaprez, il contadino dell'Essonne pazzo di collera, divenuto muto dopo i fatti di settembre.

La circostanza era strana: dopo gli ultimi accessi d'ira, Pussin aveva disposto che Malaprez fosse sempre accompagnato da un inserviente, con la camicia di contenzione pronta alla bisogna. Che ci faceva, privo di scorta, al fianco di Laplace? Era il caso di vederci chiaro, doveva...

I due si fermarono proprio sotto la finestra di Pussin. Laplace sorrise e gli rivolse un cenno di saluto. Perplesso, il governatore ricambiò.

Laplace si girò verso il compagno di passeggiata e gli disse qualcosa a bassa voce.

Malaprez scosse il capo con forza, in un esasperato cenno di diniego. A Pussin ricordò un cane che si scrolla l'acqua di dosso dopo aver guadato un torrente.

Laplace continuò a parlare al contadino, non c'era modo di capire cosa stesse dicendo. Malaprez teneva la testa china. A un certo punto, Laplace gli posò una mano sulla spalla.

Nel frattempo, i giustiziati giustizieri se n'erano andati. Nel cortile c'erano altri folli, e inservienti, e persino qualche visitatore, ma nessuno faceva caso alla tesa pantomima in corso sotto la finestra di Pussin.

Alfine, Laplace convinse l'energumeno biondo a fare quel che gli chiedeva, di qualunque cosa si trattasse. Pussin lo capí dai tratti piú distesi di Malaprez. Quest'ultimo alzò il capo, raddrizzò la schiena come volesse darsi un tono (perdio, era *certo* che volesse darsi un tono), fissò Pussin e parlò.

Non guaí, non latrò né mugolò. Non grugní, non mugugnò né bofonchiò. Non muggí, e nemmeno sbraitò. Parlò, come fanno quasi tutti. A voce non alta, ma Pussin intese le parole. Tre in tutto, e una era il suo nome.

– Buongiorno, cittadino Pussin.

Il governatore aggrottò la fronte. Stava succedendo qualcosa. Anzi, era già successo. Spostò lo sguardo su Laplace: sorrideva, ma gli occhi azzurri erano freddi.

– Cittadino governatore, – lo apostrofò, – vorrei spiegarvi quale opera ho compiuto a beneficio del qui presente Malaprez. Credo che il mio resoconto sarà di vostro interesse. Consentite?

Pussin pensò rapidamente, poi rispose: – Consento, cittadino Laplace. Salite nel mio ufficio, *solo*. Nel mentre, un inserviente terrà compagnia al nostro amico.

4.

– Non so che abbiate fatto di preciso, ma intuisco di dovermi congratulare con voi.

– Ho solo messo in pratica il vostro suggerimento, cittadino Pussin. Ho pensato a come avrei potuto rendermi utile all'ospedale.

– Spiegatemi, dunque.

– Sono partito dai vostri metodi. Vi ho osservato piú volte mentre parlavate agli sventurati di San Prisco, e vi ho osservato mentre parlavate *a me*. Non siete un medico, e ciò sembra conferirvi un vantaggio. Voi cercate le cause dell'alienazione non nelle lesioni dei nervi o nello squilibrio delle funzioni organiche, bensí in tutto ciò che genera un disordine morale e spirituale. Vi informate su quel che gli alienati provano, sulle cause di un loro temporaneo sollievo o di una persistente irritazione, sui ricordi che affiorano improvvisi nelle loro menti, sulle nostalgie dei loro cari...

– Descrizione molto corretta.

– E scrivete tutto quanto.

– Certamente. Lo ritengo non soltanto utile, ma doveroso.

– Nei vostri appunti sul paziente Malaprez, a cosa avevate attribuito la sua repentina perdita della favella?

– Cittadino Laplace, non è normale che un paziente rivolga cosí tante domande al governatore del padiglione. A ogni modo, nei miei appunti, avevo attribuito l'improvviso mutismo di Malaprez ai colpi che aveva ricevuto durante l'irruzione di settembre.

– Con tale attribuzione, non vi pare di aver tradito il vostro metodo consueto, rinunciando troppo presto a cercare una causa spirituale per i disturbi del nostro amico?

– A giudicare da quel che ho appena visto e sentito, mi pare di capire sia andata cosí. Ma voi, Laplace, cosa avete scoperto, e come?

– Nemmeno io sono un medico, cittadino Pussin, ma i danni al capo di Malaprez mi sono parsi di lieve entità. Ho avuto cura di parlargli, con delicatezza, propenso ad ascoltare i suoi mugugni come fossero parole. Parole costrette e deformate, schiacciate da un peso. Gradualmente, mi sono accorto che comprendeva le mie frasi. Ho lavorato con pazienza, e ora, sebbene a fatica, è di nuovo in grado di esprimersi.

– E la ragione del precedente mutismo?

– Penso che il massacro di settembre lo abbia spaventato e inorridito al punto di impedirgli di parlare. Di quella notte, tuttavia, sembra non ricordare nulla.

– Come è possibile temere ciò che si è dimenticato?

– Ai bambini non capita forse di aver paura senza sapere di cosa, né perché? Malaprez sapeva, ma non sa piú.

– Ammetto di essere molto colpito, cittadino Laplace.

– A questo proposito, cittadino Pussin...

– Dite pure.

– Ho nell'animo, fortissima, l'impressione che parlare con quell'alienato mi stia aiutando contro la melancolia. Vorrei poter continuare a farlo. Vi chiedo di non restringere piú i movimenti di Malaprez, di non imporgli piú la veste di contenzione, e di non farlo seguire in ogni dove da uno o piú inservienti.

– Non state domandando poca cosa.

– Ne sono consapevole.

– Se vi accontentassi, e in seguito Malaprez ricadesse in uno dei suoi accessi di collera, sarebbe mia e solo mia la responsabilità delle conseguenze.

– Non vi saranno altri accessi di collera.

– E come credete di poterlo garantire?

– Vi dò la mia parola: non vi saranno altri accessi di collera.

– Mi chiedo come riteniate di saperlo.

– Non lo ritengo: lo so. Ascoltatemi mentre lo ribadisco: non vi saranno altri accessi di collera.

5.

L'esperimento procedeva bene. Di giorno in giorno, Laplace strappava al contadino nuove parole e brandelli di ricordi. Otteneva tali risultati, semplicemente, volendolo.

Un solo uomo potrebbe sollevare l'universo, con la magia della volontà.

Il fine che Laplace si era prefissato: portare Malaprez a riconoscere, e di nuovo esperire, il momento in cui aveva perso l'uso della parola. Per ottenere ciò, lo magnetizzava poco dopo l'alba e nel tardo pomeriggio, i due momenti piú vicini ai crepuscoli, e dunque alla notte. Si trattava, infatti, di rivivere l'esperienza di una notte, quella fra il 3 e il 4 settembre 1792.

Laplace ricordava quella notte: l'aveva trascorsa accampato a Verdun. Dopo due settimane di battaglia, l'armata del duca di Brunswick aveva sconfitto i rivoluzionari ed espugnato la piazzaforte. I Prussiani, tra le cui file combattevano Laplace e il barone, si preparavano a marciare verso Parigi.

Proprio la cattiva novella della sconfitta nell'Argonne e lo spettro dell'invasione avevano scatenato panico e collera nella capitale. Il popolino aveva deciso di regolare i conti col «nemico interno», i controrivoluzionari ancora presenti a Parigi. Ne era seguita la presa d'assalto di prigioni e ospedali, e il massacro piú lungo ed efferato si era svolto a Bicêtre.

Nemmeno l'ascendente che aveva su Pussin, nemmeno la piú cospicua mancia a questo o quell'inserviente avrebbe consentito a Laplace di girare per l'ospedale nel cuore della notte. Doveva accontentarsi di iniziare le sedute appena sorto il sole o poco prima del tramonto.

Laplace era partito da lontano, perché il contadino non resistesse chiudendosi a riccio. Le prime domande erano state sull'infanzia a Longjumeau, sulla madre morta giovane, sul lavoro nei campi, poi l'arrivo a Parigi, la vita di stenti… Un giorno, nella primavera del '92, Malaprez aveva sentito di non farcela piú, e aveva deciso di uccidersi urlando. Proprio cosí: avrebbe urlato fino a spaccarsi la gola, urlato e tossito sangue, urlato fino a morirne. Per farlo, era andato in Piazza

Rivoluzione. Si sarebbe ammazzato là dove ammazzavano la gente, ma le guardie lo avevano preso, e poche ore dopo si era trovato a Bicêtre.

Un povero poteva finire a Bicêtre per tanti, innumerevoli tragitti, ed entrarvi in una condizione – alienato, prigioniero, epilettico, orfano, vagabondo, lavorante – per poi rimanervi in un'altra. Malaprez, invece, era sempre stato a San Prisco. Ricordava i primi mesi, il caldo torrido dell'estate, l'umidità e il fetore delle celle, la nostalgia per la campagna dove aveva patito fame e freddo ma almeno aveva spazio per camminare... Ricordava la prima volta che aveva visto Pussin.

Poi un buco, un fossato dal fondo buio che la memoria di Malaprez saltava a piè pari, per arrivare all'attuale degenza, o prigionia.

Il buco, non era difficile capirlo, corrispondeva alla notte del massacro.

Di quella notte, nessuno parlava volentieri. Nessuno eccetto il padre Richard, scrivano e addetto alla posta di Bicêtre. Se interrogato in proposito, l'omino si lanciava in una dettagliata esposizione, raccontando la tragedia ora per ora, gesticolando in preda al fervore. Era senza dubbio l'evento piú straordinario e spaventoso al quale avesse assistito, e certamente ne avrebbe parlato per tutta la vita.

Quand'era tornato a Parigi in incognito, un mese dopo la sconfitta di Brunswick a Valmy, l'uomo che si sarebbe chiamato Laplace aveva raccolto ogni sorta di storie sui massacri di settembre. Alcuni sostenevano che una gran folla di parigini, nel pomeriggio del 3 settembre, si fosse presentata al cancello di Bicêtre armata di spade, picche, forbici, fucili e trascinandosi dietro sette cannoni. Sotto la minaccia di bombardare il muro di cinta, erano entrati nel cortile e avevano massacrato seimila persone, con qual-

siasi mezzo atto a uccidere, compresa l'acqua, con la quale
avevano annegato chi si era rifugiato nei sotterranei, senza
distinzione fra prigionieri, malati, insensati, amministratori, medici, ragazzi.

Il padre Richard negava risolutamente che la folla avesse
cannoni. E Bicêtre non aveva mai ospitato seimila persone.
La plebaglia aveva invaso soltanto la prigione, dove, quel
giorno, non vi era piú di qualche centinaio di detenuti. Di
questi, a sentire Richard, una cinquantina era stata messa
subito in libertà. Inutile chiedersi con quale criterio. Altri
erano fuggiti approfittando del trambusto. Piú o meno centocinquanta erano stati uccisi.

Durante la prima giornata, non piú di venti prigionieri
erano stati segnati con una croce di gesso sulla spalla sinistra,
quindi condotti di fianco alla cappella dell'ospedale, legati
al tronco di un olmo e uccisi a colpi di spranga. Si trattava, per lo piú, di preti «refrattari», parenti di aristocratici
espatriati e condannati a morte in attesa dell'esecuzione.
Con scrupolo degno di miglior causa, i loro corpi erano stati spogliati e i beni inventariati, affinché nessuno potesse
rubare ciò che spettava ai familiari del defunto. I carnefici
erano convinti di agire per il bene della Francia e non volevano che un furtarello macchiasse il valore di quanto andavano facendo.

La Grande Parodia. Scimmie che giocano ai giudici.

Dopo il tramonto, i magistrati di quel tribunale posticcio,
sentendosi la gola secca, si erano fatti portare dall'economo
le riserve di vino custodite nei sotterranei. Lo spirito aveva
obnubilato la loro capacità di discernimento, ignobile o fondata che fosse, e per tutta la notte i prigionieri erano stati
condotti direttamente all'olmo sanguinante, senza nemmeno
l'apparenza di un processo. In quel modo, col favore delle
tenebre, erano stati uccisi un centinaio di detenuti, mentre

gli ultimi quarantadue, ragazzi del riformatorio, li avevano eliminati la mattina successiva.

Nel pomeriggio del 4 settembre, quando la torma se n'era andata, gli inservienti avevano trovato Malaprez supino e privo di sensi, la testa insanguinata, a poche decine di passi dall'ormai famigerato olmo. Com'era finito in quel punto? I sanculotti non avevano prelevato nessuno dal settimo padiglione, soltanto dalla prigione.

Una sera, finalmente, la magia della volontà schiuse il forziere dei ricordi di Malaprez.

Erano nell'alloggio di Laplace. Il contadino sedeva sulla branda, Laplace girava per la stanza senza mai dargli le spalle né staccare lo sguardo dal suo viso.

– È che io qua dentro non ci voglio stare! – proruppe a un tratto Malaprez.

Il magnetista dissimulò la sorpresa, come se quella fosse una normale battuta, in un dialogo avviato da lunga pezza.

– Perché mai? – domandò.

– Là fuori si sgolano, c'è gente che schiatta.

– E allora?

– Io mica ci credo al prete Richard.

– Che c'entra il *padre* Richard?

– Il padre Richard è passato e dice di star calmi, ché tanto i sanculotti son qui per i nobilardi della prigione, mica per noi matti.

Il magnetizzato rallentò la parlata e chinò il capo sul petto. Laplace si avvicinò, lo toccò con le mani, lo costrinse a fissarlo negli occhi e lo pregò di continuare.

– Siccome i guardioni si sono fatti di nebbia, io mi son detto: vado. Non la faccio la fine del...

– La fine del?

– La fine del topo.

– E poi?

– Poi… Arrivo nella piazza. I rivoluzionari sono lí, quaranta, cinquanta. Io mi nascondo dietro un acero e penso come scappare. E mentro penso, sento uno che grida: «Pietàaaa». Allora mi sporgo e vedo tre che portano a forza un tizio, lo appoggiano a un olmo e un altro sanculotto…

– Cosa fa?

– Fa *bam!* con un randello, gli spacca la zucca e vien fuori un gran sangue. E subito dietro un altro, *bam!*, e un altro ancora, e…

La voce del contadino si spense in gola, ma Laplace decise di non intervenire. Ormai la brocca era crepata e il liquido dei ricordi fluiva da solo.

Malaprez si leccò le labbra, domandò un bicchiere d'acqua e riprese a parlare.

– Alla fine decido che devo saltar fuori, mica posso star lí tutta notte e farmi beccare dai guardioni alla mattina. Decido che mi muovo, ma quelli… Mi vedono, mi indicano, mi saltano addosso prima uno, e me lo scrollo di dosso, poi altri due, poi cinque, poi sei. Mi bloccano per terra e mi dicono: «Zitto, sta' zitto». Io solo allora mi accorgo che sto urlando. Urlo e non riesco a smettere, come quella volta in Piazza Rivoluzione. Sento i gecchi sanculotti che si domandano chi cazzo sono: «E chi vuoi che sia, sarà uno sciroccato di San Prisco, chissà da quanto tempo stava lí a guardare». «E allora, anche se guardava? Mica c'è da vergognarsi, stiamo amministrando la giustizia rivoluzionaria». «Sí, va bene, ma l'importante è farlo star zitto…» E allora *bam!*, anche a me arriva la botta in testa, ma non cosí forte da spaccarmi la zucca, forse ho la zucca piú dura di quegli altri poveracci… Io mi addormento e basta. E quando mi sveglio non urlo piú. Non parlo piú. Sono muto.

Estratto dalla

del 26 maggio 1793
Intervento di Maximilien de Robespierre

Il trionfo momentaneo dell'aristocrazia non deve spaventarvi piú del successo degli intriganti in certe sezioni corrotte. Il foborgo di Sant'Antonio schiaccerà la sezione del Mail, come i sanculotti di Bordeaux schiacceranno gli aristocratici. Dovete premunirvi contro i raggiri del brissotismo. I brissotini sono scaltri, ma il popolo di Parigi è piú scaltro di loro. Vi ho detto che il popolo deve riposare sulla sua stessa forza; ma quando il popolo è oppresso, sarebbe un codardo chi non gli dicesse di insorgere. Quel momento è giunto: i nostri nemici opprimono i patrioti e in nome della legge vogliono ripiombare il popolo nella miseria e nella schiavitú. Io non sarò mai amico di questi uomini corrotti, quali che siano i tesori che mi offriranno. Preferisco morire con i repubblicani, che trionfare con questi scellerati. [*Applausi*] Io invito il popolo a insorgere, in seno alla Convenzione, contro i deputati corrotti, e dichiaro che io, da solo, sono in stato di insurrezione contro il presidente e i deputati alla Convenzione. [*Applausi*] Invito i deputati della Montagna a stare uniti contro l'aristocrazia e dico che per loro non c'è alternativa: o resistere con tutte le forze ai tentativi d'intrigo, oppure dare le dimissioni. Dichiaro che punirò io stesso i traditori e prometto di considerare qualunque cospiratore come un nemico, e di trattarlo come tale.

[*Applausi. Tutta la società si alza e si dichiara insorta contro i deputati corrotti*].

Tuona il cannone
31 maggio - 2 giugno 1793

1.

Un conto è dormire su un carro. Un conto è dormire in un pagliaio. Tutt'altra cosa dormire sotto un ponte. Pontenuovo, lo chiamavano i parigini. E dormire, mica si trattava di dormire davvero: era un prendere sonno a stento, per poco, devastati dalla stanchezza, con un buco nello stomaco, dove Léo aveva fatto, suo malgrado, abitudine al cibo.

Aveva dovuto vendere tutto quel che non serviva. Anche i vestiti buoni, due: uno fatto fare a Bologna, l'altro comprato in Francia coi primi soldi del teatro. I soldi, già. Erano esistiti.

Ora invece esisteva Pontenuovo. Sotto, era la sua precaria e pericolosa dimora notturna. Sopra, e nelle vie intorno, era il suo luogo di lavoro. Saltimbanco senza un banco su cui saltare e nulla, nessuna pozione per la virilità né lozione per capelli, da vendere. Gli toccava una vita di merda, all'attore. Bravo era bravo, ma stanco vieppiú, e i lazzi dopo un po' uscivano male, e poi doveva far tutto da solo, uno sbattimento, una fatica improba, e quelli, i parigini, in pratica gli facevano l'elemosina, per giunta magra. Sembravano aver preso interesse ad altre cose, i parigini. Avevano sviluppato il gusto per un teatro piú vasto, e Léo ne calcava soltanto i margini.

Aveva conservato: un vestito di scena, mezzo Scapino e mezzo Scaramouche; una camicia bianca, rattoppata; una

maschera col nasone. Poi: un fagotto; delle candele; un tomo delle *Memorie* del maestro Goldoni.

Anche le scarpe se ne erano andate, barattate per un po'
di denaro e degli zoccoli di legno. Leonida Modonesi si era
abituato al rumore che producevano sul selciato, e negli ultimi giorni aveva notato che suonavano strascinate, le rusti-
che calzature. Ormai aveva il fiato corto, e il passo lento.

Tra gli ambulanti che lavoravano sul ponte, soltanto con
uno era nata simpatia, forse perché pure lui veniva dall'Italia. Da Bergamo, come Arlecchino. Rota, si chiamava. Era
un omarino senza età e con una gamba storta, che ogni mattina zoppicava fino al ponte col suo carrello di libri e alma-
nacchi. Era quel che in Francia chiamavano un *bouquiniste*. Già il primo giorno, Léo gli aveva detto che a Bologna
la parola *bouquin – buchén –* non indicava il libro, ma quel
particolare, sempre apprezzato lavoretto che certe donzelle
eseguono con la bocca... Ridendo di gusto, Rota gli aveva
detto: «Mi hai visto? Se invece dei libri vendessi quelli, non
tirerei su una lira!»

Poi aveva contraccambiato con l'equivalente bergamasco
di *fèr un buchén*: *fà öna ciciàda*.

Il primo giorno a Pontenuovo, Léo aveva ancora voglia
di scherzare.

L'aveva persa presto.

Sotto Pontenuovo, in una notte senza luna, i pensieri tristi e commiseranti sembravano gli unici possibili.

Chiuse il libro di memorie e si accinse a spegnere il mozzicone di una candela, quando un barbaglio della fiamma
illuminò una porzione di muro. C'era scritto: «... epubb-
blica» e «Vive la Trance». Léo aguzzò gli occhi e se non
fosse stato cosí stanco si sarebbe mosso per controllare la
scritta piú da vicino. Sembrava proprio «Vive la Trance».
Léo si convinse che doveva essere un'illusione ottica do-

vuta al riflesso dei lampioni sull'acqua, magari con il concorso di occhi stanchi e mente angustiata. Si convinse che doveva esserci scritto «Vive la France», anche se l'ultima occhiata verso il muro gli disse il contrario. Spense la candela. Faceva fresco.

La lanterna magica della mente proiettava ricordi, a brandelli e spezzoni. Eventi delle ultime ventiquattr'ore, eventi di qualche anno prima. Cose che accadono nella vita degli uomini: segni che prendono significato con il tempo, parole che non si sarebbero mai volute udire o pronunciare. La Senna sciabordava, l'umidità infradiciava le ossa. Léo si chiese, a un certo punto della proiezione, che mai significasse la parola *Trance*. Gli suonava familiare, eppure non era certo di averla mai udita prima. Forse non era nemmeno una parola. Forse era un refuso, finito sul muro per chissà quale motivo: un carbone scivolato dalle mani e rotolato nella Senna, o il muro che si sbreccia proprio sul secondo braccetto, quello piccolo, della effe.

Trance. No, doveva essere una parola. Non ne conosceva il significato, ma il suono evocava una specie di danza, come una giga o un trescone, di quelli che si ballano sui monti dietro Bologna. E sí, doveva essere un ballo collettivo, di schiere, uomini e donne da una parte e dall'altra, e la musica preferita per quei passi doveva essere suonata da trombe, tamburi e violini.

Léo attendeva come una momentanea liberazione la breve catalessi che costituiva tutto il suo sonno. C'era una doppia prigione: quella diurna, fatta delle strade della città e della sua misera condizione, e quella notturna, fatta di circonvoluzioni della mente, ricordi, sentimenti di tetra disperazione alternati a momenti di esaltazione insensata, e su un piano piú materiale, fatta di umidità e del puzzo che saliva dal fiume, e dalla mole di Pontenuovo che nascondeva il cielo. Gli

sembrava che la vita fosse un poderoso meccanismo a oro-
logeria, che lui stesso aveva assemblato, pezzo dopo pezzo,
nel corso degli anni, e gli pareva che il meccanismo avesse
il solo scopo di chiudersi su di lui, come una bara fatta di
gesti passati.

Un enorme ratto uscí dall'acqua e risalí la banchina annusando, il muso all'aria, le ore della notte.

Léo si armò di zoccolo e fronteggiò l'intruso, che si mise ritto sulle zampe posteriori. Era grosso come un cane
di piccola taglia, o come un istrice. Emise una specie di
fischio, che suonò come un richiamo o un avvertimento.
Senza fretta eccessiva, si allontanò e le sue tracce d'acqua
si persero nel buio.

Un'uscita di scena degna di Capitan Fracassa.

Léo pensò che aveva vissuto abbastanza per vedere la Tra-
cotanza incarnata in un ratto della Senna.

E provò di nuovo a dormire, ma niente. Sotto il rustico
panno militare, lo morse nella carne l'avvertimento di una
mancanza, originaria quasi quanto la fame. Nelle condizioni
in cui si trovava, non avrebbe certo potuto sperare di colpire lo sguardo di una donna. La donna: ecco quel che serviva ora. Una donna, una brava donna, o non brava ma che
guadagnasse. Aveva sempre ritenuto che, alle brutte, qualche vedova o qualche ostessa sarebbero comparse e lui, che
non era uomo disprezzabile, sarebbe verosimilmente stato
conteso, disputato. Un consesso di baccanti lo avrebbe di-
laniato e quelle, esaltate, infoiate, si sarebbero cibate delle
sue carni e soddisfatte con il suo sangue: in quel momento,
quasi gli sembrò una fine decente.

Donne. Il carnevale che colpiva la Francia le aveva mu-
tate. Andavano in giro a branchi, come erano soliti fare i
ragazzini, spesso senza alcuna attenzione per convenienza
e decoro. Facevano politica. Léo ne era affascinato. In cuor

suo riteneva che, di fronte alla vita e all'arte, decoro e convenienza contassero zero.

In ogni caso, mancava una donna. Mancava subito, al posto della mano che scendeva verso l'inguine, e mancava in prospettiva, come sostegno, riparo, compagnia. Léo pensava queste cose e intanto, come a propiziare il sonno mediante l'induzione di ulteriore spossatezza, la mano afferrava il membro sotto il costume di scena, le brache di Scapino, e la mente formulava un augurio, che apparisse presto una vedova o un'ostessa che lo raccattasse e lo salvasse da quell'esistenza troppo prossima alla morte.

Il dormiveglia si trascinava tra raffiche d'immagini vaghe e scariche di pensieri, associazioni senza senso. Finalmente, Léo dormí.

Passò ben poco e un clangore lontano sorse nel fondo della coscienza, e si accrebbe sempre piú distinto.

Campane.

Campane a stormo, come quando si segnala un incendio.

Léo aprí gli occhi ed era ancora buio. Imprecò in bolognese, assaporando l'oscenità e la blasfemia.

Campane. Campane a martello. Non cessarono per un bel tratto.

Cani abbaiavano: si rispondevano da una riva all'altra del fiume.

A Léo parve di udire clamori lontani: era stanco, ma lucido e in allarme. All'alba potevano mancare un paio d'ore. Dopo un po', l'orologio batté le quattro.

Dopo un'ora, le prime luci.

Léo si accinse a salire sulla scena, cioè su Pontenuovo, sperando di arrivare a sera senza troppi problemi, e di mangiare almeno una volta. Allestire il palcoscenico era facile: un berretto rovesciato, un cartello che inneggiava alla Repubblica. Mentre saliva le scale si accorse che sul muro c'era scritto davvero «Vive la Trance», qualunque cosa volesse dire.

Gli scalini pesavano sulle gambe, ma come dio volle Léo si ritrovò di sopra, sul ponte. Si scoprí ad annusare l'aria, come il ratto sorto dalla Senna qualche ora prima.

Non c'era ancora Rota, né alcun altro degli ambulanti che condividevano il precario luogo di lavoro. Doveva essere molto presto, ma Léo si insospettí quando, col trascorrere dei minuti, nessuno venne ad allestire alcunché. Nemmeno il savoiardo che vendeva bastoni da passeggio e ombrelli, che era il piú mattiniero.

Intanto il clamore si avvicinava. Léo vide gruppetti di persone dirigersi a passo rapido, o di corsa, verso l'altro capo del ponte, da dove pareva salire il rumore.

Léo capí. Corpi che si univano a una folla.

La folla divenne visibile. In maggioranza uomini, ma anche donne. Cantavano, si lanciavano richiami e incitamenti. Portavano picche e fucili. Léo si avvicinò alla folla che avanzava, via via sempre piú svelto, come se quella gente fosse un magnete, come se l'eccitazione percepita nell'aria prendesse a scorrere nei condotti del corpo. Léo si trovò circondato dalla folla. La gente prese a scendere dall'altro lato del ponte, quello dove si apriva il parco d'artiglieria. – Al cannone! Al cannone! – sentí gridare. Il cannone? Léo pensò che un'armata nemica stesse risalendo la Senna e occorresse fermarla.

Ora la folla occupava l'intera piazzaforte, e Léo sgomitò per avvicinarsi al cannone, dove i capi del popolo in armi si erano fermati. Cristo d'un dio, stava accadendo qualcosa, e stavolta lui c'era in mezzo, non come quando avevano segato il collo al re. Qualcosa, sí. Qualsiasi cosa, pur di allontanarsi dai topi di Pontenuovo.

Parlavano concitati, Léo non riusciva a udire bene quel che dicevano. Ricostruí che si trattava di un cannone d'allarme, che doveva sparare perché la Repubblica era in pericolo, e Léo capí: non c'era alcuna armata a risalire la Senna, si trattava dei famigerati «nemici interni». Léo provò ad avvicinarsi ancora, gonfiando il petto come un vero patriota. Sí. Ora la folla era silente e si coglievano le battute dello scambio. Volevano far sparare il cannone, subito, e sventolavano sotto il naso di un ufficiale un foglio che era un ordine eccezionale. L'ufficiale si stringeva nelle spalle. Diceva che l'ordine non era valido, che ci voleva un mandato della Convenzione, datato e firmato, ché chi sparava senza quella firma era passibile di pena di morte. Qualcheduno voleva rischiarla, la zucca? S'accomodasse e sparasse, ma tutti erano testimoni che insomma, lui, l'ufficiale, s'era opposto.

Sconcerto e rabbia attraversarono la folla. Léo li avvertí come onde elettriche, di quelle che fanno rizzare i peli sulla schiena e sulle braccia.

I capi, là davanti, tennero un conciliabolo. Si decise di mandare in fretta dei delegati per farsi firmare l'ordine dalla Convenzione. Scelsero i piú presentabili. Rimase dunque la feccia.

E subito la feccia, Léo tra questi, prese a dire che ci sarebbe voluto troppo tempo, che era una cosa senza senso, che dovevano spicciarsi, che l'ufficiale facesse sparare e si levasse di mezzo. E lui ribadiva: io non dò fuoco alla miccia, nossignore. Alla mia testa ci tengo, io.

I piú animosi, rifletté Léo, non erano che i piú verbosi. Al di là dei gesti, dei volti torvi o deformati dalla passione, quella gente non era abbastanza decisa. Mentre rifletteva, senza pensarci, commentava ad alta voce in vernacolo. Intanto l'ufficiale diceva: l'ordine? Portatemi un ordine valido e controfirmato, e sparo io. Se no, fatelo voi. E faceva cenno con la mano sul collo, a simulare la decapitazione.

Léo si sentí sfidato. Insomma, la sua recita saltava, la *matinée*, e quei segaioli rimanevano bloccati, e il cannone nemmeno sparava?

– *Sta' mò bono c'ai pans me, brott dio d'un boia. Vût vadder?*

Fece un passo avanti, poi un altro. Adesso era di fronte all'ufficiale.

– *Càvet bän d'in mèz ai marón!* – e lo scostò. – Branco di pugnettari! – apostrofò tutti quanti. La gente fissava il costume e la maschera appesa al collo. Léo fece un cenno a uno dei tipi torvi nella folla, e questi, come rispondendo a un ordine, passò un acciarino. Léo biascicò ancora qualcosa: – *Mo guerda te, boia ed diona... Av la dâg me adès!*

Armeggiò con l'attrezzo e, nel silenzio piú assoluto, accese la miccia.

– *Acsè!*

2.

Treignac udí il colpo del cannone d'allarme e capí che il tempo degli inviti alla calma era bell'e finito.

Le campane della chiesa dei Trovatelli, nel foborgo di Sant'Antonio, erano state le prime a smartellare, e i sanculotti del quartiere erano scesi in strada di gran carriera, con le armi in pugno, mentre nelle sezioni piú ricche ancora si lamentavano per l'alzataccia, perché si sa che nemmeno nel sonno gli uomini sono uguali, e chi ha candele a mucchi discute e festeggia fino a tardi, mentre chi le deve risparmiare va a nanna appena è buio, si sveglia prima dell'alba, addenta un tozzo di pane, si sciacqua la bocca, e poi se può torna a dormire un paio d'ore, altrimenti si prepara per andare al lavoro.

Pertanto, quando Treignac udí il colpo del cannone d'allarme, i cittadini di Sant'Antonio erano già assembrati da almeno tre ore, di fronte alla casa del capitano di sezione, sotto il drappo tricolore, senza nemmeno conoscere il vero motivo della chiamata. O meglio: il motivo lo sapevano tutti. Proprio il giorno prima s'era diffusa la notizia di Lione, dove i partigiani di Brissot avevano cacciato dal comune i veri rivoluzionari e si temeva che lo stesso colpo l'avessero in canna pure a Parigi. Quel che nessuno sapeva era il da farsi spiccio, se cioè bisognava star lí a difendere la sezione, oppure andare alle barriere per far scudo alla città, o magari filare dritti alla Convenzione a prendere per il collo i brissotini.

Mentre Treignac cercava di raccapezzarsi, sentí uno strattone alla giacca. Era Bastien, trafelato.

– Al Colle dei Mulini si sono messi addosso le coccarde bianche del re e stanno chiusi con due cannoni nel Palazzo Egualità.

– Chi li ha visti?

– Lo dicono tutti.

Treignac si lasciò sfuggire un'imprecazione e si fece largo tra la folla insieme alla notizia. La sezione del Colle dei Mulini era un feudo di Brissot, e c'era già chi invocava una spedizione punitiva, «per piantargli nel culo le loro belle coccarde».

Treignac raggiunse il capitano Soyer.

– Chi ha portato la notizia? – domandò.

Soyer scrollò le spalle, come a domandarsi che importanza avesse davanti a quel trambusto.

– Il Palazzo Egualità è a due passi dalle Tegolerie, – disse. – Se quelli del Colle si stanno preparando per attaccare la Convenzione, bisogna fermarli subito.

Treignac fece qualche passo nervoso.

– Maledizione, – disse a mezza voce, mentre la smania intorno a lui aumentava.

Al che Soyer, senza por tempo in mezzo, sguainò la spada e la puntò al cielo.

– Cittadini di Sant'Antonio, – gridò. – Andiamo a vedere quelle coccarde bianche!

Mezz'ora dopo, Treignac scrutava l'immensa facciata del palazzo che era stato residenza di Filippo d'Orléans, o Filippo Egualità, come si era ribattezzato per lisciarsi la rivoluzione e salvarsi il collo.

Si scorgeva un'arma a ogni finestra.

Il comandante Soyer diede l'ordine di piazzare i cannoni. Poi si sgolò verso gli assediati.

– I buoni patrioti di Sant'Antonio vi ordinano di mollare le armi! Lasciate perdere o apriamo il fuoco e vi seppelliamo là dentro!

Per tutta risposta una testa sbucò da un abbaino.

– Qua non si arrende nessuno! Ritiratevi voi! – disse prima di sparire di nuovo come un topo nel suo buco.

Soyer gonfiò il petto. Sapeva che i suoi lo stavano guardando.

– Se allo scoccare dell'ora non deponete le armi, apriamo il fuoco!

Treignac pensò che faceva una certa impressione vedere i cannoni puntati contro i ristoranti, i caffè alla moda, le botteghe degli orafi, le sale da gioco, e i postriboli che quel luogo ospitava oltre la facciata. Di norma quella, per la riccaglia, era «la capitale della capitale di Francia», dove andavano i visitatori che avevano denaro da spendere in ninnoli, giochi e saloppe.

Il tempo gocciolava via come un rivolo d'acqua da una grondaia bucata.

Chiamò Bastien.

– Sentimi bene, tu. Sai correre veloce?

Il ragazzo annuí.

Treignac gli strinse il braccio come per infondergli determinazione.

– Allora corri fino a via Sant'Anna. Chiedi della casa del cittadino Cordonniers. Lui mi conosce, eravamo sotto le armi insieme. Digli che ti mando io e che ho bisogno che venga subito qui: è un affare della massima urgenza. Chiaro?

– Sí, Treignac.

Il poliziotto gli fece un gesto esplicito.

– Vola!

Il ragazzino partí come una scheggia.

Soyer si avvicinò a Treignac.

– Cosa avete intenzione di fare, sacrodio?

– Conosco uno dei montagnardi di questa sezione. È uno comecristocomanda. Bisogna che mi spieghi cos'è 'sta storia.

Soyer indicò la facciata del palazzo.

– Non è abbastanza chiaro? Minacciano in armi la Convenzione e la Repubblica. Maledetti brissotini. A Lione hanno fatto la stessa cosa.

Treignac non replicò. Si augurò che Bastien si sbrigasse, prima che qualcuno si facesse saltare la mosca al naso.

Soyer chiese in giro l'ora giusta e quando gliela dissero tornò a gonfiare il petto.

– Al tocco dò l'ordine di tirare.

Treignac occhieggiò all'intorno, sperando di vedere arrivare il ragazzino, poi fissò ancora il palazzo. Fu in quel momento che si udí lo sparo. Un colpo secco, sonoro, che riecheggiò nella piazza. Treignac vide il fumo sollevarsi da una delle finestre.

Non ebbe il tempo di chiedersi se fosse stato un colpo accidentale o una provocazione, perché lo investirono il trambusto e gli ordini sgolati di Soyer che faceva caricare i cannoni. Chi aveva un fucile lo spianò, ma spuntarono anche fionde e persino una balestra.

Treignac si sentí tirare per la giacca. Bastien era lí, sudato e col fiatone. Treignac lo afferrò per le spalle.

– Allora? L'hai trovato?

Il ragazzino fece segno di no con la testa, mentre cercava di riprendere fiato.

Treignac alzò gli occhi al cielo e invocò malamente un paio di santi.

– Ti hanno detto dov'è, almeno? – chiese senza speranza.

– Sí, – riuscí a dire Bastien.

Treignac vide il braccio magro del ragazzino sollevarsi e l'indice puntare proprio di fronte a loro.

– Porca merda! – imprecò Treignac. Corse davanti alle file e sollevò con le mani le canne dei fucili. – Fermi! – si mise di fronte alle bocche dei cannoni. – Fermi! Non sparate!

Soyer, già voglioso di dare l'ordine, lo affrontò rosso in faccia.

– Cavatevi da mezzo, Treignac! Io non sto a guardare mentre gli amici di Brissot e della Gironda ci sparano addosso.

– Non vi hanno sparato, allocchi! Era soltanto un colpo, non ne sono seguiti altri: è chiaro che è stato involontario.

La folla ringhiò contro il poliziotto e Soyer dovette metterla a tacere alzando la sciabola. Quando gli animi furono placati, si rivolse di nuovo a Treignac.

– Cosa intendete fare?

– Andare là dentro.

Un brusio attraversò l'assembramento.

– Da solo?

Treignac incontrò lo sguardo di Bastien e cercò il suo assenso.

– Mi porto il garzolo. Nessuno spara sui garzoli.

Qualcuno dalle file dietro disse che non ci avrebbe scommesso, ma tutti sentivano che l'iniziativa di Treignac meritava rispetto. Soyer colse il loro umore come un cane fiuta l'usta.

– E va bene, negoddio. Dategli una bandiera bianca.

Legarono un fazzoletto bianco a un pezzo di legno e lo diedero a Treignac.

– Se fra dieci minuti non siete di nuovo qui, dò l'ordine di aprire il fuoco e non ci sono santi che tengano, – lo congedò Soyer.

Treignac non parve nemmeno sentirlo. Si incamminò con Bastien attraverso la piazza che portava al cancello del grande edificio.

Intorno alle due figure solitarie si era fatto il piú assoluto silenzio, al punto che potevano sentire il rumore dei propri passi sul selciato.

– Se tua madre lo scopre mi taglia il naso, – disse Treignac.

– Non glielo diciamo mica, no? – rispose svelto il ragazzo, la voce strozzata da quell'idea.

Treignac alzò un dito sulla bocca.

– Mai.

Bastien sospirò di sollievo.

Avanzarono ancora un poco. Ormai potevano distinguere bene le figure in armi che li attendevano all'ingresso, sotto il colonnato.

– Hai paura? – chiese Treignac.

Bastien annuí.

– Anch'io, – aggiunse il poliziotto. – Se non l'avessimo saremmo due gecchi sprovvidi, non credi? Stammi vicino.

Giunti davanti agli uomini armati, Treignac si identificò e disse che chiedeva di parlare con il cittadino Cordonniers.

– Cordonniers? E perché mai? – lo apostrofò uno dei ceffi, ruvido di tono e di musta.

– Perché lo conosco e vorrei capire da lui che sta succedendo qui.

Consegnò al tizio la bandiera bianca e gli fece segno di fargli strada. Quello lo guardò strano, si consultò con i compari, e alla fine decisero di lasciarlo passare.

Treignac e Bastien entrarono scortati nel cortile interno. Le botteghe sotto il colonnato erano chiuse. Davanti a uno scalone c'era un secondo posto di guardia. Tre sanculotti armati e un tizio dalla faccia di teschio, vestito di nero, che se ne stava seduto, mentre quelli lo sfottevano.

Treignac notò che gli mancava il naso. Sentí Bastien rabbrividire al suo fianco.

– Lasciatemi andare a casa, vi dico, non faccio niente di male! – protestava faccia-di-teschio. – Sono solo il custode.

– Sbrisga. Te resti qua dove ti possiamo tenere d'occhio. Non ci fidiamo di nessuno.

Il capannello si accorse dei nuovi arrivati.

– E questo da dove sbuca? – chiese quello con la faccia piú arrogante.

– È il capocagnaccia di Sant'Antonio, – rispose uno della scorta. – Sta con quelli là fuori. Cerca Cordonniers. Portava questa.

La bandiera bianca passò di mano e le sentinelle la osservarono come fosse una cosa strana.

– A occhio e croce direi che mancano due colori! – sbottò uno.

Gli altri liquidarono Treignac con un'alzata di spalle.

– Cordonniers sta di sopra.

Treignac e Bastien furono condotti su per lo scalone, seguiti dallo sguardo di faccia-di-teschio che lasciò a entrambi una sensazione sgradevole, come quando qualcosa ti rimane appiccicato addosso e non riesci a liberartene.

In cima, si ritrovarono in una vasta sala da gioco, con tavoli per le carte, divani e sedie per gli spettatori, e grandi lampadari. Niente giocatori d'azzardo. L'ambiente era fitto di gente che caricava fucili, portava barilotti di polvere da sparo, ammucchiava mobili contro le finestre.

Treignac prese a guardarsi intorno in cerca della faccia che cercava. La scovò proprio accanto alla porta, intenta a farsi brutta-brutta per impressionare un giovincello che menava un arnese piú grande di lui come fosse alla caccia al cinghiale.

– Cordonniers!

– Treignac? – L'uomo, un tizio segaligno con un codino di capelli arruffati che spuntava da sotto un berretto frigio tricolor-coccardato, strabuzzò gli occhi. – Mi cascassero in mano, che ci fai qui?

– Vengo a chiederti la stessa cosa. Là fuori c'è metà del mio foborgo che vuole prendervi a cannonate.

L'uomo fece una smorfia d'incredulità.

– Siete voi di Sant'Antonio? E perché ci attaccate?

– Dimmelo tu, Cordonniers. Pare che vi siate appuntati le coccarde bianche del re.

La smorfia si fece piú vistosa e sboccò in una risata.

– Mi prendi per i fondelli, Treignac?

Treignac si tolse il tricorno e si grattò la testa.

Cordonniers parve notare per la prima volta Bastien.

– Chi è? Tuo figlio?

Treignac toccò la spalla del ragazzo.

– No. È il mio aiutante.

Bastien si gonfiò d'orgoglio.

– Nessun amico dei girondini, qua dentro?

L'altro lo prese da parte e abbassò la voce.

– Non posso dirti che non ce ne siano. Però li teniamo d'occhio. E finché ci siamo noialtri montagnardi, la coccarda bianca non la mette nessuno.

– Ma allora… – attaccò Treignac e le parole gli si spensero in bocca.

– Allora stamattina, quand'è suonata la campana, ci è arrivata notizia che la nostra sezione stava per essere attaccata. Cosí abbiamo raccolto un po' di schioppi e ci siamo asserragliati qua dentro. Sai, tanto per non farci trovare con le brache calate.

– E poi?

– Poi siete arrivati voi e abbiamo pensato che le voci sull'attacco erano vere.

I due uomini si fissarono a lungo, come se ciascuno volesse essere certo di avere capito l'enormità dell'equivoco.

– Le voci inverano sé stesse, – concluse Treignac. – E forse qualcheduno le mette in giro a bella posta.

– Che significa? – chiese l'altro.

– Che stavamo per spararci addosso per l'anima del zullo. Dammi il tuo berretto, per favore.

L'amico glielo porse. Treignac fece segno a Bastien di porgergli una delle picche che erano incrociate sulla parete e quando il ragazzino ebbe eseguito, mise sulla punta il berretto frigio coccardato. Quindi si fece largo nel salone e tutti si aprirono per farlo passare. Fece spuntare la picca dalla finestra e la sventolò, perché da fuori potessero vederla bene.

– Viva la Convenzione! – gridò.

E subito Cordonniers gli fece eco, seguito da tutti i presenti.

– Viva la Francia!

– Viva la Repubblica!

– Viva Robespierre!

Da fuori risposero con altrettanto ardore e battere di mani.

La delegazione di Sant'Antonio superò i cancelli, superò i portoni, percorse i corridoi, visitò le stanze gremite di armi e cittadini e coccarde tricolori e inni da patrioti.

Treignac fece spiegare tutto il malinteso una seconda volta, da capo e con calma, quindi accompagnò di sotto quelli che avrebbero spalancato cancelli e portoni, per permettere ai cittadini di Colle dei Mulini e a quelli di Sant'Antonio di scambiarsi un caloroso, fraterno, rivoluzionario abbraccio.

Talmente caloroso che qualcuno lo trasformò in ballo, qualcun altro ci aggiunse un bicchiere di vino, finché Cordonniers non si fece venire un brutto colpo di sangue, cascò per terra, e il medico della sezione dovette subito salassarlo alle braccia, per evitare che l'affetto dei sanculotti di Sant'Antonio facesse piú danno dci loro cannoni.

In mezzo al trambusto festoso, Treignac riuscí a mettere le mani su una bottiglia di vino e ne offrí un mezzo bicchiere a Bastien. Poi ne versò uno anche per sé.

– Bevi. Oggi ti sei comportato bene. Brindiamo al tuo coraggio.

Il ragazzino portò il liquido alle labbra e si sforzò di mandarlo giú. Treignac gli sorrise.

– E spera che tua madre non lo sappia mai.

Bastien mimò il gesto di cucirsi la bocca.

3.

Orphée d'Amblanc sbucò in via della Giostra, alle spalle della barricata. Dietro di essa s'infittivano capannelli di popolani, soprattutto donne, con bastoni, picche, mannaie, qualche sparuto fucile. Persino spiedi e forconi.

L'attenzione di tutti era puntata sul fondo della strada, dove gli edifici si allargavano per lasciare intravedere le Tegolerie. Nessuno fece caso a lui. Attraversò la strada urtando persone che non si fermavano a domandare le sue scuse né a pretenderle.

Giunto davanti all'ingresso di Palazzo Brionne dovette aggiustare la cravatta e riprendere fiato prima di mostrare la carta civica ai due agenti di guardia.

– Devo vedere l'ufficiale Chauvelin.

– Oggi non si entra, cittadino, – rispose uno dei due, svogliato.

D'Amblanc si aspettava un rifiuto e non si lasciò scoraggiare.

– Sono il suo medico, – disse calmo. – Abbiamo fissato una visita per oggi.

L'agente scambiò un'occhiata con il collega, come a voler condividere la responsabilità della scelta, ma l'altro si strinse nelle spalle.

Il piantone guardò D'Amblanc e fece un cenno del capo in direzione del fondo della strada.

– Torno a dire, cittadino: non è giornata.

– Vi garantisco che è proprio questo il giorno, invece, – obiettò D'Amblanc. – E se non mi fate entrare sarete responsabile dell'attacco di cefalea dell'ufficiale Chauvelin.

Uno sguardo spaventato accolse l'annuncio.

– Cefalea? Sarebbe mal di testa...

L'espressione inquieta del poliziotto suggerí che quando Chauvelin aveva i suoi attacchi non doveva essere uno spasso per i sottoposti.

– Glielo fate passare? – chiese l'agente.

– È quello che faccio, sí, – ammise D'Amblanc.

Non senza aver lanciato occhiate nell'una e nell'altra direzione per sincerarsi che non vi fossero testimoni, l'agente lo fece passare.

D'Amblanc venne scortato su per il grande scalone, lungo il quale notò le nicchie vuote che un tempo dovevano avere ospitato delle statue. Se erano state rimosse, pensò, doveva trattarsi di qualche illustre aristocratico o ecclesiastico. Viceversa, la mobilia del palazzo era ancora quella lasciata dal conte d'Armagnac, Charny e Brionne quando aveva deciso di emigrare verso terre piú salubri per la sua salute di intimo del re. Una scelta che aveva reso piú semplice la requisizione della sua magione parigina per farne la sede del comitato di sicurezza generale.

D'Amblanc entrò in una grande stanza, al centro della quale campeggiava una lunga scrivania con i piedi a zampa di leone. La sedia era vuota e per un attimo credette che non ci fosse nessuno. Poi notò l'uomo in piedi accanto alla finestra. Chauvelin si volse e lo squadrò curioso, ma attese di aver congedato l'agente di scorta, prima di parlare.

– Venite avanti, dottore. Come avete fatto a convincerli a lasciarvi entrare? Ci sono disposizioni precise.

La voce di Chauvelin lasciò dietro di sé un riverbero che si perse tra le cornici dorate, sul soffitto alto della sala, dove un tempo si sarebbe mescolato a quello del tintinnio di bicchieri e risatine di dame.

– Ho millantato un appuntamento per lenire la vostra emicrania, – rispose D'Amblanc. – Avevo urgenza di parlarvi.

L'ufficiale di polizia fece cenno di avvicinarsi e D'Amblanc lo raggiunse davanti alla vetrata.

– Niente può essere piú urgente di questo, – disse guardando fuori.

D'Amblanc fece lo stesso: osservò lo scorcio delle Tegolerie tra i tetti delle case.

– Dunque ci siamo?

Chauvelin annuí senza enfasi.

– Non avete ricevuto la mia lettera?

– Sí, certo. Solo non credevo...

– Che sarebbe stato cosí presto? – concluse Chauvelin.
– In questa temperie non siamo noi a decidere quando le cose accadono. I brissotini fomentano insurrezioni a Bordeaux, Marsiglia, Lione. Il popolo di Parigi è in armi, spaventato. La guardia nazionale presidia la Convenzione. Noi possiamo solo servire la patria. Dalla vostra presenza qui deduco che vi siete deciso a farlo.

D'Amblanc non rispose. Osservò il funzionario. Da quando, un anno prima, era diventato suo paziente, si era sempre chiesto se a portarlo da lui fosse stato davvero il bisogno di cure, o piuttosto l'interesse per la sua attività. L'uno e l'altro motivo insieme, forse.

– Perché non siete laggiú? – chiese.

– Ho ricevuto l'ordine di aspettare, – rispose Chauvelin.

– Aspettare cosa?

– Il momento opportuno. È già pronta una lista d'arresto di girondini.

D'Amblanc non trattenne la domanda. In fondo era lí per quello.

– C'è anche il nome di Girard?

L'ufficiale di polizia lo guardò con espressione fredda.

– Siete sicuro di volerlo sapere, dottore? Perché dovrei dirvelo?

– Perché voglio chiedervi di risparmiare la moglie, – confessò D'Amblanc.

Chauvelin sospirò e si girò di nuovo verso la finestra.

– Guardate laggiú, D'Amblanc. Tra quelle mura si stanno consumando i nostri destini. Lo stesso accade in tutta la Francia. I dipartimenti della Gironda insorgono, proprio come la Vandea. Intanto i nemici stranieri della patria non dormono, l'Inghilterra trama un'invasione, e voi, nell'ora del massimo pericolo, pretendete di salvare una singola per-

sona? Credete che sia in mio potere farlo? Non saprei dire
cosa ne sarà del mio potere dopo queste giornate. Il comitato di salute pubblica aspira al controllo sugli altri comitati,
soprattutto su questo. Comunque vadano le cose, da domani ci saranno grandi cambiamenti qui dentro, potete
starne certo.

– Ma voi siete… – cercò di obiettare D'Amblanc.

– Un giacobino? – concluse l'ufficiale. – Sí, è vero. Proprio come voi.

– Stavo per dire «un giusto», – lo corresse D'Amblanc.
– Le responsabilità politiche del marito non possono ricadere sulla signora Girard. Voi lo sapete, come io so che andrò
in Alvernia a indagare per conto del comitato.

Chauvelin scosse la testa. Era teso e provato, dopo gli
ultimi due giorni nei quali senza dubbio aveva dormito pochissimo.

– Ascoltatemi: io non posso garantirvi niente, – sbottò
Chauvelin. – Se volessi dare un consiglio alla signora Girard
le direi di non seguire il marito, qualunque cosa accada. Di
cessare ogni comunicazione con lui. Di considerarsi vedova
a partire da oggi stesso. E che il cielo l'aiuti.

Si volse di scatto, nervoso, come insoddisfatto delle proprie parole. Andò alla scrivania camminando a piccoli passi
svelti, le mani dietro la schiena.

D'Amblanc lo raggiunse e rimase in piedi davanti al tavolo.

– Non guardatemi cosí, – disse Chauvelin. – Non c'è nulla che io possa fare.

– Promettetemi almeno che tenterete, – insistette D'Amblanc. – In nome della nostra amicizia.

L'ultima parola parve cogliere Chauvelin impreparato,
quasi fosse sconveniente, o troppo importante per essere
spesa dentro le mura di quell'edificio, in un momento simile.

– Farò ciò che posso, – disse. – Ma voi dimenticate quella donna. Partite il prima possibile.

Prelevò da un cassetto dell'enorme scrivania un foglio intestato. Cominciò a scrivere, lo siglò con un timbro e lo porse a D'Amblanc.

– È il lasciapassare che vi riconosce come agente del comitato.

D'Amblanc infilò il documento nella giacca.

– Prendete anche questi, – aggiunse Chauvelin consegnandogli una mazzetta di assegnati. – Per le vostre spese dovrebbero bastare. Buona fortuna.

Dopo un momento di esitazione, con un gesto secco porse la mano attraverso la scrivania.

D'Amblanc la strinse.

– Andate, adesso, – ordinò Chauvelin.

D'Amblanc fece un lieve inchino in segno di rispetto e si mosse verso la porta, ma dopo appena un paio di passi si fermò e tornò a voltarsi.

– Non vi ho nemmeno chiesto come vanno le vostre cefalee... – disse con aria imbarazzata.

Da dietro la scrivania, Chauvelin gli elargí un sorriso amaro.

– Non mi lamento. Finché ho mal di testa significa che ce l'ho ancora sul collo. Arrivederci, D'Amblanc. Fate buon viaggio.

Uscito dal palazzo, D'Amblanc prese a correre nella direzione opposta alle Tegolerie, spingendosi contro il flusso di gente che si radunava verso il teatro degli eventi. Si sorprese a pensare che era precisamente quanto si accingeva a fare: andarsene altrove. Ma c'era un'ultima urgenza da soddisfare. Trasse di tasca l'avanzo di un foglietto su cui aveva annotato appunti di spesa, ne strappò un lembo e con una mina spuntata, appoggiato a un muro, tracciò poche righe incerte.

Gentile signora,
una volta mi diceste d'aver sposato la menzogna. In quest'ora estrema vi verrà chiesto di scegliere tra essa e la vostra salvezza. Mi auguro vogliate essere saggia e ricerchiate, insieme alla virtú, la buona fortuna.

Un amico

Si avvicinò alla casa passando dal cortile sul retro. Quando vide l'anziana serva seduta sulla porta della cucina ringraziò la propria buona stella. La donna era intenta a spennare un pollo, il collo dell'animale penzoloni sulla gonna e un secchio tra i piedi per raccogliere le piume. Appena lo ebbe davanti, trasalí, poi gli rifilò un'occhiata inquisitoria. Non si aspettava di vederlo spuntare cosí all'improvviso. Mollò la carcassa e fece per alzarsi, ma D'Amblanc fu piú rapido a inginocchiarsi e, prima che lei potesse dire una parola, a stringerle le mani tra le sue. Le trattenne finché la serva non si rassegnò a prendere il biglietto.

– Per la vostra signora, – disse. – A lei soltanto, vi prego. Ne va della sua salute.

Attese di leggere negli occhi della donna un assenso, e solo quando ne intravide il barlume, lasciò la presa e la ringraziò di cuore.

Poi si allontanò in fretta, senza voltarsi, piume di pollo sui risvolti della giacca, sentendosi come un lestofante che avesse rubato qualcosa.

4.

A Marie avevano dato un bastone, un grosso randello per il bestiame. Le altre esibivano spilloni da calza e manici di scopa. In cima al suo, Georgette aveva legato un coltellaccio da cucina. Sophie impugnava un forchettone da arrosto, piú acuminato di una picca. La barricata l'avevano tirata su in fretta, accatastando masserizie e vecchi mobili dalle cantine che davano sulla via. Serviva a restringere il passaggio in modo che si potesse tenere il posto di blocco con facilità.

Dalle Tegolerie le notizie arrivavano sfilacciate, fatte a brandelli dalle bocche che le masticavano e le risputavano in strada. I deputati girondini erano stati portati dentro il palazzo scortati dalla guardia nazionale. I miliziani circondavano la Convenzione. All'ingresso erano scoppiati tafferugli. Anche Marie e le sue compagne avevano battagliato parecchio là sotto, quella mattina, ma quando le porte erano state sprangate avevano rinunciato e si erano messe di ronda come molti altri. Quando si erano stancate di girare, si erano scelte quel posto: l'imbocco di via della Giostra, che chiudeva lo slargo delle Tegolerie a nord.

Altre notizie giungevano dal resto della città. Le sezioni erano in seduta permanente, tutti gli uomini validi erano in adunata sotto i gonfaloni, in appoggio alla guardia nazionale. Da quando, due giorni prima, il cannone di Pontenuovo aveva sparato il colpo d'allarme, Marie non aveva quasi dormito. Aveva visto Bastien solo di sfuggita, e si consolava con l'idea che c'era Treignac a tenerlo al guinzaglio. È piú al sicuro con lui che con me, si ripeteva per scacciare l'ansia. La sensazione di imminenza pervadeva tutti, la città intera. Cosa sarebbe successo? Cosa accadeva nei dipartimenti della Gironda e della Vandea? Gli Inglesi erano pronti a sbarcare a Calais? Le voci che correvano da un vicolo all'altro, trasportate dall'alito di Parigi, erano come legna secca per il fuoco.

– All'occhio!

La voce di Georgette risuonò forte. Si era voltata e guardava oltre le spalle delle compagne.

Si volsero tutte quante e scorsero un drappello che si avvicinava. In quel momento realizzarono di essersi preoccu-
pate di chi voleva lasciare la Convenzione, non di chi avesse
voluto raggiungerla.

Marciavano in fila per due, berretti frigi e coccarde, bastoni in spalla come fossero fucili, gli zoccoli che battevano
il selciato. Solo quando chi era in testa alla colonna ordinò
l'alt, e il rumore cessò di colpo, Marie poté osservare bene
quelle facce e si accorse che erano donne. Non fu l'unica.
La sorpresa venne sancita da un sonoro «Porca merda» che
Armandine fece risuonare forte sulla barricata.

La donna che guidava il drappello si fece avanti. Era
piuttosto alta, indossava pantaloni e giacca, alla cinta portava una sciabola da ufficiale. Da sotto il berretto uscivano
riccioli castani.

– Voi siete le Streghe della Montagna.

Non era una domanda. Marie scambiò un'occhiata con
Georgette.

– E voi chi sareste? – chiese di rimando.

L'amazzone rispose con voce stentorea.

– Le cittadine repubblicane rivoluzionarie.

– Mai sentite, – disse Georgette. – Per Brissot o per Robespierre?

La risposta risuonò ancora piú limpida della prima.

– Per il popolo. Per le madri e le mogli di Francia.

Georgette fischiò tra i denti e si fece aria con la mano.

– Con tutti e con nessuno.

L'amazzone s'irrigidí. Marie la osservò meglio: occhi neri,
corrucciata, una ruga le attraversava la fronte proprio in mezzo alle sopracciglia. Nondimeno, era innegabilmente bella.

– Il 10 agosto io ero all'assalto delle Tegolerie con il battaglione dei federati.

Georgette si rivolse alle altre con un ghigno.

– Il 10 agosto non mancava proprio nessuno, eh? E tutti in prima fila, nemmeno uno dietro.

La ruga divenne ancora piú evidente.

Una seconda amazzone si fece avanti. Era piú piccola, ma d'aspetto agguerrito.

– È la verità, – disse. – Lei c'era. E non era sola.

Per un po' i due gruppi di donne si fronteggiarono in silenzio; le magliare da una parte, con le loro sottane dagli orli sporchi, le cuffie e in mano gli arnesi del mestiere; dall'altra le amazzoni, vestite da uomini, l'aria meno cattiva ma piú marziale.

– Qual è il tuo sgobbo? – chiese Georgette alla prima che aveva parlato.

– Prima di venire a Parigi ero attrice.

– Ecco perché ti sei travestita, – sbottò Marie, scatenando le risate delle compagne.

Tra sé e sé, pensò che era proprio una bellezza da palcoscenico: tratti regolari, occhi grandi e bocca piccola a forma di cuore.

– E te cosa fai? – chiese Georgette a quell'altra.

– Commercio in cioccolata.

Georgette scosse la testa.

– Noi i commercianti li smerdiamo e le attrici le conciamo come quell'altra vostra amica, Annagioseffa culo-a-strisce.

– Allora è vero… – disse l'amazzone.

– Certo che è vero, vaglielo a chiedere se non ci credi, ché ancora non si può sedere quella là.

Marie ghignò con le compagne, ma avvertí come una puntura in fondo allo stomaco, una sensazione che non avrebbe saputo descrivere, simile a quando si accorgeva di avere dimenticato qualcosa di importante. L'immagine delle chiappe bianche e rosse della saloppa di Brissot le tornò alla mente con prepotenza, insieme agli strilli da cornacchia, e provò rabbia. Una rabbia indistinta, senza direzione. Strinse i denti, come dovesse trattenere un conato di vomito.

L'amazzone piegò appena la testa di lato, senza smettere di fissare Georgette.

– In quante vi siete messe contro la Méricourt? Le voci dicono cinque contro una.

I sorrisi sparirono. Georgette tirò su col naso facendo piú rumore possibile. Poi si prese il seno tra le mani.

– Bella, mi hai fatto andare via il latte, – disse. – Qui ci siamo noi e non si passa. Aria!

L'amazzone non sembrò affatto intimidita.

– Non vogliamo passare. Siamo qui per il vostro stesso motivo: arrestare i sospetti.

Georgette la guardò storto.

– Sbrisga. Lo sappiamo cosa volete voialtre: mettervi le brache e l'uniforme e andare con l'esercito.

– Vogliamo formare dei battaglioni femminili per combattere i nemici interni della Repubblica, chiunque siano e dovunque si annidino. Per le strade di Parigi come nei boschi della Vandea.

– Senti come la dice bene… – scherzò Armandine.

– Noi non possiamo fare i soldati, – disse Marie. – Noialtre abbiamo figli, i nostri uomini sono al fronte oppure morti.

– Il suo è disperso a Valmy, – disse Madeleine indicando l'amica.

L'amazzone annuí, come se sapesse di cosa le stavano parlando.

– Dovreste ricevere una pensione dalla Repubblica.

Non era la risposta che Marie si aspettava.

– E la Repubblica dove li trova i soldi? – chiese in tono scettico.

– Dove ci sono, – rispose l'altra. – Tassando i ricchi. È nel programma della nostra società.

Le magliare restarono interdette. Fu Georgette a tagliare corto.

– Ficcatevi in quelle testacce che questo è il posto nostro. Sciò! – Mostrò loro il lungo spillone che teneva in mano. – Sapete questo dove gliel'ho infilato alla vostra amica?

– Noi non siamo brissotine! – protestarono le donne alle spalle dell'amazzone.

– Ssshhh! – sibilò Marie, e indicò oltre la barricata. – C'è qualcheduno!

Le magliare si assieparono sulla strettoia.

Un gruppetto di cittadini si avvicinava. Due uomini e due donne.

– Altolà! – intimò Georgette esibendo l'arma che si era costruita. – Fuori le carte civiche.

Quelli obbedirono senza un fiato. Le magliare scrutarono le facce e lessero quello che c'era scritto nei documenti.

– Dove state andando? – chiese Georgette.

– Accompagniamo queste donne alla loro sezione. Sono rimaste tagliate fuori.

– Quale sezione?

– La ventunesima. San Dionigi.

Controllarono gli indirizzi e ai due uomini fecero ripetere nome, cognome e residenza. Le due donne se ne stavano rintanate sotto le cuffie e gli scialli senza dire un amen.

– Cosí voi sareste un maniscalco e voi un ciabattino.

Gli uomini annuirono. Marie si avvicinò all'orecchio di Georgette e le suggerí di guardare le loro mani. Non avevano un callo, né un segno. Le unghie erano pulite.

– E secondo voi noialtre siamo un branco di oche? – chiese Georgette.

L'uomo divenne rosso in viso.

– All'occhio, donne! – disse Georgette. – Questi fetono forte.

I due tizi si ritrovarono circondati dalle magliare con le zanne bene in vista e gli spiedi spianati.

– Li portiamo alla guardia nazionale? – chiese Sophie.

I due bofonchiarono una protesta poco convinta, mentre cercavano una via di fuga, ma dietro le magliare c'erano le altre, con le mazze in mano. Rinunciarono.

– No, – disse Georgette. – Ma li rimandiamo indietro.

– Lasciate almeno che queste cittadine tornino alle loro case, – disse uno dei due.

Georgette si strinse nelle spalle e fece un cenno alle due donne.

– Aria, voi due! Alle cucce!

Quelle transitarono svelte per il passaggio, ma quando furono alla sua altezza, Marie colse uno sguardo. D'istinto alzò una mano a fermarle.

– Un momento!

Si avvicinò e strappò la cuffia di una delle due, rivelando una capigliatura maschile e provocando una ridda di imprecazioni e bestemmie.

– Questo lo conosciamo, – disse Marie. – Ti ricordi, Georgette?

– Porca merda, è uno scaldasedie della Convenzione. Uno di quelli che volevano farci arrestare. Com'è che si chiama?

– Girard, – ricordò Marie.

L'uomo sbarrò gli occhi in preda al panico.

– Girard! Sí, negoddio! – disse Georgette. – E magari quest'altra è la moglie…

Strappò anche l'altra cuffia, ma ne emerse un secondo uomo, piú giovane, che per indonnirsi si era cosparso la faccia di cerone bianco.

– Siete tutti in arresto, razza di schifosi! – sentenziò Georgette.

– All'inferno! – sibilò Girard, prima di scagliarsi contro
Marie con tutto il peso, scaraventandola a terra. Lei riuscí
a non sbattere la testa e lo vide correre verso la strada, inseguito dalle urla delle donne. Fece solo pochi passi, prima
di essere sgambettato e inchiodato a terra da una selva di
bastoni. L'amazzone gli appoggiò un piede sul petto e si rivolse alle magliare con un sorriso di trionfo.

– Per poco il pesce piú grosso non sfuggiva dalla rete.

Le amiche aiutarono Marie a rialzarsi. In quella si accorsero che i primi due uomini si erano dileguati, mentre l'altro
travestito era in ginocchio che implorava d'essere risparmiato con una vocina chioccia che lo faceva sembrare piú donna di una donna.

– Da non credere, – disse Georgette. – Uomini che per
scappare si travestono da donne. E donne che per brancarli
si travestono da uomini. Il mondo è a rovescio.

Questa volta ghignarono anche le amazzoni.

– Questo bel tomo va dritto fra le braccia della guardia
nazionale, – decretò Georgette, puntando il coltello alla gola del prigioniero. – In piedi, cittadino Girard.

Il deputato si risollevò e cercò di ricomporsi, spazzandosi
la polvere dalla sottana.

– Vi chiedo di lasciare libero il mio segretario, – disse cercando di darsi un tono formale. – Lui non ha colpe di questa
pantomima. L'ho spinto io a prendervi parte.

– Avanti, tutti e due, – tagliò corto Georgette.

Gli uomini travestiti vennero circondati e spinti oltre la
barricata. Georgette diede la voce alle amazzoni.

– Volevate rendervi utili voialtre? Non fate passare nessuno finché non torniamo.

Prima di seguire le compagne, Marie si fermò davanti
all'attrice.

– Dov'è che si riunisce la vostra società?

– In via Sant'Onorio. Nella biblioteca del convento dei giacobini.

Silenzio.

– Allora conosci Robespierre.

L'altra sorrise.

– Non gli ho mai parlato. Ma a volte partecipiamo alle riunioni degli uomini. Perché non vieni?

– È troppo lontano. Sto a Sant'Antonio.

– Puoi dormire da noi.

– Non importa. Arrivederci.

– Se cambi idea chiedi di me. Mi chiamo Claire. Claire Lacombe.

Marie finse di non averla udita e tirò diritto, ma dopo pochi passi provò ancora quella sensazione di avere tralasciato qualcosa, di avere commesso un irrimediabile errore, e rispondendo all'istinto, si voltò.

– Io sono Marie Nozière. Addio.

5.

Insomma, dicono che l'abbiamo gagnata noialtri. Ma si sa che certe faccende le si capisce dopo, e adesso tanto vale festare e inciuccarsi alla salute di Marat e di Robespierre.

A volerla sputare dritta, bisogna dire che le sezioni, il 31 di maggio, avevano presentato alla Convenzione una filza di richieste lunga un cazzo di somaro, che è quasi fatica ricordarsele tutte. C'era la tassa sui ricchi per avere il pane a tre soldi, i nobilardi sloggiati dall'esercito, le fabbriche di fucili in tutte le piazze, i controlli alle poste e sugli assegnati, un'armata di sanculotti con una buona paga, gli indennizzi per le famiglie di chi difende la patria e l'arresto di ventidue brissotini. Ecco. Però arrivati al sodo, da tutta 'sta fumana saporosa e fitta, è uscito solo l'ultimo arrosto, guardacaso proprio quello che i caporioni della Montagna si volevano impaffare, per togliersi di torno i cacapalle della Gironda. Adesso, a sentir loro, si potranno fare tutte le altri leggi, quelle che piacciono a noialtri, e che non potevano passare per colpa di quelli là.

Soquanti pensano pure che 'sto fatto di ingabbiare gli amici di Brissot alla fine è un modo per fargli un favore, ché negli ultimi tempi i vari Gaudet, Girard, Mazire, quando che andavano alla Convenzione, c'era la gara a tirargli dietro nomi, scappellotti e scaracchi, e dài e dài finiva che alle loro teste ci pensavamo noialtri, anziché la patria. A ogni modo qualcheduno di quei furbacchi ha giocato di gambe, e chissà dov'è adesso, a tramare che cosa. Qualchedun altro l'hanno beccato con la valigia in mano e il pepe al culo. Girard l'hanno brancato le Streghe della Montagna mentre cercava di squagliarsela indonnito.

A conti fatti, anche se non si è proprio damato il pedone, non è stata una spadata nell'acqua. Tre giorni che li conti ai nipoti, e d'ora innanzi, quando qualcheduno parlerà in nome del popolo di Parigi, dirà che siamo quelli del 14 luglio, del 10 agosto e del 2 giugno, cioè il giorno che ottantamila cittadini hanno circondato la Convenzione per dire agli scaldamarmitte che non potevano mettere il naso fuori se prima non trovavano una legge, un decreto, una parola per salvare la rivoluzione dallo sbrago. A un certo momento i deputati hanno pure tentato di uscire, alla testa c'era quell'indormentatore di Hérault de Séchelles, per parlare col Buon Popolo, perché dentro non c'era modo di discutere, con tutto quello che gli rovesciavano addosso dalle tribune, soprattutto le donne, le Furie di Robespierre, che appena un brissotino prendeva la parola, quelle subito si mettevano a strillargli di tutto e di piú. Insomma questi pensavano di parlare col Buon Popolo, di pagarci con moneta di scimmia, ma pare che là davanti si son trovati dei ceffi cattivi, dicono fosse canagliume sgabbiato che doveva andare in Vandea e invece in Vandea non ce l'hanno mandato. In cambio gli han chiesto di farsi vedere, carignosi e bellini com'erano, da quei deputati. E se non c'erano quei ceffi, dicono i brissotini, il Buon Popolo di Parigi ci avrebbe parlato volentieri coi suoi rappresentanti. Ma sbrisga, ché se davvero è andata cosí, se li hanno messi lí apposta per ringhiare, allora tanto valeva che li mandassero in Vandea, dove c'è tanto bisogno, perché noialtri, al posto loro, a Hérault de Séchelles lo stivale lo servivamo gratis etamoredèi.

Oltre a 'sta ceffaglia, l'indormentatore si è trovato di fronte pure Culodritto Henriot, il nuovo capo della guardia, che appena l'ha visto metter fuori la musta ha urlato ai cannonieri di preparare i pezzi, e l'ha urlato forte, di modo che lo sentissero tutti quei deputati, che hanno fatto subito indietroculo, sono tornati dentro, e guarda caso han trovato la soluzione: arrestare i ventidue brissotini.

Se alla fine insomma la decisione l'hanno presa, e pure in fretta, ha ragione chi dice che prima avevano perso tempo a cianciare di robe inutili, come scoprire chi ha fatto sparare il cannone d'allarme. Chi stava dentro alle Tegolerie dice che non si può capire quanto l'hanno tirata lunga, con 'sta storia del cannone d'allarme. I destini della Francia dipendevano da quello: brancare chi era stato, dargli tutta la colpa dei tumulti e tagliargli la testa. Chi c'era dice che ogni volta che uno provava a parlare dei brissotini traditori o del prezzo del pane, saltava su un gianfotti con la parrucca a domandare chi, chi mai, chi mai al mondo aveva avuto l'ardire di far partire un colpo dal cannone d'allarme. E allora dalle tribune gli rispondevano: «Tutti! Siamo stati tutti! Tagliateci la testa!» Tanto che alla fine Robespierre il giovane, Agostino detto Bonbon, s'era rotto le uova di quella manfrina e aveva detto chiaro che lui lo sapeva chi era stato a suonare quel cannone: erano stati i traditori della patria, i controrivoluzionari, gli emigrati coi loro intrighi e micmac, i rivoltosi di Lione e della Vandea. E giú applausi e strilli e «Bravo!» come se piovessero.

Che poi non è che a noialtri non ci fotta chi ha suonato il cannone di Pontenuovo. Son tre giorni che ce lo chiediamo. E pare che i fratelli Machard hanno uno zio che conosce bene una delle guardie del cannone medesimo, e questa guardia qui dice che lui l'ha visto quello che ha acceso la miccia, e che prima di accenderla ha fatto una tirata in bretone che non finiva piú, mescolata di fottiquesto e fottiquell'altro. Ma poi, quando la guardia ha provato a imitarlo, pare che non era bretone sbrisga, e che insomma, almeno l'imitazione, somigliava piú al catalano. Siccome che il catalano non lo conosce bene nessuno, alla fine ci siamo detti che sí, doveva proprio essere catalano, e ci siamo messi a discutere dell'altra questione. Perché questo tizio era vestito in maschera, insomma portava un costume, e su questo ci sono pochi dubbi.

Insomma pare che il cannone d'allarme, dopo aver mandato tutti in Guyana in catalano, l'ha appicciato Scaramouche.

6.

Nel cortile dell'ospedale, l'uomo chiamato Laplace assisteva al tramonto. La libertà di goderne all'aperto era uno dei suoi privilegi, ottenuti grazie alla fiducia che ispirava al governatore Pussin. In realtà, poiché i padiglioni di Bicêtre schermavano l'orizzonte, Laplace non vedeva mai l'epilogo del dramma solare. Non assisteva tanto al tramonto, quanto ai cromatismi di retroguardia, al mutare dei colori nel riquadro di cielo perimetrato dai tetti.

Il dí 2 di giugno dell'anno del Signore 1793 volgeva al termine, e se allo zenit la volta era intrisa di blu, verso occidente aveva la tinta della carne che inizia a guastarsi. Non era atteso alcun cambio della guardia tra Febo e Selene: la notte prima era stata di novilunio.

Da due giorni affluivano a Bicêtre testimonianze e resoconti del tumulto che animava Parigi. Pussin, il padre Richard, gli inservienti, i visitatori, costoro introducevano nell'ospedale le notizie di fuori.

A breve giro, passando di bocca in bocca, le notizie si trasmutavano in dicerie incontrollate, a misura che gli alienati le arricchivano delle loro angosce e le piegavano alla tortuosità dei loro codici indecrittabili.

A Parigi uomini importanti fuggivano travisati da donne, e venivano arrestati da donne agghindate da uomini.

Tra gli alienati di San Prisco si asseriva che Brissot fosse una donna. Dal suo amore per Marat, che l'Amico del Popolo non ricambiava, erano conseguite sciagure. «Nessuno è piú pericoloso di una donna respinta travisata da uomo!», aveva pontificato il Robespierre di Bicêtre, prima di incitare i suoi compagni di ricovero a inseguire l'alienato che tutti chiamavano Brissot, per calargli le brache e vedere se aveva il cetriolo o la patata. Erano intervenuti gli inservienti, e il mistero non era stato risolto. In un angolo, uno dei Marat del padiglione scuoteva il capo, dicendo: «Ho fatto bene a non fidarmi, di quello là».

In particolare una strana storia, entrando nel mondo dei folli, si era gonfiata come una vela percossa dal maestrale. Si diceva che ad accendere la miccia del cannone d'allarme, chiamando il popolo di Parigi all'adunata e alla rivolta, fosse stato un buffo personaggio in costume da teatro, con una maschera di Scaramouche appesa al collo, che si esprimeva in un idioma sconosciuto.

Ora Scaramouche stava radunando un esercito in maschera. Con lui c'erano Arlecchino, Capitan Fracassa e Scapino, che in realtà erano donne, crudelissime donne. A paragone di quanto intendevano fare, i massacri di settembre erano poca cosa.

In tali deformazioni, Laplace rinveniva molte verità, piú di quante ne contenesse il racconto che la rivoluzione forniva di sé stessa. Studiare il delirio di chi vive nella Grande Parodia in modo manifesto può aiutare a capire chi, in apparenza piú dotato di senno, vi affonda senza esserne conscio.

Laplace ne era sempre piú persuaso: dimorava nel luogo ideale, perfetto per ciò che si proponeva. Da lí, poteva contemplare l'ineluttabile decorso della Parodia.

La dinamica rivoluzionaria subiva un'evidente accelerazione. Laplace ne era lieto: tutto doveva farsi piú rapido, ogni spinta doveva portare il mondo piú lontano dal vecchio ordine, ogni paradosso andava reso piú stridente, ogni contrasto doveva acuirsi.

Per poter essere sconfitta, la rivoluzione andava resa irreversibile. Ogni illusione sulla possibilità di restaurare il vecchio regime doveva dissiparsi. Solo cosí sarebbe nato l'Ordine Nuovo, ossia quello *veramente* antico, quando ogni tendenza sarebbe finalmente giunta ai confini del possibile e, respinta dall'invisibile barriera eretta da Dio, si sarebbe capovolta all'indietro.

Scaramouche era dotato di poteri straordinari: con un sol balzo poteva salire su un tetto e da lí arringare la folla. La sua voce si sentiva a dieci leghe di distanza, e sembrava esprimersi in ogni lingua del mondo, in una sorta di Pentecoste insurrezionale. Tra chi lo ascoltava, i Bretoni lo udivano parlare bretone, i Perpignati in catalano, i marsigliesi in provenzale, i Belgi delle Fiandre in fiammingo.

Laplace intendeva passare all'atto al momento del grande contraccolpo. La controrivoluzione non è l'opposto di una rivoluzione: la controrivoluzione è una rivoluzione *opposta*. Essa non può che salutare la rivoluzione come si saluta l'errore altrui che nondimeno riapre il gioco e consente di entrarvi per vincere. Laplace si sentiva il prototipo di un nuovo rivoluzionario, la sua *re-volutio* era (alla lettera) giravolta che conduce all'origine, afferrando il filo di un destino rivelato nei millenni.

Non aveva senso agognare il ripristino del mondo imbastardito di cinque, venti, trent'anni prima: occorreva andare molto piú indietro. Per farlo era d'uopo, almeno per il momento, andare avanti.

La mattina del 1° giugno, Scaramouche era partito alla volta di Lione, a capo di un battaglione di amazzoni armate di daghe e pugnali. Raggiunta la città ribelle in meno di un'ora, la banda aveva sgozzato e sventrato piú di mille girondini, per poi tornare a Parigi prima di cena.

Laplace si sentiva piú affine ai Robespierre e ai Barère che agli *émigrés* di Coblenza. I Capeto e gli Asburgo-Lorena non erano che spettri di vermi. Anche per tutelarsi dal loro ritorno andava fatta la controrivoluzione. Sotto quell'aspetto, quale peccato d'ingenuità era stato arruolarsi coi Prussiani! Laplace non avrebbe mai pensato di giungere a tale conclusione, ma oramai non nutriva alcun dubbio: era l'*armée* rivoluzionaria il vero strumento del destino.

La follia era cominciata. La crisi avrebbe avuto il suo corso.

Sino ad allora, aveva ritenuto Bicêtre il luogo in cui si inverava la natura parodica dell'ordine rivoluzionario. Bicêtre somigliava al mondo esterno e la microcosmica rivoluzione di Pussin replicava quella macrocosmica di Danton e Marat.

Ora, invece, era il mondo esterno a somigliare a Bicêtre.

Al momento di uscire e agire, la lunga frequentazione coi folli sarebbe stata un vantaggio.

Atto secondo

Il Grande Altrove

Estratto da
VIAGGIO FATTO NEL 1787 E 1788
NELLA FU ALTA E BASSA ALVERNIA,
OGGI DIPARTIMENTI DEL PUY-DE-DÔME, DEL CANTAL
E PARTE DI QUELLO DELL'ALTA LOIRA
di Pierre Jean-Baptiste Legrand d'Aussy.
Parigi, Stamperia delle Scienze e delle Arti, Anno II della
Repubblica francese

Ho visitato l'Alvernia, amico mio. Tu avevi sospettato, come me, che questo angolo ignorato doveva essere interessante; e oggi, che ne sono ritornato, tu mi domandi che ne penso. Ecco qua. Di tutte le antiche province di Francia, non ve n'è una meno conosciuta; e tra tutte, forse, non ve n'è affatto che, per il fisico e il naturalista, per il pittore e il viaggiatore, non meriti d'esserlo di piú.

A non considerarla altro che per la geografia, nessuna ci sembrerà, per la sua posizione, piú destinata a essere felice. Situata al centro della Repubblica, ovvero alla portata di tutti i vantaggi e lontana da tutti i pericoli; dotata di una temperatura in apparenza delle piú favorevoli; circondata dal Rouergue, dalla Marche, dal Limosino, dai Cevennes, dal Forez, eccetera, paesi poveri e sterili che sembra destinata a nutrire; alla prima occhiata la si crederebbe nata per il benessere dei suoi abitanti e per quello dei vicini.

Questa felicità, tuttavia, non è che illusoria. Con un gran numero di ruscelli che scendono dalle sue montagne, la natura le ha donato un solo fiume navigabile; a parte una piccola regione, l'ha resa aspra e montagnosa, l'ha condannata a brine pressoché continue, l'ha sconvolta con i vulcani; e dopo averla posta, in apparenza, in prima fila tra i dipartimenti della Repubblica, sembra, come per un cambio d'umore, averla relegata di gran lunga tra la folla dell'ultimo rango.

L'uomo-cinghiale
Estate 1793

1.

La mulattiera che separava il corso della Dordogna dall'abitato di San Martino si inerpicava per un costone brullo, senza ombra di alberi. I quattro uomini spronavano i cavalli su per la salita, rinfrancati da un vento fresco che scendeva a refoli dal Poggio di San Sisto.

D'Amblanc era ben grato a Chauvelin per avergli messo a disposizione tre uomini di scorta. Erano cittadini inquadrati nella guardia nazionale. L'unico ad avere una formazione militare era il sergente Radoub. La sua casacca bianca col tricorno nero non era un segno di nostalgia per l'esercito del re: le nuove uniformi scarseggiavano e chi restava senza doveva arrangiarsi con quel che aveva. Thuillant e Poulidor, come unico segno distintivo, portavano il berretto frigio e la coccarda tricolore. Il primo si guadagnava da vivere come ebanista ed era parigino da generazioni. Il secondo, invece, abitava nella capitale da una decina d'anni, ma era nato e vissuto nel Limosino, ai confini con l'Alvernia, e questo, agli occhi di D'Amblanc, lo rendeva «uno del posto», capace di emettere i suoni delle lingue occitane e di svelare gli umori oscuri dei montanari.

D'Amblanc osservò il profilo del paese e la robusta fortezza che lo dominava. San Martino era prossimo solo in linea d'aria. Alla fattoria dove si erano accampati quella notte, gli avevano predetto un viaggio di cinque ore, e ne erano trascorse meno di quattro. Tornanti, curve, continuo alternarsi di salite e discese allontanavano la meta. La marcia di uomini e cavalli era un incrocio fra tela di Penelope e supplizio di Tantalo.

Il villaggio sorgeva addossato al campanile della chiesa, poche manciate di case in sasso. Il castello arroccato sul crinale era una carcassa annerita ma intatta. D'Amblanc pensò a un incendio recente, suggello alla fuga di un nobile e a un accurato saccheggio. Il teatro della prima indagine in terra d'Alvernia era un palcoscenico rozzo, distante da Parigi ben piú delle cento leghe coperte in quei giorni di viaggio. Eppure, l'eco di quanto andava in scena nella capitale determinava i destini di quella gente. Ristette, contemplando la salita finale e l'ultima curva, marcata da un muricciolo, che li separava dall'entrata in paese. A poca distanza, sulla soglia di un casotto coperto di rampicanti, un uomo d'età indefinita era intento a nutrire un mulo.

– Buongiorno a voi, – disse D'Amblanc.

L'uomo portò una mano al berretto e ricambiò il saluto. Squadrò i tre della scorta, trattenne uno sbuffo e proseguí in un francese sorprendentemente comprensibile.

– Che cosa vi preme fin qui, cittadini? Il paese non si è sottratto alla leva. Qui siamo dalla parte giusta, io credo.

– Niente a che fare con la leva, – lo rassicurò D'Amblanc. – Sono altre faccende. Suppongo che conosciate dove si trova l'abitazione del sindaco.

– Supponete giusto.

– Potete indicarmela?

Prima di rispondere, l'uomo studiò il forestiero. D'Amblanc pensò che volesse accertarsi delle sue buone intenzioni. La coccarda, il portamento eretto, le impugnature delle pistole che spuntavano dalla bisaccia parlavano di città fin da lontano, ma non fornivano altri appigli. La scorta aggiungeva al tutto un'aura di importanza e di ufficialità, e forse fu quella a convincere il mulattiere.

– La magione è la prima, appena si apre la piazza, sulla mano manca.

D'Amblanc frugò sotto la giubba, nel taschino del panciotto, e ne estrasse una moneta che tenne alta fra pollice e indice.

– Eccovi tre *deniers*.

La moneta portava sul retto l'effige di Luigi XVI «Re dei Francesi» e sul verso un fascio sovrastato dal berretto frigio con il motto «La Nazione, la Legge, il Re». La scritta attirò l'attenzione di D'Amblanc: la storia procedeva di gran lunga piú in fretta della zecca nazionale.

Il mulattiere accettò il pagamento.

– Quand'è cosí, – aggiunse, – venite, vi faccio strada.

D'Amblanc lo seguí a piedi insieme alla scorta, i cavalli dietro, zoccoli che suonavano ritmici nell'aria di giugno. Aveva caldo, il sudore scendeva da sotto il tricorno.

Un comitato di facce stolide si era radunato di fronte alla chiesa: donne, bambini e soprattutto uomini sopra la trentina. Pochi i giovani, scampati al sorteggio della leva all'inizio dell'anno. Gli assenti difendevano la Repubblica in Vandea o sui confini, oppure già marcivano su qualche campo di battaglia, in fosse comuni.

Un ometto grassoccio, mal rasato e con un logoro cappello, uscí dalla porta della casa indicata dal mulattiere e avanzò mettendosi a tracolla una fascia tricolore.

– Buona giornata a voi. Sono Pierre Bizebarre, sindaco del villaggio.

D'Amblanc sfilò dalla tasca il foglio con le credenziali, lo stese con cura e lo porse al sindaco.

– Orphée d'Amblanc, in viaggio da Parigi su incarico del comitato di sicurezza generale.

Quelle parole provocarono un serpeggiare di bisbigli. Il sindaco deglutí e lesse in fretta il documento. Quand'ebbe finito, si impettí davanti al nuovo venuto.

– Quali incombenze vi menano al nostro villaggio, cittadino D'Amblanc?

– Ho il compito di indagare su un fenomeno che si dice abbia avuto luogo in questo paese.

Il sindaco tossicchiò: – Se vi riferite alle dicerie sull'accaparramento delle derrate, posso assicurarvi, cittadino, che si tratta di maldicenze. San Martino è un villaggio abitato da gente onesta, tutti buoni patrioti… – Si azzittí davanti alla mano alzata di D'Amblanc.

– E io posso assicurarvi, cittadino, che non è mio compito perseguire gli accaparratori. A ciò provvede inesorabile il gladio della legge.

Stavolta il bisbiglio in seconda fila risuonò piú forte, ma il sindaco sventolò le braccia, come un uccello in procinto di spiccare il volo, e tanto bastò per farlo cessare. Bizebarre rimase bloccato, le braccia tese a mezza via, né su né giú, il busto proteso in avanti e la testa di lato.

– Sono qui per far luce sui casi di licantropia, – disse D'Amblanc mettendo enfasi sull'ultima parola.

La faccia tonda del sindaco si accartocciò in una stretta di labbra, occhi e sopracciglia. Poi d'un tratto si distese.

– Casi? *Il* caso, intendete dire. Certo. Temo però che siate in anticipo.

– In anticipo per cosa? – chiese D'Amblanc.

– Be', per vedere con i vostri occhi. Mancano ancora quattro giorni alla luna piena.

D'Amblanc registrò l'informazione senza altre domande. Avrebbe avuto tutto il tempo per farne in seguito.

– Sarà dunque vostra cura fornirci alloggio, – disse prelevando la bisaccia dalla sella.

– Provvederò immediatamente, – si affrettò a replicare il sindaco. – Spero vorrete perdonarci se la sistemazione non sarà all'altezza delle dimore della capitale. Intanto, se volete seguirmi nella sala del consiglio comunale... Il viaggio sarà stato lungo, vorrete rifocillarvi.

Il sindaco scortò D'Amblanc, scortato a sua volta dalle guardie arrivate con lui da Parigi. La piccola folla, alla quale si unirono un paio di cani, li seguí per l'unica strada, fino allo slargo dove sorgeva un edificio basso, il portone sovrastato dallo stemma della Repubblica. La processione si fermò davanti all'uscio. Il sindaco entrò per primo e accolse D'Amblanc dentro i locali del consiglio comunale, uno stanzone scarno, arredato con un tavolaccio antico e vecchi seggi di legno. A D'Amblanc toccò lo scranno del sindaco.

Arrivarono pane, cacio, frutta, bottiglie di vino. Un pasto dignitoso, consumato in silenzio, sotto l'occhio attento di sindaco e consiglieri.

Al termine, D'Amblanc allontanò il piatto e si allungò sullo schienale.

– Molto bene. Suppongo sia meglio cominciare dall'inizio. Vi sarei grato se mi raccontaste cosa accade con la luna piena. E senza tralasciare i dettagli. Inoltre vorrei che convocaste qui, per domani mattina, tutti i testimoni utili.

Quella sera, e per tutta la permanenza a San Martino, D'Amblanc fu alloggiato nella dimora di una vedova, la signora Decabane.

La donna aveva da poco passato la trentina, era piuttosto robusta e d'aspetto sano, e dopo la morte del marito era rimasta proprietaria di una casa abbastanza grande e confortevole per ricevere un ospite. Era un'eccellente cuoca e si faceva aiutare dalle figlie nelle faccende domestiche. O piuttosto dirigeva i lavori delle fanciulle, avrebbe detto D'Amblanc, giacché in quei giorni non la vide mai impugnare uno straccio o una ramazza.

A coronamento del pasto serale, la vedova presentò una torta di marmellata di mirtilli che D'Amblanc, nonostante l'aspetto invitante, preferí rifiutare con gentilezza. Una fetta generosa di dolce gli sarebbe stata di peso sullo stomaco per tutta la notte. Tuttavia, dopo essersi ritirato nella stanza al piano di sopra, scoprí che la vedova non era donna da lasciarsi scoraggiare, anzi, era ben intenzionata a fare apprezzare le proprie doti fino in fondo. Infatti, non si fece scrupolo di introdursi nella sua camera, per ribadire l'offerta con piú espliciti argomenti. D'Amblanc non avrebbe mai voluto offenderla. Del resto non poteva negare di avere un debole per la marmellata. E dall'ultima volta che l'aveva assaggiata era trascorso molto tempo. Cosí si risolse a gustare la leccornia che gli veniva offerta. Nel farlo, scoprí che il suo peso sullo stomaco era tutto sommato piú gentile di quanto l'apparenza lasciasse supporre, al punto che accettò un bis.

Volando con la mente, Orphée d'Amblanc avrebbe potuto immaginarsi in compagnia di un'altra donna. Provò a farlo, ma mancava qualcosa. Un profumo. Essenza di gelsomino.

Poi le circostanze gli impedirono ogni indugio.

2.

La sera del secondo giorno, con una vecchia penna spelacchiata, D'Amblanc mise in ordine gli appunti e redasse le note per il suo rapporto a Chauvelin.

Si era fatto procurare uno scrittoio, giacché nella sua stanza non ve n'era alcuno.

San Martino di Dordogna, giugno 1793

Annette Anthus, di anni trentuno, moglie del mugnaio Pierre Anthus, residente poco fuori del paese, afferma quanto segue:

Una notte di circa sei mesi fa, in coincidenza con il plenilunio, ha
udito strane grida provenienti dal cortile antistante il mulino. Tro-
vandosi sola in casa con i tre figli, poiché il marito era in viaggio per
affari, la Anthus non ha avuto animo di uscire, ma si è affacciata alla finestra. Ha cosí notato la figura imponente di un essere che non
aveva movenze umane, bensí bestiali, e i cui versi assomigliavano a
quelli di un cinghiale ferito – o forse «in calore», dato che la Anthus
ha tenuto a precisare che la creatura sfoggiava una vistosa erezione
(dal che si deduce che fosse priva di vestiti, o almeno di calzoni). La
distanza non ha consentito alla donna di distinguere altro. La creatura si è dileguata verso il bosco.

Segue la testimonianza di Alphonse Arnaud, porcaio, di anni
ventisette:

Due mesi or sono, nella notte di plenilunio, è stato destato dai
grugniti nel porcile adiacente alla sua abitazione, ai margini del paese. Sospettando che un cinghiale potesse essersi intrufolato tra i suoi
animali attirato dall'estro delle femmine, Arnaud è uscito armato di
bastone e ha colto in flagrante un energumeno nudo, all'interno del
recinto, intento ad aggredire una scrofa, nel quale ha riconosciuto
Bernard Jaranton, coltivatore, residente nella fattoria che sorge a poca distanza dalla sua abitazione. Arnaud lo ha colpito con un paio di
bastonate, mettendolo in fuga verso il bosco.

Il contadino Jean-Baptiste Romagnat, di anni cinquanta, ha raccontato quanto segue:

In occasione dell'ultimo plenilunio si era attardato sulla riva del
fiume, vicino al luogo dove le donne vanno a lavare i panni, per festeggiare la nascita del nipote – una festa alla quale pare fosse l'unico
invitato insieme a un fiasco di vino – ed è stato sorpreso dal sonno
mentre sedeva sotto un rovere. A metà della notte lo hanno destato
urla belluine, «da ghiacciare il sangue». Nascosto dal tronco dell'albero ha visto un uomo di grossa stazza, nel quale gli è parso di rico-

noscere Bernard Jaranton, nudo come alla nascita, che bramiva in
direzione della luna mentre si dedicava all'onanismo fino a spargere
il proprio seme nel fiume. Dopodiché è entrato nell'acqua fino alla
cintola e si è bagnato a lungo prima di risalire verso il paese.

Testimonianza di Angeline Jaranton, di anni ventiquattro, moglie di Bernard Jaranton:

Da circa un anno, nelle notti di luna piena, il marito, uomo forte
e imponente che corrisponde alle descrizioni degli altri testimoni, è
soggetto ad accessi di follia, durante i quali assume comportamenti
animaleschi, dimentico di ogni contegno civile, spogliandosi di tutti gli abiti ed emettendo versi bestiali, nonché forzando la moglie al
ripetuto assolvimento degli obblighi coniugali. Preoccupata per l'incolumità dei figli e della propria, da sei mesi a questa parte la Jaranton si è risolta ad allontanare il marito dall'abitazione nelle notti di
plenilunio, sprangando la porta affinché non possa rientrare. In tali
occasioni l'uomo trascorre le notti all'addiaccio o in qualche fienile
o ancora aggirandosi nudo nelle vicinanze. Il mattino dopo riprende
le proprie attività nei campi, all'apparenza ignaro di quanto accaduto. Alla domanda se a suo dire tale comportamento sia provocato da
un qualche evento scatenante, la Jaranton ha pensato a lungo e alla
fine ha risposto che tempo addietro, prima del manifestarsi degli attacchi di satiriasi, il marito avrebbe incontrato un medico itineran-
te, di nome Eloisius, il quale gli avrebbe consigliato un rimedio per
le emorroidi che lo affliggono.

Su proposta della vedova Decabane, anche quella sera si
ripeté la degustazione. E alla seconda sarebbe certamente
seguita una terza prova di palato, se alla buon'ora non fosse
stata notte di luna piena e non fosse giunto il tempo di mettere in atto il piano premeditato.

3.

Il terzo giorno di permanenza al villaggio, D'Amblanc ap-
profondí la conoscenza di altre due persone.

La prima fu Bernard Jaranton, il satiro in persona, il licantropo, l'uomo-cinghiale, a seconda di quale appellativo si preferisse utilizzare in paese. Lo convocò nella sala comunale di buon mattino e prima di parlare rimase per qualche tempo a osservarlo. La fisionomia umana racconta l'anima e Jaranton era un colosso dall'aria stolida, mani come vanghe ed espressione vacua che rivelava immaginazione scarsa e un'intelligenza applicata solo al mestiere dei campi.

D'Amblanc gli chiese a bruciapelo se il rimedio contro le emorroidi avesse funzionato.

Il contadino tenne lo sguardo basso, scosse la testa e rispose senza perifrasi: – Smerdo sangue.

La seconda domanda di D'Amblanc fu tesa a scoprire in che consistesse tale rimedio, vale a dire una pomata. Il buon Bernard si era fatto rifilare una crema tanto nauseabonda quanto inutile da un ciarlatano come ve n'erano tanti. Vagabondi che giravano per le campagne approfittando della credulità popolare e grattavano qualche risparmio ai contadini spacciando loro finti toccasana per ogni male. Si poteva star certi che la medesima pomata si vendeva come cura per i reumatismi, i calli e la flatulenza. D'Amblanc chiese se per caso tale Eloisius avesse praticato qualche gesto rituale in presenza del povero Jaranton e la risposta fu negativa. Il fattucchiero si era limitato a intascare i soldi e se n'era andato.

La terza domanda di D'Amblanc fu per ottenere conferma della completa amnesia che colpiva Bernard dopo gli accessi di follia. Non aveva l'aria di una persona che potesse mentire con facilità, ma era chiaro che di ciò sarebbe servita una conferma empirica.

– Qual è la vostra valutazione, cittadino D'Amblanc? – chiese il sindaco una volta congedato il contadino.

– Ciò che mi premeva appurare era che non si trattasse di uno stato indotto di sonnambulismo. Al momento ritengo

di poterlo escludere, non sembra che l'uomo sia stato sottoposto a trattamenti magnetici.

– Dunque si tratta davvero di licantropia? – insistette
Bizebarre.

D'Amblanc osservò l'ometto goffo e trattenne un sorriso.

– La licantropia, cittadino, non esiste. È una leggenda nata dall'ignoranza. A volte le leggende sono molto potenti e
possono influenzare una mente semplice e spingerla a con-
formarsi alle aspettative della vox populi.

– Credete che Jaranton stia simulando?

– No. Le sue amnesie sembrano genuine, ma avrò bisogno dell'osservazione diretta per dirlo con assoluta certezza. Dopodomani notte vi apposterete con me e con l'aiuto
dei miei uomini affronteremo gli eccessi del nostro Bernard.

Il sindaco annuí con scarsa convinzione, e dal momento che stava zitto, D'Amblanc gli chiese conto delle sue
perplessità.

– Se capisco bene le vostre intenzioni, allora preferirei
scegliere un paio dei nostri ragazzi, gente del paese. Non
vorrei che Jaranton si imbizzarrisse peggio che mai, dovendo affrontare un manipolo di forestieri. E non vorrei che un
manipolo di forestieri esagerasse con la violenza, dovendo
affrontare Jaranton.

D'Amblanc si complimentò con Bizebarre per la sua giusta
premura, e i due rimasero d'accordo che i parigini sarebbero
intervenuti solo in caso di estrema necessità.

Al calare del sole, D'Amblanc si presentò insieme alla scorta nel luogo convenuto e vi trovò il sindaco, i due ragazzoni
robusti scelti per l'occasione e Bernard Jaranton. Il contadino sembrava piuttosto confuso mentre lo facevano entrare nel casotto di legno. Sprangarono la porta dall'esterno e
non restò che aspettare.

Nessuno chiese a D'Amblanc quale fosse l'utilità dell'asta di metallo che spuntava dalla sua bisaccia.

Gli uomini sedettero nell'ultima luce del giorno, quella che confonde i profili, smussa i contorni delle cose, le fa apparire a un tempo prossime e distanti.

La luna si alzò in cielo, tonda, bianca, perfetta. La luce si rifrangeva nel fiume in una scia argentea che avrebbe ispirato il piú misero dei poeti.

D'Amblanc pensò a quanto i fiumi francesi fossero diversi da quelli americani che scorrevano nei suoi ricordi. Nel nuovo mondo i corsi d'acqua erano impetuosi, la corrente accelerata da rapide e cascate.

Bizebarre approfittò di una pausa di silenzio per domandare di Parigi. Era vero che Brissot era stato arrestato? Dunque Robespierre teneva le file del governo? E la nuova costituzione sarebbe stata approvata? Davvero le prossime elezioni sarebbero state a suffragio universale? La curiosità del provinciale appariva sincera, priva di malizia, almeno quanto la sua fede repubblicana. Forse sarebbe stato fedele anche al re, se questi avesse saputo mantenersi la testa sul collo, pensò D'Amblanc, ma sembrava sentirsi parte dei cambiamenti in atto, qualcosa di piú grande di San Martino. Tante domande, poi, ne celavano una piú profonda, che il carattere di quell'uomo non riusciva a esplicitare. Una domanda che non aveva bisogno di essere espressa, poiché chiunque avesse la minima consapevolezza di quanto stava accadendo finiva per porsela: «Rimarrà qualcosa del vecchio mondo?»

D'Amblanc rispose con poche parole. Non era in vena di disquisizioni. La brezza notturna portava odori di vegetazione e fiori selvatici. La mente si ritrovò in una fantasticheria che lo vedeva insieme alla cittadina Girard. Erano nella dimora parigina della donna, ma fuori dalle finestre si spalancava la campagna. Litigavano per gioco, e la causa della schermaglia era un ultimo dolcetto da mangiare con la cioccolata calda. Spinte e strattoni amichevoli diventavano il pretesto per toccarsi, scambiarsi carezze e infine intrecciare i corpi in un abbraccio stretto. L'abbraccio era la promessa di un bacio, e il bacio si prolungava e ripeteva finché i due non raggiungevano la camera da letto. D'Amblanc immaginò di precipitare sul materasso insieme alla donna e di aiutarla a togliersi il vestito, sempre senza scollare le labbra dalle sue. Ricordò quel che provava ad appoggiarle la mano sul ventre, e si sforzò di sentire come sarebbe stato toccarle i glutei, le cosce, il sesso, ma nelle mani aveva, come un'impronta appena lasciata, la memoria della carne della vedova Decabane.

Per quanto ne sapeva, Cécile poteva essere morta, giustiziata insieme al marito o magari aggredita mentre cercava di abbandonare Parigi. Ormai da due settimane non aveva piú sue notizie, e nella Francia rivoluzionaria quattordici giorni erano abbastanza per cambiare epoca due volte.

Fu il trambusto che si udí provenire dal casotto a strapparlo da quelle immagini tristi per riportarlo al motivo della veglia. Una serie di colpi sordi e ripetuti contro la porta chiamò gli uomini del villaggio verso il piccolo edificio.

D'Amblanc ricordò ai suoi di restare dov'erano e intimò ai due ragazzi di acquattarsi ai lati della porta. Estrasse dalla bisaccia una corda e ne consegnò un capo a Bizebarre.

– State pronti a immobilizzarlo, – ordinò.

I colpi si facevano sempre piú forti, accompagnati da grugniti e urla sguaiate. A un segnale di D'Amblanc, uno dei due giovani tolse il paletto che bloccava la porta. L'anta si spalancò e Jaranton balzò fuori. Era nudo. Per un momento rimase incantato dal volto pallido della luna. Tanto bastò a D'Amblanc e Bizebarre per girargli la corda attorno alle gambe e farlo cadere. I due giovani gli saltarono addosso e lo immobilizzarono. Ma la mole di Jaranton era tutt'altro che facile da domare. Il sindaco lanciò uno sguardo a D'Amblanc: in un batter di ciglia, Radoub e Poulidor scattarono e diedero un contributo decisivo per legare l'uomo-cinghiale. Jaranton continuò a ululare e grugnire, mentre con le mani ancora libere si menava il membro con foga.

– Dio mio, quest'uomo ha il diavolo in corpo! – esclamò Bizebarre.

– Il diavolo non c'entra, – disse D'Amblanc, mentre teneva strette le caviglie del poveraccio. – Nelle notti di plenilunio il magnetismo lunare e quello terrestre toccano il loro picco. Nei soggetti sensibili, se il naturale magnetismo animale trova intoppi o blocchi di qualche tipo, può provocare il delirio e attacchi di priapismo.

Il sindaco lanciò un'occhiata disgustata a Jaranton che continuava imperterrito nella sua attività.

– Esiste una cura?

D'Amblanc finí di legare le gambe del prigioniero.

– L'uomo conosce già i rimedi per curare sé stesso, ma non ne è consapevole. Per sciogliere i blocchi del fluido magnetico è necessario ripristinare la polarizzazione corporea, e questo, in assenza della strumentazione adatta, si ottiene strofinando con forza le estremità: la testa, le mani, i piedi. Ma se un uomo non sa dove applicare il trattamento, allora lascia che sia l'istinto a guidarlo e strofina l'estremità che gli risulta, per cosí dire… piú invitante, dando in questo modo uno sfogo al fluido.

Jaranton eiaculò con una raffica di grugniti belluini.

– Potete aiutarlo? – supplicò Bizebarre sempre piú atterrito.

D'Amblanc annuí.

– Ora vi mostrerò qualcosa.

Jaranton adesso era compresso dalle corde. Continuava a emettere versi e ringhi raccapriccianti, ma D'Amblanc non ci faceva caso. Raccolse l'asta di ferro e intimò a Bizebarre di impugnarne un'estremità. L'altra la fece aderire al ventre del paziente. Ordinò ai due paesani di formare una catena con Bizebarre e imporre una mano sul corpo del disgraziato. Quindi si abbassò su di lui e prese a massaggiargli prima le tempie, poi le mani con vigore, infine i piedi.

– Si tratta di strofinare le estremità del corpo affinché il fluido magnetico riprenda a scorrere.

Ricominciò da capo e ripeté il ciclo diverse volte, mentre parlava al contadino vicino all'orecchio, ricordandogli che era Bernard Jaranton, marito di Angeline, padre di tre figli, e intimandogli di calmarsi.

Piano piano, sotto gli sguardi esterrefatti tanto dei parigini che dei campagnoli, la furia dell'uomo-cinghiale si placò. Prima smise di scuotersi e agitarsi, poi si zittí, mantenendo solo il respiro affannoso, ma alla fine parve cadere in un sonno profondo.

D'Amblanc si alzò e si asciugò la fronte con il fazzoletto.

– Potete slegarlo, la crisi è passata, – disse. – Riportatelo dentro e copritelo. Quando si sveglierà lo accompagnerete a casa.

Bizebarre guardò ammirato D'Amblanc, mentre i due compaesani provvedevano a eseguire i suoi ordini.

– Voi l'avete guarito!

– Nient'affatto. Quel poveraccio dovrebbe fare bagni regolari in acqua magnetizzata… e curarsi le emorroidi. Sono convinto che siano quelle a causare l'interferenza nel fluido che è all'origine degli attacchi. Vi ho mostrato come si fa. Il mio compito termina qui.

– Ma io… io non sarei mai in grado… – balbettò il sindaco interdetto.

– Come l'ho fatto io potete farlo voi, – tagliò corto D'Amblanc. – Alla prossima luna piena manca un mese, avrete modo di prepararvi.

Senza lasciare al sindaco il tempo di rendersi conto fino in fondo di quale responsabilità lo avesse appena investito, D'Amblanc riprese a parlare.

– Adesso, se non vi dispiace, andrò a stendermi qualche ora. Domattina presto dovremo rimetterci in viaggio per Manorba.

Bizebarre tacque. Fece per volgersi, ma tornò a guardare D'Amblanc.

– Cittadino, considerata la zona verso cui vi dirigete, devo dirvi che ritengo esigua la vostra scorta. Credetemi, io sono un buon patriota.

D'Amblanc annuí.

– Comprendo.

Il sindaco si morse il labbro.

– Benché qui si sia in pochi, mi sento in dovere di offrirvi due uomini in piú. Qualcuno che conosca bene la regione, la lingua e le usanze. Le vostre guardie, se permettete il rilievo, hanno *tutte* un accento foresto.

D'Amblanc strinse la mano del sindaco.

– Grazie, cittadino Bizebarre. Accetto volentieri i vostri rinforzi. Dite loro di farsi trovare pronti per l'alba.

4.

Il fianco occidentale del Poggio di San Sisto era meno impervio e selvaggio di quello che ospitava San Martino. C'erano querce, frassini e castagneti da frutto ben tenuti. La strada, piú aperta e visibile della mulattiera sull'altro versante, si stringeva ogni tanto in colli di bottiglia, quando si trovava ad attraversare terreni piú accidentati, e si piegava in svolte repentine.

Gli uomini, sulle cavalcature, procedevano in una fila che si era allungata di due unità. I rinforzi inviati dal sindaco di San Martino altri non erano che gli stessi della notte prima, i due ragazzi robusti che avevano aiutato a imbrigliare l'uomo-cinghiale.

Mentre procedeva immerso nel silenzio selvatico di quella landa, D'Amblanc si trovò a pensare che a rendere ostile un territorio non sono la conformazione, gli ostacoli impervi o un clima disagevole, ma piuttosto la mente di chi lo abita. Che certo è influenzata anche dall'ambiente, ma può essere diretta, condotta o sviata da altri fattori, come la religione e la superstizione. Forme di pensiero che si perpetuano immutabili stagione dopo stagione, nei secoli. Ma se è vero che ogni epoca, ogni temperie ha una sua mentalità, allora la Francia e il mondo stavano assistendo alla nascita, attraverso doglie dolorose e inevitabili, di una nuova epoca e della nuova mentalità che le corrispondeva.

Fattori ambientali. In quelle campagne, religione e ossequio verso nobili e ricchi erano naturali quanto la brina nei giorni d'inverno o la canicola sotto cui procedevano, il sole già alto nel cielo.

Pensò alla docilità infantile di quei contadini, alla radicale alterità di uomini come Jaranton. Era fatica che non trovava le parole per ribellarsi, e allora luna piena, influssi sottili, suggestioni, evocazioni: il mondo magico del passato diveniva il bacino ove sfogare energia repressa, negata.

Quelle lande, però – ventre profondo della patria, lontane da Parigi non solo nello spazio, ma dislocate in un altro ordine del tempo – non producevano solo tipi umani avvezzi a obbedire al dettame di generazioni, al peso dei secoli trasformati in giogo. Gli uomini della sua scorta locale, per esempio, testimoniavano che il cambiamento era in atto. Era sempre la stirpe alverniate, il ceppo di Vercingetorige, ed erano pastori o taglialegna come gli altri, però avevano scelto di muovere un passo fuori della traiettoria circolare, da asini legati a un palo, che nobili e clero avevano sempre imposto e ritenevano giusta per volontà divina.

Uno era alto, possente, le spalle quadrate, volto dai tratti ancora infantili, ma segnato sulla guancia da una cicatrice profonda. Quest'ultima gli conferiva l'aria di desolata minaccia che hanno le bambole rotte. Si chiamava Doiet, ma nella mente di D'Amblanc era «lo Sfregiato». Armato con un fucile da caccia e un coltellaccio delle dimensioni di una daga, procedeva in mezzo al gruppo a dorso di mulo.

L'altro era alto e magro, ma quando aveva afferrato l'uomo-cinghiale, lo aveva fatto con braccia salde ed espressione decisa. Uno di quei magri dalla forza nervosa, rifletté D'Amblanc, i tendini come acciaio armonico e i muscoli ben allenati. In lui il fluido doveva scorrere senza blocchi o interruzioni. Sotto il cappellaccio logoro, in sella a un ronzino giallastro, intonava di tanto in tanto strofe di qualche incomprensibile canzone locale. D'Amblanc rammentò di colpo il suo cognome insolito: Feyfeux.

Eccoli, i rivoluzionari alverniati, soldati di una nuova èra, abbigliati in panni che avrebbero dovuto suggerire un'appartenenza marziale, e invece li facevano apparire simili a banditi del passato, trasfigurati dall'immaginazione di un poeta o di un pittore. Il loro aspetto era *romantico*, avrebbe detto un inglese. Ma non era tempo di cedere alle malie del pittoresco. Il drappello si apprestava a guadare un torrente nel folto del bosco. Il terreno era già un pantano di muschio e piante acquatiche. Dal crinale sovrastante scendevano i massi di un'antica frana.

D'Amblanc sentí un rumore di ghiaia e detriti che rotolavano a valle per un breve tragitto. Il sergente Radoub fece appena in tempo a dare l'ordine di smontare da cavallo.
Dalla macchia giunse una salva di fucileria. Il mulo dello
Sfregiato stramazzò al suolo. L'uomo rotolò a terra, ma con
velocità animale balzò a capo chino e si gettò dietro il cadavere della sua cavalcatura.

– Al riparo! – ordinò Radoub, e rivolto a D'Amblanc:
– Ricaricano. Un'altra salva e ci assaliranno –. Scrutò il
crinale della salita e gridò: – Sparate soltanto quando saranno vicini!

Come un'eco, giunse il suono secco dei fucili e dalla vegetazione salí una nuvola di fumo, ma gli uomini s'erano
già rintanati dietro gli alberi, trattenendo i cavalli per le
briglie. Udirono l'urlo degli assalitori, che infine apparvero, saltando giú per la discesa e riversandosi sulla pista in
ordine sparso. Parevano selvaggi vestiti di pelli. Chi aveva
moschetti li scaricava, correndo, sul bersaglio, altri tiravano con la fionda.

– Adesso! – ordinò Radoub.

Partí la salva di risposta, ma l'unico effetto l'ottenne il
fucile da caccia dello Sfregiato. L'ampia rosata, da quella distanza, rendeva impossibile fallire il colpo. Uno degli assalitori
cadde, urlando per il dolore. Gli altri rallentarono la corsa.
D'Amblanc spianò le pistole, ma senza riuscire a trovare un
nemico sulla linea di tiro. Agli ordini secchi di Radoub, la
scorta si riuní in formazione serrata: gli assalitori esitarono.
L'uomo magro di nome Feyfeux si scagliò urlando contro
il piú vicino degli avversari, lo travolse, gli fu sopra, lo colpí al petto con il coltellaccio ed ebbe il tempo di sgozzarlo
mentre intorno la mischia si accendeva. La polvere smossa
dai passi e dai corpi si sommò al fumo degli spari stagnante
ancora sul teatro della lotta. Gli alverniati della scorta com-

battevano come furie mentre i parigini, baionette spianate, tenevano lontani gli avversari. I lealisti, o chiunque fossero, lasciarono sul terreno un altro dei loro, prima di fuggire di nuovo verso il bosco.

Ecco la *piccola guerra*, pensò D'Amblanc, stringendo le impugnature delle pistole ancora cariche. Proprio come in America.

Ebbe la netta impressione che quella scena si fosse già svolta, nelle stesse identiche circostanze.

Una volta, sulle rive del Brush Creek, le guide indiane li avevano portati nel bel mezzo di un'imboscata. Se l'erano cavata per un soffio, dopo un assalto all'arma bianca tra gli alberi, nell'ombra invasa dal fumo della polvere nera. Alla fine, senza alcuna forma di processo, gli indiani erano stati giustiziati sul posto, guide e prigionieri. A quei tempi, D'Amblanc aveva già smesso di riconoscere un valore morale al gesto bellico in sé, all'uccidere e allo squartare. La guerra era una dura necessità, occorreva portarla a termine in maniera vittoriosa per il bene della patria.

Il colossale alverniate con lo sfregio sulla guancia fece un cenno all'amico Feyfeux, indicando i corpi riversi degli assalitori. Uno di questi dava ancora spasmi: lo finí con il calcio del fucile, due colpi secchi sul cranio. D'Amblanc guardò i cadaveri degli sconfitti. Non erano che pastori mutati in soldataglia della reazione, ma la partita avrebbe potuto chiudersi a parti invertite. Una complessa serie di incastri fortunati – il fucile da caccia, l'esperienza di Radoub, la reazione coraggiosa di Feyfeux – aveva portato a quell'esito. Questo è la guerra, pensò: la prova se il proprio destino è da fortunati. E piú diventa *piccola*, ridotta negli spazi e negli schieramenti, piú grande è l'importanza della sorte.

Intanto gli alverniati avevano cominciato il loro lavoro. La spoliazione fu accurata e i due si divisero tutto ciò che poteva servire: polvere, acciarini, coltelli, un'ascia, una bi-saccia con pane e formaggio. Terminata la distribuzione, lo Sfregiato si diede a cavare i denti delle vittime, utilizzando una tenaglia arrugginita. I gesti, veloci e abili, erano quel-li di un uomo avvezzo a quel compito. Le dentiere di veri denti umani erano costose, molto superiori a quelle in legno o in osso animale. I denti avevano mercato.

D'Amblanc assisteva alla scena come si trattasse di uno de-gli incubi che ogni tanto tornavano a visitarlo, e avevano come teatro un altro tempo e un altro continente.

Ma si era in terra francese, e il dottore si scosse, pronto a intervenire.

– Lasciateli fare, cittadino, – lo trattenne Radoub. – Lo ritengono un loro diritto, e in effetti lo è. Non sappiamo quali odî attraversino queste terre.

Feyfeux, intanto, tranciava dita per impadronirsi delle fedi nuziali.

5.

Lasciato il luogo del massacro, la compagnia proseguí senza soste fino al tramonto. Il peso del corpo gravava sulle ossa. L'unico filo che teneva D'Amblanc legato al presen-te, all'Alvernia, alle circostanze della missione, alle scene che si snodavano davanti agli occhi, erano le fitte dolorose alle gambe e ai lombi, a cui si aggiunsero quelle al costato, come non gli accadeva da anni. Quest'ultimo non era un bel segnale.

La mente, forse per difendersi dalla paura, seguitava a estraniarsi nelle fantasticherie di un destino diverso. Men-tre il sole batteva quelle colline tragiche, D'Amblanc si im-maginò ferito da una palla di fucile, in America, molti anni prima. Si immaginò abbandonato sul campo, dato per morto, e ritrovato da una famiglia di mezzosangue. Immaginò di guadagnarsi di che vivere con le pellicce, per lunghi anni. Si vide sposato a una selvaggia. Contò i figli che nascevano, stagione dopo stagione, e i nipoti. Immaginò che la vita vera fosse quella, e il resto solo un sogno.

Giunsero nei pressi di una casupola in forma di pan di zucchero, tutta costruita con pietre a secco. Gli alverniati la chiamarono *tsabana* e doveva essere uno stazzo da pastori: per quanto abbandonato, mandava ancora odore di greggi e di caglio.

Feyfeux non la smetteva piú di canticchiare, anche una volta smontato, mentre dissellava il ronzino. L'animale fu percorso da una scarica nervosa, sbuffò, accennò a scalciare. Feyfeux lo calmò mormorando qualcosa e mettendogli davanti al muso una grossa carota.

Attorno, gli altri uomini si preparavano per la notte e Radoub assegnava i turni di guardia. D'Amblanc era spossato. Liberò il cavallo dalla soma e preparò il giaciglio da campo, mentre lo Sfregiato e l'ebanista Thuillant spennavano due galline, dono della gente di San Martino.

Radoub lo raggiunse e si informò sul suo stato di salute. D'Amblanc lo tranquillizzò, ma il volto doveva essere segnato dalla sofferenza, perché il sergente rispose con un'espressione preoccupata, la fronte solcata di pieghe. Sebbene la missione non dipendesse da lui, Radoub doveva sentirsi responsabile della sua parte piú guerresca, quando ci si giocava la vita, e delle conseguenze che essa comportava. Era uomo affidabile, coraggioso ma non avventato. Come i vecchi soldati, aveva una mentalità simile a quella di un attore o di un giocatore. Quando si è sulla scena, o nel mezzo di una mano di carte, o sul campo, tutto dev'essere fatto per portare a casa il successo.

D'Amblanc aprí la bisaccia e ne estrasse una bottiglietta, dalla quale bevve due rapidi sorsi. Tanto bastò per spargere all'intorno un odore alcolico, pungente, misto a quello di zafferano e noce moscata, i tipici aromi che si usavano per alleviare il sapore amaro del laudano. Prima di incontrare Mesmer, aveva fatto spesso ricorso a quel rimedio, e non ne conservava affatto un buon ricordo. Ma nella situazione in cui si trovava, era senza dubbio il male minore.

– È quello che penso che sia? – chiese il sergente.

– Allevia i dolori e concilia il sonno, – rispose laconico D'Amblanc.

Radoub lo guardò con un misto di preoccupazione e scetticismo.

– Che cosa vi procura dolore?

D'Amblanc strinse gli occhi.

– Vecchie ferite.

Radoub assunse un'espressione grave, che a D'Amblanc parve quasi paterna.

– Ferite di guerra?

– Nel nuovo mondo, contro gli Inglesi.

Radoub annuí.

– Io ho combattuto in quella precedente, dove ci rimettemmo il Canada. Ero con Senezergue alle Piane d'Abramo. Secondo battaglione, reggimento della Sarre.

D'Amblanc fissò il soldato. In America aveva ascoltato decine di leggende e racconti intorno alle Piane d'Abramo e alla battaglia per Québec del 1759.

– Dovevate essere giovanissimo, – commentò.

– Giovane lo ero, ma non cosí tanto, – si schermí Radoub. – E voi? In quale reggimento prestavate servizio?

– Borbonese, – rispose D'Amblanc. – Ma non ho partecipato all'assedio di Yorktown. Mi hanno fermato prima.

Radoub annuí e indicò la bottiglietta.

– Non esagerate con quella roba. Pensate a star meglio.

Si accomiatò con un cenno di saluto e lasciò D'Amblanc con la testa lontana, affacciata su un altro tempo e un altro spazio, che portava addosso assieme ai segni nel corpo.

Non si aspettava di trovarsi in guerra, di nuovo, dopo tanti anni. Aveva pensato che il viaggio sarebbe stato una parentesi, un nulla lungo un paio di mesi, senza formulare aspettative. Doveva occuparsi di superstizioni montanare, questo aveva creduto, lontano dalla sorgente di ogni avvenimento degno di nota: Parigi. Lontano dai suoi pazienti. Lontano dalla signora Girard. Aveva accettato il compito senza pensare che poteva essere l'ultima fatica della sua vita. Era caduto nell'indulgenza verso sé stessi di chi si crede eterno, proprio mentre le circostanze che piagavano la Francia testimoniavano la precarietà di ogni esistenza. Era stato superficiale e distratto. Lo Sfregiato e Feyfeux – li sentiva parlottare nel loro dialetto – lo avevano riportato con i piedi sul suolo aspro di quella porzione di patria. Occorreva essere grati a quegli uomini. A chi si prendeva il rischio sulle spalle come un sacco di castagne.

I due avevano acceso un piccolo falò e, alla luce delle fiamme, tutti consumarono una cena silenziosa.

Erano soli, nella campagna, il cielo aperto come una conca blu punteggiata del fuoco freddo degli astri. La luna si assottigliava notte dopo notte. D'Amblanc si augurò che lo stesso accadesse ai suoi mali. Resistette alla tentazione di un altro sorso di elisir e si tirò la coperta fino alla punta del naso.

Estratto da

IL MOLIÈRE

commedia in cinque atti in versi di Carlo Goldoni (1751)

Atto primo, scena sesta.

MOLIÈRE

Gran cosa! A niun fo male, e son perseguitato;
il pubblico m'insulta, e al pubblico ho giovato.
Di Francia era, il sapete, il comico teatro
in balia di persone nate sol per l'aratro.
Farse vedeansi solo, burlette all'improvviso,
atte a muover soltanto di sciocca gente il riso.
E i cittadin piú colti e il popolo gentile
l'ore perdean preziose in un piacer sí vile:
gl'istrioni piú abietti venian d'altro paese
a ridersi di noi, godendo a nostre spese;
fra i quali Scaramuccia, siccome tutti sanno,
dodicimila lire si fe' d'entrata l'anno;
e i nostri cittadini, con poco piacer loro,
le sue buffonerie pagarno a peso d'oro.
Tratto dal genio innato e dal desio d'onore,
al comico teatro died'io la mano e il cuore;
a riformar m'accinsi il pessimo costume,

e fur Plauto e Terenzio la mia guida, il mio lume.
L'applauso rammentate dell'opera mia prima;
meritò lo Stordito d'ogn'ordine la stima;
e il Dispetto amoroso e le Preziose vane
mi acquistarono a un tratto l'onor, la gloria, il pane.
E si sentí alla terza voce gridar sincera:
Molier, Molier, coraggio; questa è commedia vera.

VALERIO

Per tutto ciò dovreste gioia sentir, non pena,
d'aver lasciato il Foro per la comica scena.
Coraggio, anch'io ripeto, coraggio.

MOLIÈRE

Sí, coraggio.
Mi dà ragion d'averlo il popol grato e saggio
          [lo dice per ironia].
Quel tale Scaramuccia, di cui parlai poc'anzi,
andato era a Firenze co' suoi felici avanzi.
Lo maltrattaro i figli, lo bastonò sua moglie;
ei lasciò lor suoi beni, per viver senza doglie;
e tornato a Parigi a ricalcar la scena,
le logge e la platea, ecco, di gente ha piena.
Il pubblico che avea gusto miglior provato,
eccolo nuovamente al pessimo tornato.
E in premio a mie fatiche (perciò arrabbiato i' sono)
corrono a Scaramuccia, lascian me in abbandono.

1.

Non si poteva dire una piazza prestigiosa.

Léo considerò l'aspetto delle case e l'abbigliamento dei passanti, la strada dissestata e le geometrie del luogo.

A ben guardare, non era nemmeno una piazza: piuttosto un crocicchio, abbastanza largo da ospitare nel mezzo un'aiuola fangosa, dove tre ambulanti vendevano fiori, cianfrusaglie, refurtiva da borsaioli. Léo aveva domandato il permesso di allestire lí il suo scarno palcoscenico e quelli, senza entusiasmo, gli avevano fatto segno di accomodarsi, ché tanto per cacciarlo via c'era sempre tempo, e non valeva la pena sprecarlo in anticipo con lunghe discussioni.

Mentre si preparava per lo spettacolo, Léo non poté fare a meno di rimpiangere Pontenuovo, se non come dimora, per lo meno come teatro.

Neppure quello era una vera piazza e anche lí si recitava in compagnia di mercatanti dall'aria truce, ma in compenso il luogo aveva una sua nobiltà, era un monumento insigne, il ponte piú lungo di tutta Parigi, attraversato in ogni momento da un viavai di popolo che era specchio dell'intera città: ricchi e poveracci, rivoluzionari veri e farlocchi, zotici e uomini di spirito. Lo aveva abbandonato a malincuore. Girava voce che la cagnaccia lo stesse cercando, cioè, non cercava proprio lui, Léo Modonnet, ma il mestatore in maschera, il furbetto che s'era arrogato il diritto di usare un cannone che apparteneva al popolo.

Dov'era in quel momento, sulla via di Chiarentone, nel bel mezzo del foborgo di Sant'Antonio, non passavano che sanculotti, lavandaie, megere, villici ignoranti e uno stuolo di ubriachi dalla taverna lí vicino.

La Gran Pinta, si chiamava, e l'oste era un galantuomo, una di quelle rare persone che sanno comprendere le ragioni dell'arte.

Per molte notti di fila, nonostante il timore di essere arrestato, Léo non aveva mai dormito al coperto. Colpa della tirchieria e dell'insensibilità di osti e locandieri. Gli avventori, bontà loro, erano sempre abbastanza generosi, e in cambio di qualche battuta greve, qualche imitazione e un paio di filastrocche, finivano sempre per offrirgli un piatto di zuppa e un bicchiere di vino. Ma al momento di domandare al proprietario il conforto di un letto, dopo aver intrattenuto la clientela per l'intera serata, non c'era verso di ottenere un minimo di sostegno, e ogni volta Léo si ritrovava col culo per terra, costretto a fare della strada il proprio giaciglio.

L'oste Férault, invece, gli aveva messo a disposizione un pagliericcio, una coperta e il cortile della *Gran Pinta* con tanto di pozzo ove sciacquarsi e bere a piacimento. Per questo Léo, ormai da tre notti, si era trasferito in pianta stabile – cioè, non proprio stabile, ma meno instabile di prima – a Sant'Antonio. Aveva dormito sodo, ritemprato le membra, e insieme al sonno aveva ritrovato lo slancio per tornare sulla piazza, e chissenefotte se non era proprio una piazza vera.

Aveva sentito parlare i garzi del luogo, e pensava di conoscere la formula giusta per divertire il pubblico del foborgo: caricature di nobilardi, secchiate di merda sui reazionari, incularelle tra preti, botte da orbi agli accaparratori.

Niente di piú facile, si fece coraggio Léo, appoggiando di fronte a sé una ciotola di legno che aveva preso in prestito dall'osteria. Il berretto che usava di solito per raccogliere il denaro se n'era andato in cambio di due libbre di mele, mentre il resto della sua scenografia – ovvero il cartello inneggiante alla Repubblica – era rimasto abbandonato a Pontenuovo, unico ricordo del suo passaggio. Gli restava, per fortuna, il minimo indispensabile a recitare: il corpo, la voce e un costume di scena.

Un capannello di una decina di individui si schierò sullo spiazzo in attesa dello spettacolo. Altri osservavano distanti, dagli usci di case e botteghe, come se a farsi piú vicini si corresse il rischio di pagare qualcosa.

Léo prese fiato, si presentò al pubblico e annunciò un monologo intitolato *La marchesa ha rotto un piatto*, col quale era certo di conquistarsi i favori degli astanti. Impossibile trattenere le risate di fronte a Léo Modonnet che, anche senza l'ausilio di un travestimento femminile, interpretava un'aristocratica rimasta senza servitú e obbligata ad arrangiarsi.

Eppure la gente non reagiva alle battute, non rideva, non applaudiva i passaggi piú riusciti. Il drappello cresceva, altroché, c'erano venti, forse trenta persone schierate là davanti, ma lo osservavano in maniera inconsueta, parlottavano tra loro, scuotevano le testacce pidocchiose, si davano pacche e colpi di gomito. Il tutto senza alcuna relazione con quanto andava recitando.

Léo tagliò corto. A quanto pareva la marchesa non era il soggetto giusto. Aveva sentito dire che i veri rivoluzionari, i caporioni della Montagna, non apprezzavano piú le caricature oscene degli aristocratici, poiché, dicevano, la vecchia Francia era morta e sepolta e non si doveva resuscitarla nemmeno per sputarci sopra. Forse per questo i bravi sanculotti, sulla pubblica piazza, si sforzavano di non ridere a quelle battute che intorno al tavolo di un'osteria, tra amici e compagni di bevute, li facevano invece sbellicare.

Del resto, pensò Léo, altro che piatti rotti! Oramai gli aristocratici erano tutti in galera, e chi non era in galera era espatriato a Coblenza, e chi non era in galera né a Coblenza era in compagnia dei vermi.

Terminò con un inchino e presentò un numero da acrobata, dove in realtà fingeva di essere un inetto buffone, per riuscire perfettamente nell'esercizio solo all'ultimo, disperato tentativo. Ma la gente continuava a non ridere, distratta. Possibile che sfuggisse a tutti il senso della messinscena? Léo lanciò un'occhiata sui volti di fronte a sé. Confabulavano fitto. Possibile che non capissero il gioco sottile, lo scherzo, l'ironia? Possibile che lo ritenessero davvero un inetto buffone?

Léo forzò i tempi e andò spedito al finale, per mostrare a tutti cosa sapeva fare. Si mise ritto sulle mani, e proprio in quel momento un gecco in prima fila mosse due passi avanti, gettò nella scodella una moneta e prima di girare i tacchi per tornare agli affari suoi, alzò in aria il pugno e gridò:

– Viva Scaramouche!

Léo, a testa in giú, rimase impietrito. Qualcheduno lo aveva riconosciuto. Dannato cannone, e dannato Leonida Modonesi, accidenti a lui, alla sua testa, alle sue solite mattane, non poteva farsi gli affari suoi quella mattina? Che gli era preso? Tutto questo lo pensò da capovolto, e gli scappò pure detto: – Ora son cazzi, – ma nessuno lo udí, perché altri due spettatori avevano seguito l'esempio del primo e si allontanavano lanciando la medesima invocazione.

– Viva Scaramouche!

Léo si raddrizzò. Altri individui si stavano avvicinando per lasciar cadere nella scodella qualche moneta, subito imitati dagli amici intorno e via via dagli altri, che poi facevano segno ai piú distanti, dicevano loro qualcosa – «È proprio lui, l'ha detto Machard»; «Ma sí, ti dico»; «È quello di Pontenuovo, lo Scaramouche del cannone d'allarme!» – e nuove monete raggiungevano quelle già ammucchiate sul fondo, mentre i primi della ressa stringevano la mano all'attore, gli davano pacche sulle spalle, gli dicevano cose come «Bravissimo!», «Cosí si fa!», «Ce ne fossero di piú che non si limitano a cianciare!», e si allontanavano ripetendo ancora:

– Viva Scaramouche!

Léo aveva temuto di affrontare una mala parata, di dover fuggire gambe in spalla inseguito dalla cagnaccia, e invece l'intero crocicchio rimbombava di applausi e grida che inneggiavano all'eroe.

A volte basta la luce di un lampo per ritrovare la strada in una notte buia.

Dopo un sospiro di sollievo, Léo si inchinò e ringraziò la folla, ricambiò pacche sulle spalle e strette di mano, borbottò confuse frasi di ringraziamento.

Al contempo, però, giudicò fosse il caso di levare le tende. Senza smettere di sorridere e salutare, raccolse quel che aveva guadagnato e se ne filò via dritto, mai voltandosi, come se avesse fretta di andar di corpo, e a piccoli passi e chiappe strette si inoltrò per le vie del foborgo, badando che le monete non tracimassero sulla strada.

2.

Il foborgo di Sant'Antonio era noto in tutta Parigi per l'intrico dei suoi cortili, passaggi nascosti, retrobottega di ebanisti e mobilieri. Le leggende del quartiere narravano di briganti scampati alla cattura grazie a pozzi collegati da cunicoli sotterranei, ma la fuga di Léo non fu altrettanto avventurosa.

Finí per nascondersi in una corte lunga e stretta, seduto fra il muro e un carro carico di assi, in compagnia di un grosso cavallo che sonnecchiava tra le stanghe.

Attese che il cuore tornasse a battere al ritmo consueto e si interrogò su quanto era appena successo.

Qualcheduno lo aveva riconosciuto.

Lo aveva riconosciuto, e ne aveva fatto un nuovo eroe.

Per uno scherzo del caso, il nuovo eroe portava il nome di un personaggio da commedia dell'arte. Scaramuccia, ex soldato d'imprecisata ventura, scattoso e fanfarone. Scaramuccia, nato a Napoli e reso celebre in Francia dal grande Fiorilli.

Doveva esserci un messaggio nascosto, in uno sviluppo di tal fatta, ma le ciarle di due vecchie interferivano coi ragionamenti necessari a distinguerlo.

Le due s'erano piazzate proprio di fronte a lui, contro la parete opposta della corte. Da sotto il carro, vedeva otto gambe di seggiola e quattro caviglie gonfie come mortadelle.

Discutevano se un tizio, un certo Solin, meritasse o no un taglio alla Capeto.

– Io, per me, la pena di morte è l'unico rimedio, – diceva la prima.

– Me, mi sta bene pure la galera, – ribatteva l'altra. – A patto che ce lo mandano, quel merduomo.

Dunque, provò a riflettere Léo, vivo a Parigi da sei anni e quasi ogni sera ho recitato per un pubblico, sul palco di un teatro oppure sotto il cielo. Diciamo pure cinque volte alla settimana. Quanto fa in tutto? Vediamo, cinque per cinquantadue per sei…

– Voglio dire che per me, sai qual è l'importante? Che a uno come Solin ce lo levano da mezzo. Poi non m'interessa se gli segano la coppa. L'importante è che ce lo tolgono dai piedi.

Dunque, cinquantadue per cinque fa… duecentosessanta…

– Però te devi anche pensare che uno come Solin, se gli dici che a far quel che fa rischia il gabbione, quello continua a farlo talequale, ma se gli dici invece che ci rischia la coppa, allora magari ci pensa due volte.

Diciamo millecinquecento. Millecinquecento esibizioni. Ebbene quante, quante volte mi hanno riconosciuto per la strada, mi hanno stretto la mano per farmi i complimenti? Cinque? Sei? Di sicuro non piú di dieci, si rispose Léo. E negli ultimi tempi: nessuna.

– 'Scolta, ma perché Solin non l'hanno ancora incastrato?

– Te lo dico io: perché ci ha uno zio che sta culo e camicia con un deputato, ecco perché.

Invece, si scervellava Léo, la prima volta che mi ritrovo in mezzo a una ribellione di strada e d'istinto faccio un gesto, come si suol dire, plateale, ecco che poi la gente, quando vado in scena per davvero, mi riconosce e mi applaude anche, ma non per i miei trascorsi da attore o per la bravura del momento, no, mi applaude per aver acceso la miccia di un cannone, e mi ricorda con affetto nel ruolo di Scaramouche, non perché centinaia di volte l'ho portato a teatro con mille trovate, ma perché quel giorno là indossavo un costume che ricordava quello di Scaramouche.

– Un deputato? Ma sei proprio sicura?

– Mica ho detto che è vero. Però gli sbirri lo han sentito dire. Credono che Solin ci ha dei santi in paradiso e allora lo lasciano in pace. E cosí quello continua ad accaparrare e a rivendere il granturco al doppio del prezzo. E il pane, la farina, la frutta secca… E fino a una certa cifra ti fa pure credito, ma poi, se non hai da pagare, manda i suoi due cagnardi a lisciarti le penne.

Léo ebbe la sensazione di aver intuito da tempo quella verità: i parigini non erano piú interessati al vecchio teatro.

Certo, i vecchi teatri erano ancora pieni di gente, e alcune rappresentazioni facevano scalpore, se ne parlava ovunque, ma non era piú per le doti di un attore o per la magia di un testo. Il motivo era solo politico.

I parigini erano sempre interessati al teatro, ma il teatro era divenuto grande quanto Parigi. I migliori oratori della Convenzione prendevano lezioni da attori consumati e la gente andava ad ascoltarli e applaudirli come se stessero sulla scena. Gli spettacoli piú emozionanti erano quelli dove la gente perdeva la testa per davvero, i cannoni tuonavano e poteva capitare, da un momento all'altro, che gli spettatori si trovassero a recitare.

– Bisognerebbe mandarglieli noi, un paio di cagnardi. Se gli uomini non si decidono, va a finire che ci dobbiamo andare noialtre, a dare una lezione al *cittadino* Solin.

– Sei sbrocca? Quello poi ti riconosce, fa la denuncia e finiamo tutte al gabbione meno che lui. Perché lui ci ha la prova, che te gli hai fatto un occhio nero, mentre te, che lui incetta, di prove ne hai sbrisga.

– E allora andiamoci travestite, cosa vuoi che ti dica.

Sí, i parigini avevano sviluppato il gusto per un teatro piú vasto. Gli attori che recitavano grandi personaggi non erano piú gli idoli delle folle. Lui stesso s'era visto costretto a fare il saltimbanco, a recitare per strada, in mancanza di un teatro. Ma nemmeno cosí aveva avuto fortuna, perché era la sua prospettiva a essere sbagliata. Un attore come lui non doveva scendere a recitare in strada per mancanza di un teatro, come anelando un palcoscenico che non poteva piú avere. Un attore come lui doveva scendere in strada perché la strada era un teatro piú efficace e piú emozionante. Era la vera sfida di quei tempi convulsi. Questo è l'arte: saper interpretare lo spirito del proprio tempo, saper cogliere il vento del cambiamento e prendere il largo a gonfie vele.

Non aveva fatto cosí anche il suo maestro, Carlo Goldoni, quando aveva eliminato le maschere e i canovacci della commedia dell'arte?

Da sotto il carro, Léo vide sparire le otto gambe di seggiola. Si udirono frasi di commiato, poi le vecchie ciabattarono via.

Léo pensò che era venuto il momento di uscire dal nascondiglio: primo, per via delle gambe ormai anchilosate; secondo, perché gli scappava da pisciare; e terzo, perché Scaramouche aveva dei doveri.

3.

– Stoffa grigia. Possibilmente a righine nere, ma non è indispensabile. Non importa il materiale: tela, cretonne, quel che trovate. Basta che costi poco e mi sia sufficiente per un abito completo.

– Volete che vi prenda le misure? Facciamo in men che non si dica.

– No, andate pure a spanne. Se sarà troppa roba mi ci farò un cappello.

– Come desiderate. Allora, ecco, vediamo, questa qui come vi pare, fa al caso vostro? Sí? Molto bene, con tre lire ve ne prendete cinque braccia e ce n'è d'avanzo. Come dite? La metà? Con la metà vi ci esce giusto la blusa.

Léo tuffò le mani nelle tasche e ne tirò fuori due pugni di monete. Le sparse sul banco e fece un rapido bilancio del suo capitale.

– Posso spendere al massimo venti soldi.

Il bottegaio si strinse nelle spalle e in un amen arrotolò la stoffa, come se lo sguardo di uno squattrinato potesse danneggiarla.

– Non sta a me farvi i conti in tasca, – disse dopo averla riposta, – ma per quella cifra non troverete in tutta Parigi abbastanza stoffa per un abito. Al massimo potreste comprare qualche ritaglio da una sarta e provare a metterlo insieme, se siete abile con ago e filo, ma qualcheduno potrebbe scambiarvi per Arlecchino.

– Nel mio caso è un rischio da poco, – bofonchiò Léo.

– A voi la scelta. Io tratto solo tagli interi, ma proprio qui a fianco abita una vedova che sarà ben contenta di vendervi gli scampoli dei suoi lavori.

Léo ringraziò a denti stretti e andò a bussare alla porta in questione.

Si presentò, spiegò quel che gli serviva e quanto poteva spendere.

– Per venticinque pezzi vi preparo anche il vestito, – dichiarò la sarta. – Un affare, pensateci.

– No, no, – si affrettò a ribattere Léo. – Quello voglio cucirmelo da solo.

La donna gridò al figlio Bastien di portarle le casse con gli scampoli e i ritagli.

Il tempo di un respiro e comparve nella stanza un grosso baule. Pareva camminare da solo su un paio di gambe ossute. Atterrò con un gran tonfo e il ragazzino bruno che lo aveva trasportato fece un secondo e un terzo giro con altrettanti bagagli. Quindi domandò il permesso di uscire per incontrare un certo Treignac.

Solo allora, sentendolo parlare, Léo si ricordò di aver già visto quella faccia, diverse volte, sopra il muretto di fianco alla porta della *Gran Pinta*, mentre addentava una mela o intagliava un bastone.

La madre, intanto, aveva selezionato i pezzi del colore richiesto e controllava che fossero sufficienti per confezionare un vestito.

Teneva gli occhi bassi sulle stoffe e Léo giudicò che fosse il momento migliore per rivolgerle una domanda in tono noncurante.

– Potete dirmi dove si trova la bottega del cittadino Solin?

4.

Tre giorni dopo, al mercato di Sant'Antonio, le merci piú ambite non erano quelle stivate dagli accaparratori nei loro magazzini, bensí le notizie circa la sorte di uno di loro: Pierre Solin detto Pelledoca.

– Ma la testa? Gliel'ha rotta la testa?

– E l'occhio? È vero che l'ha accecato?

– Sí, ci ha piantato dentro il becco!

Léo coglieva le voci, zoppicando a testa bassa tra i banchi di frutta e di granaglie, e intanto meditava sulle differenze fra il teatro vecchio e quello nuovo, quello vasto quanto il mondo, al quale i parigini parevano abituarsi con naturalezza, come se non fosse in corso una grande trasformazione del gusto e dell'arte.

Poche ore prima, nel cuore della notte, un attore di rango aveva recitato per loro nel ruolo di Scaramouche.

– Ma Scaramouche lo stesso del cannone?

A differenza di quanto accadeva nel vecchio teatro, la pièce era andata in scena senza un pubblico. Quest'ultimo, per paradosso, andava radunandosi a spettacolo concluso, e cercava di ricostruire, sulla base di voci e di indizi, quel che era accaduto, per godérselo nel teatro della mente.

– Dice che l'ha aspettato sotto casa.

– No, è entrato dalla finestra.

– E poi gli ha mollato una randellata, *bam!*

– E gli ha detto che a 'sto giro gli è pure andata bene, ma se continua ad accaparrare, la prossima volta, *zac!*

L'attore, benché consapevole del proprio successo, non si offriva agli applausi e agli evviva, ma piuttosto si sottraeva, evitava di mettersi in mostra. Nonostante questo, c'era chi lo riconosceva e, senza dirgli niente, gli porgeva omaggi: una pagnotta, una forma di caprino, qualche pera ché col caprino è buona…

– Ma è vero che gli ha cavato un occhio, a quel porco di Solin?

Léo dovette trattenersi dall'intervenire, perché quella domanda riguardava il clou della rappresentazione.

Aveva studiato le mosse dell'accaparratore per due giorni e due notti. Aveva raccolto notizie con discrezione. La vita dell'uomo era scandita fra casa e bottega, senza distrazioni presso qualche signorina oppure in osteria. Casa e bottega, per di più, erano quasi lo stesso luogo, piano basso e piano superiore della stessa palazzina. Poco dopo il tramonto, Solin era solito chiudere l'ingresso principale del negozio, uscire sul retro, imboccare una scala e lasciarsi inghiottire dalle mura domestiche. Quello era l'unico momento della giornata nel quale lo si poteva cogliere da solo, al buio e allo scoperto. Per Scaramouche non c'erano state grandi alternative: nel nuovo teatro, gli attori non potevano sempre scegliere orario e luogo della rappresentazione. Avvolto nel suo nuovo costume cucito alla bell'e meglio, Léo si era nascosto nell'ombra del sottoscala ed era balzato sull'accaparratore brandendo un grosso bastone. Ma il gecco bastardo si era dimostrato più forte e agile del previsto: aveva incassato la legnata sulla spalla e aveva brancato l'assalitore in una presa robusta. I due erano rotolati a terra, il nuovo costume aveva perso pezzi, Léo s'era ritrovato con le braccia bloccate e una caviglia storta, ma il suo fiuto per l'improvvisazione lo aveva salvato: il naso, il naso di cuoio della maschera che indossava. Un rostro acuminato. Un'arma segreta. Lo aveva ficcato nell'orbita destra del cittadino Solin. Questi, reso guercio dalla mossa a sorpresa, aveva dovuto allentare la morsa e il bastone di Scaramouche gli aveva spento gli ultimi ardori.

Riassaporando la scena e ormai carico di doni, Léo claudicò fino alla *Gran Pinta*.

Di fianco alla porta, seduto sul muretto, il figlio della sarta giocava a dadi con due coetanei. Levò il muso dai numeri e Léo lo salutò alzando il mento, con un movimento indeciso che si poteva anche prendere per casuale. Infatti il ragazzino non parve accorgersene e tornò a concentrarsi sui lanci.

Dentro, i tavoli erano per lo più vuoti, a parte un paio di ceffi in compagnia di altrettanti fiaschi. Non era ancora l'ora di pranzo, gran parte degli avventori era sul lavoro. Léo si era diretto lí in cerca di un luogo tranquillo dove riflettere, lontano dagli sguardi di strada.

Si cercò un buco in fondo alla prima sala e andò a sedersi, indeciso se ordinare birra o vino. Incertezza che non fece in tempo a sciogliere, poiché l'oste si presentò con una caraffa di rosso.

– Offre la casa, – disse soltanto l'uomo, con la sua voce stridula, prima di tornarsene dietro il banco.

Léo pensò che nel vecchio teatro un attore del suo calibro poteva essere espulso dalla compagnia e perdere uno stipendio sicuro. Nel nuovo teatro, invece, il pubblico ti pagava in natura e per lo meno non morivi di fame.

Le sorti dell'umanità gli apparvero quindi orientate al progresso.

Poi afferrò il cucchiaio e cominciò a mangiare.

Estratto da

APPELLO ALLA CONVENZIONE NAZIONALE
PRONUNCIATO DA JACQUES ROUX
(25 giugno 1793, anno II della Repubblica francese)

Delegati del popolo francese,
la libertà non è che un vano fantasma quando una classe
d'uomini può affamare l'altra impunemente. L'uguaglianza
non è che un vano fantasma quando il ricco, grazie al monopolio, esercita un diritto di vita e di morte sul suo simile. La
Repubblica non è che un vano fantasma quando la controrivoluzione opera, di giorno in giorno, attraverso il prezzo
delle derrate, che tre quarti dei cittadini non possono permettersi senza versare lacrime.

Oggi che il santuario delle leggi non è piú insozzato dalla
presenza dei Gorsas, dei Brissot, dei Barbaroux, dei Girard;
oggi che questi traditori, per scampare al patibolo, sono andati a nascondere, nei dipartimenti che hanno fomentato, la
loro nullità e infamia; oggi che la Convenzione nazionale è
restituita alla sua dignità e al suo vigore, e non ha bisogno,
per operare il bene, che di volerlo; noi vi supplichiamo, in
nome della salvezza della Repubblica, di colpire con un ana-
tema costituzionale l'aggiotaggio e gli accaparramenti, e di
decretare, come principio generale, che il commercio non
consiste nel rovinare, disperare, affamare i cittadini.

Ma come! Le proprietà dei farabutti sono forse piú sacre della vita dell'uomo? La forza armata è a disposizione del corpo amministrativo; perché le sostanze non dovrebbero esserlo per la requisizione? La libertà di commercio è il diritto di usare e far usare, e non il diritto di tiranneggiare e impedire l'uso.

Il popolo vi ha dato prova, soprattutto nelle giornate del 31 maggio e del 2 giugno, che vuole una libertà tutta intera. Dategli in cambio del pane, e una legge.

È vero: voi avete decretato una tassa da un miliardo sui ricchi: ma se non sradicate l'albero dell'aggiotaggio, se non mettete un freno all'avidità degli accaparratori, i capitalisti, i mercanti, già dall'indomani piglieranno quella cifra dai sanculotti, grazie al monopolio e alle concussioni: e cosí non è l'egoista che voi colpite, ma il sanculotto.

Ma i farabutti non ridurranno in schiavitú un popolo che vive di ferro e libertà, di privazioni e sacrifici. Soltanto i partigiani della monarchia preferiscono le antiche catene e i tesori alla Repubblica e all'immortalità.

Deputati della Montagna: no, no, voi non lascerete la vostra opera imperfetta. Voi getterete le basi della prosperità pubblica; voi consacrerete come principio generale la repressione dell'aggiotaggio e degli accaparratori; voi non darete ai vostri successori l'esempio terribile della barbarie degli uomini forti sui deboli, del ricco sul povero; voi non concluderete la vostra carriera con ignominia.

Viva la verità, viva la Convenzione nazionale, viva la Repubblica francese.

Cittadine
Fine giugno 1793

1.

Georgette disse: – Tocca a te.

Marie cercò di ritrarsi, ma le altre furono piú svelte ad afferrarla.

– Adesso non metterti a starnazzare come un'oca!

Marie aveva tutte le intenzioni di farlo, se solo l'angoscia non le avesse strozzato la voce in gola.

– Avanti, poche storie! – sbraitò Georgette, mentre le altre la sollevavano di peso.

Marie lottò con tutte le sue forze, ma la presa era stretta, ai polsi, alle caviglie, e le pareva che lo diventasse sempre di piú. Il ghigno di Georgette, sopra di lei, era mostruoso. La piegarono in avanti, chiudendole il collo nel buco. Le legarono i polsi dietro la schiena. Lei provava ancora a urlare, ma non emetteva suono.

Le sollevarono la sottana e le scoprirono le terga. La prima frustata risuonò secca ma il dolore arrivò dopo, come se le avessero posato sulla pelle una lama infuocata. La seconda fu anche peggio, perché ormai sapeva cosa l'aspettava. La terza, la quarta… Marie perse il conto, non aveva il tempo di riprendere fiato, era certa di soffocare, ma improvvisamente i colpi cessarono.

Sollevò la testa e davanti a lei c'era un uomo. Marat. Pallido e seminudo, solo uno straccio legato sui fianchi.

Disse: – Non lei, sciocche. Me.

In quel momento una freccia lo colpí al petto. Una seconda lo prese alla spalla. La terza si piantò nel fianco. Cadde in ginocchio, tutto bucato come un sansebastiano.

Marie si tirò su di scatto. Poteva sentire il proprio ansimare, mentre cercava di riempirsi i polmoni. Sollevò le mani. Erano libere. Il bruciore al fondoschiena era scomparso. Bastien dormiva beato lí accanto. Un lieve chiarore oltre il vetro rivelava che doveva essere quasi l'alba.

Le occorsero alcuni minuti per calmarsi. Soltanto allora si alzò e andò a bagnare il viso al catino. La sensazione che altre volte l'aveva colta sembrava essersi moltiplicata, diffusa all'intorno, come se non si accontentasse piú di ghermire lei, ma volesse saturare lo spazio e toglierle l'aria.

Spostò un cesto di gomitoli e pezze di stoffa e sedette sulla sedia, le mani in grembo. Avrebbe voluto riflettere su quel che le stava succedendo, ma non si sentiva in grado di farlo.

– Mamma…

Si riscosse. Bastien la osservava seduto sul letto.

Marie ordinò al ragazzo di andare dall'altra parte della strada, dalla signora Medon, a prendere un po' di latte per la colazione.

Quando il ragazzo tornò, Marie aveva ravviato un po' di brace e mise a scaldare il latte. Ci sbriciolarono dentro due gallette secche e mangiarono in silenzio. Tre colpi alla porta li spinsero ad alzare gli occhi dalle ciotole. Marie fece cenno al figlio di andare ad aprire.

La sagoma di Treignac si stagliò sull'uscio.

– Buongiorno.

– Non c'era bisogno che passavi a prenderlo. Veniva da solo, – disse Marie mentre riponeva le stoviglie.

L'uomo si tolse il cappello e fece un passo dentro la stanza.

– Lo so. Son qui per parlare con te. Si può?

Marie gli indicò la sedia e Treignac la raggiunse impacciato.

– Vai a farti un giro, tu, – disse rivolta al figlio. – Ma lascia la porta aperta. Sennò chissà che pensano le malelingue.

Il ragazzo obbedí.

Marie raccolse i ferri da maglia, si mise un gomitolo in grembo e prese a lavorare.

– Ti ascolto.

Treignac parve riflettere su come cominciare.

– Jacques non torna piú, lo sai.

Marie non batté ciglio, continuando a incrociare i ferri.

– Mi dispiace, – riprese Treignac. – Davvero. Era un bravo patriota, pure con del sale in zucca. Faceva da padre al ragazzo…

– Questo lo so già, Treignac, – lo interruppe lei. – Sei venuto a dirmi cosa?

– I tempi sono quelli che sono, – riprese il poliziotto. – Io credo che non devi restare da sola con il ragazzo. Credo che hai bisogno di un uomo accanto.

– E saresti tu? – chiese Marie.

Treignac annuí.

– Non fare finta. Lo sai che da sola è difficile.

– Me la cavo da me, non vedi? – disse lei.

Tuttavia, mentre lo diceva, sollevò lo sguardo e Treignac vi lesse un'incrinatura, qualcosa che fino a poco tempo prima non ci sarebbe stato.

– Te la cavi, sí. Ma per quanto ancora? – Treignac fece un cenno in direzione della porta. – Sta succedendo di tutto. Se vivessimo assieme o fossimo sposati potrei occuparmi non solo di Bastien, ma anche di te.

Attese una delle sue stilettate velenose, ma non arrivò.

– Grazie dell'offerta, – disse invece Marie. – Ci penserò su. E grazie per quello che fai con Bastien. Ti chiedo di tenerlo a dormire da te stanotte. Io vado al club dei giacobini.

Treignac sospirò.

– Finirai per cacciarti nei guai, vero?

Marie si alzò e andò a prendere un gomitolo di colore diverso. Quindi si rimise al lavoro.

– Nei guai ci siamo già, Treignac. Tutti quanti. È cosí che deve essere. È la rivoluzione.

Lui annuí. Raccolse il cappello e se lo calcò in testa prima di raggiungere la porta.

– Pensaci davvero, Marie. Arrivederci.

Quando fu uscito, Marie rallentò il ritmo del suo sferruzzare, fino quasi a fermarsi, ma subito riprese con nuova lena, e un'espressione piú determinata sul viso.

2.

I lumi che pendevano dalla volta lanciavano lingue di luce sul soffitto della sala, squarciando l'ombra che altrimenti avrebbe soffocato l'ambiente.

Marie non riconosceva nessuno. Un centinaio di donne, giovani e vecchie, erano intente ad ascoltare l'oratrice che parlava dalla tribuna e a commentare a bassa voce quanto diceva. Qualcuna portava un figlio al collo; qualcuna aveva le vesti listate a lutto, altre ancora sferruzzavano con gli occhi bassi e le orecchie tese. Tutte portavano la coccarda tricolore. Faceva caldo, e Marie si chiese perché le finestre non fossero spalancate. Guadagnò un sedile vicino all'ingresso, dove sarebbe stato piú difficile notarla.

L'argomento della seduta era il plebiscito indetto per approvare la nuova costituzione.

Marie riconobbe nell'oratrice la giovane cioccolataia che aveva incontrato poche settimane prima. Stava invitando le cittadine ad attivarsi per far votare quanta piú gente possibile. Di lí a pochi giorni, le cittadine repubblicane rivoluzionarie dovevano presenziare ai seggi e manifestare l'appoggio delle donne alla nuova costituzione.

La proposta venne prima applaudita, poi messa ai voti e approvata all'unanimità.

Salí sul palco un'altra donna, piú anziana. Parlò con l'aria che le sibilava tra i pochi denti, producendo un effetto comico che nessuna colse, o almeno cosí parve a Marie.

– Propongo che noialtre organizziamo i nostri seggi. Che votiamo a titolo simbolico.

Marie si chinò verso una donna seduta accanto a lei.

– Cosa vuol dire «a titolo simbolico»?

Quella le rifilò un'occhiata di striscio.

– Vuol dire per finta.

La sdentata stava dicendo che anche se quei voti non avrebbero fatto cumulo con quelli degli uomini, avrebbero comunque avuto un significato importante.

Anche il suo intervento ricevette l'applauso, ma prima che lo si mettesse ai voti, intervenne un'altra oratrice.

Era Claire Lacombe, Marie la riconobbe subito: gli occhi intensi, limpidi, la piccola bocca di un rosso acceso. E soprattutto la pelle. Rosa pallido, quasi bianca. Il viso e gli avambracci scoperti si stagliavano sul fondo scuro della loggia.

– Cittadine, – tuonò, – è giusto manifestare il nostro appoggio alla nuova costituzione repubblicana, ma io credo che non possiamo limitarci a questo. Dobbiamo chiedere che la costituzione venga messa in atto. Dobbiamo chiedere al popolo di vigilare, affinché ciò per cui è chiamato a votare non rimanga lettera morta. Soltanto il popolo può difendere sé stesso dai soprusi del governo.

In mezzo agli applausi si levò una voce acuta: – E come la metti con i soprusi degli accaparratori, Claire? I nostri figli hanno fame!

La Lacombe si protese sul palco.

– Gli accaparratori? – fece una pausa per darsi il tempo di individuare nella fila dei primi banchi la donna che l'aveva interpellata. – Io dico che per loro c'è Sorella Ghigliottina!

L'applauso scrosciò, ma ancora la voce della donna riusciva a sormontarlo, come un naviglio riesce a cavalcare l'onda.

– Dobbiamo chiedere una legge che istituisca la pena capitale per chi affama il popolo! Costoro non sono secondi ai tiranni e agli aristocratici nella loro scelleratezza. Il crimine è uguale se non addirittura piú odioso. Se il popolo si sbarazzasse dei tiranni lasciando impuniti gli affamatori non avrebbe compiuto che metà dell'opera.

Marie si accorse che Claire Lacombe l'aveva riconosciuta nel cantuccio dove si era seduta e che le stava indirizzando un gesto di saluto.

– Vedo con piacere che c'è qui stasera una rappresentante delle donne di Sant'Antonio, la cittadina Marie Nozière. Non siete stati proprio voi di Sant'Antonio i primi a chiedere la pena capitale per gli accaparratori?

La donna seduta accanto a Marie si volse e la guardò con aria perplessa, come fosse convinta che l'oratrice avesse sbagliato persona.

Sulle prime Marie si limitò ad annuire col capo, ma Claire Lacombe le faceva segno di avvicinarsi al palco.

– Siamo onorate che siate venuta fin qui. Avanti, cittadina, portateci la vostra testimonianza.

Per Marie fu impossibile sottrarsi, anche se in quel frangente se lo sarebbe risparmiato.

Si alzò e percorse a lenti passi la navata, quindi salí i pochi gradini, mentre Claire Lacombe le lasciava il posto sul palco.

Da lassú poteva vederle tutte bene in faccia, almeno quelle delle prime file. Anche se non le aveva mai viste prima d'allora, erano donne come lei. Forse qualcuna era piú istruita, qualcun'altra piú anziana ed esperta, ma perché avrebbero dovuto avere in testa martelli diversi dai suoi? Erano concittadine, erano francesi, e se erano lí credevano nella rivoluzione. Tanto bastava.

Si schiarí la voce e quando parlò si accorse che le parole rimbombavano sotto la volta, come se a parlare non fosse una soltanto, ma molte di piú, un coro di voci.

– È vero, noi di Sant'Antonio vogliamo la pena di morte per gli accaparratori. Vogliamo la legge –. Sentiva netta la presenza di Claire Lacombe al suo fianco, un gradino sotto, e questo la incoraggiò ad andare avanti. – Ma i tempi della Convenzione, si sa, sono quelli che sono. La gente ha fame adesso, se aspettiamo la Convenzione finiamo a mangiarci le gambe dei tavoli! Allora io dico che quello che non fa il governo bisogna che lo fa il popolo, cioè noi. E c'è una cosa che si può fare subito. Bloccare i carri. Si prendono le derrate quando arrivano dalla campagna e si distribuiscono ai mercati a un prezzo giusto.

Il brusio scatenato da quelle parole fu interrotto soltanto da una voce squillante, quella della prima oratrice, che sedeva tra i banchi.

– E chi dovrebbe stabilirli i prezzi? Voi di Sant'Antonio?

Marie rispose senza enfasi, come stesse dicendo la cosa piú naturale del mondo.

– Il comune di Parigi. È della fame dei parigini che si parla, o no?

Ci fu un applauso, interrotto di nuovo da brusii e qualche imprecazione. Marie non attese oltre, scese dal palco e tornò al suo posto, ma prima che potesse sedersi sentí prendere sottobraccio. Era Claire.

– Sono contenta che tu sia venuta. Hai detto una cosa importante. Vieni, – la sospinse al margine della sala. – Credo anch'io che sia ora di passare all'azione, ma molte di noi sono titubanti… – Si bloccò davanti alle sopracciglia aggrottate di Marie. – Hanno dei dubbi, hanno paura di come può andare a finire se forziamo la mano.

Marie fece segno che aveva capito.

– Anch'io ho paura, – disse. – Ma qualcosa bisogna pur fare.

Si avvicinò a loro la prima oratrice, la cioccolataia che Marie aveva già conosciuto davanti alle Tegolerie.

– Benvenuta nella società. Hai parlato bene. Io sono Pauline Léon.

Claire si mise in mezzo a loro due e prese entrambe sottobraccio.

– Stasera ti ospitiamo noi. A quest'ora non puoi certo tornartene al quartiere da sola.

3.

Vivevano all'ultimo piano di un vecchio edificio, in un appartamento ricavato sotto le travi del tetto. Appena entrata, Marie vide un divano logoro e mezzo sfondato.

Nella parete c'era un camino, e sulla mensola un paio di candelabri smoccolati, che insieme a una lampada a olio erano l'unica luce. Accanto al camino, una grande tinozza di legno. Nella tinozza, un uomo. Molto giovane, con folte sopracciglia nere. Fumava la pipa, mentre leggeva un giornale. Salutò le donne con un gesto. Pauline lo raggiunse, sedette sul bordo della tinozza e lo baciò sulla guancia. Lo stesso fece Claire.

Marie osservò la scena senza capire.

– Ti presento Théo, – le disse Pauline. – Théo, questa è Marie Nozière. Marie ha proposto alla società di requisire i carri dei generi alimentari e di rivenderli a un giusto prezzo.

– Nientemeno, – commentò l'uomo senza scomporsi. – Ma non v'eravate riunite per dare il vostro sostegno alla costituzione?

La domanda cadde nel vuoto. Marie credette di arrossire e sentí montare il disagio. Si era già pentita di avere accettato l'invito a salire, ma era troppo stanca per tornare indietro. Decise di fare buon viso a cattivo gioco.

Claire raggiunse il divano, lasciò cadere lo scialle e si tolse le scarpe. Prese a massaggiarsi i piedi.

– Siediti, – disse a Marie. – Ora ti verso un bicchiere di vino. Dovremmo averne da qualche parte.

– Ci penso io, – disse Pauline.

Poco dopo tornò con fiasco e bicchieri.

Da seduta, Marie dava le spalle all'uomo. Pensò che forse Claire le aveva lasciato quella parte di divano per toglierla dall'imbarazzo di trovarsi di fronte un uomo nudo. Bevve il vino e, poiché non aveva cenato, lo sentí subito sprigionare calore nello stomaco e alleggerirle i pensieri.

Udí l'uomo alzarsi dalla tinozza e sgocciolare sul pavimento. Comparve avvolto in un telo, un braccio scoperto a prendere il bicchiere che Pauline gli offriva. A Marie ricordò uno di quegli antichi Romani che si vedevano nei bassorilievi.

– Articolo 19 della nuova costituzione, – declamò il giuliocesare. – «Nessuno può essere privato di una minima parte della sua proprietà, se non col suo consenso, o nel caso lo esiga una necessità pubblica legalmente riconosciuta». Se volete togliere le merci ai legittimi proprietari, dovete aspettare una legge. Altrimenti, siete contro quella costituzione che volete far votare. E se siete contro la costituzione, siete nemiche della Repubblica.

Marie lo fissò interdetta, ma l'uomo non parve dare troppa importanza al suo silenzio. Sorseggiò il vino con calma. Marie valutò che doveva avere qualche anno meno di lei e si decise a rispondere.

– Quell'articolo mi sta bene. Mica vogliamo rubare la roba. I contadini e i bottegai hanno diritto al loro guadagno, solo che dev'essere un guadagno equo. Non possono decidere i prezzi come pare a loro.

Marie notò che le due donne si scambiavano un'occhiata.

– Théo... – disse Claire, ma lui la ignorò, rivolgendosi ancora a Marie.

– Qualche giorno fa, Jacques Roux ha chiesto di aggiungere un articolo alla nuova costituzione. «La Repubblica protegge la libertà di commercio, ma punisce l'aggiotaggio e l'usura». Ha ricevuto grandi applausi, ma alla fine la modifica non è passata. Ora Robespierre, Hébert, tutti quanti, si sgolano a dire che questa costituzione è la migliore che si sia mai vista. Meglio di Licurgo, di Solone, di Epitteto. Ma è una costituzione che protegge gli accaparratori e gli usurai, altro che ciance.

Marie strinse gli occhi, come per mettere a fuoco, insieme al volto dell'uomo, anche le sue parole.

– Mica lo capisco, dov'è che volete arrivare, – ribatté come stesse pensando a voce alta. – Prima mi avete detto che non si deve andare contro la costituzione. Adesso mi dite che la costituzione difende gli accaparratori.

– Non ho detto che non dovete andare contro la costituzione: ho detto che se lo fate vi prendono per una provocatrice, un'agente della monarchia. Volete le merci di prima necessità a un giusto prezzo? Volete la morte per gli accaparratori? Io sí, e proprio perché lo voglio vi dico che non è questo il momento di andare contro la costituzione. Siamo a un passo dal far approvare una legge...

– Aaah, ho capito, – sbottò Marie. – Il vostro discorso l'ho già sentito mille volte: non è questo il momento, state buoni, i problemi sono tanti, faremo le leggi. Be', vi dirò, io di felicità non ne ho mai avuta molta in vita mia, però la fame sí, quella la conosco bene, ed è un problema che lo devi risolvere subito, perché a mangiare solo cipolle si va avanti al massimo una settimana. I saccheggi di febbraio non sono piaciuti a nessuno, però ci hanno permesso di passare l'inverno. E poi, per paura che se ne facevano degli altri, ecco che la Convenzione ha votato la legge sul prezzo massimo del grano!

– A febbraio non c'ero, – disse Théo, l'antico Romano. – Stavo a Lione, ma so che Roux si è vantato in consiglio comunale di aver incitato al saccheggio dei negozi. In febbraio le cose erano molto diverse, la Convenzione era in mano ai brissotini. Oggi invece comanda la Montagna, che ha sconfitto i suoi avversari grazie al popolo di Parigi. Un debito che possiamo costringerla a pagare. E poi non sono tutti dei Danton, tra loro c'è anche gente come Marat. O non vi fidate nemmeno di Marat?

All'udire il nome dell'Amico del Popolo, le teste di Claire e Pauline si misero ad annuire come di fronte a un'incontrovertibile verità.

– Io mi fido del mio stomaco e dei miei occhi, – disse invece Marie. – Il mio stomaco mi dice che quel che riesco a comprare al mercato non basta per me e per mio figlio, i miei occhi vedono che i ricchi hanno da mangiare. Chissene di chi siede alla Convenzione, al comune o all'assemblea di sezione!

L'uomo si zittí e la osservò a lungo. Il naso piccolo e aquilino gli dava un'aria torva, da pensatore, mentre il fisico sembrava forte e ben tornito.

– Che mestiere fate? – chiese all'improvviso.

– La sarta.

L'uomo si rivolse alle altre due.

– Con un battaglione di donne cosí potreste conquistare
l'Europa. E senza nemmeno bisogno delle armi che volete
tanto. Ne sono convinto.

Marie non rimase zitta.

– Mi perculate?

L'uomo la guardò sorpreso.

– Tutt'altro, – disse. – Io vi ammiro. Mi spiace soltanto
che non siate un uomo, per sedere alle Tegolerie al posto di
quella schiera di avvocati.

– Dio mi scampi! – sbottò Marie esasperata. – Ma ogni
tanto penso che dovremmo farcela da noi donne la nostra
Convenzione...

L'uomo si rivolse di nuovo alle altre.

– Sentito?

– Smettila, Théo, – disse Pauline in tono spiccio. – Vattene a dormire!

– Una Convenzione di donne... – riprese lui. – Fosse per
me... Temo però che vi scannereste in men che non si dica.
Ricordate cos'è successo alla Méricourt?

Claire e Pauline guardarono Marie senza dire nulla, forse pensando che avrebbe ribattuto, e fu sul punto di farlo,
in effetti, ma si bloccò. Se ne rimase con la bocca aperta e
niente parole. Le immagini del sogno della notte precedente le erano ripassate davanti e si erano portate via la voce.

L'uomo porse una mano a Pauline, che si alzò.

– È davvero molto tardi e domattina devo uscire prima
dell'alba. La stamperia non attende –. Mandò un bacio a
Claire, poi si rivolse a Marie. – Onorato di avervi conosciuta. Vi lascio nelle mani di Claire. Buonanotte e buona
fortuna.

I due scomparvero dietro una parete di gesso.

Solo allora Claire le parlò, a bassa voce.

– La Méricourt se lo meritava. E bisogna far funzionare di piú la ghigliottina.

Marie tacque ancora.

– Lo sai chi è lui? – ritentò Claire, indicando la parete in fondo alla stanza. – Théophile Leclerc.

A quel nome, Marie ebbe finalmente una reazione.

Leclerc l'Arrabbiato. Ecco perché nominava sempre Jacques Roux. Lui e il Prete Rosso erano d'accordo su molte faccende, e a Sant'Antonio avevano parecchi sostenitori. Altri invece li accusavano di essere un ex nobilardo e un ex abate, e di lavorare in segreto per il ritorno della monarchia.

– Scusa, – si affrettò ad aggiungere Claire, – avrei dovuto dirtelo prima –. Poi si alzò. – Che ne dici di un bagno? Quassú fa cosí caldo.

Terminata la frase, subito fu nuda. I vestiti rimasero sul pavimento mentre raggiungeva la tinozza e si calava dentro mandando un sospiro.

– Vieni. È abbastanza grande per due.

Marie era rimasta a guardarla, interdetta dalla disinvoltura del gesto. La luce delle candele sulla mensola del camino spioveva sui riccioli di Claire, incorniciandoli di un'aura dorata.

Da quanto tempo non si concedeva un bagno, un vero bagno? Marie scoprí che l'idea di sciacquarsi via il sudore che le si era rappreso addosso poteva farle vincere l'imbarazzo. Era da quando Jacques se n'era andato con l'armata che non si spogliava davanti a qualcuno. E anche con lui era accaduto poche volte, perché di solito non avevano bisogno di denudarsi nell'intimità. Nondimeno si ritrovò a vincere la vergogna, togliersi i vestiti e raggiungere la tinozza. Si accorse che, piú ancora della propria nudità, era il contrasto fra il proprio corpo e quello sinuoso e candido di Claire a crearle imbarazzo.

Claire però aveva chiuso gli occhi, altra accortezza che Marie non poté non notare, e teneva le braccia aperte, lungo i bordi, la linea dell'acqua a lambirle il seno. Marie si immerse, stando attenta a non sfiorarla e, schiena e nuca appoggiate al legno, si lasciò avvolgere dal refrigerio.

– Niente male, vero? – disse Claire guardandola.

Marie si consentí un sorriso, forse il primo della giornata.

– Credevo non sorridessi mai, – commentò Claire.

Marie reclinò la testa all'indietro.

– Son cosí stracca che potrei addormentarmi qui.

– Se vuoi puoi farlo.

Per un po' rimasero in silenzio, godendo del fresco e lasciando che le membra si sciogliessero.

– Ce l'hai un uomo? – chiese Claire.

– Ce l'avevo, – rispose Marie. – È morto in guerra.

– Mi dispiace. Come si chiamava?

– Jacques, – rispose Marie. Si passò la mano bagnata sul viso. – E tu ce l'hai?

Claire lasciò vagare lo sguardo sul soffitto, a inseguire le loro ombre.

– Ho Théo.

– Ma non è…

– L'uomo di Pauline? – aggiunse Claire in tono insinuante. – A volte.

Marie rimase muta di fronte alla conferma che le voci sulla promiscuità delle amazzoni erano vere. Stava troppo bene per risentirsi. Il pensiero che, al posto suo, le amiche del foborgo avrebbero sbottato con una sfilza di ingiurie, per qualche motivo le causò un risolino involontario.

– È tanto divertente? – domandò Claire ridacchiando a sua volta.

Marie scrollò le spalle.

– Figli ne hai?

– Uno, – rispose Marie, – ma non è di Jacques. Ce l'ho da prima.

– Quanti anni ha?

– Dieci.

– Sacrodio, eri giovanissima...

Lo stupore di Claire appariva sincero.

– Avevo sedici anni, – disse Marie aprendo gli occhi e fissando il soffitto. Si azzittí il tempo necessario a decidere se voleva confidarsi con una donna che era poco piú di una sconosciuta. Del resto, pensò, non si era mai piú trovata dentro una tinozza con qualcuno da quando faceva il bagno con sua sorella, da bambina. – Facevo la serva, giú al paese dove sono nata. Il padrone... – esitò, – mi prendeva con la forza, quando ne aveva voglia. Gli piaceva... – Non concluse la frase. – Sono rimasta gravida e cosí mi ha mandato via, qua a Parigi, dalle suore. Ho partorito, poi sono scappata col bambino. Quelle streghe volevano portarmelo via –. Il viso le si indurí. – Il giorno che me ne sono andata dal convento, senza che mi vedevano ho pisciato nel calderone della minestra.

Scoppiarono entrambe a ridere e dovettero tapparsi la bocca, per non svegliare gli altri.

– Una volta un capocomico ha provato a costringermi, – disse Claire quando furono tornate serie. – L'ho colpito con un coltello, ma era un coltello di scena, di legno –. Mimò il gesto e nel farlo sfiorò lo zigomo di Marie. – Non l'ho ucciso, però gli ho cavato un occhio.

– Allora te fai proprio l'attrice, – disse Marie.

– Sí, ma nemmeno io sono di qui. Prima recitavo a Marsiglia, – rispose Claire. – Poi a Lione. Sto a Parigi solo da un anno e mezzo.

– E non reciti piú?

Claire sorrise.

– La rivoluzione è meglio del teatro.

Mentre lo diceva, gli occhi le si illuminarono.

– Hai mai recitato con uno che faceva Scaramouche? – chiese Marie.

– Con parecchi, – rispose Claire ammiccante. – Ce n'è uno che ti interessa in particolare?

Marie scrollò le spalle.

– No, era tanto per dire.

Claire la guardò di sottecchi, poi allungò la mano e fece scorrere l'indice sul naso di Marie, che la fissò, interdetta. Non riusciva a capire cosa significasse quel gesto, né l'altra si premurò di dirglielo.

Claire si alzò in piedi. Marie distolse lo sguardo dal corpo lucido e gocciolante che le stava davanti. Si guardò le mani, i polpastrelli raggrinziti dall'acqua. Claire si avvolse in un telo e ne porse uno anche a lei.

– Se non vuoi davvero dormire lí dentro, puoi sistemarti sul divano. In quella cassapanca sotto il lucernaio ci sono un sacco di vestiti. Scegli quello che vuoi. È tutta roba che ho portato via dai teatri. Piovuta dal cielo –. Le lanciò un'occhiata furba e rise ancora. – Una volta Théo è andato in comune con una giacca da Scapino.

Marie si sbrigò a uscire dalla tinozza e a coprirsi.

– I miei vestiti vanno benone.

Claire si coricò su un lettino nell'angolo accanto alla finestra. Lontana dalle candele, era poco piú di un'ombra. La voce raggiunse Marie stesa sul divano, come provenisse da un luogo lontano e vicinissimo al tempo stesso.

– Ti auguro di trovare qualcuno con cui stare. Te lo meriti.

Marie sorrise, ma piú a sé stessa che a Claire, la testa già reclinata sul cuscino.

– Mi sa che no, – riuscí ancora a mormorare, prima di crollare addormentata.

4.

Quando riaprí gli occhi le occorse qualche istante per capire dov'era. Mentre si tirava su, ricordò di essere nuda, coperta solo da un telo, ma subito si rese conto che qualcuno, durante la notte, doveva avere aggiunto una trapunta. Le parve che, sulla brandina, Claire dormisse ancora. Marie trattenne il fiato, attenta a non fare alcun rumore. Si rivestí in fretta e sgattaiolò fuori.

Un chiarore a est, in direzione del foborgo, annunciava l'aurora. Attraversò le strade di Parigi come un fantasma, nell'ora di confine che non è piú notte e non è ancora giorno, nella quale due specie d'umanità si dànno il cambio. Carbonaie e panettieri subentravano a prostitute e borseggiatori, mentre i lumai spegnevano i lampioni.

Marie non guardava in faccia nessuno, filava dritta attraverso il centro della città. Voleva giungere a casa prima che il foborgo si svegliasse e qualcuno la vedesse rientrare a quell'ora. Avrebbero pensato che si era messa in strada, a fare il mestiere, come capitava a tante vedove che dovevano sfamare i figli. Lei no, non l'avrebbe mai fatto. Meglio rubare, piuttosto. Ai ricchi, s'intende, non certo ai poveracci, ché derubarsi tra poveri era la cosa piú smerda che si potesse fare. Quel pensiero la riportò all'incontro con Leclerc. Era cosí giovane, eppure sembrava piú grande della sua età, sembrava… Le mancarono i termini per descriverlo, ma c'era qualcosa di irritante e al tempo stesso interessante in un garzo cosí. Viveva con due donne piú vecchie di lui, senza averne sposata nessuna. Marie sorrise ancora al pensiero che avrebbe dovuto scandalizzarsi e invece non ci riusciva.

Lei e Jacques erano stati assieme due anni senza essere sposati, da quando si erano conosciuti al Campo di Marte, il giorno del tradimento di Lafayette. Quando la guardia nazionale aveva aperto il fuoco, Marie si era ritrovata in mezzo al fuggi fuggi, in un groviglio di corpi che avrebbe potuto soffocarla. Jacques l'aveva presa per mano, proprio lei, una sconosciuta, e l'aveva portata a ridosso di un muro, intimandole di arretrare rapida, ma senza correre, appoggiandosi alla parete per non perdere l'equilibrio. Cosí ne erano usciti insieme. E da allora non si erano lasciati finché lui non aveva deciso di arruolarsi per la patria. Chissà, forse se fosse tornato le avrebbe chiesto di sposarlo, ma non le importava. Quello che le mancava era la possibilità di aprirsi a qualcuno, di ricevere una carezza. A volte, la sera, si scopriva a passarsi la mano sulla guancia, immaginando che fosse di qualcun altro. Il gesto di Claire della sera prima, tanto immotivato quanto delicato, l'aveva messa davanti a questa evidenza. Erano mesi che il suo corpo non veniva toccato da nessuno. Mesi che sgobbava senza tregua, al punto di essere completamente ignara di sé stessa.

Continuò a camminare fino alla piazza della Bastiglia, dove un tempo sorgeva la fortezza. Sant'Antonio si stava svegliando, lattai e giornalaie iniziavano il loro giro, mentre i fornai, che l'asino se li fottesse, aprivano bottega e invadevano le strade con l'odore del pane caldo, la condanna degli affamati. Marie sentí lo stomaco gemere. Non mangiava dal giorno prima. Davanti alla bottega le donne erano in fila e già scoppiavano alterchi.

Pensò che a casa avrebbe trovato un po' di pane e formaggio. Bastien non sarebbe arrivato prima del mezzogiorno. Di sicuro avrebbe trascorso la mattinata a sbrigare gli uffici di Treignac. Frugò nella tasca della sottana in cerca delle chiavi di casa, girò l'angolo della via e si bloccò all'improvviso.

Davanti alla sua porta c'era un uomo.

Jacques.

Il cuore prese a batterle all'impazzata.

Le dava le spalle, ma era lui, ne era certa, riconosceva l'attaccatura dei capelli, la schiena larga... Si avvicinò senza avere il coraggio di chiamarlo, fino ad arrivare a pochi passi. Solo allora l'uomo avvertí la sua presenza e si voltò.

La delusione fu come un risucchio, come scivolare tutta intera dentro il buco che aveva nello stomaco.

Non era Jacques. Era quel saltimbanco, l'italiano. Quello del cannone. Quello che si diceva avesse dato una lezione a Pelledoca.

Marie pensò che a giudicare da come la stava guardando, doveva avere un'aria da pazza.

– Cosa volete a quest'ora? – chiese.

– Vorrei non farmi vedere qui, – rispose lui a tono. Le mostrò un fagotto che teneva sottobraccio. – È per il vestito. Si è strappato.

Marie si guardò attorno. Il vicolo era ancora deserto. Si spicciò a farlo entrare. Non aprí le imposte. La stanza rimase immersa nella penombra.

Gli prese di mano il fagotto e diede un'occhiata all'abito. Era lacerato in piú punti.

– Avete voluto cucirvelo da voi e questo è il risultato –. Marie gettò l'abito strappato sul tavolo. – Sbrisga. C'è poco da fare.

– Lo so, – disse lui. – Me ne serve uno nuovo.

Marie si sentiva strana. La prima volta che quell'uomo era andato da lei per comprare gli avanzi di stoffa non aveva notato la somiglianza con Jacques, ma adesso, complice forse la poca luce, le pareva di avere lí il suo uomo. Forse, pensò, la testa le stava giocando un brutto scherzo, non voleva rassegnarsi dopo avere creduto che Jacques fosse tornato davvero. Forse stava diventando pazza.

– Serve un tessuto piú forte. Vi costerà, – disse Marie.

I loro sguardi si incontrarono al di sopra degli stracci.

– Non ho denaro, – rispose lui.

– Come mi pagate?

– Mi metto al vostro servizio.

– Al mio servizio? – chiese Marie incredula. – Mica sono una dama, io.

– Al servizio vostro e della gente del foborgo, – rispose l'uomo. – So chi siete e come la pensate.

Marie squadrò l'uomo e avanzò di un passo. Visto da cosí vicino, la somiglianza con Jacques non si notava nemmeno. Era diverso, eppure simile. La bocca era diversa, ma forse il naso, sí, il naso aveva la stessa linea.

– Secondo voi io posso lavorare per niente?

– Non per niente. Per spaventare gli approfittatori. O monopolatori, come li chiamate qui al foborgo.

Marie rifletté, anche se le costava fatica.

– Siete stato voi a conciare Solin? – chiese.

Sulle prime l'uomo rimase zitto. Alla fine annuí, in attesa della sentenza.

– Volete beccarli a uno a uno? E che ne sapete voi? Siete un attore.

– Le vostre amiche, – disse lui. – Loro mi hanno dato una lista. Sono venute all'osteria e me l'hanno consegnata senza dire niente.

– Georgette e le altre? Sacrodio. Be', perché non vi siete fatto fare il vestito da loro?

L'italiano la guardò ancora in un modo che le ricordò Jacques.

– Perché ho conosciuto voi.

In un altro frangente Marie non si sarebbe accontentata di quella risposta, ma adesso non le importava. Si rivide altrove, a mollo nella tinozza, il corpo rilassato nell'acqua fresca, dall'altra parte della città o del mondo. Quella sensazione di leggerezza era come l'eco in fondo a un vicolo, come se un'altra Marie le rispondesse da lontano per attirarla a sé.

– Come lo volete il vestito? – chiese. La voce le uscí incerta e affannata.

– Non so... Che faccia paura.

Marie sospirò. – Mettetevi accanto alla finestra.

Da una fessura delle imposte filtrava un taglio di luce. L'italiano si piazzò proprio su quello e allargò le braccia in un gesto che poteva significare una resa o l'offerta di un abbraccio forte. Marie andò a prendere il regolo da sarta e lo distese lungo le braccia, lo distese sul petto, lo distese sui fianchi e infine sulle gambe. In un lampo le ripassò davanti agli occhi l'immagine di Claire che si protendeva verso di lei.

Fece la stessa cosa. Allungò la mano e sfiorò il naso dell'italiano. Sí, sembrava quello di Jacques.

L'uomo non reagí, non disse nulla.

La porta si aprí e la figura esile di Bastien si stagliò sull'uscio. Rimase per un istante immobile, prima di entrare con un cenno di saluto alla madre e un'occhiata fredda all'uomo.

– Ho molto lavoro, – disse Marie scostandosi dall'italiano. – Non tornate prima di dieci giorni.

Il tono era spiccio. Non ci fu bisogno di altre parole. L'uomo mormorò un ringraziamento e uscí nella luce nuova del giorno.

COMITATO DI SALUTE PUBBLICA
Estratto dalla seduta del 1° luglio 1793
(anno II della Repubblica francese)

Su denuncia fatta a questo comitato di un complotto contro la libertà pubblica, volto a restaurare in Francia la monarchia, portando sul trono l'erede del fu Luigi XVI,

QUESTO COMITATO

delibera che il giovane Luigi Carlo, di anni otto, figlio del Capeto, sia separato da sua madre e sistemato in un appartamento a parte, il meglio difeso di tutti i locali del Tempio.

FIRMATO

Hérault
Jeanbon Saint-André
Danton
Barère
Couthon
Berlied
Cambon

Estratto dai

REGISTRI DELLA PRIGIONE DEL TEMPIO

Il 3 luglio 1793, alle ore nove e mezzo della sera, noi, commissari di servizio, siamo entrati nell'appartamento della vedova Capeto, alla quale abbiamo notificato la delibera del comitato di salute pubblica della Convenzione nazionale, del 1° corrente mese, invitandola a conformarvisi. Dopo diverse rimostranze, la vedova Capeto si è infine convinta a consegnarci suo figlio, che è stato condotto nell'appartamento designato dalla delibera del consiglio di quest'oggi, e messo nelle mani del cittadino Simon, che se n'è fatto carico. Osserviamo, in sovrappiú, che la separazione si è fatta con tutta la sensibilità che ci si doveva attendere in tale circostanza, nella quale i magistrati del popolo hanno avuto ogni riguardo compatibile con la severità delle loro funzioni.

FIRMATO

Eudes
Gagnant
Arnaud
Véron
Cellier
Devèze

L'uomo senza naso

1-10 luglio 1793

I.

Nota del governatore Jean-Baptiste Pussin sul caso degli alienati Malaprez e Laplace.

Luglio 1793

A tutt'oggi Malaprez sembra avere abbandonato il suo cupo silenzio e cosí pure gli atteggiamenti bestiali. I suoi modi si fanno piú civili e la compagnia di Laplace pare infondergli contezza di sé e degli altri. I due trascorrono assieme gran parte del giorno e, anche se non parlano molto, si comportano come amici di vecchia data, che riescono a capirsi senza bisogno di parole.

Lo stesso Laplace riceve un grande beneficio dal prendersi cura del giovane Malaprez. La sua melancolia recede ed egli appare piú attivo, piú propenso verso gli altri, meno pressato da pensieri tetri.

Questi miglioramenti mi confermano che il dialogo e la benevolenza non servono soltanto a tenere calmi certi alienati, ma possono condurli alla guarigione. Tuttavia è occorso un evento, nella giornata di oggi, che meriterebbe d'essere sottoposto al parere di studiosi piú dotti di me.

Si è trattato di un incidente, come ne accadono spesso in questo luogo. L'internato Cabot, durante la passeggiata in cortile, ha avuto un imprevedibile scatto di collera. Si è impossessato di una vanga incustodita e ha colpito alle spalle l'inserviente Michelet, causando il panico tra gli internati che affollavano lo spiazzo esterno.

Sono giunto appena in tempo per assistere alla scena di Cabot, stretto in un angolo, che teneva tutti a distanza menando fendenti con la vanga. In quella, ho potuto notare Laplace parlare all'orecchio di Malaprez e quest'ultimo muoversi con passo deciso verso Cabot. Lo ha avvicinato senza timore e Cabot non ha esitato a calare la vanga su di lui, colpendolo alla spalla sinistra. L'altro ha incassato il colpo come se l'avesse vibrato un bambino, ha agguantato l'arma e l'ha tolta di mano all'assalitore, quindi lo ha afferrato alla gola e inchiodato al muro, finché Laplace non gli ha intimato di lasciarlo. A quel punto gli inservienti hanno avuto buon gioco a ridurre in vincoli Cabot, ormai mezzo soffocato.

Accortosi della mia presenza, Laplace ha esibito un'aria soddisfatta e, tra il serio e il faceto, mi ha suggerito di assumere il suo amico come inserviente. Malaprez se l'è cavata con il braccio al collo e un grosso livido sulla spalla, che forse cela una frattura. Ciononostante, egli non manifesta dolore e chiede solo che lo si lasci dormire.

È evidente che è stato Laplace a dirigere l'azione di Malaprez su Cabot, almeno quanto è evidente che Malaprez ha eseguito gli ordini di Laplace, ignorando il pericolo a cui andava incontro. Ecco dunque che la relazione tra i due, oltre agli innegabili vantaggi, presenta anche un rischio: fino a che punto può spingersi l'obbedienza della volontà che ho visto all'opera quest'oggi?

2.

Il ragno aveva tessuto la tela con metodo, nell'angolo dove la parete incontrava il soffitto. L'uomo che si faceva chiamare Laplace, steso sulla branda, le mani dietro la nuca, era rimasto a osservarlo incantato, chiedendosi quale naturale ingegno consentisse a un essere cosí piccolo di produrre un tale capolavoro. Alla fine il ragno si era posizionato al margine della tela e non si era mosso piú, ma Laplace non aveva smesso di fissarlo e di percorrere con lo sguardo la perfetta geometria dei fili, lasciando che la mente vagasse a ritroso, nei territori del prima. Prima della Grande Confusione, prima della fine del mondo, quando lui aveva un altro nome e dedicava tempo ed energie alla corrispondenza scientifica con il marchese di Puységur.

Il marchese prediligeva i contadini. «Le menti semplici e incolte, – gli scriveva, – sono perfette per il magnetismo, offrono meno resistenza». Inoltre, era convinto che i villici, non potendo permettersi un buon medico, fossero afflitti da molti malanni, anche latenti. «Cosicché gli esperimenti con loro non sono mai un nostro svago, ma sempre volti alla cura». Laplace aveva iniziato a magnetizzare la servitú. Poi, appena la notizia dei suoi risultati s'era sparsa all'intorno, i contadini erano arrivati da soli. Chi per i denti, chi per la febbre, chi per la pellagra. Laplace non credeva che il magnetismo potesse curare la miseria a cui quegli esseri erano destinati. Ciascuno ha il proprio posto nell'ordine del mondo. Tuttavia, non aveva detto nulla, si era limitato a rimandarli indietro quando erano diventati troppi. Puységur aveva ragione: le menti semplici si lasciano andare con piú facilità, e *la fiducia è alla base della terapia magnetica*. Tuttavia, le menti di quei bifolchi erano sí semplici, ma anche grezze, rovinate dalla fatica della vita, dal lavoro nei campi, dagli stenti, dalla lussuria.

Operare con simili impurità era come cercare la pietra filosofale in un porcile.

Aveva bisogno di una materia non contaminata, per mettere alla prova il magnetismo animale e valutarne gli effetti senza interferenze.

Bambini.

Otto, nove anni al massimo. Analfabeti e ignari del mondo.

La prima era stata Noèle.

Occhi grandi su un faccino smunto incorniciato da capelli color stoppa. Soffriva di amnesie, le capitava di dimenticare cosa avesse fatto appena il giorno prima. Laplace l'aveva magnetizzata e le aveva chiesto di dire tutto ciò che non andava. La piccola Noèle aveva colmato i vuoti di memoria, poi era passata a raccontare vita, morte e miracoli degli abitanti del suo villaggio. Non c'era bassezza o lordura compiuta da quei miserabili che la bambina non avesse intuito, osservando e decifrando segni e cenni, meglio di quanto avrebbe potuto fare qualsiasi adulto. E non aveva remore a sciorinarli come se sgranasse un rosario. Aveva persino raccontato di ruberie sulle pigioni e sulle tasse da parte di certi parenti suoi, che il barone avrebbe in seguito provveduto a sanzionare. Non aveva ancora piena contezza del bene e del male. Tale candore impediva ogni resistenza e le consentiva di cogliere la verità delle cose umane.

Poi c'era stata Juliette.

Anche a distanza di anni, il ricordo riaccendeva l'inquietudine.

Era una ragazza minuta, già alle soglie della pubertà, in attesa di andare incontro al proprio destino: essere impalmata da un fosco pecoraio e sfornare figli fino a morirne. Era molto devota alla Madonna e ai santi. E molto bella, per quanto possa esserlo una contadina del Massiccio Centrale. Aveva profondi occhi neri e denti ancora buoni. Il naso era piccolo e dritto, cosí diverso da quelli dei villici.

Steso immobile sulla branda, nella sua cella a Bicêtre, Laplace provò a figurarsi come il lavoro e le gravidanze avessero devastato quel corpo durante gli anni trascorsi. I ricordi erano una cosa meravigliosa: nessuno poteva rovinarli, erano ben custoditi nella mente, presidiati dalla volontà, e poteva tirarli fuori ogni volta che voleva rimirarli. Juliette era uno di questi. Un diamante grezzo.

Durante le magnetizzazioni la mente della ragazza si volgeva verso l'assoluto, come se vagasse in una sorta di Grande Altrove, in cerca del sorriso di Dio. A volte lo trovava, perché sorrideva di rimando. A quel punto era facile farla parlare. Poteva diagnosticare i malanni suoi e quelli del mondo. Juliette attingeva a una verità ancora piú profonda di quella della piccola Noèle, parlava dei destini umani, mescolando i sermoni della domenica alle fantasie giovanili. Era una meraviglia: Laplace restava ad ascoltarla per ore. Aveva preso l'abitudine di magnetizzarla usando come polo di contatto la punta del suo naso, sulla quale poggiava l'indice, mentre con l'altra mano toccava la schiena. Juliette parlava di Nostro Signore e ogni seduta era un passo che l'avvicinava a Lui. E a Laplace.

Puységur gli aveva sconsigliato di operare sugli infanti. «Essi sembrano richiedere uno sforzo minore, piú consono all'apprendista, e invece esigono uno straordinario controllo, se si vuole evitare di turbarne l'equilibrio per sempre». Laplace, benché avesse deciso di non seguire quel suggerimento, aveva continuato a scrivergli, a far domande, a illustrare dettagli delle sue sedute con i piccoli pazienti. Finché Puységur non gli aveva intimato di interrompere il trattamento con Juliette, oppure la loro corrispondenza.

Laplace si era ribellato: quel grande scienziato pensava davvero che la sua fosse lussuria? Non capiva che c'era in gioco ben altro? Erano su una soglia, qualcuno doveva trovare il coraggio di compiere il primo passo nel Grande Altrove che si spalancava innanzi a loro.

Non aveva piú ricevuto risposta, e qualche settimana piú tardi aveva abbandonato le cure della piccola Juliette. Non per riconciliarsi con Puységur, ma per dedicarsi con tutte le forze a un nuovo caso. Un vero e proprio dono del cielo.

Jean. Un bambino senza famiglia e senza casa che viveva dell'elemosina dei paesani. Orfano e disprezzato, in cerca di qualcuno che lo accogliesse. Se Juliette era un diamante, il ragazzo era una perla rara.

Jean era la materia che Laplace aveva sempre desiderato plasmare.

Il suo capolavoro.

Poi il barone aveva dovuto rispondere alla chiamata del re, ignaro che gli stati generali avrebbero dato inizio alla fine. Laplace lo aveva seguito a Parigi, da cavaliere devoto qual era. La sua nobiltà era stata conquistata con la spada e tale spada sarebbe rimasta al servizio dei suoi signori. Almeno cosí aveva pensato allora. Poi, in una manciata di mesi, tutto era precipitato nel baratro e i due si erano ritrovati in esilio, lontano dalle loro terre, con l'unica scelta di un disperato arrembaggio. Il barone e il suo cavaliere avevano combattuto insieme a Valmy. Insieme avevano perduto, e ancora insieme avevano tentato di salvare il passato, con un ultimo, ridicolo assalto al futuro: la congiura per liberare Luigi. Solo a quel punto le loro strade si erano separate.

No, il passato da salvare non era quello dei Capeto e dell'antico regime. Occorreva risalire molto piú indietro. La rivoluzione non aveva rovesciato un trono: aveva scoperchiato un sepolcro.

Per questo si era rinchiuso a Bicêtre con l'obiettivo di riprendere il cammino interrotto anni prima.

Per questo aveva trovato un nuovo Jean.

L'intuizione era stata giusta, sin dal primo momento, quando Malaprez era apparso nella sua selvatichezza. Malaprez però non era un bambino, ma un ragazzone alto e robusto, con una mente altrettanto semplice e grandi potenzialità. Lo aveva dimostrato con Cabot. Un'azione perfetta, pura forza tesa verso il fine. Chissà cosa ne avrebbe pensato Puységur. Era un grande uomo di scienza, ma si lasciava abbagliare dall'illuminismo, dal culto della ragione e della morale universale. I suoi esperimenti dimostravano senz'ombra di dubbio che il fluido magnetico è refrattario all'uguaglianza. La forza di volontà è distribuita fra gli uomini in maniera tanto difforme che nessun allenamento, studio o educazione potrebbero rimetterla in equilibrio. Eppure, egli si ostinava ad affermare il contrario e nascondeva le proprie scoperte sotto il tappeto di una teoria rassicurante.

Laplace si riscosse e percorse lo spazio che lo separava dall'inferriata della finestrella. Una leggera brezza estiva filtrava tra le sbarre. Sul piccolo davanzale campeggiava la scultura di ossi di pollo che rappresentava Marat. Laplace guardò fuori, lo scorcio del cortile e dei tetti dell'istituto. Osservarli attraverso la grata lo fece pensare a sé stesso come a quel ragno, fermo al margine della tela, in attesa. Si domandò quanto tempo ancora sarebbe occorso. Non molto: le teste dell'idra avevano già iniziato a divorarsi tra loro. Prima era toccato ai girondini. Adesso era il turno degli Arrabbiati, dei radicali. L'Incorruttibile aveva tuonato contro di loro. Assurdo come i rivolgimenti di un'epoca possano trasformare un avvocaticchio di provincia in un grand'uomo, pensò Laplace. Ovvero nella sua piú seria parodia.

Sorrise tra sé, rendendosi conto di non averlo fatto da mesi. La Francia era quasi pronta.

Accostò la sedia al muro e ci salí in piedi.

Stese il braccio e afferrò il ragno tra le dita: l'addome era grosso come un nocciolo di ciliegia.

L'animale si dimenò per fuggire, riuscí a mordergli un polpastrello, ma Laplace non allentò la presa.

Per allenare la volontà, ci vuole volontà.

Perciò le ineguaglianze spirituali tra gli esseri viventi sono incolmabili.

Laplace aprí la bocca e si appoggiò il ragno sulla lingua. Lo schiacciò contro il palato, mentre un rigurgito cercava di obbligarlo a vomitare l'orrido pasto. Lottò contro le otto zampe e contro sé stesso, finché la bestia non diventò un corpo inerte.

Allora deglutí, con un brivido di ripulsa e di soddisfazione.

Presto avrebbe varcato la soglia definitiva, oltre la quale non c'è piú ritorno.

Sarebbe andato avanti, in cerca del vero passato, come Juliette aveva cercato il suo Dio.

3.

Quel giorno il mercatino era affollato. Il caldo d'inizio estate aveva spinto i visitatori fino a lí, a curiosare tra i banchetti allestiti dai reclusi. I custodi osservavano in disparte, sequestrando all'ingresso bastoni da passeggio e ogni oggetto che potesse diventare un'arma. Dopo l'episodio di Cabot, il governatore Pussin aveva ordinato controlli rigidi e impedito che gli alienati piú gravi vagassero in cortile insieme agli altri.

Laplace sedeva accanto a Malaprez, all'ombra del sicomoro dove si erano incontrati la prima volta. Il giovane contadino aveva il braccio fasciato appeso al collo, ma il viso non tradiva sofferenza: ogni sera Laplace lo magnetizzava per alleviare il dolore fino a farlo sparire.

– Cosa faresti se potessi uscire di qui? – chiese Laplace al compagno, rompendo il silenzio.

– Penso che se mi fanno andare fuori, me ne torno al paese mio.

– Parigi non è di tuo gradimento? – ghignò Laplace.

Il biondo Malaprez rifletté sulla domanda senza coglierne l'ironia.

– Quando stavo fuori, prima di finire qui dentro, mi smerdavano tutti. Infino i bifolchi come me. Perché non so leggere e scrivere. Perché sono misero. Perché non sono parigino.

– Nemmeno io sono di Parigi, – annuí Laplace. – E quassú ho solo brutti ricordi.

– Anche voi ve ne andrete, allora?

Laplace osservò la gente che girava per il cortile, gli alienati mescolati alle persone normali.

– No. Con questa città ho un conto in sospeso.

– Sapeste io! – commentò Malaprez affettando l'aria col taglio della mano. – Un sacco di conti. Ma se mi metto a regolarli, finisco nei guai.

Laplace gli appoggiò una mano sulla spalla.

– Perché non sai riconoscere la giusta battaglia. Io invece potrei...

Le parole gli morirono in bocca. Fissò un punto preciso oltre le bancarelle dei venditori. Si alzò di scatto e fece segno a Malaprez di restare dov'era.

Si spostò con calma, seguendo l'ombra degli alberi, senza smettere di fissare lo stesso punto, dove una figura scura avanzava tra le bancarelle guardandosi attorno. Solo quando fu a ridosso del muro di cinta, Laplace uscí alla piena luce del giorno e rimase fermo, in attesa di essere visto.

L'uomo indossava un cappellaccio a tesa larga e un pastrano beige con i lembi sporchi di fango, come gli stivali. Quando ebbe individuato Laplace si mosse verso di lui, appena ricurvo, fermandosi a un paio di passi.

– Sono io, cavaliere, – annunciò con un pleonasmo. – Sono La Corneille –. Poi alzò la tesa del cappellaccio e scostò il fazzoletto che copriva bocca e naso.

Solo che il naso non c'era. Laplace dovette vincere la ripugnanza e guardare quel viso mutilato, che pure gli era familiare. Al posto dell'organo dell'olfatto, solo i buchi delle narici, come se un taglio netto di spada avesse mozzato la cartilagine fino all'osso. Gli occhi neri, incavati nelle orbite, e i denti guasti, completavano il ritratto di un essere spaventoso.

– Perché sei qui?

L'altro si toccò il cappello in segno di saluto.

– Reco un messaggio.

– Ti avevo ordinato di non venire a cercarmi, finché non ti avessi mandato a chiamare.

L'uomo lo guardò di sottecchi, con falsa umiltà.

– È il barone, signore. È lui che mi ha dato il messaggio.

Laplace dovette trattenersi dal colpirlo. Guardò oltre le sue spalle, nessuno prestava loro attenzione. Fece segno all'altro di seguirlo. Lo condusse nel suo alloggio. Gli ordinò di sedersi sulla branda. Preferiva dominarlo dall'alto e non avere davanti quella faccia da morto.

– Hai detto al barone dove mi trovo?

– Nossignore –. L'uomo lesse qualcosa nello sguardo di Laplace e si affrettò ad aggiungere: – Lo giuro.

L'espressione di Laplace non mutò.

– Te lo chiedo un'altra volta, La Corneille. Hai detto al barone dove mi trovo?

L'uomo portò una mano al cuore e scosse la testa.

– Sul sangue dei santi, – mormorò.

– È venuto a cercarti? – chiese Laplace.

– Due giorni fa ero al mio posto, al Palazzo Egualità, a fare il mio lavoro, quando mi avvicina un gecco mai visto prima e mi dice che qualcuno mi vuole incontrare. Stavo già per dirgli di andarsene in Guyana, ma mi ha mostrato lo stemma del barone.

L'uomo chiamato La Corneille prese fiato e occhieggiò la brocca sul tavolo. Laplace capí, riempí l'unico bicchiere e glielo offrí.

L'altro tracannò l'acqua e si leccò le labbra.

– Vai avanti, – intimò Laplace.

– Mi ha condotto in una casa. Una casa di amici, buoni realisti. E lí c'era il barone in persona.

Laplace fece un passo verso la finestra, ritrovandosi faccia a faccia con il Marat di ossi di pollo.

– Il barone a Parigi. Cosa ti ha detto?

– Ha detto che avrei dovuto consegnarvi un messaggio.

– E tu gli hai detto che potevi farlo?

– Sí. Ma non ho detto dove vi trovate. Né lui me lo ha chiesto.

Laplace tornò a voltarsi, vincendo la repulsione per quella faccia. Aveva la pelle d'oca e lo stomaco stretto.

– Qual è il messaggio?

La Corneille provò a drizzare la schiena, senza grossi risultati.

– Il barone vuole ritentare... – esitò. – Con la regina.

Laplace assaporò la sensazione di sollievo indotta da quelle parole. Ne rimase piacevolmente stupito, al punto di lasciarsi andare a una risata in faccia al suo ospite, che lo fissò esterrefatto.

– Il barone vuole fare evadere la regina. Mio Dio... E perché non il delfino, allora? Perché non l'erede al trono?

La Corneille rispose come se si fosse aspettato l'obiezione.

– Forse non avete saputo che il delfino non è piú segregato con la madre. È stato assegnato a un consigliere del comune, perché faccia di lui un «buon cittadino» –. Sottolineò la frase con una smorfia di disgusto. – È cosa di pochi giorni fa.

Laplace rise ancora.

– Quindi il barone mi offre un posto nella congiura.

L'altro annuí, incerto, sempre piú spiazzato da quell'ilarità.

Laplace tornò serio, guardò con disprezzo l'uomo privo di naso e disse: – No.

La Corneille trattenne il fiato.

– Il barone...

– Il barone è un illuso, – lo interruppe Laplace. – Non gli è bastato il fallimento di gennaio?

– Dice che il momento è propizio. In Vandea i nostri resistono con coraggio. Si attende l'appoggio della flotta inglese...

Il disprezzo di Laplace si indurí. Raccolse la scultura di ossi di pollo e prese a rigirarsela tra le mani.

– La Corneille, c'eri anche tu il 21 gennaio, quando abbiamo fallito e il sogno del barone si è rivelato senza fondamenta. C'eri anche tu, quando abbiamo gridato: «Viva il re!» E dimmi, cos'ha fatto il dissennato popolo di Parigi?

La Corneille abbassò la testa, schiacciato dal peso del ricordo, dello scacco subito, della fuga indecorosa.

– Ci ha perculati come fossimo una banda di ubriachi. Poi hanno ucciso Gardère e Vigneron. Per giorni, al lavoro, ho temuto che mi avessero riconosciuto, che le guardie venissero a prendermi. Uno senza naso non passa punto inosservato. Ma non è venuto nessuno. Siete venuto solo voi, per dirmi che vi sareste chiuso qui dentro.

Il mostro alzò lo sguardo. Laplace vide su quel muso qualcosa di diverso e interessante. Una fenditura, una crepa.

– Non è andata come volevamo, – proseguí quello. – Ero cosí fiero di essere lí ai vostri ordini, uno sgraziato come me, l'ultimo degli ultimi, un custode del Palazzo Egualità che libera il re di Francia insieme al barone di Grèche e al...

– Rispondi a una domanda, La Corneille. Perché siamo giunti a questo?

– A questo, signore? Intendete la rivoluzione?

– Sí, spiegami perché.

– Per colpa dei sediziosi, degli affaristi corrotti, degli speculatori, dei massoni che hanno sobillato il popolo e dei traditori che hanno lasciato sguarnito il trono.

Laplace ripose la scultura sul davanzale.

– Fandonie! – sbottò. – Siamo giunti a questo perché le casse dello stato sono state svuotate per finanziare una guerra oltreoceano a favore dei ribelli americani. Gli stessi che ci hanno restituito il favore ispirando i sudditi francesi a fare come loro. Siamo giunti a questo perché la ricchezza della Francia è stata scialacquata in banchetti, balli, ambascerie e puttane. Siamo giunti a questo perché invece di guidare il paese, i nostri sovrani e i nostri nobili hanno trascorso la vita a mangiare e fottere. Siamo giunti a questo perché la volontà ha ceduto il passo alla mollezza.

Il silenzio si fece denso, palpabile. La Corneille sembrava non avere ancora ritrovato il fiato, o forse temeva di far udire il proprio respiro. Era turbato e questo non giovava all'espressione spaventevole della sua faccia menomata.

Laplace si impose di guardarlo, vincendo il ribrezzo.

– Nonostante questo, – riprese, – anch'io come il barone ho creduto che salvare il sangue reale fosse l'unica certezza di una successione futura, di una rinascita dopo la grande confusione. Oggi guardo in faccia la verità e non ho timore a dichiararla. Luigi doveva morire. Maria Antonietta deve morire. E anche il delfino. Tutti quanti. Il loro sangue deve essere versato, e insieme al loro, quello di migliaia, perché soltanto un lavacro di sangue può far risorgere la Francia dalle proprie ceneri. Non si torna indietro, bisogna andare avanti –. Annuí ai propri pensieri. – La Vandea? Villaggi incendiati, gli abitanti massacrati... Una tabula rasa. È quello che serve. Gli uomini del destino sono i Robespierre, i Marat, i Danton. Costoro non vogliono salvarsi, non fuggono, sono pronti a dare la morte e a sacrificarsi per ciò in cui credono. Morranno tutti, infatti. Si sbraneranno senza pietà, dopo avere eretto una piramide di teste alla loro Repubblica. È ciò che deve accadere.

Laplace, circonfuso dalla luce che entrava dalla finestra alle sue spalle, sovrastò La Corneille.

– La mia spada serve ancora la stessa causa, ma ora la mia vista è piú lunga. Per quelli come Grèche, io non esisto piú. Torna da lui e digli che non mi hai trovato, che nessuno sa piú dove io sia. Digli che mi ha divorato il Minotauro. Uscirò dal labirinto a tempo debito, e allora sí, sarà il nostro momento.

La Corneille tornò a respirare, esitò, fece per alzarsi, ma cadde in ginocchio.

– Mio signore, quando il momento verrà, non dimenticatevi di me. Concedetemi di servirvi ancora. Qualunque cosa…

Laplace lo guardò afferrargli la mano e portarsela alle labbra. Quelle narici cavernose gli sfiorarono le dita. Contrasse i muscoli, come fosse una prova di forza, ma non ritrasse la mano. Squadrò quell'essere deforme dall'alto in basso, nutrendosi della sua devozione.

– Quando verrò a cercarti dovrai essere pronto a lasciare tutto. A dare la vita.

La Corneille si percosse il petto.

– Tutto, pur di vedere un'alba nuova sulla Francia.

Estratto da

SAGGIO SULLA TEORIA DEI VULCANI D'ALVERNIA

di François-Dominique de Reynaud, conte di Montlosier (1802)

La storia naturale dell'Alvernia non è altro che la storia dei suoi vulcani.

Nessuna terra al mondo è stata tanto sconvolta dall'azione dei suoi fuochi sotterranei; nessuna terra al mondo ne ha conservato vestigia piú sorprendenti.

È ben singolare che tali catastrofi terribili, che la natura ha inciso ovunque, con caratteri la cui impronta ci pare a volte tanto recente, non abbiano lasciato alcuna traccia né nei monumenti degli uomini né nelle loro tradizioni, né nelle favole.

Noi sappiamo da alcuni saggi storici che i Galli avevano tradizioni scritte, molto antiche; come mai gli scrittori che li hanno compulsati con tanta cura, per trarne storie senza interesse o verosimiglianza, non ce ne hanno insegnata alcuna che abbia a che vedere con le antiche combustioni della nostra terra? Ci mancano le fonti da parte dei druidi, perché non scrivevano nulla; d'altronde, questi ministri di una religione grezza e feroce, erano ben piú occupati a ingannare un popolo ignorante, che a istruirlo sulle grandi rivoluzioni della natura.

Cesare viene in Alvernia, attraversa i nostri crateri, si accampa sulle nostre lave, utilizza per i suoi lavori, le sue mac-

chine e i suoi edifici una gran quantità di materia vulcanica,
ma non pare che tutti questi detriti carbonizzati gli abbiano
fatto la minima impressione.

In seguito alcuni scrittori, come Gregorio di Tours e Sidonio Apollinare, ci hanno lasciato alcune note sull'Alvernia. Ma si avrebbe un bel da leggere per intero tutti i loro
scritti, e non vi si troverebbe la piú piccola luce per quanto
concerne i nostri vulcani. Sidonio fra l'altro ci ha descritto, con molta enfasi, le bellezze della sua elegante villa di
Avitac, senza sospettare che questa Avitac (oggi Aydat) era
un luogo pieno di reperti vulcanici, e che il lago e le isole devono la loro formazione a correnti di lava.

Dopo questo silenzio e questa cecità generale, non c'è da
stupirsi che gli alverniati, popolo semplice e laborioso, abbiano dimorato tanto a lungo sulla loro terra, senza sospettare delle antiche crisi che ha vissuto. In tutti questi crateri
e torrenti di lava, in mezzo a tutte queste spaventose vestigia delle antiche convulsioni della natura, il popolo non vede che campi, abitazioni, greggi; i Romani non vedono che
accampamenti e macchine da guerra; Sidonio fontane, nau-
machie e tutto quanto può far parte di una dimora superba;
e anche nei nostri tempi, il nostro famoso Pascal non vi scor-
ge altro che la pressione dell'aria e il suo barometro. Ma che
importa se gli uomini sono muti, quando la natura parla, e
soprattutto, parla con tanta energia!

L'Indemoniata

Estate 1793

1.

Dopo due giorni a cavallo tra San Martino e Manorba, ormai in vista dell'arrivo, D'Amblanc ebbe la sensazione di aver girato in tondo ed essere tornato al punto di partenza. Subito diede la colpa al laudano e ai dolori, poi si rese conto che i due luoghi erano davvero simili.

Stessa architettura rustica di case addossate a un ripido versante. Stesso campanile sopra i tetti d'ardesia. Stessi campi, aspri e difficili, sulle rive del fiume. Stesso profilo di monti, antichi vulcani precipitati dalla mano di un gigante. Sul crinale, come a San Martino, il relitto annerito di una dimora aristocratica, con la differenza che da questa si alzavano ancora i fumi dell'incendio.

Gli zoccoli dei cavalli affondavano nella polvere: non pioveva da settimane. Lo Sfregiato, privo della cavalcatura, si aggrappava alle reni di Feyfeux in sella al ronzino giallastro, che sembrava scomparire sotto il peso della soma d'uomini.

D'Amblanc scommise con sé stesso che in paese sapevano del suo arrivo. Le voci correvano in fretta, e la notizia della sua indagine doveva essersi arrampicata fin lí. Forse gli aggressori del giorno prima avevano parenti in quel borgo. Forse ne erano addirittura originari.

A ogni modo, nessuno aveva messo insieme un comitato d'accoglienza. Sulla piazza, all'ombra di un olmo, c'erano solo bambini biondastri, scalzi e laceri. Fissavano la scorta in silenzio. Il piú grande – poteva avere sette, otto anni –

teneva per mano una bambina dai lunghi capelli, smagrita, gli occhi tondi e svuotati. Feyfeux ricambiava gli sguardi con espressione altrettanto vacua. Poulidor provò a salutare in lingua occitana. Lo Sfregiato mormorava qualcosa, forse scongiuri. Thuillant scrutava diffidente la scena. Il sergente Radoub si avvicinò a D'Amblanc e gli suggerí di osservare le finestre delle case. Dietro inferriate e infissi, si muovevano ombre di sentinelle appostate. Sui tetti, immobili, tre figure in armi sorvegliavano la scena.

Il sole di mezzogiorno pioveva raggi pesanti. Faceva caldo. Stanco di attendere, D'Amblanc si diresse verso la chiesa. Il portale di legno sembrava gravare sui cardini in bronzo da tempo immemorabile, ma l'edificio non doveva essere troppo antico. Era il colore del legno, nerastro e fumoso, a causare l'impressione di vetustà.

Un uomo, forse il sagrestano, fece capolino dalla fessura tra i due battenti.

– Chi l'è?

Dall'alto della cavalcatura, D'Amblanc stirò un sorriso.

– Mi chiamo Orphée d'Amblanc. Vorrei parlare col parroco.

– Il cura non l'i ei.

– Dove si trova?

L'uomo sprofondò nelle spalle e non aprí bocca.

Una voce fece voltare D'Amblanc.

– No pardre ten con Pascal, cittadino. L'è 'n po', cuma se dis?, tardo.

Un tizio giovane, vestito da caccia, avanzava zoppicando verso di loro. Portava un fucile a tracolla e due pistole in cintura.

D'Amblanc smontò da cavallo e presentò le sue credenziali, immaginando che il comitato d'accoglienza fosse tutto lí, e che l'uomo fosse il sindaco del villaggio.

– Il sindaco l'è 'ndà via, – fu la risposta. – Insema co' mezzo conseio comunal –. Il braccio destro indicò la villa sul crinale. – L'avé vista la magione, su in cima? L'era la sò.

E avante che l'abbrusavano, i avem truà un pacco de lettere cosí, scritte da l'autre brissotini cuma lò, e anca da l'emigrati, dai nobili foresti, per fà 'n'armada e prendé l'Occitania, da Lione infino a Bordeaux.

L'uomo proseguí raccontando che il paese viveva in allarme, temevano il ritorno in forze del sindaco e dei suoi, ma non avendo uomini a sufficienza per organizzare una difesa, si limitavano a barricarsi in casa al primo segnale di pericolo, pronti a far fuoco.

Soltanto alla fine della spiegazione, il cacciatore porse la mano e disse di chiamarsi Vidal, capofila dei sostenitori dei montagnardi nel consiglio comunale.

D'Amblanc rimase sorpreso da quella tirata, poi pensò che la scorta, l'accento parigino e le carte con i timbri del comitato di sicurezza lo rendevano molto piú di un semplice inviato. Per una sineddoche imposta dalle circostanze, parlare con lui era come parlare con la Repubblica, unica e indivisibile, e metterla al corrente di soprusi e battaglie.

Vidal invitò D'Amblanc e gli uomini della scorta a sedersi al riparo di un tetto per rifocillarsi con pane, vino e formaggio. D'Amblanc accettò l'invito. Il gruppetto si mosse.

– Se volé riscontrà il cura, no ve conven demandà a Pascal, – disse Vidal indicando il sagrestano, che sbirciava dal portone della canonica. – Quello pensa ancora de serví l'abbé Ledoux, che l'è refratari, mentre aoura i avem el pere Clément.

D'Amblanc rispose che intendeva incontrare entrambi, a tempo debito: sia il prete rimasto papista, sia il sostituto fedele alla Repubblica.

Proprio quest'ultimo, padre Clément, aveva inviato alle autorità dipartimentali il rapporto sul caso di possessione demoniaca che interessava Chauvelin.

I popolani avevano sí eletto un nuovo parroco, ma avevano continuato a rivolgersi all'autorità morale del vecchio prete per salvare una figlia dalle mire di Satana. D'Amblanc non ne era affatto scandalizzato. Sapeva che il demonio è monarca assai piú difficile da spodestare di un Capeto. E su questo anche il papa avrebbe concordato.

Tuttavia, Clément aveva fatto il suo dovere denunciando gli esorcismi di Ledoux, perché un prete refrattario non può celebrare né la messa né altri rituali e deve comportarsi come un qualunque cittadino.

Dopo aver riflettuto e riempito lo stomaco, D'Amblanc decise che non era il caso di mettere subito a confronto i due avversari e le loro versioni della storia. Prima preferiva sentire la testimonianza diretta della vittima dell'Avversario e domandò a Vidal di accompagnarlo a casa dell'Indemoniata.

2.

Era una giovane d'incarnato pallido, i capelli color paglia, il viso grazioso. Convocata alla presenza di D'Amblanc, teneva lo sguardo basso e le mani in grembo. Quando finalmente alzò gli occhi, si rivelarono di un azzurro intenso. Rispose alle domande soltanto sollecitata dai genitori, un po' in un francese elementare e un po' nella lingua alverniate. La madre, donna segaligna e severa, le teneva un braccio intorno alle spalle, atto protettivo che a D'Amblanc sembrava piuttosto una minaccia. Il padre non disse nulla. Al loro fianco sedeva il fratello Gilles, un ragazzo robusto, dall'aria sveglia, che descrisse le passeggiate notturne della sorella e gli inutili

tentativi di risvegliarla. La ragazza continuava a camminare
e a pronunciare frasi senza senso. Il mattino seguente, non
ricordava cosa fosse successo.

D'Amblanc chiese quando fossero cominciati questi episodi. Da piú di un anno, fu la risposta. In precedenza la ragazza aveva mai dato segnali che lasciassero sospettare qualche tipo di disturbo? Ci fu silenzio, e un'occhiata fugace tra
i famigliari.

Fu la madre a rispondere, nell'intricata lingua del luogo.
Da bambina Noèle aveva sofferto di vuoti di memoria.
Ma dopo, non aveva piú avuto alcun problema. D'Amblanc
chiese se anche allora l'avessero fatta esorcizzare. Per tutta
risposta la donna scrollò le spalle e disse che no, all'epoca
c'era ancora il cavaliere d'Yvers, un signorotto della zona
che aveva curato Noèle per qualche tempo, prima di andarsene a Parigi per gli stati generali. Quando era con il cavaliere, Noèle ricordava tutto quello che aveva dimenticato,
anzi, aveva la memoria anche piú lunga.

Che tipo di cure?, domandò D'Amblanc. Un'altra scrollata
di spalle. D'Amblanc si rivolse direttamente alla ragazza e le
chiese se ricordasse in cosa consistevano le cure del cavaliere.

Noèle sollevò la testa e rispose: – Parlare.

D'Amblanc decise di passare oltre, per il momento. Chiese a Gilles di continuare il resoconto.

Il ragazzo parlò, interrotto spesso dalla madre che aggiungeva dettagli o forzava la chiusura di una frase. Alla
fine fu lei stessa a prendere le redini del racconto e spiegò
che, in una circostanza, la giovane era uscita di casa e aveva
percorso due leghe prima che il padre la ritrovasse, in uno
stato simile all'ubriachezza. In un'altra occasione si era arrampicata sul tetto della casa e lí aveva camminato a lungo,
in bilico sul cornicione, senza perdere l'equilibrio. A causa
della ripidità del tetto, il buon Gilles aveva incontrato non

poche difficoltà per raggiungerla e metterla in salvo. Simili stranezze avevano fatto nascere la diceria che Noèle fosse posseduta, dal diavolo o da un fantasma, perché nessuno si spiegava come una ragazza cosí minuta, dal fisico esile e di animo remissivo, potesse compiere simili imprese con tanta facilità.

D'Amblanc li interrogò sull'esorcismo che la ragazza aveva subito. Tacque sul fatto che essersi rivolti a un prete destituito dal governo repubblicano era stato un grave errore. Un reato, per meglio dire. Sarebbero potuti incorrere in accuse gravi, ma non era suo mandato formularle, né renderle punizioni effettive. Non gli interessava punire quella gente per la propria ignoranza.

Quando li congedò, il ragazzo, Gilles, rimase indietro. Lasciò che il resto della famiglia uscisse, quindi tornò sui suoi passi e si rivolse a D'Amblanc.

– Mousú, l'i è un fat che no ve dirno. L'està scorsa, quand i l'ha truà mi sora luàn de la magion, l'avea en la man un moccico che n'era el sò.

Il giovane fece una pausa, imbarazzato. D'Amblanc lo sollecitò a proseguire.

– L'era un moccico, – continuò il ragazzo, – lordo de sangue.

– Vuoi dire che Noèle ha incontrato qualcuno mentre non era in sé?

Il fratello annuí.

– Noèle l'era promessa. Fue propi el fiansà a retruarla e… dopo el fat del moccico l'ha pensà che cautun l'avea purfità d'ella damentre l'era indurmentà. L'ha consentí de no parlà con parsouna, ma l'ha rumpé el fiansament e l'ha desterminà de maridé 'n'autra.

Il giovane sospirò. Il sacco era vuotato.

D'Amblanc lo ringraziò per aver colmato le lacune materne.

Rimasto solo, annotò una sola parola sul suo taccuino, a mo' di chiosa: «Sonnambulismo».

Il caso era decisamente interessante.

Jourdain Ledoux, il prete refrattario, era un uomo magro, arcigno, con un grosso naso adunco e radi capelli ai lati della testa. Aveva dovuto dismettere l'abito talare e il crocifisso al collo, ma del prete aveva ancora tutto il resto, dalla postura al tono di voce.

Quando era entrata in vigore la costituzione civile del clero, che trasformava gli uomini di chiesa in funzionari dello stato, gli attriti fra Ledoux e Clément avevano provocato scintille. D'Amblanc non faticava a capirli: Ledoux aveva ordinato per due decenni la vita spirituale della comunità. I suoi compaesani avevano eletto Clément, ma non senza quelle che la Bibbia avrebbe definito «mormorazioni nel deserto». Questo spiegava la solerzia di Clément nel segnalare alle autorità dipartimentali l'attività clandestina del vecchio prete. D'Amblanc ricordava che nel settembre del '92 molti preti refrattari erano stati messi a morte dalla volontà popolare, e tuttavia c'erano aree della Francia dove il clero papista resisteva, difeso dalla popolazione in armi. In Losera, al confine con l'Alvernia, migliaia di uomini si erano arruolati nell'esercito cristiano del Mezzogiorno ed erano arrivati a conquistare il capoluogo del dipartimento.

Di fronte a certi eccessi, il giudizio di D'Amblanc era di ferma condanna: aveva rispetto per la devozione degli uomini di Dio a una fede sincera, ma disprezzava l'attaccamento al potere secolare della chiesa. Non poteva accettare l'idea di una divinità che compartiva con i re il sentimento della dominazione e creava l'uomo per opprimerlo con la propria onnipotenza. E quel che era peggio, per opprimerlo attraverso un prete.

Ledoux sedette di fronte a D'Amblanc e attese. Non c'era sfida nei suoi occhi, piuttosto una luce determinata, serena, che contraddiceva la severità di tutta la sua figura.

– Voi avete praticato un esorcismo a Noèle Chalaphy, – esordí D'Amblanc.

Ledoux non si scompose.

– È di questo che sono accusato?

– Non mi compete accusarvi di alcunché, cittadino. La mia è un'indagine conoscitiva. Dunque voi credete che la ragazza sia posseduta dal demonio…

– Da una particolare forma di allontanamento da Dio. Questo è il demonio.

Il francese colto di Ledoux era assai poco comune tra i curati di provincia.

– Immagino non vi sfiori il pensiero che possa trattarsi di un'affezione fisica o mentale. Gli episodi che hanno coinvolto la ragazza fanno pensare al sonnambulismo.

Il vecchio prete non batté ciglio.

– Potete chiamarlo come preferite. L'aiuto di Nostro Signore rimane indispensabile.

– Siete voi a renderlo tale. Ma assecondare credenze popolari non è la stessa cosa che diagnosticare una malattia.

Un mezzo sorriso sulla faccia di Ledoux bastò a storpiarne i tratti, facendolo assomigliare a un vecchio rapace.

– Non mi risulta che esista una cura per quello che voi chiamate sonnambulismo. Mentre esiste una cura per il male dell'anima, che aiuta a sopportare il fardello di una condanna terrena. L'esorcismo agisce a questo fine. A fin di bene.

D'Amblanc rimase in silenzio, rendendosi conto di avere di fronte un uomo assai piú istruito sui fatti della vita e del mondo di quanto ci si potesse aspettare in quel luogo lontano.

Ledoux parlò di nuovo.

– L'umanità non è fatta di studiosi come voi o come me, ma di ignoranti, gente semplice come questa. È il gregge di cui devo prendermi cura.

D'Amblanc avrebbe aggiunto d'istinto un «dovevate», ma non lo fece. Disse invece:

– Ecco perché occorre dare a questa gente un'istruzione. La Repubblica provvederà. I vostri esorcismi non fanno che confermare l'isteria collettiva e trasformano in farsa un caso interessante.

Il vecchio prete sollevò il mento, senza piú l'ombra di un sorriso.

– Cosa ci trovate di interessante in questa disgrazia?

– È noto che il sonnambulismo indotto esalta le capacità intellettive, – rispose D'Amblanc. – In quello stato, uomini e donne hanno percezioni piú profonde. Ma ancora non m'era capitato di imbattermi in uno sviluppo della forza e dell'abilità fisica, come sembra essere il caso di Noèle. Inoltre, nulla di tutto questo si è mai verificato in occasione di un sonnambulismo naturale. Dunque c'è da chiedersi se non vi sia qualcuno che ha mesmerizzato la ragazza.

– Mesmerizzato! – sbottò l'altro. – E questo voi lo chiamate «diagnosticare una patologia»? Mesmer era un demonio fornicatore e lussurioso, le sue cure non hanno mai guarito nessuno. Ci fu un tempo, prima che il mondo venisse messo sottosopra, in cui un nobile di queste terre, Dio lo perdoni, si lasciò conquistare da quella nefasta moda. Si era convinto di poter guarire le persone. Conosco bene la famiglia di Noèle, e di certo la ragazza non è stata sottoposta a certi squallidi trattamenti.

D'Amblanc lo guardò con freddezza.

– Eppure sua madre mi ha detto che da bambina è stata soggetta a non precisate «cure» del cavaliere d'Yvers. Pare che soffrisse di amnesie. Un disturbo molto simile a quello che si è ripresentato di recente. Non serbate ricordo di questo? All'epoca eravate già il parroco del paese, suppongo.

Ledoux fu colto di sorpresa.

– Mio Dio… Lo fecero senz'altro di nascosto da me.

D'Amblanc sospirò.

– Stavolta le conseguenze potrebbero essere piú gravi. Ho motivo di credere che qualcuno abbia avvicinato la ragazza mentre era sonnambula. L'avete esaminata?

– Cosa intendete dire?

– Se avete esaminato la ragazza per scoprire se è ancora intatta.

Ledoux sgranò gli occhi.

– No, buon Dio, certo che no.

– Chiedete alla madre. Lei sa senz'altro qualcosa.

– Cosa ve lo fa credere?

– Le madri sanno sempre, – disse D'Amblanc. – E dall'atteggiamento della cittadina Chalaphy sono pronto a scommettere che la ragazza non è piú illibata.

La preoccupazione del vecchio prete era del tutto sincera.

– Santo cielo. Ma chi potrebbe…

– Chiunque sia rimasto da solo con lei lontano da un altro paio d'occhi, – concluse D'Amblanc. – Persino voi.

Ledoux reagí al colpo basso drizzando la schiena.

– Quest'accusa è spregevole.

– Vi ho già detto, cittadino, che non sono un accusatore, – ribatté D'Amblanc. – Non mi interessa chi abbia deflorato la ragazza, voglio scoprire se costui ha indotto lo stato di sonnambulismo per approfittare di lei. Posso dirvi che in base alla mia esperienza non lo credo possibile. Tuttavia mi hanno mandato qui per indagare e intendo farlo.

– Mi dite che qualcuno potrebbe avere approfittato della ragazza mentre era sonnambula, e negate che ci sia lo zampino del demonio? Beata Vergine, aiutaci…

Il sospetto gettò il prete nell'incertezza, come se un velo fosse caduto all'improvviso davanti ai suoi occhi.

– Chissà che, dovendo appurare una verità terrena, voi e io non possiamo trovare un punto di convergenza, – disse D'Amblanc.

Nel silenzio che seguí, Ledoux indagò il viso dell'uomo che aveva di fronte. Era evidente che nemmeno lui si era aspettato di trovarsi davanti uno come D'Amblanc.

– Parlate con la madre, – suggerí il dottore. – Ho il presentimento che a voi lo dirà.

Il vecchio prete si concesse ancora un istante, prima di rispondere.

– Lo farò nell'interesse di Noèle.

– Molto bene, – concluse D'Amblanc. – E se vi riesce, fatevi dare un fazzoletto che la ragazza ha trattenuto con sé. Gli Chalaphy sanno quale intendo, ma dubito che a me lo consegnerebbero.

3.

Padre Clément era già intento a preparare la chiesa per le nozze che avrebbe celebrato il giorno dopo, quelle tra l'ex fidanzato di Noèle e l'ostessa di Manorba.

Volle informarsi sull'interrogatorio di Ledoux e ascoltò il parco resoconto scuotendo la testa di tanto in tanto.

Al termine, D'Amblanc gli domandò dove avessero trovato la ragazza quando si era allontanata da casa. Il prete gli parlò di un lago a poco piú di un miglio dal paese. Il dottore gli augurò una buona giornata e si incamminò in quella direzione, lasciando indietro la scorta. Dopo giorni di convivenza forzata, sentiva il bisogno di rimanere un po' con sé stesso.

Intravide l'acqua già dal viottolo che scendeva verso la conca naturale. Il lago occupava l'invaso di un cratere vulcanico, circondato da una faggeta. Il cielo limpido si rifletteva sulla superficie scura, producendo un doppio opaco e minaccioso. D'Amblanc passeggiò lungo il sentiero che costeggiava la sponda, stretto tra un filare d'alberi e cespugli spinosi. A tratti doveva scavalcare i rami che si proiettavano in mezzo al passaggio, e i movimenti eccessivi rischiavano di risvegliare i dolori sopiti dalla droga. Sostò a gustare le ciliege tardive e si ritrovò la giacca macchiata di succo rossastro. La giornata si preannunciava calda e il sole che saliva rapido in cielo picchiava forte sulla testa scoperta. Rimpianse di non avere preso con sé il cappello. Scese verso l'acqua per rinfrescarsi e togliere la macchia dal vestito, senza successo. I pochi spruzzi erano insufficienti tanto contro la calura quanto contro la tinta rossa. Dopo essersi guardato attorno, decise di approfittare di quella solitudine. Si tolse i vestiti e accarezzò le cicatrici che solcavano il petto e l'addome, come per tenerle sopite. Entrò in acqua fino alla cintola, poi si concesse qualche bracciata. Una fitta alla schiena gli impedí di immergere il capo, ma il bagno riuscí a lenire il caldo. Fu allora che udí delle voci. Provenivano da dietro una piccola ansa ed erano senz'altro giovani, di ragazze o bambini.

D'Amblanc nuotò fino ad affacciarsi tra le piante che lambivano l'acqua. Oltre i cespugli vide un gruppo di ragazze che facevano il bagno. Indossavano soltanto le sottovesti, che facevano intravedere i corpi giovani. Natiche, capezzoli, la macchia scura all'altezza dell'inguine. Scherzavano, ignare di essere osservate.

L'intero quadro – le montagne, il lago, il cielo terso, le giovani donne – avrebbe indotto in chiunque un pensiero sulla struggente bellezza del creato. La mente di D'Amblanc, invece, fu attraversata da un'intuizione.

Tornò indietro, si rivestí e percorse a ritroso la strada fino al paese. La mattinata volgeva al termine e i viottoli di Manorba erano deserti. Chi non era al lavoro stava approntando il pranzo, cercando rifugio dal caldo tra le mura domestiche. Strano come un luogo pericoloso, che sicuramente doveva ospitare piú di un nemico della rivoluzione, della patria e della ragione, potesse apparire cosí idilliaco.

La casa di Ledoux si trovava in fondo al villaggio. D'Amblanc bussò due volte, e quando l'uscio si aprí sul volto segnato del vecchio, chiese di entrare.

Ledoux gli diede conferma di quanto sospettava.

– Avevate ragione. Noèle Chalaphy è stata deflorata. Ma non ne serba ricordo. Non sa chi sia stato.

– La violenza è avvenuta mentre era sonnambula, – concluse D'Amblanc.

Poi Ledoux gli consegnò il fazzoletto.

– Credete che appartenga all'aggressore? – chiese.

– È molto probabile.

Osservò il pezzo di stoffa. Era bianco, con l'unica eccezione di un ricamo cucito lungo i bordi. Al centro comparivano macchie brune, simili ad aloni di sangue secco. D'Amblanc le annusò. Quindi rivolse al prete la sua richiesta.

Ledoux ascoltò la domanda e irrigidí il viso in un'espressione di profondo disappunto.

– Non posso dirvelo. Il segreto confessionale è sacro.

D'Amblanc sapeva che avrebbe dovuto violare la reticenza del vecchio, ed era certo che quel prete cattolico, ancorché destituito dei suoi poteri secolari, poteva eccedere al dovere in nome di un interesse superiore.

– Se volete bene a Noèle dovete dirmelo. Posso scoprire il responsabile.

– A voi non interessa nulla della ragazza, – sibilò Ledoux.

– L'avete detto: non siete venuto qui per accusare. Voi volete soltanto scoprire se costui ha saputo indurre il sonnambulismo per approfittare di lei. Non cercate giustizia, ma la conferma di un'ipotesi.

D'Amblanc annuí.

– Questo non fa differenza e voi lo sapete. Se scoprirò il colpevole lo denuncerò alle autorità.

– E che ne sarà di Noèle? – lo incalzò Ledoux. – Una volta resa pubblica la violenza che ha subito, sarà rovinata, non troverà piú un marito.

– Il marito lo ha già perso. Si sposa domani con un'altra.

Il vecchio si accasciò sulla sedia.

– Una donna volgare, – mormorò, – priva di virtú. Ma a questo mondo non sono gli agnelli che trionfano, e soltanto di Dio sarà il giudizio.

Non appariva piú cosí determinato.

– Esiste la giustizia degli uomini, – lo incalzò D'Amblanc.
– E il lupo che ha azzannato una volta può farlo ancora. Avete detto di voler proteggere il vostro gregge.

– Grazie alla vostra Repubblica, non è piú il mio gregge, – ribatté il vecchio in tono amareggiato.

– Lo è ancora per voi. È questo che avete detto, – disse D'Amblanc. Decise che era il momento di ribadire la domanda. – Ve lo chiedo di nuovo. Quali peccati confessava Noèle? Perché è con voi che ancora si confessava, ne sono certo. E sapete che non vi denuncerò per questo. Non se mi aiuterete a risolvere il caso.

Le parole rimasero sospese nella penombra della stanza, piú simili a una sentenza che a un quesito.

Alla fine Ledoux si risolse a rispondere, ma lo fece senza guardare in faccia D'Amblanc.

– Si bagnava nel lago, insieme ad alcune amiche. Quando si asciugava… a volte le capitava di toccare le proprie nudità.

D'Amblanc accolse la conferma della propria intuizione con un sospiro di sollievo.

– Grazie.

Si alzò per togliere il disturbo, ma la voce del vecchio lo trattenne.

– Chi è stato?

– Ve lo dirò domani, – rispose D'Amblanc, prima di uscire.

4.

D'Amblanc assistette alla cerimonia nuziale dall'ultimo banco. Non era mai stato un frequentatore assiduo, se non da bambino. I rituali, le gestualità, le facce contrite lo mettevano in imbarazzo.

Gli sposi ascoltarono in reverente silenzio le parole di padre Clément, ma non fu a loro che D'Amblanc dedicò la propria attenzione. Si limitò a notare che la sposa appariva meno giovane del futuro consorte e aveva i tratti e il fisico tozzo delle contadine. Per il resto, si concentrò nell'osservazione di altri dettagli.

Uscí dalla chiesa prima della fine della cerimonia, con una stretta allo stomaco, non imputabile alla cena della sera prima. Fuori della chiesa, sull'uscio, incrociò lo sguardo del sergente Radoub. Il sottufficiale tendeva a seguirlo, preoccupato dell'incolumità del rappresentante del comitato. D'Amblanc però tirò diritto senza rivolgergli la parola. Una rabbia latente rischiava di offuscargli i pensieri, che invece doveva sforzarsi di mantenere lucidi, distaccati.

Percorse le poche decine di passi che separavano la chiesa dalla casa degli Chalaphy, tra i pochi che quella domenica non presenziavano alle nozze.

Venne ad aprire il padre di Noèle. Il suo viso era il ritratto della cupezza, ed era probabile che non fossero solo il lavoro e la fatica a farlo apparire piú vecchio di quanto fosse.

D'Amblanc chiese di poter parlare con Noèle.

Lo fecero entrare, mentre la sua richiesta suscitava il confabulare della famiglia. La madre gli si parò davanti e domandò cosa volesse ancora l'autorità da sua figlia.

– Una semplice risposta.

La donna non seppe ribattere e finí per accompagnare D'Amblanc al cospetto della ragazza, sul retro della casa. Noèle stava cucendo sacchi per la farina e quando lo vide si immobilizzò con lo spillone in mano.

D'Amblanc la salutò e disse che avrebbe voluto chiederle una cosa. Non senza difficoltà convinse la madre, il padre e il fratello a rientrare in casa. Nondimeno, la madre rimase appostata dietro la finestra, un compromesso che D'Amblanc trovò accettabile.

Parlò a bassa voce, per essere certo che soltanto Noèle lo sentisse.

– Ho bisogno che siate sincera con me. Potete promettermelo?

La ragazza annuí senza guardarlo, ma aggiunse: – Io non me rimembro.

– Ciò che voglio chiedervi riguarda fatti avvenuti quando eravate sveglia. Voglio sapere se durante i vostri bagni al lago avete mai incontrato qualcuno.

Noèle arrossí e armeggiò nervosa con la tela. Impiegò un po' a trovare il coraggio di rispondere.

– No.

– E non vi è mai sembrato di essere spiata da qualcuno?

– Solo 'na vé.

– Per caso costui si trovava tra i cespugli dietro la piccola ansa del lago, vicino al punto dove siete solita scendere a bagnarvi?

Noèle sgranò gli occhi, come se avesse appena ascoltato la sentenza di un indovino.

– I era un ome, sí. Me e le autre fuimma sotto i arbi. No dmandé i nomi, ve pregio.

– Non lo farò, – la tranquillizzò D'Amblanc. – Da allora ci siete piú tornata?

La ragazza scosse il capo, ma subito disse, di nuovo paonazza: – No da desviata…

– Sí, so che vi hanno trovata lí addormentata. Siete certa di non serbare nessun altro ricordo?

Vide i suoi occhi inumidirsi, il respiro farsi affannoso. Una lacrima silenziosa iniziò a scendere lungo una guancia, presto seguita dalle altre.

Noèle mosse le labbra in un «No» senza produrre alcun suono.

La collera premette per emergere, ma D'Amblanc la rimandò in fondo allo stomaco, che si strinse ancora. Non riuscí piú a guardare la ragazza, finché non la sentí parlare di nuovo.

– El lac l'è maladét. I sta el diavo li giú.

– Ve lo ha detto padre Ledoux?

– No, el pere Clément. El le dise sempar, la dumencha.

L'arrivo della madre ruppe l'imbarazzo di D'Amblanc, che si congedò in fretta. Appena ebbe lasciato la casa, il fratello di Noèle lo rincorse per la strada.

– Cittadino! Atendé. Vou sabei chi è la futida carugna?

D'Amblanc poteva leggere l'odio nella faccia del ragazzo.

– Se pensate che intenda dirvelo ora, vi sbagliate di grosso.

Il giovane parve deluso.

– Avante o dipoi el descuvrem, – disse. Lanciò un'occhiata cattiva in direzione del fantasma che gli agitava la mente.

D'Amblanc attese che fosse rientrato. Poi si preparò a un'attesa piú lunga, come un cacciatore davanti alla tana dell'orso.

5.

Il pranzo di nozze era durato tutto il pomeriggio. Soltanto verso sera padre Clément rientrò in canonica e trovò D'Amblanc ad attenderlo sull'uscio. Lo fece accomodare nell'unica stanza di soggiorno e gli offrí un bicchiere di vino, che D'Amblanc accettò.

Quando furono seduti l'uno di fronte all'altro, Clément si dispose ad ascoltare il resoconto dell'indagine.

– Avete raccolto abbastanza elementi per l'incriminazione di Ledoux?

– Purtroppo l'esorcismo praticato da Ledoux è avvenuto all'ombra di un crimine assai piú grave. Qualcuno ha approfittato dello stato di sonnambulismo di Noèle Chalaphy per usarle violenza.

Il prete si esibí in un'espressione stupita.

– Mio Dio.

– Dio non c'entra affatto. È farina del sacco dell'uomo.

Il prete si fece il segno della croce, mentre D'Amblanc estraeva dalla tasca il fazzoletto rinvenuto fra le mani di Noèle e lo spiegava sul tavolo.

– La ragazza è riuscita a strappare questo al suo aggressore.

Clément si protese a osservarlo.

– Sono macchie di sangue?

– No. Succo di ciliegia.

Clément corrugò la fronte, ma prima che potesse parlare, D'Amblanc gli fece segno di lasciarlo proseguire.

– Il sentiero che costeggia il lago passa di fianco a un filare di ciliegi. I frutti sono dolci e profumati, difficile resistere alla tentazione di assaggiarli. Io stesso ho ceduto. Le ciliege lasciano macchie durature –. Mostrò quelle sulla propria giacca. – Il lago era la meta segreta di alcune ragazze del villaggio, che andavano a bagnarsi laggiú, e tra queste Noèle Chalaphy. L'estate scorsa, qualcuno deve aver sostato a lungo sulla sponda ed essersi abbuffato di ciliege mentre spiava quelle giovani –. D'Amblanc indicò il fazzoletto. – Poi ha usato questo per pulirsi. La sera che Noèle è scesa al lago in preda al sonnambulismo, costui l'ha seguita e ha approfittato del fatto che fosse sola e in stato di incoscienza per abusare di lei. Un altro segno della croce.

– Ma chi può…

– Una persona che l'ha vista dirigersi verso il lago. Considerando che a quell'ora i boscaioli sono rientrati da un pezzo, e che la casa degli Chalaphy si trova al margine del paese, c'è soltanto un edificio davanti al quale Noèle è transitata quella sera.

Clément si irrigidí sulla sedia, gli occhi stretti a scrutare il volto di D'Amblanc, che proseguí imperterrito:

– La chiesa. E, ovviamente, la canonica.

– Dove volete arrivare?

D'Amblanc si concesse uno sconsolato sorriso.

– Questo fazzoletto è vostro, Clément. Ne ho avuto la prova stamattina, in chiesa. Il sottile ricamo che compare sul bordo è lo stesso dei vostri paramenti. Fa parte del corredo.

Clément aveva il respiro pesante e non sapeva dove posare lo sguardo. Lo abbassò sul fazzoletto, a contemplare la propria condanna.

– Voi sapevate dell'affezione di Noèle, – riprese D'Amblanc. – L'avete seguita finché non è stata abbastanza lontana dall'abitato, quindi l'avete aggredita.

Clément si coprí la faccia con le mani.

– Da quanto tempo, Clément? – lo incalzò D'Amblanc.
– Da quanto tempo andavate a spiare le creature del diavolo? È cosí che le chiamate la domenica in chiesa, vero? – È quello che sono –. La voce del prete uscí come un ringhio, o un raglio, tra le dita. – Dai tempi di Eva le donne sono la tentazione del diavolo.

D'Amblanc sospirò.

– E quella sera di un anno fa, voi avete ceduto alla tentazione. Non dev'esservi sembrato vero, quando avete visto Noèle passare sotto la vostra finestra e dirigersi da sola verso il lago. O c'è forse dell'altro? – il tono di D'Amblanc si fece piú incalzante. – Come potevate essere certo che la ragazza non si sarebbe svegliata, che non avrebbe ricordato? Cosa sapete del sonnambulismo? Avete mai praticato una magnetizzazione?

Clément sollevò la faccia stravolta.

– Non so niente di queste cose, lo giuro! È stato il diavolo… Il diavolo mi ha tentato, mi ha detto che era scuro, che la ragazza non mi avrebbe riconosciuto… Lei si è denudata e io ho perso la ragione…

– L'avevate mai toccata prima di quella sera?

– Mai! Era lei che si toccava. Si asciugava le gambe, la pancia, il seno, i capelli. Era lasciva come tutte le altre, anzi, piú delle altre.

A quelle parole D'Amblanc si bloccò, fulminato da un pensiero. E se… se fossero stati proprio quei bagni e quelle frizioni a indurre la patologia, provocando un grande disordine dei flussi corporei e al contempo lo sprigionarsi di forze recondite? D'Amblanc ebbe la visione del lago vulcanico incastonato fra i monti. Un vulcano è in contatto con il centro della terra, vicino ai vulcani i magneti impazziscono. Che altro era se non una gigantesca vasca mesmerica? Forse la ragazza era vittima della propria passione per l'acqua e involontariamente aveva provocato su sé stessa il sonnambulismo… Interruppe il flusso dei pensieri e ricordò le parole di Ledoux: «Non cercate giustizia, ma la conferma di un'ipotesi».

Guardò Clément, accasciato sul tavolo come un cetaceo spiaggiato. Era il colpevole, ma non il *suo* colpevole. Una volta aveva sentito il giovane Louis de Saint-Just dire: «Chi usa violenza a una donna deve essere punito con la morte».

– Verrete processato.

Con grande sforzo, Clément si sollevò.

– Il padre e il fratello mi uccideranno prima!

D'Amblanc ignorò il tono disperato del prete.

– Farò in modo che siate messo sotto custodia e tradotto a Aurillac per il processo.

– Non ci arriverò mai. Mi scanneranno come un maiale.

Il desiderio di D'Amblanc sarebbe stato quello di studiare meglio il caso, di attendere la successiva crisi di sonnambulismo di Noèle e di osservarla. Ma un buon rivoluzionario poteva lasciare un reato impunito?

– Vi scorterò io stesso a Aurillac. Partiremo domani. Portate con voi solo lo stretto necessario. Questa notte gli uomini della mia scorta si daranno il cambio davanti alla vostra casa.

6.

Il destino volle che Orphée d'Amblanc e padre Clément non giungessero mai a Aurillac.

All'alba del giorno dopo, un pastore sceso al lago per abbeverare le pecore scoprí il cadavere del prete che galleggiava nell'acqua. Era annegato. Come avesse fatto a uscire di casa nottetempo, eludendo la sorveglianza dei piantoni, rimase ignoto. Le guardie giurarono di non averlo visto. Né si seppe come mai il curato, invece di darsela a gambe, avesse deciso di recarsi al lago. Quando la verità sul caso raggiunse la voce popolare, qualcuno ipotizzò che Clément si fosse tolto la vita, oppresso dal rimorso e dalla vergogna. In cuor suo, D'Amblanc formulò un'ipotesi diversa, e cioè che gli uomini della famiglia Chalaphy avessero capito tutto e si fossero fatti giustizia da soli, forse pagando la complicità di Feyfeux o dello Sfregiato. Ma gli altri? I parigini? Erano rimasti a guardare? Quando si trovò faccia a faccia con Radoub, nel suo sguardo lesse qualcosa che seminò in lui il dubbio. Qualcosa che gli ricordò il commento del sergente davanti alla spoliazione e mutilazione dei cadaveri dei briganti, pochi giorni prima. «Lasciateli fare, cittadino. Lo ritengono un loro diritto, e in effetti lo è». Aveva detto cosí, il buon Radoub, e il suo era il tono di chi osserva i costumi di una popolazione selvaggia. «Non sappiamo quali odî attraversino queste terre». Era vero, pensò D'Amblanc. Lui stesso aveva provato una rabbia sorda davanti al male, e non era che un viaggiatore in transito, giunto dalla capitale e destinato a ritornarci; non avrebbe dovuto convivere con le conseguenze di quanto era successo, come invece quella gente. Di tutto questo non disse niente a Radoub. Aveva il sentore che non ce ne fosse bisogno.

Piú tardi, quel mattino, padre Ledoux si recò all'alloggio di D'Amblanc. Lo fece per augurargli un buon viaggio e certo il dottore non era tanto sprovveduto da non capire cosa quell'augurio sottintendesse. L'affare Chalaphy era concluso. Il paese doveva leccarsi le ferite.

– L'anima di Clément è davanti al giudizio di Dio, ora. Il male deve essere lenito, – disse Ledoux. – La vostra presenza non farebbe altro che perpetrarlo.

– Io sono qui per compiere un'indagine scientifica. Devo chiedere alla ragazza di fare uno sforzo di memoria, per ricordare le terapie a cui la sottoponeva il cavaliere d'Yvers.

Il vecchio prete lo guardò con aria accondiscendente.

– Era appena una bambina, cosa pretendete che possa ricordare? Rassegnatevi: a nessuno di costoro importa della vostra indagine e della vostra scienza. Soprattutto se dovesse interporsi tra il crimine e il ritorno alla vita di sempre.

– Eppure dovreste saperlo: la vita di sempre è finita, – ribatté piccato D'Amblanc. – Tutto sta cambiando.

Ledoux annuí.

– Cosí pare. Tuttavia non potete imporre da solo il ritmo del mutamento. Gli Chalaphy non vi faranno mai piú avvicinare a Noèle. La vostra indagine non ha speranza, cittadino D'Amblanc.

Il sergente Radoub premeva per ripartire alla svelta, perché quel posto non gli piaceva: metà del villaggio stava con i brissotini e la presenza di un delegato parigino con la sua scorta armata era come una bottiglia di alcol vicina a un falò. L'aria plumbea che incombeva sul paese rendeva nervosi anche gli altri uomini della scorta. I due alverniati erano i piú impazienti.

D'Amblanc ruppe gli indugi, il gruppo si rimise in viaggio.

Estratto da
«IL PAPÀ DUCHESNE»
pubblicato a Parigi da Jacques Hébert
(n. 260, 17 luglio 1793)

Il gran dolore del papà Duchesne
a proposito della morte di Marat

assassinato a colpi di coltello da una garza del Calvados, il cui mandante era il vescovo Fauchet.

I suoi buoni consigli ai bravi sanculotti perché si tengano in guardia, dato che a Parigi ci sono parecchie migliaia di cornuti della Vandea che si fanno ungere le sgrinfie per sgozzare tutti i buoni cittadini.

Marat non è piú, cazzo. Gli aristocrassi sono al culmine della gioia, i buoni cittadini, disperati, vanno a piangere sul letto del loro vero amico. Io non fui tra gli ultimi a recarmi là, cazzarola, e assistetti all'interrogatorio della puttana. Ha la dolcezza di una gatta che usa la zampa di velluto per meglio sgraffignare, e non pareva piú turbata che se avesse fatto la migliore azione. Il commissario le domanda il suo nome. Risponde di chiamarsi Charlotte Corday, figlia di un gentiluomo, e vuota tranquillamente il sacco, ammette di essere venuta a Parigi solo per ammazzare Marat, che ritiene il nemico della patria, e si rallegra di averlo sgozzato. Se avessi potuto fare di testa mia, avrei fatto carne da pâté di questa tigressa. Che t'aveva fatto Marat? Tu menti quando dici che lo consideravi un nemico del tuo paese, perché tu stessa l'hai riconosciuto come un buon cittadino e un bravo culo, dal momento che per incontrarlo hai cercato di suscitare la sua pietà. La perquisiscono, le trovano le tasche ben guarnite di pezzi grossi e falsi assegnati. Risponde su tutto con sicurezza e se ne va in prigione tranquilla, come se andasse a un ballo. Questo colpo qui non sarà l'ultimo che i nostri nemici devono infliggere ai patrioti. Gli stessi gianfotti che tante volte hanno incitato al saccheggio, non hanno altro mezzo per mettere Parigi sottosopra che di massacrare al dettaglio i buoni cittadini. Per questo io li invito a stare in guardia, a proteggere i veri amici del popolo. Sfortunatamente, il loro numero è modesto. Pensateci bene, sanculotti, che se Marat e Robespierre non fossero esistiti, voi non avreste piú libertà di quanta ce n'è sotto la mia mano.

Io spero, cazzarola, che i nostri fratelli di provincia, che si sono lasciati infinocchiare, tornino sui loro errori. Allora vedranno da che parte sono i pugnali. Ecco già due deputati sgozzati dai brissotini, e i brissotini vivono ancora, non si sono presi nemmeno un cricco. [...] Che si elevi allora una tomba per l'Amico del Popolo, che i suoi resti preziosi vi siano esposti alla vista dei cittadini; che sulla stessa piazza e in faccia alla tomba si eriga il patibolo per Brissot, Fauchet e la normanda. Ma la ghigliottina non è davvero abbastanza per punire i traditori, ci vuole un nuovo supplizio, piú terribile e piú infamante, e uguale al crimine, se possibile, cazzarola!

1.

Si piange tutti. Uomini, donne, bambini e bacucchi. Si piange tanto che la Senna si gonfia, pure col secco che fa. Chi si sgargarozza per strada, chi si stirpa i capelli, chi tira fuori lo schioppo e se ne va in giro come a dar la caccia a qualcheduno. Ma stavolta non sono gli Austriachi che arrivano; non sono gli Albioni che sbarcano; non sono i baciapile in Vandea, e manco i traditori girondini che alzano la testa.

Questa volta è una donna.

La baldracca. La saloppa impestata. La troia normanna. La serpe velenosa che è strisciata fino al petto del Grand'uomo.

Ce lo fissiamo bene in testa il suo nome *inseculinculorum*.

Charlotte Corday.

La femmina.

Non ci si può fidare di una femmina. È cosí dai tempi di Eva.

Gli è entrata in casa con l'imbroglio, cianciando che doveva incontrare l'Amico del Popolo e dirgli che lassú a Caen, nel bucodiculo da dove viene, i girondini sono in armi per marciare fin qua. E lui, chiuso nella sua bagnarola, costretto dalla rogna a scrivere e mangiare a mollo come una rana, non l'ha mica scacciata, ché il suo uscio era sempre averto per i cittadini che tenevano alla patria. E la troiaccia infingarda e smerda figlia d'un frate e d'una monaca ha tirato fuori un coltellaccio da cucina e gliel'ha ficcato nel petto.

Cosí muore Marat. Morso da una cagna lercia, allevata dai preti per azzannare a comando. Un'invasata, che vede santi e madonne a dirle d'accoppare quello e quell'altro. Pare che dopo è rimasta fermimmobile a fissare il niente, come se la mente le fosse scappata via. E la gente voleva mangiarla, l'assassina, non lasciarne manco un pezzetto, piluccarle anche l'ultimo ossicino e cacarla il giorno dopo di buon'ora, ma le guardie l'hanno tirata via, perché deve confessare chi l'ha mandata, chi l'ha convinta a morire per scannare Marat. Dopo sí che le tagliano la testa e noi ci pisciamo sopra.

Intanto si piange. Pure i grandegrossi, pure la ceffaglia della rivagoscia, e i borseggiatori dei mercati, ché a Marat volevano bene tutti, perché non ha mai preso un soldo, perché sempre per i poveracci ha parlato e scriveva delle cose che sembravano scritte con la baionetta anziché con la penna.

Il corpo lo si voleva vedere tutti, ma Robespierre ha detto che è estate, fa caldo, meglio di no, si faccia un bel funerale. Ma pure il funerale, non esageriamo, ha detto, ché qua siamo appesi per la lingua, bisogna stare all'erta, pensare alla patria. Epperò almeno il funerale.

Cosí, stasera, Parigi intera viene a onorare l'Amico del Popolo, il tribuno della plebe, il martire martoriato. Zittizitti, con le fiaccole, le coccarde, fascia e faccia a lutto. Non manca nessuno. E se qualcuno manca, non ci mancherà.

2.

Lungo il corteo funebre piangevano tutti. La scena avrebbe smosso il cuore piú coriaceo. Léo partecipava del sentimento generale, e tuttavia non si sentiva davvero triste, quanto piuttosto estasiato dallo spettacolo. Mentre camminava in mezzo alla gente, strascicando i piedi per non pestare quelli altrui, ammirava la magnificenza della scena. Il maestro di cerimonie, il pittore David, che adesso raccoglieva i composti saluti di coloro che gli sfilavano davanti, aveva superato sé stesso.

La bara era adagiata su un giaciglio sfarzoso, a sua volta collocato su un alto feretro, affinché la folla potesse vederlo, sorretto da dodici uomini – tanti quanti gli apostoli – e circondato da bambini vestiti di bianco, come angeli. Ogni bambino teneva in mano un ramo di cipresso, l'albero dei morti. Dietro il feretro venivano i deputati della Convenzione, poi quelli del comune, e a seguire i club dei patrioti, infine la gente di Parigi, la città intera, perché la fiumana sembrava interminabile. Facce, occhi, nasi, bocche, orecchie, mani, spalle, coccarde, fasce, voci, gonfaloni, fiori, lacrime. Tante lacrime.

Era magnifico, pensò Léo. Grande senso della scena e del patetico, ogni uomo e donna presente era attore e spettatore al tempo stesso. Eccolo il Nuovo Teatro della rivoluzione. Come sarebbe stato possibile tornare a recitare un vecchio copione al chiuso di una sala, quando il teatro si era fatto storia sotto il cielo di Francia?

Ma la tristezza non lo sopraffece anche per un altro motivo. Una vena di rabbia pulsava sottopelle. Quello era un funerale degno dell'uomo che Marat era stato. Il maestro Carlo Goldoni avrebbe meritato un funerale altrettanto imponente, invece non aveva avuto nulla. A malapena l'omaggio di un gruppo di attori, che era stato all'origine di tutti i guai di Léo. Era uno scandalo di cui i Francesi avrebbero portato il peso nei secoli a venire.

Il corteo si era mosso dalla casa di Marat, vicino al club dei cordiglieri. Aveva sfilato in via di Thionville fino a Pontenuovo. Il cannone adesso sparava una salva ogni cinque minuti. Cosí erano buoni tutti a farlo sparare, in onore del grand'uomo, pensò Léo.

Passato il fiume, il corteo funebre aveva preso il Molo delle Ferraglie, attraversato Ponte dei Cambi, ed era ritornato indietro passando per il *Teatro Francese* – scelta azzeccata – fino ai cordiglieri, mentre *La Marsigliese* si innalzava dalla folla.

Anche Léo cantava, e intanto si ritrovava ad abbracciare gente di ogni tipo, a sorreggere uomini sconfortati, a inneggiare alla difesa della patria guardando negli occhi i sanculotti piú sgarrupati, come fossero fratelli. Piú di tutti si disperavano le donne del popolo. Le donne invocavano Marat, mentre protendevano le braccia verso il feretro, come se chiedessero alla morte di renderglielo indietro. Quelle braccia levate, quelle voci, le lacrime… Erano tantissime e il loro pianto era quello straziato delle amanti, anche se probabilmente nemmeno una di loro aveva giaciuto con Marat. Léo era certo che non facesse parte della messa in scena di David, era davvero il Nuovo Teatro che si manifestava in tutta la sua potenza. Era anche la massima del maestro che si concretizzava davanti ai suoi occhi. Per la seconda volta, quel pomeriggio, Léo tornò con la mente a Goldoni.

Il loro primo incontro, a Villa Albergati, non era nemmeno un ricordo sfocato di bambino. Il secondo, invece, risaliva soltanto ad alcuni anni prima.

Leonida Modonesi, da poco giunto a Parigi in cerca di fortuna sulle orme del maestro e intenzionato a fare l'attore, si aggirava per i caffè di Palazzo Egualità, perché aveva saputo che Goldoni passeggiava lí ogni pomeriggio, talvolta accompagnato da un domestico.

Lo aveva trovato seduto da solo al *Caffè meccanico*, un luogo stravagante, pieno di automi e alambicchi. Anziché essere servito da camerieri, il caffè usciva da tubi nascosti nelle gambe dei tavoli. Léo non aveva mai assistito a una scena come quella.

Il vecchio che si era trovato davanti non aveva che una pallida corrispondenza con l'immagine dei ritratti in casa Albergati. «Permettete, Maestro?», aveva esordito Léo, in italiano. Si era presentato e aveva evocato i giorni bolognesi, senza suscitare particolari reazioni nel vecchio avvocato veneziano. Aveva accennato al sogno di diventare attore all'*Opera-Comica*, o addirittura alla *Commedia Francese*. Si rendeva conto di non poter subito puntare tanto in alto, ma era pronto a fare tutta la gavetta necessaria. Gettando il cuore oltre l'ostacolo, aveva chiesto al maestro di scrivergli una referenza, una malleveria da presentare a teatri e compagnie, spendendo una buona parola per il *fantolin* che tanto aveva riso sulle sue ginocchia, ma soprattutto per il giovine uomo che tanto lo ammirava da aver seguito il suo esempio ed esser venuto a Parigi.

Un occhio acquoso e l'altro di più lo avevano guardato dagli incavi di una maschera di rughe. In tono lamentoso, Goldoni gli aveva parlato dei suoi acciacchi, di quanto aveva faticato per avere una pensione, delle occasioni mancate quand'era a corte, a Versailles, perché non aveva mai saputo esser cortigiano, non era mai stato bravo nell'intrigare, nello sgomitare per avere un privilegio… Aveva parlato, piú volte perdendo il filo, senza fare alcun accenno a Bologna, né tantomeno alla richiesta di una referenza, come se non avesse udito nulla e l'uomo di fronte a lui fosse un tizio qualsiasi. Infine, aveva pronunciato una frase accompagnandola con un gesto dell'indice artritico, come a voler sottolineare un memento.

«Un òmo de importansa se conosse dal codasso de mone che'l se tira drio».

Folgorante. Con gli occhi della mente, Léo aveva visto una processione, una vera e propria *parata di fighe* seguire un grand'uomo, e quel grand'uomo era lui.

Ecco, di fronte alle madame d'ogni età che marciavano in corteo e piangevano sotto il feretro di Marat, Léo non poteva che leggere una conferma. La quantità di gnocca è il segno distintivo di un grand'uomo.

Dal vecchio maestro al tramonto non aveva ricevuto malleverie o raccomandazioni, ma la lezione di vita di quell'aforisma gli era rimasta nel cuore.

Proprio in quel momento vide la sarta, Marie Nozière. Camminava a fianco di altre donne, nello spezzone dei club. Sullo stendardo che portavano c'era scritto «Società delle cittadine repubblicane rivoluzionarie». Piangeva anche lei.

Il costume. Léo aveva lasciato trascorrere qualche giorno, per darle il tempo di cucirlo, e quando si era risolto a tornare, sempre prima dell'alba, nessuno aveva aperto l'uscio. Aveva aspettato finché non gli era parso chiaro che in casa non c'era nessuno, né madre né figlio.

La seconda volta invece lo aveva anticipato un'altra donna, una pazza monarchica che aveva assassinato Marat. Parigi era esplosa e tutto il resto era stato spinto sullo sfondo. Adesso quel funerale solenne era l'unico modo di far confluire la piena di rabbia in un alveo regolato e utile a rinsaldare lo spirito rivoluzionario.

Léo vide Marie disporsi insieme alle altre sotto il palco da cui il presidente della Convenzione avrebbe pronunciato l'orazione funebre. Scendeva la sera, si accesero torce. Il tocco finale.

Léo pensò che prima o poi Marie sarebbe tornata a casa e decise che l'avrebbe aspettata là, per essere sicuro di non mancarla. Cosí spintonò e sgomitò sino a guadagnare il margine del corteo.

3.

– Chi è là?! – intimò Marie appena vide l'ombra davanti al suo portone.

Léo rimase fermo, per non spaventarla.

– Sono io. Léo Modonnet.

Seguí un momento di silenzio. Léo attese che la donna decidesse come comportarsi.

– Non pensavo che venivate oggi, – disse lei.

Léo si era preparato una risposta: – Vi ho vista al corteo e cosí...

– L'abito è pronto, – disse lei lanciando un'occhiata attorno. – Venite dentro.

Léo seguí Marie in casa riuscendo appena a intravedere i suoi lineamenti. Rimase fermo a osservarla mentre accendeva un lume e lo posava sul tavolo da lavoro.

– Ancora non ci si crede... – disse piano Léo.

– A cosa?

– Che Marat è morto. Che dovremo fare senza di lui.

Marie armeggiò con i lacci di un involto.

– È per questo che vi prudono le mani? – chiese.

– Be', sí. Anche.

Lei srotolò l'involto.

– Allora mi sa che dovreste arruolarvi per la Vandea. L'assassina era una di quelli là.

Léo si smarcò dall'imbarazzo senza dare a vedere la curiosità per l'abito.

– Io penso che a Parigi il popolo stia combattendo una battaglia non meno importante... È per questo che hanno voluto uccidere Marat. Ma mica possono ammazzarci tutti...

La donna parve perdersi dietro un pensiero inespresso. D'un tratto si riscosse.

– Non avete paura di morire?

Léo rispose con il mestiere.

– Meno di quanta ne abbia di vivere sotto i ponti e nelle fogne.

Léo non colse alcuna reazione alle proprie parole. Tuttavia lei gli fece cenno di avvicinarsi e finalmente Léo poté passare una mano sulla stoffa. Con sua grande sorpresa percepí invece una superficie liscia. Cuoio sottile. Morbido e resistente al tempo stesso.

– Una mia amica che faceva l'attrice ha una mucchia di roba presa dai teatri, – disse Marie. – Me ne ha data un po'.

A Léo brillarono gli occhi. Un vero abito di scena. Manna dal cielo.

– L'ho aggiustato per le vostre misure. C'è un corpetto, dei guanti e un paio di soprascarpe.

Leo notò che le galosce erano alte fino al ginocchio e dotate di cinturini per assicurarle. I guanti proteggevano anche l'avambraccio. Il corpetto scendeva fino a mezzacoscia e si stringeva in vita con un cinturone. Sul petto erano incisi motivi floreali e l'interno era foderato con un'imbottitura paracolpi, come quella degli schermidori. Non si sarebbe mai aspettato un abito del genere.

– Dovete provarlo, – disse Marie indicando l'angolo della stanza e voltandosi dall'altra parte.

Léo non perse tempo. Si sbarazzò della giacca e delle scarpe, restando in camicia e brache, quindi ci indossò sopra la nuova tenuta.

– Ecco.

Marie si voltò e rimase a squadrarlo dalla testa ai piedi.

– Ancora una cosa.

Raccolse un secondo fagotto dal tavolo e lo srotolò accanto a Léo, mettendoglielo sulle spalle.

– Un mantello! – esclamò lui eccitato.

Marie fece segno di parlare piano.

Léo lo accarezzò. Era di stoffa leggera ma resistente, dello stesso colore scuro degli altri capi. Avvolto in quel pastrano sarebbe stato tutt'uno con la notte. Mancava soltanto il cappello, ma che importava, quella donna gli aveva appena donato la cosa piú importante: un involucro con il quale sarebbe tornato protagonista della scena. Trattenne la commozione.

Come se gli avesse letto nel pensiero, Marie allungò le braccia sulle sue spalle, ritrovandosi vicinissima a lui, e gli alzò sulla testa un cappuccio.

– Un cappello vola via. Cosí invece...

Léo sentí il suo alito caldo sul mento, il viso a una spanna dal suo. La guardò negli occhi e non si trattenne. Le sfiorò le labbra con le proprie. Un bacio di ringraziamento, questo voleva essere, come quello di un cavaliere per la sua dama, pensò. Un bacio di devozione.

Lei non reagí.

Léo le diede un altro bacio.

– Grazie, – le mormorò.

Dopodiché, mandò al diavolo ogni pensiero, la sollevò sul tavolo da lavoro, il naso a sfiorare il suo. Marie strinse le gambe contro i suoi fianchi, le mani frugarono sotto i vestiti. I due corpi, senza bisogno di istruzioni, si unirono, ma Léo si ritrovò uno spillone puntato alla gola.

Smise di muoversi, mentre i pensieri gli riprecipitavano dentro la testa, e gli suggerivano d'avere fatto la cosa sbagliata. Lei però lo teneva stretto a sé. Quella leggera puntura e la minaccia che rappresentava lo eccitarono ancora di piú.

– Non voglio rimanere gravida, – disse Marie guardandolo negli occhi.

– Non succederà, – rispose Léo, riprendendo a muoversi dentro di lei. Dopo poco la sentí raggiungere il culmine e incrociare le caviglie dietro la sua schiena. Le poggiò una mano sulla bocca, per soffocarle il gemito, quindi dovette forzare la presa di lei e ritrarsi in fretta.

Rimase in piedi, lí, davanti alle sue gambe spalancate, sentendosi terribilmente ridicolo con indosso il corpetto di cuoio e con le brache calate, ma lei non gli lasciò il tempo di fare o dire nulla, agguantò il membro ancora eretto e finí Léo attirandolo a sé. Lui si abbandonò al piacere accasciandosi su di lei, annusando il suo odore, ficcando il naso tra i suoi capelli.

Il difficile fu risollevarsi e pensare alla battuta giusta. Non ne aveva nessuna, ma quando si accorse della macchia sul vestito di lei, gli uscí la peggiore.

– La vostra sottana…

– Zitto, – sibilò Marie, abbassandosi la veste. – Devi andartene. E qui non ci devi piú tornare, capito?

– Sí. Ma io…

Questa volta fu lui a ritrovarsi una mano sulla bocca.

– Vai adesso. Fai quello che devi fare.

Léo si tirò su le brache, si avvolse nel mantello e filò via. Quando fu per strada gli parve di intravedere un'ombra bassa, dentro un androne, ma decise di non farci troppo caso, considerando che un atteggiamento furtivo avrebbe destato piú sospetti anziché meno. E poi era ancora pervaso dalle sensazioni provate, dall'odore della natura di Marie, talmente forte da inebriarlo.

Tornò alla *Gran Pinta*, dove Férault gli teneva una branda in uno stanzino in soffitta. Léo aveva raccolto lassú i suoi quattro stracci. Utilizzò l'ingresso sul retro e salí la stretta

scala a pioli che portava al sottotetto. Accese un vecchio lume
a olio e si abbassò sul pavimento. Sollevò un'asse sconnessa
e prelevò quello che ancora mancava. Ci aveva lavorato per
giorni, dopo che s'era procurato un pezzo di cuoio e borchie
di ferro dal conciatore in fondo alla via.

Un vero esperto di commedia dell'arte avrebbe puntato
subito il dito sul naso, simile al becco di un corvo: quel genere di maschera era adatto a uno Zanni, non a Scaramouche.
Ma nel Nuovo Teatro, nel teatro vivente della rivoluzione, le
maschere non avevano soltanto una funzione scenica. Erano
armi. L'agguato a Pelledoca lo aveva dimostrato. Per questo
Léo andava molto fiero di due modifiche introdotte nella sua
creazione: il rostro rinforzato in punta con lamine di metallo
e le fessure degli occhi più ampie, per migliorare la visuale.

L'orologio della chiesa batté le dieci. Era tempo di andare.
Portò una mano in mezzo alle gambe e dette una stretta forte.

Raccolse il randello che gli aveva prestato Férault, il rimedio che di solito l'oste usava per le sbronze moleste. Era
un buon pezzo di legno, duro e levigato, con l'impugnatura
intagliata. Ottimo per la bisogna.

Tornò ad avvolgersi nel mantello e uscí di nuovo nel vicolo dietro l'osteria. Si fermò un istante a respirare l'aria alla
fine di quel giorno di lutto e amore disperato, impregnato
degli odori dell'estate e del sesso. Quindi calò il cappuccio
sugli occhi e si mosse rapido.

Il piano era pronto da giorni. Il nome nella lista era quello di Vaillant.

Scaramouche batté più volte alla porta, finché dall'inter-
no giunse una voce alterata a ringhiare un «Chi è?»
La risposta fu tanto secca quanto premeditata.
– La giustizia.
– I gendarmi? Cosa vogliono?

Scaramouche udí una voce di donna chiamare da piú in alto, forse in cima alle scale e quella di Vaillant – perché non poteva essere altri che lui – intimarle di tacere.

Il chiavistello girò e un occhio fece capolino nella fessura della porta socchiusa. Scaramouche rimase nell'ombra.

– Chi è là? Di che mi si accusa? Io non ho fatto niente!

– A noi risulta che siate un monopolatore.

– Ancora quella storia? Ma chi è? Treignac, siete voi? Da quando mi hanno saccheggiato il magazzino non tengo da parte piú nemmeno un'oncia di zucchero –. Lo spiraglio si allargò un poco. – Fatevi riconoscere!

Vaillant si ritrovò il randello puntato in faccia. Provò a richiudere l'uscio, ma ormai non poteva piú farlo. Si mise a urlare, prima che una spallata si abbattesse sulla porta e lo ribaltasse all'indietro. La moglie strillò. Vaillant, steso ai piedi della scala, sollevò la mano armata di mannarino che fino a quel momento aveva tenuto celata dietro la schiena e prese ad affettare l'aria davanti a sé.

La mole nera di Scaramouche si stagliò sopra di lui, il randello sollevato in alto.

Léo si concesse appena il tempo di ammirare l'espressione atterrita, sconcertata e pure un po' beota dell'assalito.

– Nello spirito di Marat, io ti colpisco!

Il bastone calò sulla testa di Vaillant, una sola volta, abbastanza forte da tramortirlo.

Poi arrivò il primo piatto. Gli sfiorò la faccia, imboccò l'uscio e andò a sfracellarsi in strada.

Il secondo lo seguí subito dopo e colpí Scaramouche sulla spalla. Il terzo prese il muro.

La signora Vaillant lanciava le stoviglie da in cima alla scala. A Scaramouche parve che la donna fosse dotata di ingenti munizioni, e dopo avere scartato l'idea di risalire la rampa e abbatterla a randellate, optò per una ritirata strategica. Pensava di essere già fuori gittata, ma venne colpito da un ultimo piatto volante. Questo lo spinse ad accelerare il passo e a squagliarsi nella notte lesto come una faina.

4.

– Voi siete Léo Modonnet.

Léo, seduto al tavolo della *Gran Pinta*, continuò a mangiare senza alzare gli occhi dal piatto di fagioli. Sapeva bene chi era l'uomo che si era seduto davanti a lui. Lo sbirro del foborgo, il ciabattino Treignac. Alle sue spalle c'era il ragazzino, il figlio di Marie Nozière, con un'aria talmente angelica che avrebbe potuto infinocchiare chiunque.

– Dovrei sbattervi dentro, – disse Treignac.

– Per cosa? – domandò Léo in tono indifferente, mentre si versava un bicchiere di vino.

– Aggressione. Tentato omicidio.

Léo seguitò a non battere ciglio. Sorseggiò il vino.

– Con quali prove?

Nemmeno lo sbirro era tipo da scomporsi facilmente.

– Il foborgo vi copre, – disse Treignac. – Finché gli fate un favore.

Léo valutò di potersi concedere una lieve stoccata.

– Mai scontentare il pubblico.

Nessuna reazione. Gli altri avventori si tenevano alla larga, mentre Férault sbirciava dal bancone fingendo di asciugare i boccali della birra.

– Io però non faccio teatro. Sono Treignac. E vado per le spicce.

– Dunque la faccenda è personale? – domandò Léo con l'aria vaga, masticando ancora un boccone.

– Anche, – rispose laconico Treignac.

Léo annuí. Cominciava a capire.

– Di cosa o chi stiamo parlando?

– Marie Nozière, – rispose il poliziotto. – Se vi vedo ancora girare attorno a casa sua, non vi arresto, vi faccio sparire. L'ultimo gecco che quella donna deve avere intorno è uno come voi.

Léo si decise a guardarlo negli occhi.

– Non mi credete un buon patriota?

– Vi credo un profittatore, talequale quelli che avete conciato.

Léo scosse la testa. Si sentiva deluso dall'ottusità di quello sbirro, la stessa di Nogaret, il commissario che lo aveva arrestato due volte e non capiva la sua arte. E pensare che costoro credevano di servire la rivoluzione.

– Voi non capite, – disse sconsolato.

– E invece mi sa di sí, – ribatté secco Treignac. – Siete avvertito, – aggiunse, prima di alzarsi.

Léo si accorse che Férault mesceva birra per tutti.

– Offre la casa! – disse l'oste, sollevando un boccale. – Brindiamo allo spirito di Marat!

Gli avventori lo imitarono in coro.

Treignac si guardò attorno, come a fissarsi le facce nella mente, ma finí per rivolgersi all'oste.

– In campana anche tu, Férault.

Dopodiché puntò l'uscita e passò senza che nessuno fiatasse.

Léo si sforzò di sorridere, a dimostrare che non era intimidito. In realtà, cercava rassicurazione, perché quello che aveva visto negli occhi dello sbirro non gli era piaciuto per niente. Aveva il sentore che se quel Treignac avesse saputo cos'era successo tra lui e Marie, gli avrebbe tagliato le palle per darle in pasto ai sorci della Senna.

Non era una scena da dormirci sonni tranquilli. Ma del resto, pensò Léo, i sonni tranquilli si addicevano alle comparse, non ai primattori che reggono sulle spalle l'intera commedia. Sollevò il bicchiere e propose un altro brindisi.

Lettera del dottor
PHILIPPE PINEL
al fratello

Parigi, 20 luglio 1793

Se ho tanto tardato, mio caro fratello, a darti notizie, la causa sono le mie numerose occupazioni. Mi conosci abbastanza per non dubitare dei miei sentimenti verso di te o provare inquietudine circa i motivi del mio silenzio.

Qui siamo, come sempre, nelle piú grandi ambasce, tanto per le nostre divisioni intestine che per l'esito della guerra; ma gli uomini illuminati temono meno quest'ultimo che i nostri dissensi, causati da una diversità d'opinioni senza fine.

Ah, quanto devi rallegrarti di essere lontano da questo gorgo spaventoso, che minaccia d'inghiottire tutto ciò che gli si presenta. Se tu potessi, come me, formarti un'idea delle perfide astuzie, dell'audacia impudente e sfrenata con la quale il crimine si mostra nei momenti di disordine e di rivoluzione, saresti dissuaso una volta per tutte dall'immischiarti negli affari della politica. Nei primi tempi della rivoluzione, ebbi anch'io questa velleità, ma allorché non domandavo altro che la giustizia e il bene del popolo, la mia vita è stata cosí in pericolo che ho finito per concepire un profondo orrore per i club e le assemblee: da allora ho sempre rifuggito qualunque incarico pubblico che non riguardi la mia professione di medico.

Purtroppo, anche su quel versante, da qualche tempo non posso dirmi soddisfatto. La medicina è senz'altro una cosa utile, ma se tu conoscessi quanti disagi derivano dalla sua pratica, quando si è costretti a farne una fonte di lucro, certo non rimpiangeresti di averla trascurata per diventare prete. Da qualche tempo, per guadagnarmi da vivere, devo far visita ai pazienti della casa di cura Belhomme, e il proprietario, pur non essendo altro che un vetraio facoltoso, pretende di organizzare e dirigere ogni aspetto, al punto che non mi è possibile applicare i rimedi che vorrei, ma debbo limitarmi a fornire consulenze, rispetto alle quali il padrone si riserva di agire come meglio crede.

Per questo, ho deciso di concorrere per il posto di medico in capo all'ospizio di Bicêtre, posto che verrà istituito dopo l'estate e per il quale l'amico Cabanis ha garantito di potermi presentare. Tu di certo conosci il nome di quel luogo come sinonimo di atrocità, tanto quella quotidiana descritta da Mercier, quanto quella straordinaria del settembre scorso e dei massacri occorsi tra le sue mura.

Per parte mia, ho visitato Bicêtre una volta soltanto, quando assistetti alla prova della ghigliottina su un paio di cadaveri, e in quell'occasione la sua fama spaventosa mi parve immeritata. Inoltre, a quanto mi dicono, ci sono stati ulteriori, sensibili miglioramenti anche negli ultimi due anni. Credo che l'istituzione di un posto di medico residente rientri in una piú ampia opera di risanamento del luogo, che certo si può ascrivere agli effetti benefici della rivoluzione. Ma per non basarmi soltanto sulla voce di alcuni amici, e per verificare di persona lo stato in cui versa la struttura, ho fissato per domani un sopralluogo piú attento, insieme all'economo e ai sorveglianti delle varie sezioni. Quel che vedrò e la decisione che ne seguirà saranno dunque l'oggetto della mia prossima lettera.

Abbraccia nostro padre.

Il tuo buon fratello,

Philippe Pinel

Gesú Marat
20-21 luglio 1793

I.

Seduto su una panca ai margini del cortile in compagnia di Malaprez, Laplace osservava divertito gli sforzi di Molière, un folle che portava quel soprannome per via delle velleità da drammaturgo.

L'uomo era un tipo tranquillo, di una certa cultura, e la sua presenza a Bicêtre poteva sembrare inspiegabile, se non fosse che fuori da quelle mura aveva tentato piú volte di togliersi la vita.

Molière amava allestire piccole rappresentazioni, utilizzando come attori gli altri alienati, e poiché quell'impegno era un toccasana per il suo umor nero, il governatore Pussin gli aveva concesso di coltivarlo, a patto che non pretendesse dalla sua compagnia risultati impeccabili e obbedienza cieca.

Laplace rimirò la confusione che regnava intorno al commediografo e pensò che un uomo del genere non avrebbe ottenuto obbedienza nemmeno da un gregge.

Imporre la propria volontà, pensò, è tutt'altro che un piccolo affare.

Puységur gli aveva scritto una volta che il volere funziona come l'elettricità. Ma mentre quella può passare da un corpo all'altro per semplice contatto, la volontà deve sempre superare una distanza, dal momento che non è possibile accostare due menti. Essa dunque si trasmette come una scarica, passando dall'uomo che ne ha accumulata abbastanza a quello che ne possiede di meno. Pertanto, chi intende trasmetterla ad altri deve compiere due operazioni: prima di tutto deve caricarsi di volontà, cosa tutt'altro che facile, poiché gli uomini tendono a disperderla in mille rivoli. Se per caricare una barra di rame basta isolarla da terra e metterla in comunicazione con una macchina elettrostatica, per l'uomo è molto piú complicato isolare la mente, ed egli deve produrre da sé la volontà che gli occorre, dal momento che una macchina capace di generarla non è ancora stata inventata. Fatto questo, egli deve anche ridurre la distanza, avvicinarsi alla mente dell'altro fino a far scoccare il fulmine.

Laplace ricordò quelle parole.

Dopo averle lette, aveva posto a Puységur il problema di trasmettere la volontà, nello stesso istante, a molti individui. Se infatti, grazie al mesmerismo, è possibile avvicinare la mente di un altro uomo, come può il magnetista riprodurre quella speciale relazione con molti soggetti contemporaneamente? Mesmer aveva formato catene umane, e lo stesso Puységur usava grosse funi per mettere in contatto i suoi contadini con un olmo magnetizzato. Ma era davvero sufficiente un semplice legame fisico?

La risposta di Puységur era stata molto vaga, segno che nemmeno lui aveva le idee chiare in proposito.

Laplace ricordò una dimostrazione scientifica.

Era insieme al barone, tra gli invitati di una grande festa nel giardino di Versailles. Un filosofo alla moda si era messo in testa di migliorare un famoso esperimento, quello dell'abate Nollet. Nel 1752, usando una bottiglia di Leida, l'abate aveva folgorato una fila di duecentoquaranta guardie reali, sotto gli occhi di Luigi XV in persona. Il ciarlatano voleva fare cifra tonda e, molto sicuro di sé, aveva fatto schierare quattrocento soldati, ordinando loro di prendersi per mano. Come accumulatore di elettricità, invece di mettere in batteria molte bottiglie, per ottenere un effetto maggiore si era servito di un'enorme damigiana, fatta soffiare apposta da un amico vetraio.

Il risultato era stato che la scarica si era fermata al soldato numero quindici, e di lí in poi nessuno piú l'aveva avvertita.

Il filosofo si era difeso dicendo che, evidentemente, quel soldato mancava di ciò che costituisce il tratto distintivo di un maschio adulto. L'altro, per lavare l'offesa e vendicare la propria virilità, aveva sfidato a duello l'impostore e nel giro di una mezz'ora il filosofo era uscito dalla reggia di Versailles in posizione orizzontale, ucciso da un proiettile nel collo.

Laplace era rimasto talmente disgustato dall'intera sceneggiata che quella si era trasformata in un sogno ricorrente, dove al posto dei quattrocento soldati c'era un'armata di esseri mostruosi, dai musi di bestia e dai nasi enormi.

Gli piaceva pensare che il proprio disincanto nei confronti della monarchia francese fosse iniziato quel giorno, davanti a quell'intrattenimento inutile, fanfaronesco, mal riuscito e invecchiato peggio.

Laplace guardò ancora Molière alle prese coi suoi attori recalcitranti.

– Tu non partecipi alla recita di oggi pomeriggio? – domandò a Malaprez.

Il bifolco scrollò la testa con decisione.

– Recitare non mi piace, – affermò. – E poi Molière vuole che si fa solo come dice lui.

– E tu invece vorresti fare di testa tua?

– No, di testa mia no. Se faccio di testa mia, lo so che non viene fuori niente di buono. Però se uno vuol dirmi quel che ho da fare, bisogna che almeno lui abbia le idee chiare, giusto?

– Giusto, Malaprez, – disse Laplace in tono soddisfatto. – Tu sei molto piú saggio di quanto non dài a intendere.

Ora Molière, con un plico di fogli tra le mani, ripeteva nervoso la battuta a uno degli attori, scandendo con gli zoccoli il ritmo della parole.

– Sai almeno di che recita si tratta? – domandò Laplace.

– Boh, – commentò l'altro stropicciandosi il mento. – Mi sa che è un funerale.

2.

Il funerale riguardava tre persone.

Ovvero: tre individui si contendevano il posto d'onore, quello del morto.

Insieme a loro, intenti a discutere, c'era anche Molière. La diatriba andava avanti da una buona mezz'ora, quando Laplace vide il drammaturgo staccarsi dal gruppo e avanzare verso di lui.

– Ci serve il vostro parere, – disse il folle in tono accorato.

– In merito a cosa? – domandò Laplace.

– A chi dev'essere Marat, – spiegò Molière. – Jerôme dice che siete stato voi a soprannominarlo cosí e vuole che ci spiegate il motivo.

– Gli somiglia, – tagliò corto Laplace.

– Sí, d'accordo. Ma pure gli altri pensano di essere dei perfetti Marat, e se non risolviamo la questione, i sorveglianti ci rimanderanno alle celle prima di aver fatto il funerale.

Laplace non domandò spiegazioni. Sapeva che non solo Molière, ma molti matti di Bicêtre amavano mettere in scena i fatti di cronaca piú eclatanti, per sentirsi partecipi dei grandi avvenimenti che scuotevano la Francia. Il funerale di Marat aveva occupato le pagine dei giornali, i discorsi degli inservienti e i racconti dei visitatori, e si conoscevano tal-

mente tanti dettagli di quella giornata, da poterla riprodurre in ogni particolare.

– Allora, venite? – insistette l'uomo indicando i suoi compari. – Quelli cominciano a litigare.

Laplace si alzò, pensando che anche essere giudice in quel
tribunale da pantomima faceva parte del suo tirocinio nella
Grande Parodia.

– Oh, ecco! – lo accolse Jerôme battendo le mani. – Diteglielo voi, a questi ignoranti, perché sono io che merito il
posto di Marat.

– Ignorante sarai te, – si inserí un altro. Poi, rivolto a Laplace, si batté la mano sul petto: – Io conosco a menadito
tutti i suoi discorsi, li ho letti sul «Moniteur», mentre quello stordito non sa manco leggere.

– A chi hai dato dello stordito?

– Secondo me dovreste farlo tutti e tre, – sentenziò Laplace senza alzare la voce.

– Come dite? – domandò il terzo pretendente, cercando
con le mani di zittire gli altri due.

– Dico che secondo me questo funerale ha bisogno di tre
Marat. Di Capgras, perché somiglia al defunto. Di voi, –
disse indicando il secondo, – perché ne conoscete i discorsi,
e infine di voi perché...

– Perché ho la madre svizzera come lui, – si affrettò a dire il terzo.

– Ebbene, – concluse Laplace, – non c'è nulla di strano.
Marat era un grand'uomo: tanto grande che per interpretar-
lo servono almeno tre attori.

I folli rimasero ammutoliti, come sorpresi da una verità
superiore.

– Ma certo! – gridò alla fine Molière alzando le braccia, prima che Marat-quello-vero trovasse modo di obiettare. – Ma

certo! – ripeté mentre si lanciava con entusiasmo negli ultimi preparativi del rito funebre.

In breve, tre pagliericci coperti da lenzuola vennero sistemati al centro di Piazza dei Furiosi. La scena era assai spoglia, ma Molière spiegò la mancanza di addobbi con il bisogno di ricordare la nobile indigenza, lo stile di vita essenziale dell'Amico del Popolo. E tutti si trovarono d'accordo.

I sorveglianti, ai quattro angoli del cortile, osservarono i tre defunti sdraiarsi sui feretri. Il sole era alto sui tetti.

Una trentina di alienati si dispose in cerchio tutt'intorno, mentre un gruppo molto piú numeroso formava un secondo girone a qualche passo di distanza. Rare voci sparute si alzavano sopra le teste.

Laplace non aveva mai visto i matti di Bicêtre rimanere ordinati e silenziosi per un tempo cosí lungo. Soltanto uno di loro, a intervalli regolari, esplodeva con la bocca un colpo di cannone. *Pum!*

A un segnale di Molière, il popolo di San Prisco intonò *La Marsigliese*. Il canto morí di eutanasia dopo un paio di strofe.

– Ogni lacrima che i patrioti versano sulla tomba di quest'uomo illustre, sarà la fonte degli eroi che dovranno un giorno vendicarlo!

Il matto che interpretava David accompagnò le ultime parole con una smorfia dovuta allo sforzo di ricordare l'intera frase. Molière lo guardò soddisfatto. Doveva aver faticato non poco per ficcargli in testa quella citazione, pensò Laplace. Il drammaturgo cercò un volto tra quelli che attorniavano i feretri e con un cenno del capo lo invitò a intervenire. L'uomo si schiarí la gola e con voce di marmo declamò:

– Come Gesú Cristo, Marat amava il popolo e soltanto il popolo. Come Gesú, Marat combatteva i nobili, i preti, i ricchi e i furbastri. Come Gesú, egli conduceva una vita povera e frugale. Come Gesú Cristo, anche Marat si dimostrerà immortale!

Un applauso si alzò da decine di mani. L'oratore si esibí in un inchino poco adatto alla circostanza. Laplace intuí che la tenuta dei folli era ormai al limite, ma Molière non aveva ancora terminato. Avanzò tra i finti cadaveri e su ciascuno di essi depose un cartello, con l'epitaffio riportato da tutti i giornali: «Qui riposa Marat, l'Amico del Popolo, ucciso dai nemici del popolo». Quindi domandò silenzio con le braccia alzate e prese un profondo respiro.

Oltre le teste dei folli, oltre i visi degli inservienti pronti a intervenire, Laplace scorse la figura del governatore Pussin, accompagnato da un uomo che non conosceva e da un altro che tutti, a Bicêtre, conoscevano bene: l'economo Hagnon, il gran capo, colui che dirigeva l'intero ospizio.

– Cittadini, – esclamò Molière in tono maestoso, – io non penso che il nome di Marat debba essere accostato a quello di Gesú Cristo, poiché per credere nella resurrezione del crocifisso occorre un atto di fede, mentre per inverare quella dell'Amico del Popolo è sufficiente un atto di volontà. Qualcuno ha chiesto che le sue spoglie vengano accolte nel Pantheon: ma a parte Lepelletier, non mi pare che in quel luogo riposino veri uomini virtuosi. Forse che sarebbe un onore per Marat starsene accanto a un Mirabeau, a un uomo che meritò la sua reputazione con mille scelleratezze? No, repubblicani. Io vi dico che se Marat non verrà accolto nel Pantheon è perché il suo posto è nel cuore di tutti i rivoluzionari. Nella bara che oggi noi salutiamo è custodito il suo corpo, ma lo spirito vive, è già in mezzo a noi, e spetta soltanto a noi accoglierlo e imitarne la maschia energia. Marat non è morto, cittadini, perché chi lo ha colpito non voleva uccidere un uomo: voleva uccidere la Repubblica. E la Repubblica non morrà, finché lo spirito di Marat sarà in tutti noi e tutti noi saremo Marat.

Dall'ovazione che seguí quella tirata, Laplace sentí emergere la voce di Pussin.

– Va bene, va bene. Basta cosí.

Il governatore batteva le mani, con un atteggiamento a mezza via tra l'applauso e il gesto del villico che sospinge le galline nel pollaio.

Intanto i sorveglianti, con fare piú deciso, indirizzavano il popolo e i deputati nei loro alloggiamenti, in attesa dell'ora di cena.

Laplace si accodò alla mandria, le mani intrecciate dietro la schiena, ma prima di varcare la soglia del dormitorio, si accorse che Molière chiamava il suo nome.

Si voltò e vide il folle in compagnia di Pussin, dell'economo e dello sconosciuto. A grandi sbracciate, lo invitava ad avvicinarsi.

Laplace li raggiunse.

– Stavo raccontando al governatore, – disse Molière eccitato, – che senza il vostro aiuto non saremmo mai riusciti a mettere in scena il funerale.

– La rappresentazione è stata di vostro gradimento? – domandò Laplace rivolto ai visitatori.

– Diciamo che l'ho apprezzata come spettacolo d'ordine, – commentò l'economo. – Però non credo che i funerali di un grand'uomo siano un buon soggetto per una recita. Si finisce per scadere nella farsa.

Molière, punto sul vivo, allargò le braccia e attaccò a giustificarsi.

– Ho seguito i resoconti dei quotidiani, – piagnucolò. – Se c'è qualcosa di farsesco in quanto avete visto, lo si deve ai cronisti.

– I quotidiani parlavano di tre Marat? – domandò l'economo, con l'aria di chi si rivolge a un bimbo che neghi l'evidenza.

– Quella è stata un'idea sua, – si difese il folle.

Gli occhi di tutti seguirono il dito puntato di Molière e Laplace se li ritrovò addosso.

– Gli attori litigavano per chi dovesse impersonare Marat, – spiegò. – Io ho assecondato i loro desideri trovando il modo di farli convivere. Cosí, invece di una rissa, abbiamo avuto una scena di teatro.

L'economo bofonchiò qualcosa, ma si limitò a quello. Pussin si affrettò a fare le presentazioni tra i due uomini che ancora non si erano mai incontrati. Era la prima volta che gli capitava di compiere un gesto simile tra un internato e un visitatore, e il piccolo rituale risultò alquanto goffo.

– Dottor Pinel, questo è l'ospite di cui vi parlavo: il cittadino Laplace. Cittadino, questi è il dottor Pinel, che presto potrebbe esercitare il suo mestiere fra queste mura.

Il dottore strinse la mano di Laplace e gli domandò come avesse fatto a mettere d'accordo i tre pretendenti al ruolo di Marat.

Laplace offrí un riassunto dell'accaduto, e al termine si trovò a tu per tu con una domanda piú sofisticata.

– Siete davvero sicuro che il teatro sia meglio di una rissa?

– Di certo lo è sul piano della disciplina, – rispose senza scomporsi. – Ma credo lo sia anche come cura. Aristotele sosteneva che la tragedia serve a purificarci dalle passioni. E il termine che usa per questa purificazione, *catarsi*, è lo stesso usato da Ippocrate nei suoi trattati di Medicina, per indicare l'evacuazione di elementi dannosi.

– Ben detto, – annuí Pinel. – Voi però dite di aver assecondato i desideri di tre vostri compagni. Chi vi dice, al contrario, che quei desideri non vadano contrastati?

– Ho osservato il governatore Pussin. Egli preferisce assecondare che reprimere. Le rappresentazioni del qui presente cittadino Benoît, detto Molière, sono un esempio del suo modo di procedere.

– A dire il vero io… – attaccò Pussin, ma non si sforzò nemmeno di terminare la frase, perché nello stesso momento il dottor Pinel esprimeva la sua opinione con ben altra sicurezza.

– Per assecondare un desiderio, bisogna conoscerlo. E conoscere i desideri altrui non è affare da poco. Ci sono uomini che passano la vita a domandarsi cosa vogliono davvero. Chi vi dice che i vostri tre Marat desiderassero recitare? Forse volevano solo litigare, e voi glielo avete impedito. Forse con il loro litigio vi stavano chiedendo di sottrarli alla recita, e voi invece ve li avete trascinati. Il desiderio non è una preda semplice da cacciare.

E cosí dicendo, il dottor Philippe Pinel augurò agli internati una buon giornata e si allontanò insieme all'economo e al governatore Pussin, lasciando impressa, nell'animo di Laplace, una sensazione che egli non provava piú da molti mesi.

Quella di aver incontrato una mente capace di stare al passo con la sua.

3.

– Guardami, Malaprez.

Il folle sollevò su Laplace gli occhi sonnambuli.

Erano nell'alloggio del pensionante, in quell'ora dopo la cena che in estate gode di un'ultima luce. Da fuori, giungeva soltanto lo scroscio del temporale.

– Tu sei capace di leggere, Malaprez?

– No. Nessuno mi ha imparato.

Laplace prese un libro dalla mensola e mostrò all'altro la copertina.

– Qui sopra c'è scritto: *Memorie fisiche e medicinali, dimostranti il rapporto evidente tra la rabdomanzia, il magnetismo e l'elettricità.* L'autore è indicato come M. Thouvenel. Se non te l'avessi detto, lo avresti saputo?

– No, mio signore. Non so leggere.

Laplace ripose il libro sulla mensola, poi tolse gli altri cinque o sei e li posò sul pavimento, accanto alla branda.

– Al tuo risveglio, io ti ordinerò di leggere e tu leggerai. Adesso svegliati, Malaprez.

Il contadino dell'Essonne si scosse, come punto da una zanzara. Si guardò intorno, sorpreso di essere lí e che fosse già sera.

– Ricordi cosa ti ho detto poco fa, Malaprez?

– Poco fa quando?

– È trascorso appena un momento.

– No, mio signore.

– Molto bene. Tu sei capace di leggere, Malaprez?

– No. Nessuno mi ha imparato.

– Prendi un libro, – disse Laplace indicando la mensola.

Malaprez si alzò e prese il tomo appena riposto da Laplace.

– Molto bene. Ora leggi cosa c'è scritto.

– Vi ho appena detto che…

– Leggi la copertina, Malaprez.

L'uomo afferrò il libro con due mani e se lo mise davanti agli occhi, come se dovesse controllare la pulizia di un vetro.

– Avanti, leggi, – ribadí Laplace.

– «Meeeemorie fi… fisiche e… medicinali», – balbettò l'altro.

– Prosegui, la riga sotto.

– «Dimostranti il rapporto eeevidente tra la rabdomanzia, il maaagnetismo e l'elettricità».

– Bene. Ora il nome dell'autore.

– «Emme puntato Thouuuvenel».

– Bravo, Malaprez. Tu sai perché sei riuscito a leggere?

– Io non ho davvero letto. Eravate voi a leggere attraverso di me.

– Però tu hai capito quello che dicevi?

– Un po'. Non tutto.

– Bene. Tu questa mattina mi hai detto che se fai di testa tua, non viene fuori niente di buono.

– È cosí.

– Ebbene. Pensa se io ti facessi sempre da guida, come ho fatto adesso per la lettura.

– Non farei piú le mie scempiaggini.

– Mai piú.

– Sarebbe bello.

– Se lo vuoi, io posso farlo.

– Lo state già facendo, no?

– Sí, ma bisogna che tu obbedisci alla mia voce sempre, anche da sveglio, in qualunque momento.

– D'accordo.

– Bisogna che le obbedisci qualunque cosa dica.

Malaprez esitò: – Vorrei dirvi di sí, ma non posso.

– Perché?

– Se mi ordinate l'impossibile, non posso farlo.

– Cosa intendi per impossibile?

– Volare. Diventare invisibile. Trasformarmi in un leone.

– Va bene. E tutto il resto?

– Lo farò.

– Sicuro?

– Sicuro.

Laplace si chinò sul pavimento e lo tastò con la mano aperta. Grattò via la terra dai contorni di una lastra in pietra e la sollevò.

– Prendi questo coltello, – disse tirandolo fuori dal nascondiglio.

Malaprez lo afferò e ne studiò l'impugnatura d'osso come un fanciullo con un giocattolo nuovo.

– Ora tagliati la pelle del braccio, dalla spalla fino al gomito.

Malaprez lo guardò impaurito.

– Mi farà male? – domandò.

– Non deve interessarti se farà male. Hai detto che farai quel che ti ordino, a meno che non sia impossibile. È forse impossibile ferirsi un braccio?

– No, certo. Volevo solo essere sicuro che…

– Tagliati il braccio sinistro, Malaprez, – ripeté Laplace.

Il folle impugnò il coltello, appoggiò la punta sul muscolo della spalla e fece scendere la lama fino al gomito.

– Hai sentito dolore? – domandò Laplace.

– No, – rispose l'altro rasserenato, mentre il sangue gli lordava la camicia.

– Bene. Adesso la gola. Voglio che prendi il coltello e ti tagli la gola.

– Morirò, – disse Malaprez in tono smarrito, confuso dalla sua stessa deduzione.

– Non importa, – lo freddò Laplace.

Malaprez sollevò il braccio armato senza muovere nessun altro muscolo.

La mano di Laplace gli afferrò il polso e lo allontanò dal collo.

– Fermati. Molla il coltello.

Malaprez lo lasciò cadere.

– Appena finirò di parlare, uscirai di qua. Fatti dieci passi ti sveglierai e andrai dall'inserviente, dicendo che non ricordi come ti sei ferito. E in effetti, non lo ricorderai. Hai capito?

– Sí.

– Allora vai, – ordinò Laplace liberando il polso del sonnambulo.

Malaprez si girò e, senza aggiungere altro, prese la porta.

Laplace lo seguí con lo sguardo, mentre avanzava nel cortile, sotto la pioggia battente.

Ora sapeva che, anche da sveglio, Malaprez non avrebbe dimenticato la voce del suo padrone.

ATTO COSTITUZIONALE DEL 24 GIUGNO 1793
letto da Marie-Jean Hérault de Séchelles
presidente della Convenzione nazionale
a conclusione delle cerimonie per la Festa dell'Unità

Art. 1. La Repubblica francese è una e indivisibile.

Art. 4. Ogni uomo nato e domiciliato in Francia, che abbia compiuto ventun anni di età; ogni straniero che abbia compiuto ventun anni e che, domiciliato in Francia da un anno, ci vive del proprio lavoro, oppure sposa una francese, o adotta un bambino, o nutre un vecchio; ogni straniero infine, che il corpo legislativo giudicherà aver ben meritato dall'umanità; è ammesso all'esercizio dei diritti di cittadino francese.

Art. 7. Il popolo sovrano è la totalità dei cittadini francesi.

La Festa dell'Unità
10 agosto 1793

1.

Vardamolà, il popolo di Francia. Che lo volevano sbriciolare come un filone di pane secco, e ci si sono spaccati i denti dal gran ch'era tinco. Che speravano di farlo a pezzetti per poi abbuffarselo ben bene e gli è andato di traverso tutto quanto intero. Che cercavano di mettere una provincia contro l'altra per fottere la rivoluzione, e son stati fottuti loro, negoddio!

Siccome che a Parigi hanno fatto cavolfiore, volevano mettere su tanti piccoli governicchi, dalla Gironda alla Savoia, dalle Fiandre a Marsiglia, perché cosí, almeno, riuscivano a comandare da qualche parte. Ma te dimmi: ce li vedi quelli dell'Alvernia a governarsi da per sé? Se dipendeva da loro e basta, a quest'ora ci avevamo ancora il re e magari pure un papa in ogni dipartimento. Invece oggi si festeggia proprio la caduta di Luigino, che se non era per noi di Parigi, altro che caduta, quello manco inciampava, e allora tanti saluti alla Repubblica.

Brissotini, federalisti: vardate qua! La piazza della Bastiglia è piena sgionfa di gente e ce n'è una fila che non finisce piú anche su per il viale, la via di Sant'Antonio, quella di Chiarentone.

Siam qua dalle cinque della mattina, a cantare e sgolare come un sol uomo gigantissimo, e per carità, il sorgere del sole è sempre mirevole, specie per chi non gli tocca vardarselo tutte le mattine mentre va a travagliare, però ecco, magari

se adesso comincia pure la festa vera e propria, dopo tre ore
che stiamo qua in piedi, noi ne avremmo anche abbastanza
di sgolare inni e marsigliesi.

E infatti dove che un tempo ci stava la Bastiglia, intorno
alla fontana della Rigenerazione – questa che dicono sia la
Natura, anche se pare piú una faraona d'Egitto, seduta sul
trono, con due leoni a fianco, e le mani che strizzano le poppe
e spremono fuori due bei getti d'acqua – il presidente della
Convenzione, Hérault de Séchelles, strapazza un foglietto,
poi avvicina alla sfiata una trombetta da oratore e ci dice dentro il suo discorso, cosí che lo sentono anche le ultime file.

– Sovrana dei selvaggi e delle nazioni illuminate, o Natura! Questo popolo immenso, riunito ai primi raggi del
giorno di fronte alla tua immagine, è degno di te. Possano
queste acque feconde che sgorgano dalle tue mammelle, questa bevanda pura che abbeverò i primi umani, consacrare
in questa coppa della fraternità e dell'uguaglianza, il giura-
mento di unità che ti fa la Francia in questo giorno, il piú
bello che il sole abbia rischiarato da che fu sospeso nell'im-
mensità dello spazio.

E cosí tira su una scodella, ce la mostra come il santissi-
mo *sacramentum*, la riempie d'acqua coi fiotti della fontana, ne versa un po' per terra, poi beve e porge la scodella
a un gecco dietro di lui, il primo di una fila intera, che sono gli ottantasei commissari degli ottantasei dipartimenti
di Francia, in ordine dal piú vecchio al piú giovane, e non
per l'alfabeto, cosí che di ciascuno ci tocca d'indovinare da
che dipartimento arriva, e in breve diventa un gioco che
quasi quasi ci si scommette su. Quello lí secondo me arriva dalla Corresa, varda che muso da inscemito, e quell'altro, quello che cammina come una scimmia, quello di sicuro salta fuori dal Giura, e cosí via per tutti gli ottantasei,
e a ogni sorso un colpo di cannone, finché il passamano e

il tracanno non finiscono in un grande abbraccio, e baci, e canti sull'aria della *Marsigliese* che fanno partire il corteo solennevole. Alleluia.

2.

Dopo la morte di Marat, le repubblicane rivoluzionarie non si erano fermate un momento. Lunedí sfilavano per Parigi con la camicia insanguinata e la vasca da bagno del grande patriota. Martedí accompagnavano il suo cuore al club dei cordiglieri. Mercoledí inondavano le strade col nuovo numero di «L'Amico del Popolo», il giornale di Marat ripreso da Leclerc. Giovedí andavano alla Convenzione per giurare di mettere al mondo cento, mille nuovi Marat. Poi a qualcuna era venuta l'idea di erigere un obelisco in memoria del tribuno. Bisognava curare ogni aspetto dell'impresa, dal progetto alla raccolta fondi. Dovevano inaugurarlo proprio quel 10 agosto, durante la Festa dell'Unità, e invece c'erano stati degli intoppi.

Claire e Pauline dicevano che i simboli erano importanti, che anche cosí le donne si ritagliavano una parte sul palco della rivoluzione, e una volta salite alla ribalta, sarebbe stato piú difficile ricacciarle giú.

A Marie quel discorso suonava bene, ma ai simboli preferiva i gesti. Per esempio legnare un monopolatore per insegnare la lezione a cento compari suoi. O buttare fuori tutti i nobili dall'esercito e dal governo. Ma anche portare la coccarda tricolore sul petto, per dire a tutti quanti che le donne tenevano alla Repubblica e la difendevano ogni giorno, per le strade e in casa, e infino mentre stavano in coda davanti alle botteghe. Le cittadine repubblicane rivoluzionarie invitavano le altre donne a portare sempre la coccarda. In aprile s'era fatta un legge in base alla quale per gli uomini era obbligatorio portarla. Perché le donne no?

– Perché voialtre fate parte del popolo, ma non del popolo sovrano, – le aveva risposto un gecco all'assemblea di sezione.

Quando Marie era andata in giro per il foborgo a raccogliere firme, per estendere la legge anche alle cittadine, tante donne di Sant'Antonio si erano tirate indietro.

– Ma come? – l'aveva sfottuta Georgette. – Vuoi far mettere la coccarda a tutte quante? Pure alle puttane?

Cosí la petizione non aveva ottenuto grandi consensi.

Ora Marie marciava in riga con le compagne, la coccarda bene in vista e il berretto frigio in testa, insieme alle società popolari che aprivano il corteo. Ognuna portava uno stendardo e sullo stendardo campeggiava l'occhio della sorveglianza, che penetrava una spessa nube coi suoi raggi. Claire Lacombe era la portabandiera e di certo non passava inosservata, con la sua redingote da donna, la figura snella e un viso che aveva fatto fortuna nei teatri di Marsiglia e Lione. Sulla testa, al posto del berretto, portava la corona civica che le avevano consegnato per la sua partecipazione all'assalto delle Tegolerie, proprio il 10 agosto dell'anno precedente. L'alloro era ormai secco e marrone, ma su quei boccoli castani faceva lo stesso la sua figura.

Dietro di loro venivano i membri della Convenzione, con in braccio un mazzo di spighe. Al centro del gruppo, spiccava sulle teste l'arca contenente le tavole di marmo con incisi i diritti dell'uomo e la nuova costituzione. Tutt'intorno ai deputati facevano cordone gli ottantasei commissari di dipartimento, che tenevano in una mano un rametto di vimini e nell'altra un lungo nastro tricolore che li univa tutti quanti.

Subito dopo sfilava il popolo, senz'altra distinzione fra gli individui che i segni del loro servizio alla società: i sindaci con le fasce tricolori, i giudici con la toga, i fabbri con il mantice e le pinze, i muratori con la cazzuola, i ciechi trainati su un unico carretto. In fondo a questo spezzone avanzava un calesse, tirato da esseri umani invece che cavalli. Gli esseri umani, due uomini e due donne, erano i figli e le figlie di un'anziana coppia seduta a cassetta: simboli della pietà filiale e del rispetto per la vecchiaia.

Poi marciavano i soldati, e un cocchio di otto cavalli portava in trionfo la grande urna con le ceneri degli eroi morti per la patria. Marie era troppo avanti per poterla vedere, ma sapeva che al seguito c'erano i parenti dei caduti e che lei non era stata invitata a farne parte. Primo, perché Jacques era un disperso, il suo cadavere non l'avevano trovato; e secondo, perché non erano sposati, anche se vivevano sotto lo stesso tetto.

Infine, in mezzo a un distaccamento di cavalleria, avanzavano otto carretti a due ruote, rivestiti di tappeti con sopra i gigli della casa reale, e dentro scettri, stemmi nobiliari, corone, insegne di conti e marchesi, il tutto sovrastato dalla scritta: «Popolo, ecco ciò che da sempre ha fatto la sfortuna del genere umano».

La processione giunse cosí su viale della Pescivendola e le repubblicane vennero fatte avanzare fino a prenderne la testa.

Marie si trovò di fronte a un arco di trionfo che incorniciava due file di quattro cannoni. Sopra l'artiglieria sedevano a cavalcioni le eroine dell'Ottantanove, quelle che erano andate a Versailles per domandare al Capeto pane, farina e diritti. Vide Georgette, Madeleine, Sophie e le altre. Mancava solo lei.

Il corteo perse la sua compattezza e si dispose in cerchio attorno alla seconda stazione di quella via crucis. Il presidente della Convenzione si fece largo tra i ranghi e consegnò alle donne rami d'alloro.

– Che spettacolo! – gridò nella sua trombetta, da cui usciva una voce stridula e metallica. – La debolezza del sesso e l'eroismo del coraggio! O libertà! Ecco i tuoi miracoli! Grazie a te, mani delicate spinsero questi bronzi, queste bocche da fuoco che fecero arrivare all'orecchio di un re il tuono, annuncio del cambiamento dei nostri destini. O donne! La libertà, attaccata da tutti i tiranni, ha bisogno, per essere difesa, di un popolo di eroi: spetta a voi partorirlo. I rappresentanti del popolo sovrano, al posto dei fiori che ricompensano la bellezza, vi offrono l'alloro, emblema del coraggio e della vittoria: voi lo trasmetterete ai vostri figli.

Marie pensò che l'alloro al posto dei fiori era il genere di simbolo che le andava a genio e che forse Pauline aveva ragione: alla fine, le settimane trascorse a celebrare Marat erano servite. Ora il coraggio delle donne veniva celebrato e tutto il popolo ricordava le loro gesta.

– Te gira alla larga, ve'! Com'è che non t'hanno messo dentro col tuo amico Brissot?

– Eddài, Jeanne, lasciala perdere. Non lo vedi com'è ridotta?

Marie si girò in direzione delle voci. Erano Jeanne e Françoise, due ragazze di Sant'Onorio entrate da poco nel club, a rinforzarne la fazione piú vicina a Robespierre.

Ce l'avevano con una donna vestita all'amazzone, che portava un fodero vuoto in cintura. In testa, l'acconciatura, che doveva risalire a mesi prima, sfatta e scarmigliata, mostrava solo un rudere dell'architettura iniziale. La faccia era bianca di cipria e disseminata di nei posticci, tanto da sembrare la caricatura di un vezzo ormai fuori moda.

Il gruppetto stava già attirando altre donne e anche Marie decise di avvicinarsi, finché non riconobbe Théroigne de Méricourt, cosí diversa dallo spettro che popolava le sue notti. Erano passati appena tre mesi dal loro violento incontro fuori dalle Tegolerie, eppure sul volto della «puttana di Brissot» sembrava essere passato un decennio.

– L'alloro non è per voi... Non è per voi...

La sua voce da cantante lirica s'era fatta chioccia, velata, e Marie non poté fare a meno di ricordare gli strilli che aveva lanciato mentre la fustigavano.

– E per chi è, sentiamo. Magari tuo? – la interrogò Jeanne con aria di sfida.

Théroigne indicò il drappello di donne presso i cannoni. Restò con il dito puntato, come se non le riuscisse piú di parlare.

Intorno, la folla fluiva e andava a ricomporsi in corteo sotto gli alberi del viale, indifferente come l'acqua di un rivo che aggira un masso.

– Per quelle dell'Ottantanove, non di adesso. Non per voi. Per loro –. Frustò l'aria con l'indice teso. – Per loro.

– Senti, bella, – la rimbrottò Jeanne. – Oggi è la Festa dell'Unità, capito? Non c'è noi e loro, questa e quell'altra. Siamo unite. Infino te sei potuta venire qua a farti vedere, ché se non fosse per l'unità ti si dovrebbe cacciar via a calci nel culo.

– Su, Jeanne, vieni, – insistette un'altra. – Rovinarci la festa è proprio quello che vogliono. Non facciamo 'sto favore ai nostri nemici.

– Non è per voi. È per i figli, per gli eroi. Non per voi, capite? Non per voi.

Jeanne fece col braccio un gesto eloquente, come a buttarsi quelle parole dietro le spalle, quindi si allontanò, convinta dalle altre a lasciar perdere e a proseguire la festa, mentre Théroigne de Méricourt continuava a ripetere il suo ritornello.

– Non per voi... non per voi...

Marie restò in piedi a fissarla, incapace di voltarle le spalle. L'aveva tenuta stretta, insieme alle altre, mentre Georgette

le faceva il sedere a strisce. Ricordava la sensazione di quella
forza disperata, stretta fra le sue mani, e sentí un morso allo
stomaco, come ogni volta che riviveva quella scena, nei sogni o nel pensiero. Si ripeté ancora che il loro gesto era stato
giusto: avevano colpito una privilegiata, una che grazie alle
sue amicizie occupava un posto sulle tribune della Convenzione per sostenere il traditore Brissot, e quando certa gente busca quel che merita c'è solo da brindare. Eppure non
riusciva ad andarne fiera, per quanto non capisse che cosa
glielo impediva. L'intervento finale di Marat, proprio lui, a
separare le furie dalla loro vittima, era senz'altro una parte
del boccone indigesto. Ma che cosa fosse e che sapore avesse di preciso, ancora non avrebbe saputo dirlo.

Per questo continuava a fissare la donna, sperando che i
suoi vaneggiamenti finissero per darle una risposta.

3.

Piazza Rivoluzione. Appena un anno fa su quel piedistal-
lo lí c'era la statua equina di Luigi quindici. Adesso, al posto
della statua del re sul suo bel cavallo con le palle dondolone
(del cavallo, non del re), ci hanno issato Madama Libertà,
col culo sul trono, il berretto frigio sulla zucca e in mano una
picca. La statua è in gesso e magari si scioglie col primo temporale, ma adesso fa un figurone. Di fianco, ci hanno piazzato due querce fronzute, dentro dei vasi grandi grandi, e ai
rami ci stanno appesi i doni di noialtri francesi alla Nostra
Dama: nastri tricolori, cartigli, quadretti per-grazia-ricevuta,
e pure gli attrezzi dei vari mestieri, che quelli di sicuro ce
li ha messi David, ché nessun artigiano li mollerebbe cosí.

Non si può dire che l'effetto sia brutto, anche perché intanto, di fronte alla statua, c'è una pila enormissima di le-

gna, che per arrivarci sopra bisogna usare le scale. E in vetta
alle scale ci son due gecchi che ci buttano su gli stemmi dei
nobili e dei re, presi via dalle ville e dalle tombe, poi dànno
fuoco a tutto quanto, un fuoco spaventevole che va su dritto e fa un fumo tanto nero che pensi: varda lí, pare che pure
al fuoco gli fa schifo quel che sta bruciando.

– Uomini liberi! – si sgargarozza il presidente. – Popolo di
eguali, di amici e di fratelli! Costruite le immagini della vostra
grandezza, d'ora in avanti, solo con gli attributi del vostro
lavoro, dei vostri talenti e delle vostre virtú. Che la picca e
il berretto frigio, l'aratro e il covone di grano, gli emblemi
di tutte le arti che arricchiscono e abbelliscono la società,
formino le sole decorazioni della Repubblica. Terra santa,
copriti di questi beni reali che si dividono fra tutti gli uomini, e diventa sterile per tutto ciò che serve alle gioie esclu-
sive dell'orgoglio.

Poi da dietro la statua frulla su uno stormo di colombe
bianche, tante che ad averci uno schioppo in mano te ne por-
teresti a casa quattro o cinque per cena, senza nemmeno far
la fatica di prendere la mira, negoddio. E quelli con la vista
buona dicono che ci hanno pure qualcosa attaccato al collo,
come dei bigliettini, e quelli che san leggere dicono che sulla
«Gazzetta» c'era scritto cosí, che un volo di colombe avrebbe portato su in aria i diritti dell'uomo. E magari David gli
ha dipinto pure il tricolore sulle piume.

4.

– Popolo francese! Eccoti offerto al tuo stesso sguardo sotto una sembianza gravida di lezioni istruttive. Il gigante, la
cui mano potente riunisce in un unico fascio i dipartimenti
che ne costituiscono la forza, quello sei tu! E questo mostro

la cui zampa criminale vuole rompere il fascio, e separare ciò che la natura ha unito, quello è il federalismo!

Marie fissò la statua di Ercole che, dall'alto di una montagna, dominava piazza degli Invalidi. Brandiva una clava sopra la spalla destra, pronto ad abbatterla su un drago con sette teste. Non le pareva un gran che come scultura, ma anche se lo fosse stata, non sarebbe rimasta a rimirarsela piú di tanto. L'incontro con la Méricourt le aveva guastato la voglia di festeggiare, con tutto che non ne aveva molta già da principio. Aveva ripreso a marciare distratta, strascicando i piedi, e quando il corteo aveva passato la Senna sul ponte della rivoluzione, nel parapiglia dovuto allo spazio ristretto aveva perso di vista le altre repubblicane. Ora cercava di rintracciarle, facendosi largo ai margini della folla, sotto gli alberi che delimitavano la spianata, alzandosi ogni tanto sulla punta dei piedi per scorgere lo stendardo di Claire. Quando infine lo vide, sgomitò fino a raggiungerlo, solo per scoprire che a reggerlo era un'altra.

– Dov'è Claire? – chiese Marie.

La donna indicò poco piú in là.

Intravide le sagome di Claire e Pauline che discutevano fitto con un uomo. Riconobbe il giovane Leclerc. Fu lui il primo a vederla e a sorriderle.

– Marie Nozière! Ben ritrovata. Peccato che io sia in procinto di andarmene.

Marie notò che a fronte della giovialità dell'uomo, Claire e Pauline erano scure in volto e stranamente zitte.

– Non fate festa? – chiese.

– È meglio di no, – rispose Leclerc. – E poi oggi è la vostra giornata. Sono convinto che sarete voi donne a decidere le sorti della Repubblica. Guardatevi attorno: donna è la statua della libertà, donna la natura, donne le eroine di Versailles. Anche la rivoluzione è donna. Non dimenticatelo, amica mia.

Prima che avesse il tempo di riflettere su quelle parole, Marie si ritrovò stretta nell'abbraccio di Leclerc, che le stampò sulle guance il doppio bacio dei repubblicani. Quindi fece lo stesso con le altre due donne e si dileguò tra la folla. Marie si volse verso le amiche con una faccia che richiedeva spiegazioni.

– Deve volare basso, – disse Pauline. – Non si farà vedere per un po'.

– Perché? – sbottò Marie, incredula. – Adesso che c'è bisogno di lui per stampare «L'Amico del Popolo»!

Pauline nascondeva a stento la rabbia. Fu Claire a parlare.

– Non glielo fanno piú stampare.

– E perché? – domandò Marie. Aveva letto e distribuito gli ultimi numeri del giornale, tutti pubblicati da Leclerc, e li aveva trovati anche piú convincenti di quando il direttore era Marat in persona.

Claire riprese: – Due sere fa la vedova di Marat si è presentata alla Convenzione, per denunciare tutti coloro che infangano il nome del marito –. Sollevò il numero della «Gazzetta» che aveva in mano. – Leggi qua.

Marie lesse a voce alta, come era abituata a fare: «Io vi denuncio in particolare due uomini, Jacques Roux e un certo Leclerc, che pretendono di proseguire la pubblicazione dei giornali di mio marito e fanno parlare la sua ombra per oltraggiarne la memoria e ingannare il popolo. In suo nome, ordinano di insanguinare la giornata del 10 agosto, col pretesto che il suo animo sensibile, straziato dai dolori dell'umanità, ha pronunciato qualche volta giusti anatemi contro le sanguisughe e gli oppressori del popolo». Sangueddio! – chiosò Marie. – Se ce l'ha con «L'Amico del Popolo», allora ce l'ha pure con noi che lo diffondiamo.

– Noi non siamo nominate, – disse Claire ripiegando il giornale. – Segno che ancora possiamo decidere.

– Decidere cosa?

– Se stare dalla parte della Montagna o stare con chi dice che la rivoluzione è fatta solo a metà.

Marie si sentí di nuovo smarrita. Scosse la testa.

– Ma cosí facciamo a metà pure le repubblicane: una metà con gli arrabbiati, l'altra con Robespierre. Non possiamo andare avanti per la nostra strada e sbrisga?

Le altre non risposero e quel silenzio scavò un vuoto ancora piú profondo nell'animo di Marie.

– Robespierre si potrà mettere contro Roux e Leclerc, ma non si metterà mai contro il popolo! – disse. E mentre lo diceva si rese conto che cercava di convincere sé stessa.

Fu Pauline a parlare.

– La domanda è piuttosto: con chi sta il popolo?

– Il popolo siamo noi, – ribatté Marie. – Lo ha detto anche il vostro amico Théo, un minuto fa, prima di battersela. Dipende da noi!

Si aggrappava alla rabbia per non sprofondare.

Claire annuí e fece per ribattere qualcosa, ma una voce arrochita e folle si alzò poco distante.

Marie la riconobbe, era di nuovo quella di Théroigne de Méricourt. Si era issata sul carretto di un ambulante e non voleva saperne di scendere.

– Due giorni fa hanno arrestato Olympe de Gouges! – blaterava. – L'hanno chiusa a marcire in una cella. L'intelligenza migliore di Francia...

– La De Gouges è una brissotina come te, maledetta pazza! – urlò qualcuno da sotto.

La Méricourt, piú scarmigliata che mai, puntò il dito su chi aveva parlato.

– Lei ha fatto piú di tutte noialtre messe assieme! Ha scritto che le donne devono essere cittadine!

– Le donne sono donne, non uomini!

– Questo è il funerale della Repubblica! – strillò la Méricourt con gli occhi spiritati.

Un lancio preciso la colpí in piena faccia. Sterco di cavallo. La donna precipitò giú dal carretto.

Solo in un secondo momento Marie si rese conto di essere accorsa ad aiutarla. Le diede una mano a rialzarsi e le offrí un fazzoletto per pulirsi il viso.

La Méricourt la fissò e Marie ebbe l'impressione che l'avesse riconosciuta. Invece no, i suoi occhi erano spenti.

– Vattene a casa, – le disse Marie secca. – Questa non è roba per te. E nemmeno per quelle come la De Gouges. Vai o finisci male anche tu.

– Ci finiremo tutte, – rispose l'altra senza piú forza.

Marie scorse Claire e Pauline, poco piú in là, che le facevano segno di venire via. Farsi vedere insieme alla matta della Gironda non giovava certo alla reputazione.

– Fila via… – disse ancora Marie mentre scostava da sé la donna malconcia e puzzolente. Poi, a voce bassa, mentre la guardava allontanarsi, aggiunse: – E salvati, se puoi.

Estratto da

PROGETTO DI CONTRORIVOLUZIONE DEI SONNAMBULISTI
letto il 29 luglio 1790 ai comitati di ricerche
dell'assemblea nazionale e della municipalità di Parigi
da Jacques-Pierre Brissot, uno dei membri di questo comitato

Se le azioni pubbliche di quanti ostentano una dottrina stravagante meritano di attirare l'attenzione di coloro che sono incaricati di mantenere la tranquillità generale, è soprattutto nei tempi di disordini, dove follie e visioni possono servire a coprire progetti pericolosi per la costituzione.

La storia dei signori Dhosier e Petit-Jean riguarda in parte il famoso magnetismo animale, e in parte la credenza nelle rivelazioni fatte dalla Vergine a persone messe in stato di sonnambulismo. Si stenta a credere che, in un secolo dove la filosofia ha gettato una luce tanto brillante, dove gli uomini hanno imparato ad appoggiare le loro idee soltanto su solide basi, si trovino ancora esseri tanto deboli da adottare le visioni piú straordinarie, a partire da fatti senza importanza e discorsi tenuti nel delirio.

Eppure tale fenomeno morale esiste; le sette di illuminati aumentano, invece di diminuire; può darsi che sia il risultato delle circostanze politiche del paese, che lega a dottrine misteriose gli uomini scontenti del nuovo ordine, e che sperano di trovare i mezzi per distruggerlo.

La Signora Bianca
Estate 1793

1.

Cavalcavano da giorni in silenzio, curvi sotto il peso del viaggio e scambiandosi solo le parole necessarie. Persino Feyfeux aveva smesso con le sue litanie. In compenso, Thuillant produceva un lieve e costante ringhio rivolto al mondo attorno, come un cane teso ad abbaiare contro una minaccia. Lo Sfregiato, sulla sua nuova cavalcatura, un cavallino di montagna che a stento reggeva il peso, teneva il moschetto di traverso sull'arcione, pronto a fare fuoco. Poulidor apriva la strada, e spesso smontava da cavallo per osservare i segni sul terreno.

Il sergente Radoub cavalcava con la mano sull'impugnatura della pistola, come a cercare rassicurazione in quella presenza.

D'Amblanc curava l'irrequietezza ascoltando il dolore del proprio corpo. Dal costato si era diffuso alla spalla e iniziava ad arrampicarsi lungo il collo. Erano anni che il male non si ripresentava in forma tanto estesa. Covava il sospetto di quale fosse il motivo, ma ancora stentava ad ammetterlo. Il paesaggio era sempre piú ostile. Dopo avere attraversato un tratto di terreno vulcanico, costellato di orridi e crateri, erano ridiscesi sull'altro versante dell'altopiano, immergendosi in una foresta, la piú fitta che D'Amblanc avesse mai visto. No, non era esatto. In America ne aveva attraversate di altrettanto fitte e anche piú estese. Forse era quella la ragione del suo male. Era di nuovo in America, di nuovo sottoposto alla fatica delle marce, di nuovo sotto il peso grave di un destino incerto che poteva celarsi dietro ogni cespuglio. Questo risvegliava nel corpo la memoria delle sofferenze patite nel nuovo mondo.

Notava come il sergente Radoub lo seguisse da vicino, il muso del cavallo a fare capolino sul suo fianco destro. In un'occasione il reduce lo sorresse, quando stava per scivolare giú di sella.

D'Amblanc stringeva i denti e proseguiva, come aveva fatto da giovane medico del reggimento del re, quando aveva dovuto riportare a casa sé stesso.

Stavano entrando in una zona sulla quale avevano informazioni confuse e discordanti. Qualcuno diceva che era una enclave girondina; altri sostenevano che parecchi scampati dell'esercito cristiano del Mezzogiorno avessero trovato rifugio in quei boschi.

Il giorno prima avevano incrociato un posto di blocco militare. I soldati della Repubblica stavano perquisendo il carro di una famiglia di contadini, in cerca di merce imboscata.

D'Amblanc aveva osservato le facce stolide dei villici che attendevano in fila al lato della strada, dal capofamiglia ai bambini. Non avrebbe saputo ipotizzare cosa stessero pensando dietro quei volti inespressivi. Pareva non pensassero affatto.

Mentre i militari controllavano le sue credenziali, D'Amblanc aveva chiesto loro di quale reggimento fossero e aveva scoperto che si trattava di un battaglione di reclute dell'ultima leva, agli ordini del generale Nanterre.

«Mai sentito», aveva commentato Radoub.

«È generale solo da un mese».

«Quanti anni ha?»

«Ventiquattro. Il generale di prima è scappato con i girondini».

Il militare aveva chiesto dove fossero diretti.

«Andiamo in un piccolo paese che si chiama Malacarne».

Il soldato aveva fatto mente locale ma non era riuscito a ricordare dove si trovasse. Poco male, aveva detto D'Amblanc, possedevano una mappa.

«È oltre la foresta».

«È la zona peggiore. Ci sono i monarchici laggiú». Poi aveva aggiunto: «Fate attenzione. Il battaglione si muove in fretta».

D'Amblanc non aveva inteso cosa il militare volesse dire. Aveva salutato e la piccola compagnia d'uomini era sfilata davanti alla famiglia di contadini seduta sul ciglio della strada.

Si erano inoltrati nel bosco, lungo un sentiero insidiato dalla vegetazione, che sembrava volerlo divorare.

D'Amblanc immaginava gli uomini di quelle lande piú impegnati a resistere alla pressione della natura che a decidere chi dovesse governarli, se un tiranno o loro stessi.

Transitarono davanti a due cadaveri, gonfi e dilaniati dagli animali notturni. Poulidor fu il primo a notarli, ma il fetore era talmente intenso che non ebbe bisogno di avvertire la compagnia. Tennero i fazzoletti sulla bocca e sul naso. Le carcasse erano stese una accanto all'altra, sul bordo del sentiero, come se qualcuno ve le avesse lasciate a bella posta. Thuillant diede di stomaco, senza nemmeno smontare.

L'immagine si stampò nella mente di D'Amblanc: i tratti del volto indistinguibili ormai, niente scarpe né zoccoli, niente borse né camicie. Oltre agli animali della notte, qualcun altro aveva visitato i cadaveri, senza prendersi la briga di seppellirli. Non lo fecero nemmeno loro. Tirarono diritto fino al tramonto, quando si accamparono di nuovo sotto le stelle, in prossimità di un torrente che serpeggiava in mezzo alla foresta.

Gli uomini ne approfittarono per bagnarsi e lavare via il sudiciume del viaggio. Allestirono un magro pasto, mentre D'Amblanc si distendeva, trattenendo il fiato per il dolore.

Radoub preparò il giaciglio accanto al suo.

– Quanto credete di potere andare avanti?

– Cosa intendete dire? – ribatté D'Amblanc.

– Intendo dire che il laudano è finito.

– Posso farcela. Stringerò i denti.

Gli occhi acquosi di Radoub luccicavano ai raggi della luna.

– Sono soltanto vecchie ferite o avete anche qualche osso fuori posto?

D'Amblanc sentí la voce riaffiorare dal pozzo dei ricordi, inconfondibile.

Aus meinen Händen…

– Le ossa non c'entrano. Sono i ricordi.

– I ricordi?

Dalle mie mani das Fluidum… il flusso investirà l'ostacolo e lo spazzerà via.

– Una volta un uomo mi ha detto che a riaprire le cicatrici sono i ricordi cattivi. Lui riusciva a mandarli via senza bisogno di ricorrere al laudano.

– I brutti ricordi fanno male soltanto al cuore, – ribatté Radoub. – Avete male al cuore?

D'Amblanc ci pensò un istante, quanto bastò a ricordare un profumo e un paio di occhi verdi.

– Forse sí.

Il sergente sospirò. La stanchezza gli segnava il viso impietosa.

– Che vi è successo in America?

– Durante un trasferimento gli indiani ci attaccarono e fui catturato, – rispose il dottore.

Radoub grugní.

– Ricordo bene gli indiani. Alle volte ho dubitato che appartenessero al genere umano. Sono capaci di cose indicibili...

– Non sono diversi da noi, – replicò D'Amblanc. – Sono simili nel bene e nel male all'uomo come doveva essere nei giorni in cui il mondo era agli inizi. Simili nella mentalità ai nostri contadini e pastori piú poveri. Ciò che fecero a me non è dissimile da quello che potrebbero farvi i bifolchi della Vandea o anche quelli di qui.

Una fitta lo costrinse a interrompersi, troncandogli il fiato in gola.

Radoub non si mosse, si limitò a scrutarlo con severità.

– Sono convinto che sarebbe meglio tornare indietro.

– Non adesso, – ribatté D'Amblanc ritrovando la voce. – Non ancora.

– Accidenti, D'Amblanc... – obiettò l'altro, ma venne interrotto.

– Sono io il capo della missione. La decisione spetta a me.

– Io però vorrei riportarvi a Parigi tutto intero.

D'Amblanc trasse alcuni respiri profondi.

– Se dovessi avere una crisi, dite agli uomini di strofinarmi le tempie e i piedi con vigore.

Il sergente mormorò qualcosa tra sé e sé, quindi si voltò su un fianco per provare a dormire.

2.

Il campanile fu la prima costruzione umana che avvistarono dopo giorni. Svettava candido tra il verde degli alberi.

Malacarne era una manciata di case assediata dalla foresta. A D'Amblanc vennero in mente i funghi che crescono a macchie in mezzo all'erba.

L'intero paese li aspettava sulla porta principale. In piedi, zitti, come fossero statue umane per una raffigurazione sacra: donne, bambini, uomini anziani. Le facce della miseria, poca carne su ossa e muscoli.

Impossibile immaginare chi li avesse avvisati del loro arrivo. Negli ultimi due giorni non avevano incrociato anima viva e la foresta era troppo fitta per consentire avvistamenti alla distanza.

Il mistero fu svelato poco dopo. La donna che parlò per prima, di un'età indefinibile, occhi chiari e viso segnato che serbava qualcosa di simile all'avvenenza, pronunciò parole che non lasciavano dubbi.

– Margot aveva detto che sareste arrivati.

D'Amblanc si stupí per l'ottimo francese della donna, ma finse di non aver sentito, si guardò attorno e chiese del sindaco.

Fu la stessa donna a rispondere.

– Il nostro sindaco non c'è piú.

– È scappato?

– No, è morto. Margot aveva predetto anche questo.

D'Amblanc sentí una fitta alla schiena e trattenne una smorfia di dolore.

– Vi ha per caso detto anche chi siamo e cosa siamo venuti a fare?

Seguí un lungo silenzio, durante il quale gli occhi della donna non si staccarono mai da lui.

– Siete qui per la vostra pena, – disse infine. – Siete venuti guidati dal vostro male.

D'Amblanc incrociò lo sguardo di Radoub. Gli mancarono le forze. Il sergente lo afferrò per un braccio e lo aiutò a smontare da cavallo. D'Amblanc fece il suo ingresso in paese camminando aggrappato all'animale. Gli trovarono un letto su cui farlo riposare, in quella che era stata la casa del curato, anch'egli scomparso. D'Amblanc si coricò con le pistole incrociate sul petto.

Dormí per diverse ore. Non fu un sonno ristoratore, bensí travagliato da incubi terribili. Sognò la voce di Mesmer, il suo inconfondibile accento tedesco, il timbro forte e accattivante al tempo stesso. Non riusciva a distinguere le parole, gli pareva che parlasse da una grande distanza. Cercava di raggiungerlo, attraversando un bosco fitto, con i rami che trattenevano i vestiti. Sentiva il legno graffiare la pelle, aprire ferite. Infine giungeva in una radura, al cui centro c'era Mesmer. La sagoma nota, il lungo abito, il mantello, la chioma fluente. Portava una maschera nera. D'Amblanc gli diceva che i bagni e i massaggi non bastavano piú, lo implorava di chiamare il marchese di Puységur, perché aveva bisogno di essere sonnambulizzato e liberato dal dolore. Per tutta risposta l'uomo si toglieva la maschera e rivelava il viso della donna che lo aveva accolto alle porte del villaggio.

«Non c'è nessun marchese, – diceva. – Soltanto il cavaliere».

A quel punto si svegliò. La prima cosa che vide furono le sue pistole appoggiate su una sedia accanto al letto. La seconda fu il crocifisso, sulla parete sopra la sua testa. Un uomo bloccato e sofferente, con una vistosa ferita al costato. D'Amblanc pensò a sé stesso.

No, si disse. Non è questo che sono. Si sollevò a sedere. La stanza era spoglia e a malapena illuminata dalla luce che filtrava dalla finestra semichiusa.

Passò una mano sotto la camicia e la osservò per accertarsi che non vi fosse sangue, rendendosi conto di quanto fosse sciocco quel gesto. Si alzò, infilò giacca e stivali e aprí la porta, solo per trovarsi faccia a faccia con Poulidor.

– Porco diavolo, vi siete tirato su, finalmente. Avete blaterato tutto il tempo...

D'Amblanc sbirciò oltre la sua spalla. Un ampio locale, forse un refettorio, con un grande camino annerito dalla fuliggine, un tavolaccio lungo e le panche ai due lati. La scorta era al completo, tutti lí dentro.

Il sergente Radoub raccolse un pentolino e gli versò del liquido caldo in una tazza.

– Bevete. Vi rinfrancherà.

D'Amblanc sedette accanto a lui sulla panca.

– Cosa succede? Perché siete tutti qui dentro?

– Perché non ci piace là fuori, – rispose Radoub indicando la finestra.

D'Amblanc si spostò per sbirciare attraverso l'inferriata.

I paesani erano ancora radunati nello spiazzo davanti alla canonica e guardavano nella loro direzione, immobili. Il pomeriggio era al termine, una luce arancione inondava le case.

– Sono sempre rimasti lí? – chiese.

Radoub annuí.

– Cosa fanno?

– Niente, – rispose Radoub scrollando le spalle. – Ci guardano.

– Mi vengono i brividi, – disse Thuillant. – Il sindaco e il parroco sono morti. Qui non comanda nessuno. Non c'è re né Dio, né Repubblica. Facciamo quello che dobbiamo fare e filiamo via.

D'Amblanc tornò in camera a raccogliere le pistole. Le infilò in cintura e le coprí coi lembi della giacca.

Non vi fu bisogno di dir nulla. Gli uomini raccolsero le armi e lo seguirono all'esterno, disponendosi ai suoi fianchi.

D'Amblanc scrutò in mezzo ai volti impassibili dei paesani, cercando la donna che lo aveva interpellato all'arrivo, ma senza trovarla.

– Mi chiamo Orphée d'Amblanc. Vengo da Parigi su mandato del comitato di sicurezza generale, – disse ad alta voce.
– Voglio vedere una bambina che abita in questo paese. Si chiama Margot Tourlan.

Per qualche secondo non accadde niente, poi gli abitanti di Malacarne si volsero e si incamminarono tutti nella stessa direzione.

D'Amblanc scambiò un'occhiata con i suoi e decise di seguire quella gente, tenendosi a una certa distanza.

Giunsero a una casa in fondo al paese, dove iniziava una lieve discesa. Gli abitanti si aprirono per lasciare passare i forestieri. D'Amblanc ordinò agli uomini di rimanere a presidiare l'ingresso. Salí soltanto con Radoub, lungo una vecchia scala che a ogni passo lanciava un lamento legnoso. A D'Amblanc parvero i propri stessi gemiti. Arrivò in cima con un lieve affanno. Sentiva lo sguardo indagatore di Radoub che lo controllava.

La porta si apriva su un'unica stanza, dalla quale sembravano essere stati tolti i mobili. Le travi dal tetto scendevano verso il pavimento, dove il soffitto diventava piú basso. Al centro, seduta su una sedia, una bambina. Margot.

La bambina che parla con gli angeli, con la beata Vergine, forse con Cristo stesso. Capelli neri, occhi grandi, spalancati su quel piccolo, angusto mondo. Quanti anni poteva avere? Sette? Otto?

La donna in ginocchio davanti a lei che le accarezzava la fronte era quella con cui D'Amblanc aveva già parlato, quella che era apparsa nell'incubo.

– Siete la madre di Margot Tourlan? – le chiese.

La donna si alzò e annuí.

– Juliette Tourlan.

– Dov'è suo padre?

– Con Dio.

D'Amblanc si avvicinò alla bambina, senza smettere di osservarla.

– Margot, io sono un dottore. Sono qui per visitarti.

– È vero? – chiese la madre.

– Certo, – disse D'Amblanc. – Margot non l'ha predetto questo?

La donna tacque e fu invece la bambina a parlare.

– Chi visita voi?

Aveva una voce che suonava piú adulta della sua età.

– Me?

– Sí, – disse Margot. – Per la vostra ferita.

Indicò D'Amblanc e una scarica di dolore lo colpí al costato. Sussultò, tossí, ma riuscí a rimanere dritto.

– Il Signore le ha dato un dono, – disse la madre. – Margot vede cose che nessun altro può vedere. È figlia degli angeli.

D'Amblanc la guardò come si guarda un alienato in preda al delirio, eppure sembrava assolutamente lucida. Gli occhi però… D'Amblanc se li ritrovò davanti come nell'incubo.

– Uscite, per favore, – disse.

La madre lo fissò senza capire.

D'Amblanc le indicò la porta.

– Radoub! – chiamò.

Il sergente si avvicinò.

– Accompagnate dabbasso la cittadina Tourlan.

Solo quando sentí le scale smettere di lamentarsi, D'Amblanc si inginocchiò di fronte a Margot. Le toccò una caviglia e la fronte, per stabilire la catena magnetica. La bambina lo lasciò fare.

– Chiudi gli occhi, adesso. Riposa.

Margot abbassò le palpebre.

– Riposa… – mormorò D'Amblanc.

– Lo faccio già.

– Stai dormendo?

– È come se sto dormendo.

D'Amblanc annuí ai propri presentimenti.

– Ora rispondimi: è vero che parli con Dio?

– No.

– Con chi, allora?

– Con la Signora Bianca.

– Chi è questa Signora Bianca?

– Voi lo sapete.

– Come faccio a saperlo, Margot?

– Portate il suo nome.

D'Amblanc sorrise a quell'ingenuità infantile. *Dame Blanche*. Un gioco di parole a cui non aveva pensato.

– È solo un nome. Dimmi, chi è lei?

– Non lo so.

– È bella?

– Molto bella, sí. Quasi come mia madre.

– Si inginocchia davanti a te?

– Sí, mi lava i piedi e poi il viso.

– E ti parla, anche?

– Sí. Mi parla di Nostro Signore. Io ascolto.

– Molto bene. Quando vuoi puoi aprire gli occhi.

La bambina sbatté le palpebre e riprese a fissarlo.

Lui ebbe l'istinto di darle una carezza, ma ritrasse la mano davanti all'aria stranita della bambina.

Richiamò dentro la madre e uscí a sua volta nel pianerottolo.

Radoub gli parlò a bassa voce.

– L'avete… sonnambulizzata?

– Non è stato necessario, – rispose con un bisbiglio. – Qualcuno l'aveva fatto prima di me.

– Chi?

– La madre. Quando sono entrato lo stava facendo.

– Cosa significa?

– Significa che la bambina sembra sveglia ma non lo è. È la madre a suggerirle cosa dire mentre è in stato sonnambolico. Dopodiché la bambina non ricorda piú nulla, se non che una bella signora le ha toccato i piedi e il viso. Non ci sono né angeli né santi.

Radoub si grattò la testa.

– Come diavolo fa una contadina in questo luogo dimenticato da Dio a conoscere certi stratagemmi?

D'Amblanc si portò una mano al fianco.

– È quello che intendo scoprire, – sibilò tra i denti.

– Voi state male…

– Non importa. Devo parlare a quella donna.

D'Amblanc rientrò nella grande soffitta.

3.

– Chi vi ha insegnato a sonnambulizzare? – chiese D'Amblanc.

Juliette Tourlan lasciò passare qualche istante prima di rispondere.

– Non capisco.

Era in piedi accanto alla figlia, le teneva una mano sulla spalla, e ogni tanto le dita scorrevano sulle punte dei capelli.

– Quello che fate alla bambina, – spiegò D'Amblanc. – Chi ve l'ha insegnato?

– Nessuno.

– Mentite.

– Il Signore non vuole che io menta. Nessuno mi ha insegnato.

– Avete visto farlo? – insistette D'Amblanc.

Questa volta la donna annuí.

– Siete stata sonnambulizzata in passato?

Un altro assenso.

– Da chi?

– Dal cavaliere d'Yvers.

Come Noèle Chalaphy, pensò D'Amblanc. Dunque era questo che faceva Yvers, metteva alla prova le proprie doti di magnetista sui contadini. Le parole di Mesmer gli rimbalzarono in testa. «Oggi avete visto un nobile magnetizzare *einen Bauern*, un contadino. Ma avete mai visto un contadino fare lo stesso a un nobile?»

– Yvers vi faceva addormentare? Vi parlava?

– Era la voce di un angelo... – rispose Juliette Tourlan con aria sognante. – Volevo ascoltarla per sempre. Mi parlava di Dio. E anch'io gli parlavo. È lui che mi ha insegnato a parlare bene e io l'ho insegnato a Margot. Ha aiutato la mia famiglia. Mi ha infuso la gioia.

D'Amblanc meditò su quelle parole. Avvertiva la presenza di Radoub, alle sue spalle, a pochi passi di distanza. Pareva che evitasse persino di respirare.

Madre e figlia lo fissavano, gli occhi dell'una erano la copia in miniatura di quelli dell'altra. D'Amblanc avvertí ancora una fitta al costato e subito una seconda alla base del collo. Barcollò, ma riuscí a rimettersi dritto.

Streghe. Nei secoli oscuri le avrebbero bruciate sul rogo. Oggi si trattava di decidere se mandarle alla ghigliottina o in un sanatorio per alienati. Gli sovvenne un pensiero.

– Come è morto il padre di Margot? – domandò con voce soffocata.

– Non ho detto che è morto, – rispose la donna.

– Avete detto che è con Dio.

– L'angelo è tornato a Dio.

Un'altra carezza sui capelli neri della figlia.

D'Amblanc sentí un brivido crepitargli nella schiena. Ebbe la sensazione che anche Radoub avesse sussultato.

– Intendete dire che Margot è figlia...
– Dell'angelo. Sí. Per questo ha il dono.
A Radoub scappò un'imprecazione a mezza voce.
– La preveggenza?
– La Vergine ci parla per bocca di Margot. Cosí sappiamo
di chi possiamo fidarci e di chi no.
– Di noi cosa vi ha detto? – chiese D'Amblanc.
– Che il male che portate consuma voi stessi.
D'Amblanc si alzò e raggiunse la finestra, nel punto dove
il soffitto era piú basso. La luce cominciava a calare, e le per-
sone là fuori prendevano l'aspetto di sagome vaghe, confuse
con le loro ombre allungate. L'effetto era quello di creature
gigantesche e smilze che si protendevano sulla via del paese.
– Perché non avete un parroco? – chiese.
La donna non rispose.
D'Amblanc si voltò verso di lei.
– Dov'è il parroco?
– È morto.
– Come il sindaco. Di cosa?
Ancora silenzio.
Radoub tossí nervoso, ma D'Amblanc fece finta di non
averlo sentito.
– Cittadina Tourlan, ve lo chiedo ancora: di cosa sono
morti il sindaco e il parroco?
La donna non rispose.
Un cenno di Radoub, che nel frattempo si era spostato a
un'altra finestra, attirò l'attenzione di D'Amblanc.
– Là fuori hanno acceso delle torce. Scende il buio. Non
mi piace per niente.
D'Amblanc guardò. Gli parve che i paesani si fossero av-
vicinati all'ingresso dell'abitazione. Un mormorio indistinto,
una litania, si alzava dalla piccola folla. Forse una preghiera.
La scala cigolò e Thuillant si stagliò sulla porta.

– Sergente, è meglio se calate dabbasso.

Radoub si voltò verso D'Amblanc.

– Per l'ultima volta... – disse questi alla donna. – Di cosa sono morti il sindaco e il parroco?

– Era un prete falso, – sibilò la bambina.

D'Amblanc fu colto alla sprovvista.

– Mandato qui per conto della repubblica, – aggiunse la madre. – Il sindaco diceva perfino di essere lui, la repubblica.

La litania saliva dalla strada sempre piú forte.

– Li hanno uccisi loro! – ringhiò Radoub.

Un bagliore giallo riverberò sulla finestra.

– Andiamo via, D'Amblanc.

La litania saliva dalla strada, sempre piú forte.

D'Amblanc sembrava catturato dalle due figure che aveva davanti. Lo colpí una fitta piú intensa delle altre, che lo lasciò senza fiato. Si piegò e cadde seduto per terra.

La litania saliva dalla strada. Sempre piú forte.

Radoub lo aiutò a rialzarsi, fece per trascinarlo via, ma D'Amblanc opponeva resistenza.

Arrancò verso la donna e la bambina.

Juliette allungò una mano ad accarezzargli il viso.

– È stata la Vergine a dirci di farlo, – disse.

– Devi liberare anche lui, mamma, – mormorò Margot.

La preghiera era ormai il rombo di una marea montante. Thuillant tornò sulla porta e gridò che dovevano andarsene subito. Radoub prese a trascinare D'Amblanc, che faticava a reggersi in piedi.

– Devi farlo, mamma, – ripeté la bambina con gli occhi accesi di una luce nera. – Liberali tutti.

Juliette andò alla finestra e la spalancò sulla folla.

– Margot ha detto di liberarli! – gridò.

Una piccola selva di torce circondò gli uomini della scorta che difendevano l'uscio. Radoub scese le scale con D'Amblanc e giunto in fondo lo caricò sulle spalle dello Sfregiato, mentre gli altri tenevano lontana la gente spianando le armi. Feyfeux colpí una donna con il calcio del moschetto e quella crollò a terra. Gli uomini approfittarono del parapiglia per aprirsi un varco e fuggire.

Juliette Tourlan gridava ancora dalla finestra.

D'Amblanc, sballottato sulla schiena dello Sfregiato, vedeva la donna capovolta, come fosse appesa a un cornicione. Un pipistrello strillante.

Corsero fino alla canonica e si barricarono là dentro. Gli uomini si misero alle finestre con le armi spianate, mentre D'Amblanc veniva steso sulla panca.

Radoub ordinò allo Sfregiato di strofinargli i piedi, lui prese a sfregargli le tempie.

I paesani ci misero poco a presentarsi sullo spiazzo là davanti. Non avevano solo torce, ma anche forconi, falci, mannaie. Iniziò un lancio di pietre e zolle incendiate contro le finestre.

Dall'interno, Poulidor e Feyfeux esplosero alcuni colpi che fecero arretrare la canea. D'Amblanc si liberò dalla presa dei due uomini e strisciò fino alla finestra. Scorse Juliette in mezzo alla folla. Non poteva distinguerne i tratti, ma era come se la donna lo stesse guardando.

– L'Angelo può liberarvi dal male, – gridava. – Voi lo sapete. Non resistetegli.

A D'Amblanc parve che i dolori cessassero, per poi ricominciare piú forti di prima, fino a farlo contorcere.

– Vieni. L'Angelo può guarirti. Ha guarito tutti noi.

Il dolore divenne insopportabile. D'Amblanc estrasse una delle pistole e fece per puntarsela sotto il mento. Radoub lo fermò e gliela strappò di mano.

Ripresero a massaggiargli le estremità finché la crisi non raggiunse il suo picco e fece sputare fuori l'anima a D'Amblanc con quanto fiato aveva in corpo.

In quell'istante il cielo tuonò.

Il boato dei paesani si mescolò allo schianto del campanile che crollava sullo spiazzo. Non pochi vennero schiacciati. D'Amblanc vide la sagoma di Juliette sparire sotto una nuvola di polvere e detriti. La gente prese a fuggire in tutte le direzioni, ma i piú si buttarono in ginocchio a pregare. Il secondo rombo aprí uno squarcio sul tetto della chiesa. Il terzo centrò lo spiazzo davanti all'edificio e fece a brandelli altra gente.

Radoub diede l'ordine agli uomini di uscire. Lui e lo Sfregiato sollevarono D'Amblanc e corsero lontano dalla canonica, in tempo per vedere una quarta e una quinta cannonata distruggere ciò che rimaneva di quel lato del paese.

Appoggiato a un albero, D'Amblanc riprese fiato. Feyfeux e Thiullant li raggiunsero trascinando con sé i muli e i cavalli. Il chiaro di luna rendeva ben visibile il paese di Malacarne che veniva sbriciolato. I lampi sul crinale della collina indicavano la posizione delle batterie. Radoub decise di allontanarsi ancora. Muoversi in mezzo alla boscaglia, e con le bestie al seguito, fu una tortura. A D'Amblanc sembrò di vivere il proprio incubo, con i rami che gli graffiavano il corpo e la faccia, mentre si teneva stretto all'arcione, piegato in avanti sul collo dell'animale. Gli altri procedevano a piedi, sfruttando quel poco di luce lunare che si intrufolava là sotto, spinti dalla paura e dalla disperazione.

Poulidor venne mandato in avanscoperta e tornò dopo mezz'ora, dicendo che si trattava di un contingente di giubbe blu della Repubblica. Decisero di attendere nel bosco la fine del bombardamento. D'Amblanc sbirciava i pezzi che tuonavano uno dopo l'altro. Quando i colpi cessarono, iniziò l'incursione. I soldati risalirono il versante e piombarono sul paese. Le due ore successive furono un susseguirsi di ordini, grida, legno sfondato, spari, fuoco, altre grida.

Uno spettacolo al quale D'Amblanc e la scorta assistettero muti, come in attesa del proprio stesso destino. La luna era ormai alta nel cielo, quando decisero di palesarsi. A scanso di equivoci, mentre uscivano dall'intrico di rami intonarono *La Marsigliese*.

Gli artiglieri e i fanti li circondarono e li scortarono fino a un piccolo falò in mezzo alle macerie del campanile, intorno al quale si radunava un capannello di facce logore e mal rasate.

D'Amblanc trovò la forza di porgere all'ufficiale in comando la lettera del comitato. Il giovane che la ricevette si rivelò essere il generale Nanterre in persona.

– Da dove venite? – domandò.

– Da qui, negoddio! – rispose Radoub. – Quando avete iniziato a cannoneggiare ci siamo messi in salvo nel bosco. Per poco non ci restavamo sotto.

– Malacarne è un covo di partigiani della monarchia, – disse l'ufficiale. – O almeno lo era, – aggiunse. – Ci è stato segnalato che il villaggio dava asilo a un gruppo di scampati dell'esercito cristiano del Mezzogiorno.

– Ne siete sicuro? – chiese D'Amblanc con un filo di voce.

Il giovane sorrise sconsolato per la sua ingenuità.

– Questo non è un posto né un tempo dove si possa nutrire il dubbio troppo a lungo.

Alla luce di una lanterna da campo, D'Amblanc osservò meglio il viso del generale. Il suo sguardo era quello di un vecchio.

CONVENZIONE NAZIONALE
Estratto dalla seduta del 5 settembre 1793
(anno II della Repubblica francese, una e indivisibile)

BARÈRE, A NOME DEL COMITATO DI SALUTE PUBBLICA Da molti giorni, tutto sembrava annunciare una sommossa dentro Parigi. Lettere intercettate, dirette all'estero oppure ad aristocratici residenti in Francia, dichiaravano lo sforzo costante dei loro agenti affinché ci fosse una sommossa in quella che essi chiamano «La Grande Città». Ebbene l'avranno, questa sommossa... [*Si alzano vivi applausi*] ma l'avranno organizzata e regolarizzata da un esercito che eseguirà finalmente quel gran motto che dobbiamo al comune di Parigi: «Mettiamo il Terrore all'ordine del giorno». È cosí che spariranno in un istante i monarchici, i moderati e la turba controrivoluzionaria che agita la città. I monarchici vogliono il sangue? Ebbene, avranno quello dei cospiratori, dei Brissot, delle Marie Antoniette. Da domani, il comitato vi proporrà il modo per avere a Parigi un esercito rivoluzionario di seimila uomini e duecento cannoni [*Applausi*].

JEANBON SAINT-ANDRÉ C'è un'altra misura da prendere. Esiste a Parigi una classe d'individui che, malgrado la debolezza del loro sesso, fanno molto male alla Repubblica. Corrompono i giovani, e invece di renderli vigorosi e degni degli antichi Spartani, ne fanno dei Sibariti, incapaci di servire la libertà: intendo parlare di quelle donne impudiche che fanno un vergognoso commercio dei loro fascini. È una peste della società, e ogni buon governo dovrebbe bandirle dal suo seno. Domando che il comitato di salute pubblica esamini se non sarebbe utile soffocare questo germe di controrivoluzione, deportando oltremare le donne di malavita [*Applausi*].

Una delegazione delle tre sezioni di Sant'Antonio domanda giustizia contro coloro che hanno ingannato il popolo sulla situazione degli approvvigionamenti di Parigi. Noi non abbiamo servitori, dice l'oratore, per andarci a cercare il pane; sono le nostre donne a farlo, e molte hanno perduto la vita alle porte dei fornai. Preghiamo l'assemblea di decretare che cento uomini per sezione percorrano le campagne e facciano eseguire la legge che ordina l'esportazione dei grani nelle diverse regioni della Repubblica.

Pesci in faccia

26 agosto - 13 settembre 1793

1.

Dietro le porte, la brigata femminile era in preda al nervosismo dell'attesa. Dall'interno, dalla Convenzione, dal luogo in cui si decidevano i destini di tutti, giungevano voci e accenti diversi. Tra le donne, alcune dondolavano sulle gambe guardandosi i piedi, le mani dietro la schiena; altre parlottavano a bassissima voce. Nella sala si discuteva un argomento all'ordine del giorno da mesi: il pane, cioè di che vivere. Quanto pane c'era, e come fare perché bastasse a tutti. La discussione era accesa. Vicino alla porta, Marie ripeteva i passaggi significativi, quelli che riusciva a cogliere, a beneficio delle altre.

Intanto Claire Lacombe, attorniata dalle amazzoni in berretto frigio, ripassava il testo della petizione e lo imparava a memoria. Era attrice, e non avrebbe fatto la cattiva figura di *leggere* un discorso, proprio al cospetto di una platea cosí importante.

Claire brillava, perfettamente vestita. Il taglio d'abiti era impeccabile, la stoffa di alta qualità, ricavata da un elegante vestito di scena, ancorché maschile. Lo stile era quello che per strada chiamavano «all'inglese», ed era considerato uno stile rivoluzionario. Il velluto verde della giacca mandava riflessi, i bottoni dorati spiccavano come gemme.

Claire Lacombe era un esempio di ciò che fino a poco tempo prima era stato l'impensabile. Claire Lacombe, con tanto di stocco alla cintura. La situazione, e il fatto che a portare la lama fosse una donna vestita da uomo, rendeva l'arma piuttosto dissimile da un mero ornamento.

Marie pensò alla prima volta che aveva visto un'amazzone, la Méricourt, e all'odio che aveva provato per quella figura. Era trascorso poco tempo, ma gli eventi avevano lavorato nella mente e nel cuore di Marie. Ora, eccola al fianco di altre amazzoni, donne vestite da uomini che, in quel momento, le parevano incarnare la parte giusta. Un'ulteriore conferma, del resto, l'avevano avuta per strada, mentre si dirigevano alla Convenzione. Alla vista di quell'accolita di donne in berretto frigio, coccarde al vento, vestite in fogge maschili, alcuni avevano reagito scuotendo il capo, altri lanciando lazzi e dandosela a gambe subito dopo, ma certuni avevano approvato e applaudito. A quegli applausi, aveva notato Marie, il volto di Claire Lacombe si era illuminato. Nel suo abito all'inglese trasudava fierezza. Sotto l'antico regime, tante donne insieme si vedevano solo al mercato, o per qualche processione o cerimonia di preti. Tuttavia, data l'importanza dell'occasione, Marie credeva che fosse meglio dismettere gli atteggiamenti provocatori. Per parte sua aveva indossato una giacca da uomo dal guardaroba di Claire, ma sotto se la sarebbero tenuta cosí com'era, con la sottana, ché infilare i pantaloni proprio non le veniva naturale.

– Marie, dicci che succede. Da qui sento ben poco.

Una vocina, quasi infantile. Apparteneva a una delle piú giovani. Marie accostò l'orecchio alla fessura tra le porte, mentre il gruppo di donne assisteva in silenzio.

– La delegazione di Vincennes dice che la guardia nazionale respinge con le armi chi viene da fuori a comprare il pane in città.

La giovane assunse un'aria grave.

– Ricordiamoci perché siamo qui, cittadine. Se il popolo chiudesse una volta per tutte la partita con chi l'affama, il

pane si troverebbe e ce ne sarebbe abbastanza per tutti, –
concluse con enfasi.

Marie la fissò. I lineamenti fini, capelli inanellati che
uscivano dal berretto. Le forme sottili, davvero quasi maschili, appena celate dalla foggia degli abiti. Marie si chiese
se quelli là dentro avrebbero capito. Davvero un'amazzone
che chiedeva giustizia poteva affiancare la madre che chiedeva il pane? O sarebbe stato troppo, per quelle belle teste?

Se ne stava lí, a elucubrare, quando udí dall'altra parte
avvicinarsi dei passi.

Con lentezza, le porte si aprirono.

2.

Un mare di volti. Gli occhi fissi sulle donne, specialmente
su Claire. C'era da aspettarselo. Claire Lacombe era un'immagine indimenticabile. Marie capí che qualcosa di profondo, di importante, stava accadendo alle loro vite, concentrato
nel corpo e nella voce della sua nuova amica.

Sentí gravare sulla testa gli enormi candelabri e il grande
tricolore. Sacrodio, non era stata cosí emozionata nemmeno
il giorno che volevano arrestare lo sbirro Muzine.

Mentre prendevano posto, dalle tribune del pubblico salí il brusio. Marie sapeva che vi avrebbe trovato le
compagne del foborgo e non dovette cercare troppo per
individuare Georgette. La donna continuò a sferruzzare,
senza il minimo cenno di saluto. Marie passò un'occhiata sulle altre, Madeleine, Amandine, Sophie. Chi voltava
la faccia, chi ghignava e parlottava con la vicina. Il fatto
di non indossare i pantaloni non doveva renderla, ai loro
occhi, cosí diversa dalle altre amazzoni. Marie provò una
pena profonda.

Claire prese la parola, e Marie ne fu confortata. Erano lí per farsi valere e l'avrebbero fatto.

– Cittadini legislatori! Indignate dalle prevaricazioni innumerevoli che hanno avuto luogo in tutte le amministrazioni, e soprattutto al ministero dell'Interno, noi veniamo a provocare la vostra severità e a reclamare l'esecuzione delle leggi costituzionali. Noi non l'abbiamo chiesta a gran voce, questa costituzione, perché la si possa violare impunemente. Mostrateci di voler salvare la patria con la destituzione di tutti i nobili dagli incarichi di governo e dall'esercito.

Da diversi banchi si alzarono commenti di cui Marie non colse la natura. Claire doveva aver inteso qualcosa di piú, perché fece una pausa, un sorriso e proseguí.

– Non basta l'aver dato al popolo le leggi, bisogna che esso ne avverta gli effetti. È possibile che il popolo debba constatare con indignazione che degli uomini si ingrassano col suo sangue, mentre lui muore in miseria? Noi non crediamo piú alla virtú di questi uomini, i quali si sono coperti col mantello del patriottismo solo per dedicarsi impunemente all'ingiustizia e al brigantaggio.

Proteste, risate, occhiate di compatimento. Claire andò avanti.

– Volete convincerci che i nobili non hanno tra voi dei difensori? Destituiteli da tutti i posti che occupano. Non dite che ciò vorrebbe dire sbandare l'esercito, privandolo di capi esperti: piú hanno talento e piú sono pericolosi. Mettete al loro posto quei bravi soldati che fino a ora sono stati soppiantati con l'intrigo. Se, sotto il regno del dispotismo, il crimine aveva la preferenza, sotto il regno della libertà solo il merito dev'essere onorato. Voi avete decretato che gli uomini sospetti verranno arrestati: ma non è una legge ridicola, dal momento che gli uomini sospetti sono gli stessi che la dovrebbero rendere esecutiva?

Una voce si alzò dai banchi della destra.

– È inaccettabile! Si mette in dubbio la buona fede della Convenzione! Il discorso lo ha scritto quel Leclerc!

Un'ondata di mormorii e commenti attraversò la sala. Marie notò che dalle tribune dove stavano Georgette e le altre piovevano ingiurie. Madeleine indirizzò alle petizionarie un gesto osceno.

In seguito alle esortazioni di Robespierre, che presiedeva la seduta, tornò una relativa calma.

Claire aveva la fronte corrugata, gli occhi lanciavano saette. Proseguí su un tono piú alto.

– È cosí che ci si prende gioco del popolo? È questa la ricompensa dei dolori che esso ha sopportato per essere libero? Non sia mai che il popolo si ritrovi costretto a farsi giustizia da sé: voi decreterete la destituzione di tutti gli amministratori che hanno tradito i loro doveri, decreterete la destituzione di tutti gli ex nobili, decreterete la leva di massa degli uomini, e avrete cosí salvato la patria.

Stagnò il silenzio. Nessun commento. Robespierre si levò in piedi e fece per prendere la parola. Marie notò l'eleganza quasi affettata dell'uomo. Sperò che il peso delle sue parole facesse pendere il piatto della bilancia a loro favore.

– Ringrazio le cittadine che ci hanno presentato una petizione cosí appassionata e patriottica, ma devo dire che mettere in dubbio la buona fede di chi siede all'interno della Convenzione è un grave errore, e lo si è tollerato a stento. Noi siamo mossi da un solo interesse: il bene dei Francesi. Stella polare di ogni azione che intraprendiamo è la felicità del popolo. Ora, cittadine, il popolo ha fame e saremmo bestialmente egoisti a distogliere lo sguardo. Il popolo ha bisogno di provvedimenti concreti, non di vane speranze o di essere distratto da obiettivi inattuabili. Perciò, nel congedare le cittadine, propongo di tornare quanto prima all'argomento centrale: il pane.

Si alzò un prevedibile applauso. Georgette e le altre si spellavano le mani a forza di batterle. Marie notò che la guardavano, parlottando tra loro e sghignazzando.

Le petizionarie girarono i tacchi.

– Che sta succedendo? – commentò Pauline. – Solo due settimane fa gli applausi sarebbero stati per noi.

– Ha detto che la costituzione non si attua perché è inattuabile.

Claire era delusa e amareggiata, ma ancora combattiva.

Marie era triste e confusa. I suoi presentimenti avevano trovato conferma. L'Incorruttibile le aveva ascoltate per cortesia, poi le aveva sminuite, rimpicciolite agli occhi dell'assemblea. Eppure la questione, sí, era quella del pane. Le cittadine rivoluzionarie dovevano occuparsi di pane e di diritti, delle ragioni che muovono le pance vuote oltre che di quelle che muovono i cuori appassionati.

Le porte della Convenzione si chiusero alle loro spalle. Si ritrovarono fuori dalle Tegolerie, con le facce arrabbiate e spaesate.

Marie notò che Claire fissava la piazza davanti a sé, ma senza guardare nulla.

– Loro lo sanno, – disse a bassa voce. – Sanno che non possono fare quello che hanno scritto nella costituzione. E per questo hanno paura.

– Paura? – chiese Marie.

– Del popolo. Come ha spodestato un re, può spodestare anche loro. Oggi è come se glielo avessimo detto in faccia. Come se li avessimo messi davanti a uno specchio.

Marie non seppe cosa ribattere.

Dal gruppo salí la voce di una delle piú giovani.

– Io non lo accetto.

Il brusio delle altre scemò.

– Io non lo accetto, – ripeté la giovane a voce piú alta.

Darcelle, si chiamava. I capelli biondi le uscivano a ciocche da sotto il berretto, le mani erano strette a pugno lungo i fianchi. – Ci hanno prese in giro.

Fu come se avesse dato a quegli animi smarriti e incerti una luce intorno alla quale stringersi.

Altre voci fecero coro alla prima. Altre giovani. Nocche bianche, sguardi di nuovo induriti, e piedi che ritrovavano il passo deciso.

Claire e Marie si accodarono al gruppo.

3.

Dice che l'ultima volta che si son viste delle pacche cosí, e cioè busse a raffica, a tormenta, è stato quando vetrai e muratori fecero il rissone fuori Sant'Antonio, un mercoledí di fine estate. Chissà poi perché le pacche sempre a fine estate succedono, quelle vere, quelle memorabili, che la gente poi se le ricorda per anni. Quella volta c'erano tutti: quel Ménétra, quello che girava la Francia per lavorare, che le prendeva ma le ha anche date; e il nonno del povero Jacques, che era uno peso come una macina di piombo, certe mani... C'era anche Lecour, quello che faceva la *savate* e ti metteva lo zoccolo sui denti cosí, come sventolare una piuma; e soquanti ladri che stavano coi muratori ma contavan poco, se non c'è da sfilar la borsa.

Da adesso si parlerà piuttosto della volta che han fatto a pacche le donne, amazzoni contro pesciaie, e han tirato di lungo un bel po', si son mangiate il bianco degli occhi, finché la cagnaccia non ha abbaiato forte e allora basta, ma ce n'è voluto, del verde e del secco, cioè delle gran legnate, ché vetrai e muratori al confronto sembrava che si volevano bene.

Quelle là, le amazzoni, venivan giú verso i Mercati, tutte vestite da uomo, con le loro belle e brave coccarde e qualcuna pure con i bastoni, mica no, e si vedeva che avevano un gran prurito alle mani. È che uscivano dalle Tegolerie, dove avevano riempito un bel sacco di pive. Erano andate a chiedere che si facesse quel ch'era scritto sulla nuova costituzione e invece sbrisga. Robespierre aveva detto che prima c'era da salvare la buccia alla patria e procurare il pane per tutti. Com'è come non è, quelle si dirigevano, si *recavano*, come dicono i gendarmi nei rapporti, proprio in bocca al mercato, cioè alle pesciaie, che lí non è gran che aria di coccarde e berretti frigi. Venivan giú proprio come uno squadrone e c'era anche la nostra Marie Nozière, quella del foborgo.

A dirla tutta, al mercato c'erano anche quei gecchi tutti pomponnati che lezzano di muschio, e che da un po' di tempo si fanno vedere in giro a gruppetti. Muschiatini, li chiamano. Quando vedono l'arrivo delle amazzoni, pregustano il bello spettacolo e si mettono pure ad aizzare a mezza voce le pesciaie, a dire ecco, adesso arrivano i guai, qui finisce che vi fanno vestire da uomo e vi spediscono al fronte, quelle vacche, quelle impestate, se lasciate fare a loro, che passano il tempo a pastrugnarsi l'un l'altra. Allora le pesciaie si ingallettano e mettono mano ai merluzzi. E quei muschiatini a gironzolare, a caricare le molle, a ghignare. C'era aria di culi al vento, di scudisciate, ma chi avrebbe punito chi, era dura da dire.

Prima volano i complimenti, i chi-siete-voi e chi-sono-le-vostre-madri, poi dove-cazzo-sono-le-vostre-coccarde, e a un bel momento le amazzoni corrono giú verso i banchi delle pesciaie con i bastoni in alto.

Parte una giostra di calci, schiaffi, pugni e bastonate, una ruola di ciaffoni, e le pesciaie con i pesci, proprio coi pesci in faccia! Banchi che si ribaltavano, gente che sgusciava sulle ostriche e atterrava di culo, muschiatini a gruppetti a ridere e indicare, farsi velo con il palmo alla bocca e proclamare *inc'edibile, pa'ola mia!*

Fa' conto. La Lacombe mena di randello. La Léon ha perso il suo e sta tirando i capelli da sotto alla bertocca a una pesciaia ormai sganghrata di pacche. Ce n'è una, di amazzone, sottile, giovane, sembra una bambina, che sguilla nella corsa, cade e finisce in mezzo a una salva di calci zoccoluti, lei si protegge la testa con le braccia, tutta rannicchiata come fanno i millepiedi, ma son pacche fitte. Allora, quella del nostro foborgo, la Marie, si butta in mezzo alla mischia e aiuta l'altra femmina a rialzarsi. È tutta spaccata, il sangue esce dalla testa e dal naso e dal labbro, il vestito macchiato come quando da imbriaco ti rovesci addosso mezzo fiasco di rosso ma questo non è vino, manco per niente. E qualcuna dice che Marie ha salvato anche una pesciaia che la tenevano ferma in quattro e una quinta le voleva infilare un merluzzo in bocca – ma qualcun'altra dice invece dove non batte il sole, vattelappesca, è il caso di dire – e Marie si è messa in mezzo e ha detto che era una roba brutta, che non si doveva fare, e mentre lo diceva una pesciaia l'ha menata da dietro con uno stoccafisso tinco, che dev'essersi portata a casa un bel bernoccolo.

Scene da *Canzon di Rolando*, solo che qua non c'è paladini ma muschiatini, e il suono del corno è lo strillo: «Arriva la cagnaccia!», e le donne se la dànno a gambe da tutte le parti.

La cagnaccia non fa preferenze, mena a destra e a manca e chi è sotto è sotto: pesciaie, amazzoni, donne, uomini e tutto il resto. Dicono che ha preso a bastonate anche un cane che si era messo ad abbaiare.

Te dici: con il-Terrore-all'ordine-del-giorno, con Sanson che lavora e lavora e lavora, con la lama che non fa manco in tempo a rialzarsi e già ricade, noi qui a parlare di una rissa di donne. Con Tolone che si vende agli Inglesi, con gli abitanti della città che si battono per Luigi XVII, col frugolo del Capeto che viene proclamato re di Francia dalla Vandea fino al Mediterraneo, noi qui a parlare delle amazzoni che han dato battaglia alle pesciaie sul loro terreno, e non hanno perso. Proprio come quella volta i vetrai con i muratori, fuori Sant'Antonio. Te dici cosí, ma io ti dico che matte o no, c'è delle donne che la patria ce l'hanno a cuore davvero, anche se magari son vestite da uomini.

4.

Marie si chiese dove diavolo fosse Bastien. Era già buio e non le piaceva che il ragazzino menasse la vita del randagio, anche se di sicuro era in giro con Treignac. Mentre rifletteva se andarlo a cercare, sentí battere alla porta e si affrettò ad aprire. Oltre la soglia apparve il volto di Darcelle. Aveva uno zigomo gonfio dal tafferuglio al mercato. Ansimava, le mani sulle ginocchia e gli occhi sbarrati.

– Che succede? – domandò Marie.

La donna fece segno con la mano di attendere un istante, giusto il tempo di riprendere fiato.

– Hanno arrestato Claire! – disse, e ancora la lingua inciampava nei respiri.

– Arrestata? Quando?

– Al club dei giacobini, un'ora fa. Claire e io siamo arrivate che avevano già iniziato. Dentro si parlava di noialtre, volevamo intervenire, ma il portiere ci ha detto di scrivere un biglietto al presidente, per avere il permesso di parlare.

Marie agguantò il randello che teneva accanto alla porta, indossò il berretto frigio con troppa fretta e sentí dolere il bernoccolo. Strinse i denti e uscí di slancio. Senza nemmeno domandare quale fosse la meta, affiancò la compagna, che già si affrettava in direzione del centro.

– Il permesso ce lo negano, – riprese Darcelle, – e con la scusa che c'è fitto di gente, me non mi fanno andare nemmeno in tribuna. Cosí resto fuori e appena Claire va dentro, sento partire la cagnara. «Ecco la nuova Corday», «Vattene», «Con te ci facciamo il ragú», «Bagascia».

Era difficile tenere il passo svelto e prestare attenzione a quell'affannoso resoconto.

– Ha chiesto la parola ma l'hanno messa zitta, sono andati avanti con le calunnie e alla fine l'hanno fatta arrestare e l'han portata a Palazzo Brionne.

Marie buttò fuori un respiro piú pesante degli altri. Le accuse dovevano essere gravi, se Claire era finita dritta al comitato di sicurezza. Stava per chiedere altri dettagli, quando sentí alle spalle il rumore di una carrozza. Si voltò di scatto. Con uno scarto improvviso, un cocchio evitò di travolgerla. Il postiglione vomitò insulti, frustando l'aria con lo scudiscio. Lo scalpitare degli zoccoli si mescolò alle campane che battevano l'ora. Undici rintocchi.

Come a un segnale convenuto, Marie e Darcelle si lanciarono di corsa, incitate da un mendicante annoiato.

Filarono senza fermarsi per via dei Lombardi, si lasciarono alle spalle la Fontana degli Innocenti e solo quando sbucarono in via della Giostra, Marie fece segno di rallentare.

Sulla porta di Palazzo Brionne, il piantone domandò cosa volessero.

– Cerchiamo Claire Lacombe, l'hanno portata qui dal club dei giacobini.

– Oh, sí, – confermò l'uomo, – c'era una bella mucchia
di gente ad accompagnarla. Sono stati qui fuori per un po',
volevano mandarla subito alla ghigliottina, ma poi si vede
che si sono stancati, non c'è piú nessuno.

– Lei è ancora dentro? – domandò Darcelle.

L'uomo si strinse nelle spalle.

– Aspettate lí.

Indicò la panca di pietra che correva lungo il muro, girò
i tacchi e scomparve nel palazzo.

Marie pensò che quello era davvero un segno della rivoluzione: solo cinque anni prima, il portiere di un ministro le
avrebbe cacciate via a male parole.

Approfittò dell'attesa per capire meglio cosa fosse accaduto.

– Ridimmi tutto dall'inizio.

– Te l'ho detto, – rispose Darcelle. – Siamo arrivate che
la seduta era bell'e cominciata, quindi non è che ci ho capito molto. Claire è salita in tribuna e voleva parlare da lí, ma
appena ci prova, scoppia il finimondo, il portiere accorre e
io riesco ad affacciarmi per vedere che succede. L'avevano
circondata, volevano cacciarla a pedate, ma lei ha sgolato
di farsi avanti, ché cosí imparano di cos'è capace una donna libera.

– Cosí ha detto?

– Proprio cosí. E allora i cuordileone si son cacati sotto,
hanno cominciato a dire attenti, questa gira armata, e hanno rinunciato a buttarla fuori. Però le hanno messo di fianco
due guardie, per impedire che parlasse. E alla fine della fiera
hanno votato tre proposte: la prima è di scrivere alla nostra
società per invitarci a espellere le donne sospette, la seconda non me la ricordo, e la terza di portare Claire davanti al
comitato. Detto, fatto.

Due uomini ben vestiti si fermarono di fronte alla panca, sull'altro lato della strada, e presero a fissare le due compagne con l'aria di chi valuta una coppia di buoi. Era la classica feccia che spurgava ogni notte dal palazzo reale. Il piú alto dei due tirò fuori un sacchetto e se lo palleggiò sulla mano. Il tintinnare delle monete arrivò all'orecchio di Marie. Strinse il randello e fece per alzarsi, ma l'arrivo del piantone la convinse a desistere. I due bulli si dileguarono in un coretto di risate.

L'uomo in divisa tricolore spiegò che una guardia aveva riaccompagnato a casa la cittadina Lacombe.

Per fortuna, via Croce dei Campicelli non distava piú di trecento tese.

Marie e Darcelle trovarono Claire ancora in strada, gli occhi fissi sulle finestre del suo palazzo.

Le donne si abbracciarono strette, sotto lo sguardo imbarazzato dello sbirro.

– Hanno messo i sigilli alla porta, – disse Claire. – Ho il permesso di passare la notte a casa, ma la casa... Non si può entrare.

– Andiamo in sezione, – suggerí Marie. – Sentiamo cosa dice il delegato. Mica puoi passare la notte per strada.

La guardia acconsentí, e il gruppetto si mosse.

Ancora pochi passi fino a via delle Conchiglie e alla sede di sezione del mercato coperto. Le belle di notte adescavano i clienti sull'uscio di casa, mentre da una finestra illuminata scendeva musica di violoncello.

Il delegato rispose che non c'era nulla da fare. Era molto tardi, diceva. Non aveva disposizioni in merito.

Claire gli propose di mettere i sigilli su tutte le sue carte e di toglierli dalla porta.

– Mi accusate di cospirare contro la Repubblica, – lo incalzò. – Che altro vi interessa se non i miei scritti, le lettere, i libri?

L'uomo del comitato non si lasciò convincere, e ordinò di ripresentarsi la mattina dopo. Marie piantò le mani sulla scrivania e si sporse verso di lui, come per mollargli una testata.

– Fateci vedere l'ordine scritto per apporre i sigilli. È un nostro diritto.

Il delegato sbuffò, ma la presenza della guardia lo convinse a rispettare il protocollo. Aprí un cassetto ed estrasse alcuni fogli.

Claire li prese in mano e li studiò con attenzione, la fronte corrucciata. Alla fine restituí il documento e ringraziò affettando gentilezza.

Appena in strada, la guardia si rivolse a Claire per offrirle ospitalità.

– Mi spiace per questi contrattempi, – aggiunse. – Non è cosí che si dovrebbe trattare una bella donna come voi.

Marie gli lanciò un'occhiata di traverso. Di sicuro era convinto che donne *come loro* non si facessero scrupolo di bazzicare le stanze di un uomo. Fece per intervenire, ma si morse la lingua. La situazione imponeva prudenza.

– Passerai la notte da me, – disse alla fine.

Claire la guardò. Il volto vibrava di rabbia, ma era stanca.

– Accetto di buon grado, Marie Nozière.

– Al tempo, cittadine, – la guardia alzò il palmo della destra in un gesto che voleva essere solenne. – Ho la consegna di accertarmi del luogo dove la cittadina Lacombe passerà la notte.

Marie si affrettò a dare il proprio indirizzo, mostrando la carta civica. La guardia parve soddisfatta e si congedò con un'occhiata severa. Marie sentí di nuovo montare una rabbia antica, mai sopita. Ancora una volta, si dominò. Poi le due compagne baciarono Darcelle e si incamminarono verso Sant'Antonio.

Tornarono nella sera di Parigi, mentre alla luce dei lampioni le ombre si allungavano. Drappelli di sanculotti pattugliavano le strade in cerca dei nemici della Repubblica. Claire attaccò a parlare delle accuse che aveva udito alla sezione e letto sull'ordine di sequestro. Il pretesto della buriana era stata la vicenda di Odette Godin. I giacobini accusavano Claire di averla espulsa dalla società per rappresaglia, colpevole di aver denunciato l'influenza di Leclerc sulle cittadine repubblicane rivoluzionarie.

– Ma è falso, – esclamò Marie. – Mica l'abbiamo cacciata. Le abbiamo chiesto le prove delle sue accuse.

Claire si limitò a scuotere la testa.

– Chabot s'inventa che l'ho minacciato per scarcerare un nobile. Renaudin dice che Leclerc ha rubato due pistole a un suo amico, e che pertanto ho accolto un ladro in casa mia. Orland mi accusa di sovvertire l'autorità costituita. Téchereau dice che sono pericolosa per via della mia lingua. Bertrand sostiene che voglio il potere esecutivo sotto il controllo del popolo. Bazire giura che gli ho chiesto di liberare un controrivoluzionario di Marsiglia. E infine, – Claire soffocò una risata di nervi, – un cittadino anonimo dice che la nostra società è responsabile dei saccheggi e dei tumulti per lo zucchero.

– Quelli di febbraio? Io sí, c'ero, – si batté il petto Marie. – Ma la società che c'entra? È nata in maggio!

Claire annuí.

– Ci ha chiamate «il corrispettivo femminile dei muschiatini». Ha invocato epurazioni e arresti per tutti. Io a quel punto ero già sulle tribune, mi sbracciavo per intervenire e, ci credi?, quelle che chiedevano di espellermi o tagliarmi la testa erano soprattutto donne. Donne come noi.

– No, non come noi, – rispose amara Marie.

Claire soppesò le parole della compagna.

– Sí, Marie, – ripeté in tono grave. – Donne come noi. La Convenzione, i giacobini, credono di spegnere la sete di giustizia truccando le carte. Io sono un'attrice e ti dico che questi politici si alzano sui banchi per i loro discorsi come un attore calcherebbe le scene. Per loro il popolo è un pubblico, nient'altro. E intanto, glorificano Marat. Usano il suo nome contro Leclerc. Cercano di distruggerci.

Marie camminava, frastornata, priva di ogni certezza. Il *signor* Robespierre – perché cittadino non lo voleva piú chiamare –, lo stesso uomo che un tempo l'aveva cosí impressionata, assisteva imperturbabile alla rovina delle rivoluzionarie, e forse addirittura l'aveva inaugurata, con la risposta gelida che aveva riservato alla loro petizione. L'inquietudine dei pensieri si trasmise ai passi. Inciampò, Claire la sostenne. Erano ormai alla Bastiglia, e con poco sforzo alla soglia di casa.

La chiave fece un rumore secco, mentre la serratura si sbloccava, e le due compagne scivolarono nella penombra.

Bastien era rientrato. Dormiva, avvolto nella coperta.

Il ragazzo sentí i passi, si girò e sedette con le gambe fuori dal letto.

– Lei si chiama Claire, – disse in fretta Marie. – Ha bisogno di ospitalità e dormirà qui da noi. Ora girati e dormi.

Bastien obbedí, bofonchiando qualcosa tra sé.

Distese sul letto, i corpi vicini, Marie e Claire rimasero in silenzio, ad ascoltare i rumori della strada. Prima di entrare nel dormiveglia, Claire mormorò:

– Non possono metterci a tacere tutte, Marie. Quale che sia il nostro destino, l'affronteremo. Saremo un esempio per quelle che verranno dopo di noi.

Le due donne si abbracciarono. La stanchezza lottò per qualche tempo prima di prevalere sulla tensione. Marie udí il respiro dell'altra farsi piú pesante e rigirò in testa la frase fino ad addormentarsi.

«Non possono metterci a tacere tutte».

5.

Battevano alla porta. Ecco cos'era il rumore che la toglieva dai sogni. Bussavano alla porta e gridavano. Marie si sedette sui bordi del letto, di soprassalto. La casa era vuota, Bastien già sparito. Claire si era accomiatata un paio d'ore prima. Lei avrebbe voluto alzarsi e accompagnarla ma era stanca, prostrata, e poi Claire aveva insistito per andare da sola.

Si alzò e raggiunse la finestra. Le sue amiche, le compagne del foborgo: ecco di chi si trattava. La chiamavano saloppa, e dicevano di cercare la puttana di Leclerc.

Ecco la voce di Amandine: – Dov'è l'amazzone? Facci parlare con lei, Marie.

Sotto, altre voci commentavano: – Sarà un bel discorso, vedrai.

Aperto il battente, oltre lo spesso vetro verdastro, Marie vide agitarsi volti e figure. Le parvero strani pesci boccheggianti all'interno di una boccia da acquario.

– Non c'è, è andata via, a casa sua, – gridò.

– Non proteggerla, ché non ti conviene! Ti si batte il deretano anche a te, bada, ché tanto ormai sei una di loro!

Questa era la voce di Georgette. A sottolineare le parole, da fuori incominciarono a prendere a calci la porta.

– Sí, che adesso vien l'autunno e si pigliano i malanni a starsene a chiappe nude!

La voce di Madeleine. Risate rabbiose.

La porta avrebbe resistito. Era una buona porta, chiusa a doppia mandata. Marie prese una sedia e il randello. Sedette a tre-quattro passi dall'uscio, il randello in grembo, indecisa sul da farsi.

Qualcuno doveva averle viste rientrare, lei e Claire. Qualcuno le aveva viste di sicuro. Qualcuno che adesso sarebbe dovuto essere in casa e invece non c'era.

Si prese la testa fra le mani e tappò le orecchie. Poi si scosse. Tanto valeva affrontarle. Si alzò in piedi, dimentica del randello, che scivolò e cadde a terra con un suono secco.

Fuori, intanto, continuavano.

– Non vorrai rovinarglielo quel culone! Potrebbe diventare il suo attrezzo di lavoro. Tutto a strisce si venderebbe peggio.

– Sí, Marie, lascia ago e filo. Non è far la sarta il tuo destino. E intanto dicci dov'è, perché è qui la troia, vero? Diccelo, e forse non ti scudisciamo come meriti.

Marie si rivide avvinghiata alla caviglia di Théroigne de Méricourt, mentre quella cercava di scalciare senza riuscirci. Sentí la sua disperazione sotto le dita, mentre la denudavano e le esponevano le natiche alle risate dei passanti. Ricordò le sue urla, poi le grida di dolore a ogni sferzata.

Aprí. Ci fu un breve silenzio. L'espressione di Marie doveva essere determinata, perché le altre esitarono.

– Vi dico che non c'è. Guardate.

Georgette la scostò sbuffando. Le donne si riversarono in casa, guardando sotto il letto, perlustrando ogni angolo.

– Soddisfatte? – disse Marie.

– Col zullo, *signora* Nozière. C'è o non c'è, il punto è che qui la troiaccia c'è stata. Hai rifugiato una controrivoluzionaria, la puttana di Leclerc, in faccia a noi e al foborgo tutto.

– Portiamola fuori!

Madeleine la prese alla sprovvista, di fianco. La cinse alla vita e provò a tirarla a terra. Marie resistette e le due si accapigliarono. Intanto le altre provavano a intervenire, impre-

cando e incitandosi a vicenda, finché Georgette non riuscí
ad artigliare i capelli di Marie. Tirò forte, con entrambe le
braccia. Marie mandò un gemito e cadde. La trascinarono
fuori, tra minacce e grida di trionfo.

Una piccola folla si era assiepata per godersi la scena, attratta dallo strepito. Ma di fronte a loro si parò Treignac.

– Fatti da parte, Treignac, – esordí Georgette a muso duro.

Treignac le mollò un calcio. Ne assestò un altro paio alle
amiche e ci aggiunse anche un po' di spintoni. Fu allora che
Marie, da terra, si accorse della presenza di Bastien. Mentre
la folla inveiva o applaudiva, vide che il ragazzo guardava la
scena con il volto cupo.

– E tu, Georgette, vergogna, – disse Treignac. – Conosci
la cittadina Nozière da quando eravate garzotte.

– La *signora* Nozière dà rifugio a controrivoluzionari, –
ringhiò Georgette a voce alta affinché tutti i presenti la
udissero.

Treignac si piantò in mezzo al vicolo a gambe larghe, con
le mani sui fianchi.

– C'è un'autorità, e non è il vostro tribunale della lanterna. È il popolo con i suoi rappresentanti ad accusare, giudicare e punire. Contro Marie non ci sono denunce. Quindi,
cittadine, a casa, al lavoro, che è dove sta una brava rivoluzionaria, oppure vi arresto, negoddio, se lo faccio!

– Sappiamo perché la difendi, – disse una delle donne.

L'insinuazione cadde nel vuoto. La furia delle donne si
placò. Qualcuno commentò che Saint-Just non avrebbe voluto
veder battere delle donne. Georgette e le altre si dispersero.

In casa, Marie sedette come poco prima, la testa fra le
mani. Bastien si infilò dentro appresso a Treignac e chiuse
la porta. L'uomo attaccò un discorso, mentre Bastien incrociava muto, passando, lo sguardo della madre.

– Bella roba farsi nemico il foborgo. Stavano per farti la festa. Lo capisci che se continui ad andare con le amazzoni fai una brutta fine?

– È perché vogliono cacciare gli aristocchi dal governo? – chiese Marie. – O perché vogliono che le repubblicane tengono su la coccarda?

Treignac ignorò il tono sarcastico, limitandosi a scuotere la testa.

– Voi donne dovete occuparvi del pane per i vostri figli, – rispose Treignac. – È questo che facevi prima di metterti con quelle là. Cosí adesso c'è la legge contro gli accaparratori e pure il *maximum* sul grano, ed è anche merito vostro. Ma quelle là vanno in giro armate, fanno le ronde, parlano alla Convenzione. Sono cose per gli uomini, queste.

Questa volta Marie replicò seria.

– Le donne fanno la rivoluzione tanto quanto gli uomini.

– Ma non allo stesso modo, maledizione! – sbottò Treignac. Fece un passo verso di lei, agguantò una sedia e le si sedette davanti. – Marie, ascoltami. Resta qui al foborgo. Ci penso io a proteggerti da Georgette e dalle altre, non ti toccheranno. Hai un figlio. Pensa a lui.

Marie si voltò a guardare Bastien e si sentí percorrere la schiena e il collo dalla rabbia.

– Quella spia! – disse.

Il ragazzo non batté ciglio.

– Ho chiamato Treignac, – disse. – Ti ho salvato il culo.

Marie si alzò e levò il braccio per colpire il ragazzino. La mano restò per qualche istante sopra la sua testa scarmigliata, poi, invece di calare pesante verso quel viso liscio, iniziò una planata sbilenca fino a fermarsi, inerte.

Marie sedette di nuovo sulla sedia e fece ogni sforzo per trattenere le lacrime. Non voleva che Treignac e Bastien la vedessero piangere.

Treignac fece cenno al ragazzo di uscire e quello obbedí. La testa di Marie era di nuovo abbassata. Ora il poliziotto le parlava con dolcezza.

– Tu sei stata la compagna di un patriota caduto a Valmy. Hai un figlio. Un mestiere. Perché diavolo devi stare con certa gente? Attori, teste calde. Come quella Lacombe. Come quel buffone che ti fa gli occhi dolci e si crede un gran dritto perché di notte va a spaventare i bottegai. Sono questi i veri rivoluzionari? Cosa credi che penserebbe di te Marat, se ti vedesse insieme a loro?

Lei non rispose, seguitando a fissarsi le ginocchia.

– Tutto cambia in fretta, – riprese Treignac. – Le amazzoni stanno già in un culdisacco, lo so per certo. E anche Scaramouche. Non seguirli alla malora –. Sospirò e aggiunse: – Per favore, Marie.

Per alcuni secondi non ottenne alcuna risposta. Poi lei si distese sullo schienale, gli occhi lucidi di rabbia e disperazione, e sollevò la gonna a scoprire le gambe nude. Le allargò.

– È per questa? Pensi di essere tanto diverso da lui?

Treignac avvampò, ma fu soltanto un momento. Poi le toccò una mano e le fece riabbassare la gonna. Si alzò.

– Non sono qui per fottere. Sono qui per te.

La fissò a lungo negli occhi, come per farle leggere la sincerità che voleva trasmettere. Non aggiunse altro. Infine guadagnò la porta e uscí.

Marie si accorse di piangere quando vide le gocce caderle in grembo. Per la prima volta dopo molti anni si sentiva del tutto sola, come dopo la fuga dal convento delle suore con Bastien ancora in fasce. Ma a differenza di allora, non si sentiva affatto libera.

LA STROFA MANCANTE DELLA *MARSIGLIESE*
di Sylvain Maréchal

O tu, celeste ghigliottina
tu accorci la nobiltà.
Per la tua influenza divina
riconquistammo la libertà.
Riconquistammo la libertà!
Salva le leggi della nazione
e che il tuo superbo arsenal
si erga sempre trionfal
per distruggere la reazione.
Affila i tuoi rasoi
per Pitt e la sua scia!
Versa, versa
il sangue blu
dell'aristocrazia!

Ex machina
Fine settembre 1793

1.

Gli avventori della *Gran Pinta* gli avevano regalato uno specchio. Strumento indispensabile per un attore solitario, e ancor piú per il nuovo Scaramouche, che non poteva chiedere a nessuno di dargli una sistemata prima di entrare in scena. Uno specchio a figura intera, sontuoso, con la cornice in legno di mogano. Léo non aveva dubbi sulla sua reale provenienza: il saccheggio della villa di un nobile emigrato, regalo piú che adatto a un giustiziere di accaparratori.

Il suo costume doveva essere impeccabile, per impressionare al massimo l'unico spettatore ammesso alla recita: la vittima designata. Solo la cura dei dettagli permetteva al suo spettacolo di resuscitare nei racconti del giorno dopo, e di raggiungere cosí il pubblico che meritava.

Si infilò l'abito di cuoio, strinse il corpetto in cintura, calzò guanti e gambali, controllò che i nodi avessero un fiocco perfetto.

L'uomo da intimidire si chiamava Derobigny, grossista di sapone. Il nome glielo aveva passato un gruppo di lavandaie. L'accusa era pesante: non solo il tizio tratteneva la merce per poi lucrare sulla sua scarsità, ma offriva sconti per il pagamento in natura. Le donne si erano raccomandate di fargliela pagare anche per questo e Léo si era messo subito all'opera.

Non aveva indagato sulle reali colpe di Derobigny. Mettersi a fare lo sbirro non rientrava nelle sue mansioni.

– Io rappresento il popolo, – disse rivolto allo specchio.
I preparativi erano stati piú lunghi del solito. Ogni nuova
azione andava curata meglio della precedente. Quel Treignac
lo aveva messo sull'avviso: il tempo delle improvvisazioni
era finito. Se voleva fare carriera nel Nuovo Teatro, doveva imparare a lasciar tracce solo nel cuore degli spettatori.
Prima cosa, studiare l'avversario. Derobigny era un com-
merciante ricco, arrogante, che andava spesso in giro con
gecchi della sua risma e, soprattutto, in compagnia di una
grossa pistola.

Léo si era fatto l'idea che l'attacco dovesse avvenire nel
cuore della notte, mentre il suo uomo dormiva sonni beati.

Quindi era passato a studiare il terreno dello scontro.

L'appartamento si trovava al secondo piano di un palazzo borghese. Il portone d'ingresso presidiava via San Paolo.
Dalla parte opposta, piccole finestre affacciavano su un vicolo stretto, destinato a morire pochi passi piú in là. Sotto
la sporgenza del tetto, dal muro spuntava una trave, a sostegno della puleggia di una carrucola.

Léo aveva deciso che grazie a essa sarebbe intervenuto
sulla scena *ex machina*.

Nel cortile della *Gran Pinta* sporgeva un montacarichi
dello stesso tipo. Un intero pomeriggio passato a provare e
riprovare il lancio, con una fune e un gancio da macellaio.
Il mattino dopo, allenamento intensivo di arrampicata su
corda. Una volta in cima, non sarebbe stato difficile forzare la finestrella: aveva l'aspetto malconcio di uno sfiatatoio
da sgabuzzino. Per stare sul sicuro, Léo s'era fatto prestare
un ferro da Patrique il bottaio, che a quanto si diceva usava
certi attrezzi per violare dimore, molto piú spesso e volentieri che per stappare barili.

– Io rappresento il popolo, – recitò brandendo il piede
di porco.

Si rese conto che la battuta si prestava a una doppia interpretazione. «Rappresentare il popolo» significava agire per
suo conto, ma significava pure «metterlo in scena». Scaramouche interpretava ciò che il popolo avrebbe fatto ai monopolatori, se solo avesse potuto colpire, lesto e impunito,
come un uomo mascherato che ha il favore delle tenebre. Era
quella, si disse, la forma di rappresentanza piú genuina, altro
che elezioni, mandati e lunghe sedute fra quattro mura. Non
era un caso se la rivoluzione aveva concesso agli attori il sacrosanto diritto di essere eletti. Tanti suoi colleghi, dopo la
presa della Bastiglia, erano entrati nella guardia nazionale,
suscitando lo sdegno di chi li chiamava «i commedianti com-
battenti». Gente gretta, vecchi cascami dell'antico regime,
quando agli attori si rifiutava la sepoltura in terra consacra-
ta. Ora invece, un saltimbanco come Collot d'Herbois sedeva alla Convenzione e l'intera Convenzione sedeva nella
sala da spettacoli delle Tegolerie, un teatro da seimila posti.
– Io rappresento il popolo, – ripeté in tono compiaciuto.
Si mise il mantello, alzò il cappuccio, raccolse gli attrezzi
in una sacca e uscí nella notte.
Giunto nel vicolo che doveva servirgli da retropalco, si accorse che l'allenamento dei giorni precedenti aveva una pec-
ca: la luce del sole. Senza quella, arpionare la fune al braccio
montacarichi diventava tutta un'altra faccenda. Inoltre, quel
culo di sacco era pure stretto, mentre Léo s'era esercitato
a lanciare in un cortile, dove poteva permettersi gesti ampi
e larghe sbracciate. Al primo tentativo, il gancio metallico
rimbalzò sul muro alle sue spalle e per poco non gli infilzò il
cappuccio come un amo da pesca. Un palmo piú in basso e
l'arnese gli si sarebbe conficcato nella nuca. Léo immaginò
il suo cadavere, ritrovato all'alba nell'acqua di scolo, simile
a un grosso cefalo catturato alla lenza, per di piú travestito
da Scaramouche. Decise di dare meno gioco alla corda, pro-

vò una rotazione laterale invece che sopra la testa, e forse al decimo lancio riuscí nell'impresa.

Saggiò la tenuta del canapo con un paio di strattoni: reggeva. Sputò sui guanti per migliorare la presa e iniziò la scalata, puntellando i piedi contro la parete oppure sui nodi che aveva disseminato lungo la fune.

Gli doleva una spalla per il troppo lanciare, e anche la risalita fu piú faticosa che nelle prove generali.

Per fortuna, la finestrella si rivelò scalcagnata come previsto e l'attrezzo di Patrique davvero professionale.

Scaramouche si calò la maschera, l'aggiustò sul naso, spalancò l'infisso e atterrò nell'appartamento dell'infame Derobigny.

Il buio non consentiva di guardarsi intorno, ma comprese lo stesso di trovarsi in un ambiente di dimensioni ridotte. L'odore di resina e carbone faceva pensare a un deposito di legna. Tutt'intorno silenzio, la casa dormiva.

Avanzando a tentoni, scoprí sul muro di fronte la maniglia di una porta. La abbassò e aprí uno spiraglio. Una luce fioca si intrufolò nella stanza. Allargò la fessura e inquadrò una scrivania, una sedia, un candelabro con tre moccoli e due fiammelle. Spinse l'anta di qualche grado ancora, sporse l'occhio sinistro ed ebbe la conferma che la sala era vuota. Il ricco profittatore poteva permettersi di andare a letto dimenticandosi due candele accese!

Scivolò nella penombra, strisciando lungo la parete, il piede di porco accanto alla gamba destra.

Raggiunto lo spigolo del muro, prese fiato e roteò il collo per sciogliere i nervi.

Si affacciò dall'altra parte.

Una mano gli afferrò la spalla e lo scaraventò a terra, colpi che dovevano essere calci lo raggiunsero alle costole e al bacino, tentò di reagire, ma qualcuno gli strappò l'arma.

– Fermo o sparo!

Léo rivolse in alto lo sguardo e scorse tre sagome in piedi. Nel corridoio alle loro spalle si aprí una porta e ne uscí un uomo che reggeva una lampada.

La luce passò di mano e finí a illuminare un viso, un braccio, una pistola.

– Treignac? – domandò Léo ad alta voce, ma la domanda era rivolta a sé stesso.

– Roland, i ferri, – ordinò lo sbirro a uno degli attendenti. Aveva un tono secco, definitivo, appena intaccato dalla stanchezza delle tre di notte. Léo comprese che nessuna scusa gli avrebbe evitato l'arresto. Eppure provò a giustificarsi.

– Derobigny faceva incetta di…

– Derobigny è in galera, – rispose Treignac. – Da ieri pomeriggio.

Léo accolse la notizia con una bestemmia. Gli misero i ferri ai polsi.

– Di che mi accusate? – domandò allora. – Non ho rubato niente.

Lo sbirro calò su di lui come in picchiata. Strappò il mantello, agguantò la maschera per il naso e gliela strappò dalla faccia. Léo si ritrovò una pistola in mezzo agli occhi.

– Se Derobigny è un accaparratore lo deciderà il tribunale, – disse Treignac. – Tu invece andrai alla ghigliottina senza bisogno di processo.

– Alla ghigliottina? – strillò Léo. – Ma siete impazzito? Io sono un buon cittadino, un rivoluzionario.

– Tu sei un pagliaccio, – lo gelò Treignac, – un pagliaccio che si è accaparrato il diritto di esercitare la giustizia. Dunque sei un accaparratore, e come tale sarai punito.

– Col cazzo! – sbavò l'attore come un cane ringhioso. La sola idea della ghigliottina gli mandava il sangue al cervello. Sapeva che lo sbirro non poteva dire sul serio, che c'erano di mezzo gelosia e questioni personali, eppure in quei tempi sottosopra l'ipotesi del patibolo non era mai troppo remota. Per questo seguitò a imprecare in maniera scomposta, con buona pace delle sue doti d'attore.

Treignac fece segno agli altri di mettere in piedi il prigioniero e portarlo via.

Poi raccolse la maschera di Scaramouche e se la legò in cintura come un trofeo di caccia.

2.

Di nuovo in una cella, e di nuovo l'assalto dei ricordi.

«Tu sei un pagliaccio», gli aveva detto Treignac.

«*T'î pròpi un paiâz!*», gli aveva detto Mingozzi sette anni prima, soffermandosi sulla ô mentre scuoteva la testa per l'ultima di tante volte, l'ultima sera che si erano visti. L'ultima sera a Bologna.

Ironia della sorte, era anche una delle ultime sere di carnevale, come nella commedia di Goldoni, quella che il maestro aveva scritto come addio a Venezia, prima di partire per la Francia.

Imparato che ebbe a difendersi, leggere, scrivere e far di conto, precisamente in quell'ordine, Leonida divenne l'aiutante del suo quasi padre. Mingozzi era tra i sessanta e i settant'anni, età ragguardevolissima; il vecchio corpo girava ormai a rilento, gli occhi erano deboli, e il ragazzo gli faceva comodo: lo aiutava nelle faccende piú pesanti e andava in città a fare commissioni. «*Mè a fâg ad tòtt!* Largo al *fâgtotum*!», celiava Leonida mischiando petroniano e *latinorum* alla maniera di un personaggio di commedia che andava per la maggiore, *al dutåur Graziàn*.

Infatti, la passione per il teatro continuava ad ardere. Il ragazzo, ormai quasi uomo, aveva convinto il marchese Albergati a prenderlo come attore. Il piú delle volte era un semplice figurante, faceva la parte di un fattorino che entrava in scena, ne usciva e non si vedeva piú, oppure di un vendugliuolo che serviva una comare da dietro una bancarella, o ancora di un indistinto membro del popolino, sullo sfondo di una scena di piazza.

Leonida cominciò ad approfittare delle commissioni in città per assistere a spettacoli di strada e, ogni volta che poteva, alle prove delle compagnie teatrali. Quasi sempre le prove, mai le rappresentazioni, perché la sera non poteva trattenersi. Un'ora prima del tramonto, usciva dalla Porta Saragozza e si dirigeva verso Zola. E col passare degli anni, rincasava sempre piú a malincuore. Bologna lo attirava, con il suo sfarzo, i suoi palazzi, i portici affollati, le piazze piene di colori... E i mercati, le *balle* di pittoreschi personaggi e giovinastri sfrontati, le belle popolane...

Di gnocca ce n'era anche a Villa Albergati e dintorni, e Leonida non era un timido. Aveva già avuto la sua bella parte d'incontri galanti con camerierine, lavandare, contadinelle, nei boschetti o nei fienili, persino qualche sveltina nelle stanze barocche della villa, le volte che s'intrufolava mentre una servetta rassettava. Cresciuto come il figlio di tutti, per Leonida erano tutte sorelle e sorelline, farci all'amore era un gioco.

Le donne di Bologna erano un'altra cosa, ben piú seria. Per un ragazzo di campagna erano una sfida, ogni sguardo era una promessa, un'allusione... O almeno cosí sembrava a Leonida, che piú volte ebbe a fraintendere un'occhiata, una movenza, una parola a mezza voce, e si comportò dal *zanni* che era, giocando un po' troppo di mano e ritrovandosi subito addosso il fratello, il padre o il promesso sposo infuriato di qualcheduna. A Dio piacendo, e per merito delle lezioni di vita di Mingozzi, nelle risse il giovane se la cavava bene, ma non poteva evitare di portare a casa almeno un segno della giornata: un'escoriazione, uno strappo alla camicia, un occhio nero.

A Mingozzi non piacevano punto quelle lunghe assenze, quel bighellonare in città, e soprattutto quell'attaccare briga senza bisogno. Accoglieva Leonida con rimproveri rochi: «Hai fatto ancora a pacche con qualche 'sgraziato! Sei il bastone in culo della mia vecchiaia! E i soldi della paga? Li hai spesi ancora in vino e puttane? Ci hai piú di vent'anni e non hai ancora messo la testa a posto! Quand'è che ti trovi una brava donna?»

Leonida era un giovane irrequieto, e non accettava piú di «stare al posto suo», ammesso e non concesso che l'avesse mai accettato. Una sera, aveva accusato il vecchio di essere *cme al fatåur ed Montagó, ch'l insgnèva d'arsparmièr par spanndri ló*, ovvero: bella forza predicare di non divertirsi con le donne, lui che non s'era mai sposato e aveva sparso figli da Santarcangelo a Castelfranco.

Intanto gli anni passavano e, per la verità, Leonida a puttane ci andava ben di rado. Non ne aveva gran che bisogno: per le voglie della carne c'erano le «sorelle», e intanto faceva il galante, in cerca di un amore in nome del quale – lui, un orfano! – sfidare a tenzone il mondo. Un amore di quelli cantati dai trovadori. E sognava sempre di far l'attore, e per la verità lo faceva, grazie al marchese Albergati che adesso gli dava ruoli piú perspicui.

Quel che gli mancava, nell'andirivieni randagio tra Zola e Bologna, era la gloria. Oltre all'amore, naturalmente. Tutt'al piú gli capitava qualche amorazzo.

Le sbarre si schiusero di fronte a Léo dopo dieci giorni di gattabuia. Il massimo della pena per un'effrazione con scasso, comunque sufficienti per patire la fame, buscarsi un brutto raffreddore e rimediare la scabbia.

La guardia gli lanciò un fagotto piuttosto pesante. L'abito da Scaramouche.

Léo protestò: mancava la maschera.

– Quale maschera?

– Una maschera di cuoio con un grosso naso.

– Io non l'ho vista, – sorrise quello con aria sorniona. – E adesso muovetevi.

Il secondino lo scortò lungo il corridoio, attraversarono un paio di cancelli e giunsero alla sala d'ingresso.

Ad aspettarlo c'era Treignac con altri due sbirri.

– Legategli i polsi, – ordinò ai suoi.

– Che vi salta in mente? – scattò Léo. – Sono un libero cittadino, adesso.

– Al tempo, – lo fermò Treignac con la mano alzata, mentre gli attendenti procedevano nel lavoro con una grossa corda.

Léo li lasciò fare, non voleva dare pretesti per ulteriori accuse, ma intanto sbraitava che era suo diritto sapere cosa lo aspettava e dove lo avrebbero condotto.

– In Piazza Rivoluzione, – fu la sola risposta. – C'è una cosa che devi vedere.

3.

Nel cortile li attendeva un carro scoperto, di quelli che si usano per portare il fieno.

Sopra il carro, in mezzo ad altre guardie, c'erano due uomini vestiti di rosso. Léo li riconobbe entrambi.

Uno era Jean Derobigny, l'accaparratore di sapone.

L'altro era Henri-Charles Sanson, il boia di Parigi.

Léo sentí lo stomaco stringersi, poi si disse che non potevano certo portarlo al patibolo cosí, come se niente fosse, e d'altronde la camicia rossa non gliel'avevano fatta indossare e nemmeno gli avevano tagliato i capelli come di consueto. – Siete impazziti!? Sono appena stato rilasciato! – sgolò, ma gli sbirri lo spinsero sul carro senza rispondere e il cocchiere spronò i cavalli oltre il grande cancello.

Ad accoglierli in strada non c'era la folla delle grandi esecuzioni, giusto un piccolo drappello di lavandaie che salutò Derobigny con insulti e sarcasmo. Léo intravide le donne che gli avevano suggerito il nome dell'accaparratore e per non farsi riconoscere si mise a sedere a capo chino. Di fronte a lui, Derobigny piangeva tutte le sue lacrime.

Il carro avanzava spedito, lungo un tragitto poco frequentato. Tra un sobbalzo e l'altro, Léo pensò che Treignac, nella sua perfidia, gli aveva scelto proprio il giusto contrappasso: l'attore costretto a nascondersi, a provare vergogna di fronte al suo pubblico. Sicuramente in Piazza Rivoluzione ci sarebbe stata diversa gente di Sant'Antonio, avventori della *Gran Pinta*, forse pure Marie Nozière. Se ci avesse scommesso avrebbe fatto un affare, ne era convinto.

Senza sollevare la testa, di sottecchi vide apparire il patibolo. Nemmeno là sotto c'era una gran folla: poco meno di un centinaio e alcune facce note. In prima fila, donne intente ai lavori a maglia.

Il carro si fermò dietro la piattaforma della ghigliottina. Mezzo nascosto dalla macchina, Léo riemerse dalla sua postura ingobbita.

Il boia Sanson avvertí il condannato che bisognava andare. Derobigny tentò di darsi un contegno, ma era un'impresa improba: aveva la faccia incrostata, i capelli sconvolti, sembrava che lo avessero ucciso già da un paio di giorni e tirato fuori dalla tomba per mozzargli la testa.

Giunto sul palco, non riuscí a trattenersi e scoppiò di nuovo a piangere gridando: – Pietà!

La folla lo fischiò come un figurante che sbagli la sua unica battuta. Lazzi e contumelie proseguirono finché Sanson tirò a sé una fune e la lama della ghigliottina salí nel telaio. Allora si fece silenzio su tutta la piazza, i fiati sospesi assieme al ferro. Gli aiutanti del boia fecero sdraiare il condannato, che ormai sembrava privo di volontà, un pupazzo di carne e ossa. Fecero segno al loro capo che tutto era in ordine. Sanson mollò la corda.

La mannaia venne giú *ex machina* come un antico dio della tragedia greca.

Il popolo consacrò la sua prestazione con un applauso convinto.

Un'interpretazione secca, precisa, senza sbavature.

Dopo la quale il pubblico cominciò a sfollare, volti felici e pacche sulle spalle.

Léo era trasognato, incapace di muoversi. Si sentí afferrare per i polsi e un coltello tagliò i legacci che li stringevano.

– Trovati un lavoro onesto. Oppure arruolati volontario.

Non c'era astio nel tono di Treignac. Non piú, adesso che aveva vinto. Dopo l'umiliazione poteva persino concedergli l'onore delle armi. Gli lanciò la sua maschera. Léo la mancò e dovette raccoglierla dalla polvere.

Si incamminò verso il margine della piazza, ma quando fu all'imbocco della via, si fermò, come attirato indietro da una forza magnetica. Si girò a guardare ancora la ghigliottina, al centro della spianata.

Ecco un'attrice al cui cospetto ci si poteva solo inchinare. Un'attrice talmente grandiosa da potersi permettere una spalla di prim'ordine: il boia Sanson. Capí di aver commesso un errore nel pretendere di recitare da solo. I grandi attori si riconoscono dai grandi gregari che porgono loro la battuta. Grazie al sostegno della sua compagnia di giro, Madama Ghigliottina rappresentava il popolo molto meglio del suo misero Scaramouche. E il popolo si era affidato a Scaramouche solo in mancanza della ghigliottina, fin tanto che la vera giustizia non si era abbattuta sui colpevoli, proprio come una compagnia si affida a un sostituto quando il suo mattatore è a letto con la febbre. Se la pena di morte per gli accaparratori diventava effettiva, allora il sostituto doveva scendere dal palco. Persino lo sbirro l'aveva capito e, con la pedanteria del poliziotto, aveva tenuto a farlo capire anche a lui.

Estratto da

LETTERA A DESFONTAINES
di Philippe Pinel

Parigi, 27 novembre 1784

Bisogna che vi dica ancora una parola sul magnetismo, per quanto sia ormai in declino, soprattutto nello spirito della gente sensata, dopo il rapporto dei commissari dell'accademia e della facoltà. Ci sono state repliche, si sono moltiplicate le *brochures*; ma, per sfortuna degli autori, la maggior parte di questi libri non vengono letti. Il governo desidera da tempo che il pubblico sia illuminato rispetto a questa sorta di mania, che è diventata di moda solo grazie al credito dei suoi partigiani. Alla fine, penso che il colpo di grazia glielo stiano dando mettendola in scena. Agli Italiani si rappresenta una pièce intitolata *I dottori moderni*, nella quale Mesmer, il capo della setta, è interpretato con una leggerezza e una facezia deliziose; si scoppia a ridere nel mezzo dello spettacolo e se voi foste qui, trovereste un rimedio sicuro contro la melancolia. Nulla sembra costernare i mesmeristi piú di questa botta; ciononostante, tra le signore permane uno zelo estremo per questa nuova medicina; e siccome servono certi tocchi e un certo industriarsi da parte del medico che magnetizza, esse trovano il tutto assai piacevole; io stesso ho voluto imparare il segreto, per capire di che si tratta: ho frequentato le tinozze e ho persino magnetizzato nello studio del signor Deslon per circa due mesi. Ciò ha prodotto qualche piccola avventura galante, e cosí, quando la ragione s'addormenta, ho una qualche inclinazione a prescrivere alle signore l'affascinante manovra del magnetismo. Gli uomini, invece, li respingo tutti con durezza e li spedisco in un magazzino di farmacia. Per il resto, rideremo di questa faccenda quando sarete qui.

Il castigamatti
Fine settembre 1793

1.

Le urla si propagarono a catena per tutto il padiglione. Ognuno le ripeteva, le amplificava, trasmettendole un poco piú in là. Quando raggiunsero Laplace, questi balzò dalla branda e guadagnò il corridoio, mosso da un presentimento orribile. Da quando aveva ricominciato a magnetizzare, le sue percezioni erano amplificate, esaltate dall'attività stessa, e ora in lui montava la sensazione che qualcosa di irreparabile si fosse compiuto.

Risalí la catena delle urla, passando davanti alle porte degli alienati che sbraitavano. Piú si avvicinava all'epicentro, piú il presentimento si faceva forte e lo istigava a correre. La corsa si interruppe sulla soglia del dormitorio, davanti alla mole dell'inserviente tarchiato con il naso all'ingiú, che impedí a Laplace di proseguire.

– Lasciatemi passare! Cos'è successo? – intimò Laplace.

L'espressione stolida dell'uomo non mutò, come avesse parlato al vento.

Laplace lo fissò negli occhi, quindi gli posò le dita di una mano sulla fronte e quelle dell'altra sul gomito.

– Fammi passare, – disse in tono fermo.

L'uomo si spostò di lato.

Oltre la soglia del refettorio, la scena che si parò davanti agli occhi di Laplace lo lasciò sconcertato.

Prima di tutto vide la matassa di riccioli biondi di Malaprez. Si agitava, come una criniera, in mezzo a tre inservienti nerboruti. Le urla provenivano dalla caverna nera aperta nella faccia paonazza. Come se Malaprez non fosse piú in grado di chiudere la bocca, i suoni uscivano continui, fino a quando non perdeva il fiato e doveva fermarsi per poi ricominciare. Uno degli energumeni lo teneva bloccato contro il muro con il castigamatti, un semicerchio di metallo attaccato a un lungo manico di legno. Gli altri due gli avevano infilato la camicia di forza e stavano legando le maniche dietro la schiena. Laplace ebbe l'istinto di intervenire, ma si fermò, capendo che rischiava d'essere travolto.

Poi notò l'uomo a terra. Era steso sulla schiena, il viso reclinato verso di lui, gli occhi chiusi. Lo riconobbe: era Cabot, il folle che Malaprez aveva neutralizzato in cortile tempo prima, rimediando una badilata sulla spalla. Era stato lui, Laplace, a ordinargli di farlo.

Su Cabot era proteso il governatore Pussin. Laplace lo raggiunse.

– È morto? – chiese.

Pussin rispose senza guardarlo in faccia.

– No.

Laplace fece qualche passo verso Malaprez, che nel frattempo era finito a terra, sotto il peso dei due inservienti.

– Lasciatelo! – disse, provando a sovrastare le urla disperate di Malaprez. – Lasciatelo a me!

Cercò lo sguardo di Malaprez, ma il giovane aveva gli occhi spiritati, la bava alla bocca, e perdeva sangue da un orecchio; non c'era verso di tentare una magnetizzazione. Laplace si risolse a provare lo stesso, ma sentí una presa forte sulla spalla che lo tirava via.

Si voltò con uno scatto di rabbia, solo per trovarsi faccia a faccia con Pussin.

– Voi non dovete stare qui, – intimò il governatore. – Tornate nel vostro alloggio.

– Posso calmarlo, – protestò Laplace. Ma la presa di Pussin si fece piú forte, si sentí tirare lontano e la rabbia montò fino a soverchiarlo. – Posso calmarlo, vi dico!

Il suo urlo si mescolò a quello di Malaprez e vide avvicinarsi l'inserviente dal naso all'ingiú. Smise di opporre resistenza e si lasciò spingere verso la parete, dove una grossa mano lo tenne bloccato, premendogli sul petto.

Osservò Malaprez che veniva trascinato via di peso. Quindi fu il turno di Cabot, ancora tramortito.

Solo allora Laplace tentò di attirare l'attenzione di Pussin.

– Volete dirmi cosa è successo, in nome di Dio?

Il governatore si concesse un sospiro, che parve dargli assai poco sollievo.

– Cabot ha aggredito Malaprez. Immagino volesse vendicarsi. Lo ha colpito alla testa con un mattone. Deve essere riuscito a grattarlo via dalla parete della cella. Malaprez ha reagito e ci è mancato poco che lo ammazzasse.

– Dunque per difendersi... – disse Laplace.

Pussin guardò verso la porta che aveva inghiottito i due alienati.

– La responsabilità è solo mia –. Poi si rivolse all'inserviente: – Accompagnalo al suo alloggio.

Mentre lo riportavano indietro, Laplace disse ancora qualcosa.

– Fatemi parlare al nuovo dottore.

Non ottenne risposta. Pussin si limitò a guardarlo allontanarsi, inespressivo, le spalle curve.

Il padiglione sembrava essersi acquietato. Passando accanto alla cella di Malaprez, Laplace sbirciò attraverso la finestrella e lo vide, legato e imbavagliato. Produceva un muggito sordo, si agitava e sbatteva i piedi contro il muro. Mesi di lavoro andati in fumo, pensò Laplace. L'inserviente lo spinse avanti ed ebbe l'istinto di girarsi di scatto e colpirlo.

Si trattenne e poco dopo si ritrovò sulla branda. Prima che la porta si chiudesse, disse:
– Riferite che voglio un colloquio con il dottor Pinel.
Non ottenne risposta.

Trascorse una notte agitata, scandita dall'ululato basso e continuo di Malaprez, nella cella accanto. Si addormentò soltanto poco prima dell'alba e quando si svegliò, a colpirlo fu il silenzio. Uscí in fretta dall'alloggio. Lo spioncino di Malaprez era aperto e poté sbirciare dentro. La cella era vuota.

2.

– Buongiorno, cittadino Laplace. Prego, sedete.
Philippe Pinel stava scrivendo con una lunga penna d'oca su un taccuino fitto di appunti. Sul naso – un naso che puntava in basso, non proprio ricurvo, ma certo non elegante – aveva piccoli occhiali a molla, che appoggiò con delicatezza sul tavolo, non appena ebbe terminato di scrivere.
– Avete chiesto di vedermi, dunque.
Laplace non parlò subito, si diede qualche istante per studiare la fisionomia del dottore. Il loro primo incontro era stato troppo fortuito e affollato perché potesse inquadrarlo bene, mentre ora, nella quiete e nella solitudine dello studio, poteva cogliere ogni inflessione della voce, ogni ruga del viso, e soprattutto l'espressione. L'ampia fronte, gli occhi tondi e il lieve sorriso gli davano un'aria amichevole. Eppure dietro quell'apparenza c'era qualcosa che Laplace, senza sapere bene perché, avrebbe paragonato al nocciolo dentro un frutto maturo. Qualcosa su cui, con un morso troppo disinvolto, ci si sarebbe potuti rompere i denti.

– Riguarda Malaprez, – disse.

Pinel non batté ciglio.

– L'avete fatto trasferire in un'altra ala dell'ospedale, – aggiunse Laplace.

– In effetti è cosí.

– Posso chiedervi perché?

– Per allontanarlo da voi.

La risposta raggiunse Laplace come una stilettata e capí che le sue impressioni erano giuste. Dunque ecco un avversario. «Alla buon'ora», sussurrò la voce della mente, ma seguitò a intimargli di stare attento.

– Capisco, – disse con una flemma forzata. – Forse non vi hanno informato del fatto che sono stato io a recuperare Malaprez ai modi civili. Io l'ho fatto rinsavire.

Si zittí, in attesa della replica, che non tardò ad arrivare.

– Il governatore Pussin mi ha aggiornato sul suo caso, sí. E anche sul vostro –. Il tono non era minaccioso, non ne aveva bisogno. – È vero che avete ammansito Malaprez, – riprese il dottore. – Ma non lo avete curato, tantomeno lo avete guarito.

– Non è il risultato pratico che conta? – domandò Laplace. – Si esprimeva a grugniti e adesso parla.

– Per la verità, dopo l'aggressione è tornato ai grugniti –. Il tono di Pinel era vagamente paternalistico. – Lo avete scatenato contro un altro paziente, e questo gli è già costato una brutta lussazione. Quando quest'ultimo si è vendicato, cercando di sfondargli il cranio con un mattone, Malaprez è ripiombato nello stato precedente al vostro... come devo chiamarlo? Intervento? Trattamento?

Laplace congelò la rabbia dentro di sé, capendo che Pinel tentava di provocarlo, perché sapeva. Sí, lui sapeva.

– Lasciate che lo incontri. Lo riporterò alla normalità in poco tempo. Potrete constatarlo voi stesso.

Il sorriso di Pinel si fece bonario e ancora piú irritante.

– Non posso accontentarvi. Malaprez è un ospite di questo ospedale e come tale è sotto la mia responsabilità. Non credo che gli abbiate fatto del bene. Come non l'avete fatto ai vostri Marat.

– Voi negate l'evidenza, – sibilò Laplace stirando un sorriso nervoso.

– E voi siete un ipocrita, cittadino Laplace, – ribatté Pinel senza astio. – I trattamenti magnetici ai quali sottoponete queste menti semplici sono utili a suggestionarle, forse anche a soggiogarle a una forte personalità come la vostra. Il mio compito è invece guarirle. Soltanto guarendo dal male l'uomo può essere libero.

Ecco, pensò Laplace, i giochi sono scoperti, le carte sul tavolo. Non c'era piú nulla da celare, si trovava davanti a una volontà forte quanto la propria. Di fronte a sé aveva il Nemico. E meritava un'ultima sentenza.

– Non tutti possono essere guariti. Il male è una realtà eterna, – disse.

– Nondimeno, combatterlo con ogni mezzo necessario è mio dovere, – replicò con la stessa flemma Pinel. – Il mio, non il vostro, – aggiunse. – Io sono il medico, voi siete un paziente. Peraltro, mi risulta che siate entrato qui di vostra spontanea volontà. Dunque volontariamente potete anche andarvene, se non approvate le mie scelte terapeutiche o la mia filosofia.

Laplace serrò la mandibola. Si alzò e accennò un inchino, quindi lasciò la stanza.

3.

Non aveva alcuna intenzione di liberare il campo. Non per il momento, almeno. A tempo debito l'avrebbe fatto, ma adesso che aveva trovato Pinel, non se lo sarebbe lasciato sfuggire tanto facilmente. Sentiva di dover ringraziare la sorte perché gli aveva offerto un avversario con cui cimentarsi. Era l'occasione di mettersi alla prova, prima di ritornare nel mondo. Non si era sempre ripetuto, in quei lunghi mesi, che Bicêtre altro non era se non lo specchio della Francia? Si sarebbe temprato sotto quello sguardo da padre Prometeo e avrebbe portato a termine la preparazione sotto il suo brutto naso.

Il programma che si prefiggeva era come la nuova costituzione repubblicana: difficile da attuare, una sfida alla storia. Avrebbe cominciato subito, riducendo al minimo i contatti con gli altri degenti, affidandosi alla meditazione e agli esercizi spirituali. E poiché il corpo doveva mantenersi in forze, avrebbe praticato gli esercizi ginnici un'ora prima dell'alba, nel suo alloggio, e marciato per almeno tre leghe al giorno. Circa trenta giri del perimetro del cortile.

Fu durante una di quelle camminate, tre giorni dopo il suo colloquio con Pinel, che rivide spuntare tra i visitatori il cappellaccio nero di La Corneille. Lo aveva convocato tramite un semplice biglietto in codice, affidato a un fornitore che faceva la spola con Parigi.

Senza darlo a vedere, si compiacque della sollecitudine del sottoposto.

– Mio signore… – lo salutò La Corneille ingobbendosi dentro il pastrano. La faccia di teschio pareva ancora piú mostruosa del solito, forse per via dell'eccitazione che lo pervadeva.

– Accompagnami, – ordinò Laplace senza smettere di camminare di buon passo.

La Corneille arrancò al suo fianco.

– Avevate ragione, mio signore. Hanno cominciato a scannarsi tra loro. Dopo i girondini è toccato agli arrabbiati e ai caporioni del comune di Parigi. Robespierre non tollera concorrenti.

Ricevette un pugno sulla spalla e rinculò, ingobbendosi ancora di piú.

– Non capisci! – esclamò Laplace. – Robespierre non aspira ad alcun primato se non a quello della Repubblica. Non vuole niente per sé, tutto per la Francia. È precisamente ciò su cui puntiamo. Il prossimo bersaglio sarà Danton. È un intrigante e un corrotto, ma è anche l'eroe del 10 agosto. È perfetto per una catarsi collettiva.

– Una... *catarsi*, mio signore? – chiese La Corneille.

– Lascia perdere. L'importante è che le cose procedano verso il loro necessario epilogo. E noi saremo pronti –. Laplace non accennava a rallentare. – Ascoltami bene. Devi cercare gente in gamba e determinata, che creda nella causa di una Francia nuovamente monarchica. Gente che non si faccia scrupolo di fare ciò che andrà fatto. E che siano pochi. Per ora.

La Corneille aveva il fiato grosso e le guance da grigie erano diventate gialle.

– Sissignore.

– Guardali negli occhi e leggici la tua stessa disperazione. Sarà la nostra migliore alleata. Offri loro una speranza. Meglio: un'idea.

– Una sola, mio signore?

– Una è piú che sufficiente, se è quella giusta, – sentenziò Laplace.

La Corneille ansimò, tossí, ma non smise di seguirlo.

– Quale idea?

Laplace si decise a rallentare.

– Vendetta.

Un ghigno che era un misto di stanchezza e soddisfazione storpiò la faccia mutilata di La Corneille.

– Vorranno sapere chi siete… e cosa dovranno fare.

– A suo tempo, – rispose Laplace. – Per ora dovranno limitarsi a osservare. Ogni dettaglio potrà tornare utile, anche la cosa meno importante. Che esercitino la vista e la pazienza. È questa la devozione. Allontana i frettolosi –. Afferrò La Corneille per il bordo del cappotto. – Scegli bene. Non cerco filosofi, ma soldati.

– Fidatevi di me, signore.

Laplace lo lasciò.

– Va', ora.

Rimasto solo, accelerò il passo e riprese a contare i giri del cortile, mentre lo sguardo si spostava verso l'alto, al secondo piano dell'edificio sul lato nord, dov'era lo studio di Pinel.

Gli piacque immaginare che il direttore lo stesse guardando e potesse leggere la sfida nei suoi occhi.

Estratto da

MEMORIE PER SERVIRE ALLA STORIA
E ALLO STABILIMENTO DEL MAGNETISMO ANIMALE
di Armand-Marie-Jacques de Chastenet de Puységur (1784)

La scorsa primavera, il mio trattamento si faceva attorno a *un albero*: il movimento vegetale, allora, aggiungeva una forza in piú all'*elettricità animale*, e da questa azione combinata risultavano effetti piú dolci e piú soddisfacenti per chi vi si sottometteva: *nessuna convulsione*; oppure, se capitava che alcuni malati, alla prima esperienza, provassero dei tremori, era sufficiente un leggero tocco da parte mia, per liberarli una volta per tutte.

Parlando del mio trattamento *magnetico-vegetale*, non posso esimermi dal menzionare il sig. Bertholon, dell'accademia di Montpellier, che ha cosí ben trattato l'elettricità dei vegetali e ci ha fornito istruzioni assai ingegnose per trarre l'aria *deflogisticata* dalla traspirazione di foglie fresche esposte al sole. Se avesse fatto un passo in piú, avrebbe visto che quest'aria *deflogisticata* è precisamente quella parte del *fluido universale* che viene modificata dai vegetali per formare e nutrire il loro organismo; & che in questo consiste la sola causa dell'effetto salutare che egli sentiva, con tanta precisione, risultare dalla loro comunicazione con gli animali.

Riconoscendo che quest'aria deflogisticata è il principio dell'aria respirabile, che le acque che ne contengono sono le piú salubri, che senza quest'aria non ci sarebbe né *combustione* né *calore*, né *vegetazione* e nemmeno *vita* nella natura; come può essere accaduto che gli studiosi non abbiano concluso che esiste un fluido universale? Con un po' meno d'amor proprio, uomini di cotanto genio non avrebbero potuto esimersi dal riconoscere che il sig. Mesmer aveva messo loro davanti agli occhi la sola causa degli effetti da essi cosí giustamente riconosciuti.

Jean del Bosco
Fine estate 1793

I.

«Torniamo a Parigi», aveva detto Radoub, e D'Amblanc si era mangiato ogni obiezione.

Fosse stato solo per le fitte che lo tormentavano, avrebbe stretto i denti e portato a termine l'indagine, ma la combinazione tra i suoi mali e quelli dell'Alvernia rendeva la permanenza troppo pericolosa. Restare significava mettere a repentaglio la vita di sei persone. Feyfeux e lo Sfregiato, per di più, dovevano rientrare a San Martino entro la fine della settimana, «in tempo per la raccolta delle castagne», avevano dichiarato, ma a giudicare dal colore acerbo dei ricci sugli alberi, ben altre preoccupazioni li spronavano verso casa.

Viaggiarono per due giorni sotto una pioggia ininterrotta, cercando riparo solo per dormire e consumare i pasti. In quelle rare occasioni, D'Amblanc tirava fuori dalla bisaccia il suo taccuino, rileggeva gli appunti, e con un mozzicone di matita tracciava la bozza della sua relazione a Chauvelin.

Noèle Chalaphy, di anni diciannove, residente a Manorba, sottoposta in tenera età alle cure magnetiche del cavaliere d'Yvers, per via di un malessere definito dalla madre: «vuoti di memoria». Una volta cresciuta, diventa sonnambula e un prete costituzionale abusa di lei.

Il terreno allagato costrinse il drappello a lunghe deviazioni. Ruscelli e pantani si mangiavano sentieri, vigne e bocconi di foresta. Valanghe di fango scendevano dalle montagne come predoni all'assalto. Giunti al fiume Allier, dovettero

sganciare una cifra esorbitante per convincere il traghetta-
tore ad affrontare la piena.

Sotto gli abiti fradici, D'Amblanc sentiva il corpo farsi sempre piú rigido, la pelle tesa come sopra un tamburo, eppure il
dolore sembrava essersi attenuato, lavato via da quell'acqua
di temporale, che forse conteneva l'elettricità del fulmine.

Juliette Tourlan, di anni ventotto, residente a Malacarne, sottoposta dall'Yvers a esperimenti di sonnambulismo per ragioni non
meglio chiarite. Parlano di Dio. La donna rimane incinta di «un
angelo», che forse è il medesimo Yvers. La figlia, Margot Tourlan,
di anni sette, viene a sua volta posta nello stato di sonno indotto
dalla stessa madre, che le suggerisce visioni e profezie. La bambina
sostiene di parlare con la «Signora Bianca» e i compaesani si convincono che veda la Vergine Maria. Su istigazione della Vergine,
gli abitanti del villaggio uccidono il sindaco e il parroco nominato
dalla Repubblica. Madre e figlia sono verosimilmente decedute nel
cannoneggiamento del villaggio di Malacarne da parte del battaglione del generale Nanterre.

D'Amblanc si domandava se quei pochi elementi avrebbero soddisfatto l'appetito di Chauvelin. Un viaggio di tre mesi, tre uomini di scorta, centocinquanta leghe da Parigi. Una
cartella con tre fascicoli, tre casi sospetti, il presentimento
di un abuso della credulità popolare per scopi reazionari. E
come unico risultato, due conferme di scarsa utilità: sí, due
casi su tre nascondevano in effetti l'attività di un magnetista, il signore d'Yvers. E sí, in un caso su tre il magnetismo
aveva contribuito ad allontanare il popolo dalla fedeltà alla
Repubblica, ma la minuscola controrivoluzione era terminata sotto le macerie di Malacarne, e una fitta foresta l'aveva
tenuta isolata dal resto della regione.

Inoltre, era davvero colpa del magnetismo, per quanto
mal praticato e sviato? Per dispiegarsi, la controrivoluzione
non aveva certo bisogno di streghe e profetesse. D'Amblanc
continuò a scrivere.

La situazione politica della regione è talmente esplosiva che un agente straniero o della nobiltà non avrebbe alcun bisogno di ricorrere al magnetismo per diffondere credenze stravaganti e superstizioni, che a loro volta istighino il popolo contro la Repubblica. L'eloquio di un avvocato di provincia ha radunato migliaia di uomini sotto le insegne dell'esercito cristiano del Mezzogiorno. Qualunque sermone di un prete refrattario può ottenere, in queste terre, risultati preoccupanti e sollevamenti reazionari. Dunque, mi domando, perché utilizzare metodi occulti, quando si possono raggiungere gli stessi risultati con minore fatica? Ho l'impressione che, in Alvernia, le pratiche magnetiche dei controrivoluzionari siano davvero l'ultimo dei problemi.

Tirò una riga storta su quelle poche frasi. Non spettava a lui trarre conclusioni sul senso della missione. Non sul senso che questa poteva avere per la Francia o per il comitato di sicurezza. Tutt'al piú poteva sforzarsi di comprendere quale significato avesse per i suoi studi.

Padre Clément, Juliette Tourlan e sua figlia Margot erano morti. Il cavaliere d'Yvers aveva lasciato l'Alvernia nell'89 e nessun tribunale avrebbe potuto accollargli gli eventi di quattro anni dopo. D'Amblanc avrebbe fatto volentieri due chiacchiere con l'ideatore di quegli irresponsabili esperimenti. Che aveva fatto – o non fatto – perché avessero conseguenze simili?

Sulla scorta del marchese di Puységur, D'Amblanc aveva sempre ritenuto impossibile magnetizzare un individuo contro il suo libero arbitrio e senza la sua collaborazione. Ma il discorso cambiava per bambine piccole com'erano state Noèle e Juliette: un bambino è facilmente suggestionabile anche senza ricorrere al magnetismo. Con l'aggiunta di quest'ultimo, diviene creta nelle mani di un vasaio. Magnetizzando quelle bambine, il cavaliere d'Yvers aveva soltanto malpraticato, agito senza criterio, o aveva *inteso fare il male*?

In ogni caso, un individuo del genere sarebbe stato meglio in prigione. A piede libero, poteva rovinare la vita di molte altre persone. Tuttavia, le preoccupazioni di D'Amblanc non erano certo le stesse del comitato di sicurezza generale. Chauvelin non avrebbe avuto né sobillatori né pericolosi intrighi da presentare ai superiori come brillanti prodotti dell'indagine alverniate.

2.

Il pomeriggio del terzo giorno il diluvio terminò. Il sole asciugò l'umidità e le fitte tornarono a farsi sentire, come se la schiena avesse dovuto scaricare di colpo la tensione accumulata. Brividi di febbre si aggiunsero ai tremori che martoriavano il corpo di D'Amblanc.

Radoub scrutò il cielo e domandò allo Sfregiato quanto poteva mancare prima del villaggio di Clignat.

– Almeno cinque ore, – fu la risposta, e subito il sergente cominciò a guardarsi attorno in cerca di una radura dove passare la notte.

La trovò all'ombra di un faggio secolare, coperto di muschio e grossi nodi, un antico pachiderma con mille occhi e la pelliccia verde. Nessuno si lamentò per la sosta all'addiaccio: dopo l'incubo di Malacarne, la prospettiva di dormire al coperto non era piú cosí allettante.

Poulidor preparò a D'Amblanc un giaciglio comodo e lo aiutò a sdraiarsi, come se avesse per le mani una statua di porcellana. Thuillant accese il fuoco, mentre lo Sfregiato accumulava una catasta di legna asciutta.

Radoub e Feyfeux stesero le mani in direzione delle fiamme, per scaldarle a dovere prima di massaggiare il malato.

Le loro cure, per quanto goffe, riuscivano a infondergli un certo sollievo, e i risultati miglioravano con la pratica, giorno dopo giorno.

D'Amblanc puntò gli occhi alle stelle, oltre i rami del faggio. Riconobbe la costellazione di Cassiopea, ma c'erano molte piú luci di quelle che aveva imparato a congiungere. Astri di terza e quarta grandezza, che nel clima umido di Parigi nessuno era in grado di vedere. L'aria era tersa, e il vento aveva spinto le nubi sopra i crinali delle montagne. Dalla sua posizione, D'Amblanc ne scorgeva le cime, disposte a ferro di cavallo di fronte a sé. L'intero paesaggio sembrava la scenografia per un'apparizione divina, col faggio colossale a fare da catalizzatore. Decine di alberi come quello, in tutta la Francia, partorivano ogni anno santi, madonne, demoni e fate.

– Siete pronto per il vostro massaggio? – la voce di Radoub distolse D'Amblanc dalla contemplazione, ma la domanda non ottenne risposta. Quel che ottenne, invece, fu di suggerire al dottore una strana coppia di idee: la terapia magnetica e l'albero della vita.

La coppia, a dire il vero, non gli suonava né strana né nuova, e D'Amblanc ricordò subito dove l'aveva incontrata: nelle memorie scientifiche di Puységur.

Il marchese raccontava di aver usato il grande olmo nella piazza di Buzancy per magnetizzare una folla di centoventi persone. Aveva attaccato ai rami lunghe funi di canapa e i pazienti le avevano afferrate, formando catene umane. Quindi Puységur aveva caricato di fluido il tronco dell'albero, trattandolo come un individuo in carne e ossa. I partecipanti all'esperimento ne avevano tratto un grande benessere, e l'albero era rimasto attivo per un'intera settimana, durante la quale chiunque vi si appoggiasse per una decina di minuti ne ricavava benefici duraturi.

– Oggi vorrei tentare un metodo nuovo, – disse infine D'Amblanc, e prese a istruire gli uomini su come attrezzare la scena, sforzandosi di ricordare bene le parole di Puységur. La pratica del magnetismo vegetale, infatti, gli era nota soltanto per via indiretta, attraverso gli scritti e le spiegazioni del maestro. A Parigi, dove il marchese incontrava i suoi discepoli, non c'erano alberi adatti per tentare l'esperimento, e le risate dei curiosi avrebbero interferito con il passaggio del fluido. Puységur aveva promesso a D'Amblanc di mostrargli «l'albero della vita» in occasione di una visita a Buzancy che alla fine, per un motivo o per l'altro, non s'era mai organizzata. Poi la rivoluzione aveva trasformato l'olmo di Puységur in un «albero della libertà» e da quel momento, sotto i suoi rami, si erano tenute assemblee di popolo e non piú terapie collettive.

D'Amblanc si alzò in piedi e controllò che il faggio fosse attrezzato a dovere. Poulidor era salito sulle spalle di Thuillant e stava legando a un ramo l'ultimo tratto di corda. Nessuno degli uomini sembrava sorpreso dal rituale che andavano allestendo. Mesi di viaggio con un medico mesmerista li avevano abituati a quel genere di stranezze. Il fatto poi che il medico fosse anche sofferente e sottoponesse alle cure prima di tutto sé stesso aumentava la considerazione che avevano di lui. Come novelli Cristofori portavano in missione un Cristo laico, guaritore e martire al tempo stesso.

D'Amblanc estrasse dalla bisaccia due barre di rame e ordinò a Feyfeux di conficcarle nel tronco dell'albero, in corrispondenza di nodi o crepe della corteccia. Quindi gli mostrò come afferrarne le estremità e lo invitò a concentrarsi, a immaginare un flusso di energia benefica che dalle sue mani si trasferiva al faggio. Dopo giorni di convivenza, D'Amblanc aveva scoperto che l'alverniate era il piú predisposto alla terapia magnetica. Non aveva soltanto un'ottima salute e un fluido in perfetto equilibrio, ma quando lo si coinvolgeva nella cura, eseguiva con grande naturalezza anche gli ordini piú bizzarri, quasi avesse un'innata consuetudine con certe pratiche mediche.

Appena Feyfeux prese posizione, D'Amblanc afferrò un capo di corda e se lo annodò stretto intorno alla vita. Quindi pregò gli altri quattro, a coppie, di afferrare due funi e di sistemarsi opposti rispetto al tronco.

– Ora chiudete gli occhi, – disse, – e immaginate di guarirmi dal male con la sola forza della vostra volontà. Dovete volere il mio bene e credere che questo possa farmi stare meglio.

Detto questo, anche D'Amblanc chiuse gli occhi e disegnò con la mente l'immagine dell'albero che si caricava di un fluido verde, caldo e buono, e attraverso la corda glielo iniettava nella schiena. Avvertí i sintomi del sonnambulismo artificiale farsi strada nelle membra, e ne assecondò la spinta. Un'onda spumeggiante di energia vitale lo trascinò lontano, come in un dolce naufragio.

Fu la voce di Feyfeux a ridestarlo dal sonno.

– Mi dispiace interrompere, dottore, ma vi dovete svegliare.

D'Amblanc aprí gli occhi. Non aveva idea di quanto tempo fosse passato, ma intanto la luna era sorta e spiccava alta nel cielo.

Di fronte a lui, a una decina di passi, sei uomini di età molto diverse lo fissavano in silenzio, torce in una mano e schioppi a tracolla.

– Gli altri non si svegliano, – sussurrò Feyfeux, indicando Radoub e Poulidor che dormivano tenendosi per mano.

D'Amblanc gli ordinò di sciogliere le corde, quindi si mise in piedi. Solo allora uno dei nuovi arrivati si staccò dal gruppo e avanzò verso di lui.

Nel mentre, D'Amblanc cercava le parole piú giuste per far capire a quella gente che quanto avevano visto non era stregoneria.

L'uomo però stese la mano, si presentò come Michel Eglizot, e parlò in un misto di francese e alverniate.

– Abbiamo veduto il fugo, e sem venú a controllà, – disse, quindi toccò a D'Amblanc fare le presentazioni e mostrare le credenziali del comitato di sicurezza.

Michel Eglizot rimase piuttosto impressionato nel vedere il documento col sigillo della Repubblica. Ci passò sopra il dito e lo studiò con deferenza alla luce della fiamma.

– Abitiamo a dusento passi, – disse alla fine, – e abbiamo el granaro da sistemare per vossia. I è aiga nel pozzo e una stabla per le bestie. Qui non è tanto bene dormire.

Prima di valutare la proposta, D'Amblanc domandò quale pericolo ci fosse.

– Pericolo no, ma forse fastidi. Jean del Bosco viene magari a furtarvi le cose, disturba i cavalli, ve tiene tutti desveglià. Ma no è cattivo, solo selvatico, comprendé?

D'Amblanc rispose che no, non ci aveva capito gran che, e l'uomo spiegò che il bosco era la dimora di questo Jean, un ragazzo selvaggio che disturbava gli intrusi.

I volti di Radoub e Poulidor emersero dal buio alla luce della torcia. Avevano gli occhi acquosi di chi ha visto in sogno una terra di latte e miele. D'Amblanc li mise al corrente della situazione e il sergente disse che per gli animali, dopo tutta la pioggia degli ultimi giorni, una stalla calda, fieno e ferri nuovi erano manna dal cielo, la garanzia di una migliore tenuta per le tappe a venire. Allora ringraziò per l'offerta e andò a preparare il bagaglio.

Nel piegarsi a terra per raccogliere la coperta, sentí la schiena assecondare il movimento come non gli accadeva da settimane, e decise di appuntarsi quanto prima i dettagli della terapia che aveva appena sperimentato.

Una volta a Parigi, avrebbe scritto a Puységur, per illustrargli i risultati e le circostanze della sua prima magnetizzazione vegetale.

3.

Il mattino seguente, dopo un'abbondante colazione, D'Amblanc era intento a scrivere sul taccuino, mentre gli uomini della scorta preparavano i cavalli. Stava seduto su una panca contro il muro della stalla, quando Michel Eglizot uscí dall'edificio principale e gli andò incontro attraverso la corte, accompagnando per mano un ragazzo sulla quindicina.

– Voi me dovete scusà, – disse l'uomo levandosi il cappello, – ma avante che andè via, ve debbo dimandà un favore.

D'Amblanc alzò gli occhi dal taccuino e se lo chiuse sulle ginocchia.

– Dite pure.

– Questo me fiolo, – disse indicando il ragazzo, – soffre di un male al petto, terribile. Sem andà fino a Riom, dal medico, ma no i sta nen da fà. Allora ve volea dimandà se voi gli potete fà una delle vostre cure, come iersera.

D'Amblanc stava per domandare ragguagli sui sintomi del male, ma di colpo si fermò, strinse gli occhi e pose un'altra questione.

– Voi come sapete che quanto avete visto ieri è una pratica terapeutica?

– Una *che*?

– Sí, insomma, una cura, un modo per guarire la gente.

Michel Eglizot parve stupito dello stupore di D'Amblanc.

– Me anca ho fat una cura insí, per via de un mal de eistoma. Me durava da tutt'un anno e il signore me l'ha arsanà in una smana.

– Il signore? Quale signore? – domandò D'Amblanc, ma già immaginava la risposta.

– Adesso lo si deve nominà «cittadino», ma allora l'era il signor d'Yvers. La me familha travagliava per lui, come taglialegna e guardacaccia. E tra tutte le cose buone che ha fat la revolusiú, questa è propi l'unica che ci angustia, che quando il re ha riunito gli stati generali, el cavaliere l'è 'ndà via, e noialtri avem pardú quello che ci sanava i mali.

D'Amblanc aveva riaperto il taccuino e si era rimesso a scrivere, frenetico, mentre il ricordo del cavaliere sembrava infondere a Eglizot una gran voglia di parlare.

– L'era un brav'om, il cittadino Yvers. Qua sem tutti per la Repubblica, badate, e sem ben contenti che adesso il bosco l'è de noialtri e no del cavaliere, però se come nobile l'era un mal'om, come om l'era un bon om, e oltre che sanarci faceva pure altre cose buone, ci imparava a leggere, a scrivere e si prendeva cura degli orfanelli, che da quando l'è andà via lui, no ci pensa piú persouna, e alcuni son morti, altri son scappati, altri vivono per i campi e per i boschi, come il povero Jean.

– Jean del Bosco? – domandò D'Amblanc. – Quello che fa gli scherzi agli intrusi?

– Propi lui, avreste dovuto vederlo. L'aveva come adottato, lo teneva nel castello. Gli aveva imparato tutto: le buone maniere, il francese dei libri, e anca a suonà la spinetta. In pochi mesi. Lo portava a cavallo, sempre vestito elegante…

D'Amblanc domandò come mai un bambino educato da nobile si fosse trasformato in un ragazzo selvaggio.

Con l'aria contrita di chi racconta una disgrazia, Michel Eglizot spiegò che il cavaliere se n'era andato a Parigi per gli stati generali, affidando il bambino al custode del castello. Ma il giorno successivo alla partenza di Yvers, il ragazzo era impazzito, aveva spaccato mobili e suppellettili e si era nascosto nel bosco. Per qualche settimana, il custode lo aveva cercato, finché le guardie non avevano trovato lui: era finito in galera con l'accusa di essere una spia. Cosí Jean aveva continuato a vivere nei boschi, si era inselvatichito, e di certo sarebbe morto, se non fosse stato per il cibo che la famiglia Eglizot gli lasciava in una ciotola.

– Lui viene qui a mangiare?

– Tutte le sere, – rispose Eglizot, e un attimo dopo D'Amblanc era girato verso i suoi, per ordinare che interrompessero i preparativi.

La partenza era rimandata all'indomani.

4.

Poco prima del tramonto, Michel Eglizot uscí di casa con un ciotola di legno.

La ciotola conteneva due fette di pane, un pezzo di formaggio e una patata bollita.

L'uomo girò intorno al granaio e andò a depositarla sul retro, vicino ai sostegni per la vite che stavano impilati contro un castagno. Quindi tornò sui suoi passi, imboccò una scala e raggiunse D'Amblanc al piano superiore dell'edificio.

Il dottore era affacciato a una finestrella che di solito serviva per calare di sotto i sacchi di frumento. Da lí, sorvegliava lo spiazzo dove ogni sera Jean del Bosco andava a rifocillarsi.

– Vedrete che no tarderà, – disse il taglialegna, e andò a inginocchiarsi di fianco al dottore.

Di lí a poco, nella luce del crepuscolo, una figura minuta uscí dai cespugli e scivolò sotto lo steccato che delimitava la fattoria degli Eglizot. Camminava curva e a tratti si aiutava con le mani per avanzare piú svelta. Aveva il torso nudo, un paio di pantaloni e una massa di capelli scarmigliati, come erbacce scure sulla riva di un fosso. Raggiunse la ciotola con l'andatura di un segugio e prese a cibarsi con le mani a grandi bocconi.

Eglizot fece segno a D'Amblanc di seguirlo e i due scesero i gradini che portavano di sotto, sforzandosi di non farli scricchiolare.

Il taglialegna uscí allo scoperto, mentre D'Amblanc rimase a spiarne le mosse dietro un grosso pilastro di mattoni, che sorreggeva il deposito delle granaglie.

– Bounserà, Jean, – disse Eglizot dopo aver mosso tre passi.

Il ragazzo drizzò la testa, scattò all'indietro col corpo e si acquattò, pronto a fuggire come un randagio impaurito.

– Ti ho portato del miele, t'an vol? Miele con le ninsole. Ecco qua –. Eglizot fece un passo avanti e mostrò un vasetto d'argilla. – Tutto per te. Vedi?

Altri due passi. Il ragazzo non si muoveva, ma i muscoli ora sembravano rilassati. Invece di starsene rannicchiato sul chi vive, doveva essersi messo a sedere sui talloni.

– Allora, senti. Fasem insí. Me te leisso il miele, ma te avante hai da incontrà un me amigo, el va ben?

Il ragazzo scrollò il capo con la furia di un cane pulcioso.

– È un amigo, un bon om. L'ha sanato el me fiol, Roland, te l'soveni?

Eglizot aprí il vaso di miele, ci tuffò dentro un dito e lo porse al ragazzo.

– Gusta com'è buono!

A quattro zampe, Jean del Bosco avanzò verso il taglialegna e con gesti circospetti prese a leccare il dolce lavoro delle api.

– Venite pure, dottor D'Amblanc, – disse allora Eglizot, e il ragazzo schizzò dietro una carriola con la rapidità

di un rospo. L'ultima luce del sole aveva ormai abbandonato quello spicchio di terra, e a occidente si accendevano
le prime stelle.

Il taglialegna indicò a D'Amblanc un ceppo di quercia e
lo invitò a sedere. Intinse di nuovo il dito nel miele e spronò
il ragazzo selvatico ad assaggiarne ancora. Ma poiché quello
non veniva, portò l'indice alle labbra e se lo succhiò, decan-
tando a gran voce la qualità del prodotto.

– Bene, dottore, – disse alla fine. – Me spiace, ma pare
che questo miele dovremo mangiarlo noi due.

Si voltò con innaturale lentezza e come da copione il muso di Jean fece capolino oltre la carriola, seguito dalle spalle,
dal busto e dal resto del corpo. Si avvicinò carponi e, arrivato di fronte a Eglizot e D'Amblanc, attese accucciato la
ricompensa.

– Questo dopo, – sentenziò il taglialegna richiudendo il
vasetto. – Avante hai da scoltà quel che te dice el me amigo.

Con un gesto morbido e gentile, D'Amblanc stese la mano destra sopra il capo del ragazzo, che subito si raggomito-
lò, levò gli occhi in alto e quando vide che la mano era vuota, aperta, e abbastanza lontana da non toccarlo, riacquistò
pian piano una postura rilassata.

Allora D'Amblanc prese a pronunciare come una nenia le
parole che usava sempre per iniziare il trattamento.

Chiudi gli occhi, riposa, lasciati andare, io voglio il tuo
bene, sono qui per curarti, abbandonati a me, chiudi gli occhi, riposa, lasciati andare...

Dopo una decina di minuti, quando sentí il respiro del ragazzo farsi regolare e profondo, D'Amblanc si alzò in piedi
e incominciò a interrogarlo.

– Allora, Jean. Senti che ti faccio del bene?

– Sí, signore, – rispose il ragazzo, e il dottore non ebbe bisogno di guardare Eglizot per sapere che l'uomo era a bocca

aperta. Quel pomeriggio, dopo le cure magnetiche riservate al figlio, gli aveva sentito dire che Jean del Bosco non parlava piú da almeno tre anni.

– Hai qualche dolore dal quale vuoi essere curato?

– No, signore. Voi, piuttosto, sembrate sofferente.

– Hai ragione, ma non è questo il motivo della nostra chiacchierata. Mi piacerebbe invece sapere com'è successo che hai iniziato a vivere nei boschi.

Il ragazzo rimase in silenzio. Poi, nell'attimo in cui D'Amblanc stava per ripetergli la domanda, riprese a parlare.

– Nei boschi, dite? Io non so.

– Cosa non sai?

– Non so com'è successo, perché, vedete, io non vivo nei boschi. Abito nella dimora del cavaliere d'Yvers.

Per quanto fosse abituato a udire dai pazienti le risposte piú strampalate, D'Amblanc si lasciò cogliere impreparato dalla risposta e dal nome che conteneva. Perse il contatto magnetico con il ragazzo, provò a ristabilirlo, ma quello aveva già aperto gli occhi e con un salto si era impossessato del vasetto di miele, strappandolo dalle mani di Eglizot.

E prima che i due uomini avessero il tempo di fare alcunché, era scivolato sotto lo staccionata e aveva raggiunto i cespugli.

5.

Quella notte, Orphée d'Amblanc non riuscí a chiudere occhio. Le notizie raccolte in quella giornata convulsa si rincorrevano nel buio, mentre un sabba di immagini si agitava sotto le palpebre.

Si girò sul pagliericcio, annusò l'odore di polvere e legno, e provò a ripetere il ragionamento per l'ennesima volta.

Primo: Jean del Bosco, da sonnambulo, non ricordava nulla della sua condizione attuale.

Secondo: Jean del Bosco, da sonnambulo, pensava di vivere ancora nella dimora del signor d'Yvers.

Di solito, però, amnesie di quel tipo colpivano al risveglio chi era stato indotto al sonno magnetico, non viceversa. In sostanza, Jean non ricordava, da sonnambulo, un lungo pezzo della sua vita da sveglio, mentre i sonnambuli, da svegli, non ricordano quel che hanno fatto da sonnambuli.

Si poteva ipotizzare, allora, che la condizione selvatica di Jean del Bosco fosse una sorta di sonnambulismo indotto?

– Ammettiamo di sí, – disse D'Amblanc a mezza voce, prima di girarsi verso la parete.

Ma allora perché, da sonnambulo, Jean non ricordava la parte selvatica della sua vita?

Quello era lo scoglio, e le riflessioni di D'Amblanc ci si frantumavano ogni volta.

Come poteva aggirarlo?

Suppose che il bambino fosse stato sottoposto a due differenti condizionamenti magnetici.

Il primo, per trasformarlo in un perfetto rampollo della nobiltà.

«Gli avevano imparato tutto, – aveva detto Eglizot. – Le buone maniere, il francese dei libri... In pochi mesi».

Il secondo, per renderlo selvaggio.

Quindi, con la magnetizzazione di quel pomeriggio, D'Amblanc aveva riportato il ragazzo al livello della sua prima esperienza di sonnambulo. Pertanto, egli ricordava quella e non ricordava la seconda.

Era solo un'ipotesi, e senza prove ulteriori lo sarebbe rimasta.

Inoltre, come ogni buona ipotesi, generava altre domande.

Primo: perché? Perché Yvers aveva trasformato Jean in due individui tanto diversi? A quale scopo?

Secondo: se il primo sonnambulismo era certo rivolto a fare il bene del ragazzo, il secondo, quello che lo aveva inselvatichito, *sembrava chiaramente rivolto a farne il male*. E allora come mai aveva funzionato?

Puységur sosteneva che si può agire sul fluido magnetico solamente rispettando la volontà del paziente e per un fine che non gli arrecasse danno. Un magnetizzato non poteva essere rivolto contro sé stesso; al contrario, avvertiva subito se l'intenzione del terapeuta era benevola o malevola. Persino l'uomo-cinghiale, Jaranton, doveva averlo avvertito, in qualche recesso della mente e nel mezzo delle sue convulsioni.

Ma se un ragazzo colto ed educato poteva essere indotto a diventare una bestia, allora quel principio ammetteva una grave deroga. E se era cosí, la teoria del sonnambulismo era da rivedere, e la pratica terapeutica da rifondare.

D'Amblanc non poteva far altro che magnetizzare Jean del Bosco una seconda volta, ma non era affatto sicuro di essere all'altezza del compito. Non solo per via dei dolori, che avevano messo in crisi il suo equilibrio magnetico, ma molto di piú per una questione di esperienza.

Un caso del genere meritava di essere sottoposto a Puységur in persona.

6.

Di nuovo il tramonto, di nuovo Eglizot con la ciotola in mano.

Pane, cipolla, una fetta di frittata.

D'Amblanc spiava la scena dalla finestrella del granaio, domandandosi se la notte gli avesse portato il consiglio giusto.

La ciotola di fianco ai sostegni per la vite, addossati al castagno.

Ne aveva parlato con Eglizot, e l'uomo, per quanto semplice, sembrava aver capito le sue buone intenzioni.

«El dotú set vu», gli aveva risposto.

E infatti era stupido cercare di condividere una responsabilità che era soltanto sua.

Radoub non aveva espresso nulla in contrario, purché si rispettasse la *condicio sine qua non*.

«Torniamo a Parigi. E per la via piú breve».

I cespugli cominciarono a fremere molto piú tardi rispetto al giorno prima.

Ormai era quasi buio. Jean doveva essersi chiesto a lungo se cedere alla fame oppure no.

Quando uscí allo scoperto, D'Amblanc trattenne il fiato.

Il ragazzo afferrò una fetta di pane, la portò alla bocca.

Dall'alto del castagno, Feyfeux gli lasciò cadere addosso una rete da uccellatori. Poi lui stesso, insieme allo Sfregiato, saltò giú dai rami per bloccare la fuga di Jean del Bosco.

D'Amblanc si precipitò giú dalle scale, gridando di stare attenti a non far male al ragazzo.

Jean scalciava e ringhiava, in un delirio ferino che ricordava l'uomo-cinghiale, il primo caso di quel lungo, mirabolante viaggio alverniate.

Poulidor e Radoub giunsero a dare rinforzi, mentre l'intera famiglia Eglizot si radunava sullo spiazzo per assistere alla scena.

– Calmati, adesso. Ora basta, – intimò D'Amblanc mentre appoggiava le mani sul corpo del ragazzo, oltre la rete da fringuelli. – Sono io, il dottore di ieri sera, ricordi? Tu vivi nella casa del signor d'Yvers. Tu sai suonare la spinetta, non sei una bestia. Rilassati, lo dico per il tuo bene.

Ma il ragazzo selvaggio non accennava a calmarsi e le maglie della rete gli graffiavano la pelle in piú punti.

D'Amblanc si fece portare le barre di rame e decise di procedere come con Jaranton. In fondo, anche in quel caso aveva agito contro la volontà del paziente, che avrebbe preferito masturbarsi come un ossesso. In quella circostanza, però, era anche sicuro di agire per il bene del malato. Nella presente, invece, non gli era chiaro quale fosse quel bene, e di certo erano altri i motivi che lo spingevano.

«Non cercate giustizia, ma la conferma di un'ipotesi», gli aveva detto padre Ledoux.

Scacciò quel ricordo e diede istruzioni agli adulti della famiglia Eglizot perché formassero una catena, tenendosi per mano. Al capofila consegnò la barra di rame e gliela fece applicare sull'addome del ragazzo, mentre procedeva a strofinargli i piedi e la testa.

– Calmati, Jean. Ricorda chi sei. Il signore d'Yvers vuole vederti, dobbiamo andare a Parigi. Rilassati. Chiudi gli occhi. Ecco, bravo, cosí. Domani si parte. Domani si va a Parigi.

7.

– Siete sicuro di voler partire stamane, mousú? Avete una pessima mina, restate ancora qualche giorno.

D'Amblanc avrebbe voluto rispondere che no, non era affatto sicuro di voler partire e che non s'era mai sentito tanto stanco in vita sua. Aveva passato l'intera notte a magnetizzare Jean del Bosco, per riportarlo a essere Jean del Castello. Ci era riuscito, il cambiamento sembrava stabile, e lo aveva pure convinto che alla fine del viaggio, a Parigi, avrebbe incontrato il suo buon mentore. Lo aveva ingannato e si sforzava di credere che fosse per il suo bene. D'altra parte, se il condizionamento magnetico era riuscito... No, inutile fingere ancora di credere al dogma di Puységur. Non dopo quel viaggio in Alvernia. Ormai ne era convinto: il magnetismo funzionava anche a fin di male.

Il ragazzo dormiva, spossato, la testa appoggiata sulla schiena di Radoub, in sella al cavallo strigliato di fresco. D'Amblanc avrebbe dato un sacco d'oro per poter fare altrettanto, invece gli toccava stare sveglio.

Il sole era appena spuntato dietro le montagne, l'aria era ancora fresca, più fresca del solito, un chiaro annuncio di fine estate. Li attendeva l'autunno, grigio e scontroso, della capitale. E centocinquanta leghe a cavallo dentro il cuore della Francia.

D'Amblanc fissò la strada, bianca, spalancata di fronte a loro, e provò a leggere nelle sue curve un accenno di speranza. Ma era fin troppo facile vedercela scritta prima di partire, in un mattino limpido. Difficile sarebbe stato ritrovarla una volta arrivati.

– Grazie, cittadino, – disse porgendo la mano. – Grazie per il vino, le provviste, i cavalli. Siete stato un ospite squisito e vorrei potermi trattenere ancora, ma davvero non è possibile. Entro la metà del mese dobbiamo essere di ritorno a Parigi, e siamo già in ritardo. Vi farò avere notizie del vostro Jean, non dubitate. Addio, Eglizot, e viva la Repubblica.

Atto terzo

Terrore

Estratto dal rapporto
fatto in nome del comitato di salute pubblica
dal cittadino SAINT-JUST
sulla necessità di proclamare il governo rivoluzionario
della Francia fino alla pace

10 ottobre 1793

È tempo di annunciare una verità che non deve piú uscire dalla testa di coloro che governano: la Repubblica non sarà fondata fin quando la volontà del popolo sovrano non comprimerà la minoranza monarchica e regnerà su di essa per diritto di conquista.

Non si può sperare in alcuna prosperità finché avrà respiro l'ultimo nemico della libertà. Voi non dovete punire soltanto i traditori, ma pure gli indifferenti. Perché, da quando il popolo francese ha manifestato la sua volontà, tutto ciò che gli si oppone è fuori dalla sovranità, e tutto ciò che è fuori dalla sovranità gli è nemico. Ma tra il popolo e i suoi nemici non vi è nulla di comune, se non la spada.

Un popolo non ha che un nemico davvero pericoloso: il suo governo. Invano, voi vi consumate in questo luogo per fare delle leggi, mentre tutto cospira contro di voi. Voi avete fatto leggi contro gli accaparratori: coloro che dovrebbero farle rispettare, accaparrano.

Nelle circostanze in cui si trova la Repubblica, la costituzione non può essere adottata: essa sarebbe la causa della sua stessa rovina. Diventerebbe la garanzia degli attentati contro la libertà, perché le mancherebbe la violenza necessaria per reprimerli. È impossibile applicare leggi rivoluzionarie, se il governo non è costituito rivoluzionariamente.

SCENA PRIMA
Nuovi attriti
Primi giorni di ottobre 1793

1.

«Cittadino, cittadino», poi il padrone si teneva le mance, tutte o la metà, a seconda di quale piede aveva messo giú dal letto quella mattina.

Per ottenere un trattamento simile, pensava Léo, uno poteva starsene in Italia, a Bologna come a Napoli, o chennesò, a Guastalla. Bella roba, esser salito sul vasto palcoscenico rivoluzionario della Francia, per poi finire a farsi grattare le mance da un padrone. E poi, mica t'andava sempre cosí bene da servire ai tavoli, al ristorante *L'Aurora* di Palazzo Egualità: spesso si trattava solo di fare lo sguattero, le mani nell'acqua per ore, a scrostar piatti e posate.

Zitadén... Zitadén 'sti due maroni!, pensò Léo, mentre con un orecchio registrava i lazzi e gli scherni di un gruppo di avventori.

– Pa'ola mia, è inc'edibile. Gua'date quel ga'zone, quello alto una spanna piú di 'stocazzo! Mise'abile individuo, nevve'o?

– Tu hai le mille 'agioni, ca'o. Pa'ola mia, non basta la nost'a feccia, ed ecco che spunta quella italiana.

Però un attimo, si disse Léo. Piangersi addosso è il balsamo degli inetti. Un uomo di genio, ancorché sconfitto, non veste mai i panni della vittima. Troppo banale. Il vero artista sa guardare oltre le meschine apparenze. Se si vede costretto a fare lo sguattero, egli sa benissimo di non *essere* uno sguattero, almeno fintanto che la tortura del risciacquo

non lo persuade del contrario. E se lo chiamano «italiano»,
egli ride. Gli Italiani esistono solo fuori dall'Italia, per chi
non ci vive.

– Ehi, fo'estie'o! Italiano!

Sentendosi chiamato in causa, Léo posò su un tavolo i
piatti sporchi che stava portando in cucina e guardò il gruppetto con freddezza.

– Pe'ché sei italiano, nevve'o?

– Non piú di quanto sia sguattero, – rispose.

Dopo un lampo di sorpresa, il tizio prese un tono severo,
come quando si parla a un servo o si istruisce un cane.

– La tua appa'enza mise'evole mi distu'ba l'eupepsia, –
disse agitando il bastone. – Vedi di p'esentarti al nost'o cospetto acconciato come si deve. Il tuo disgustoso appa'ato è
un'offesa ai danni di tutto l'Egualità.

Léo si controllò a stento. Odiava sentirsi prendere per il
culo da quei debosciati che parlavano senza pronunciare la
erre. Deglutí un bolo di saliva amarissima, sistemò i piatti
sul braccio destro, in precario equilibrio, e si allontanò verso la cucina, seguito dalle risate e da un torsolo di mela che
lo mancò di un soffio.

– Li chiamano muschiatini, – gli spiegò Andria, un cameriere baffuto di origine corsa, piú vecchio di lui di almeno
vent'anni, – per via che gli piace mettersi quel profumo al
muschio da invertiti. Alcuni li chiamano anche inc'edibili.
E pa'ola mia, – disse imitandoli, – non so davve'o pe'ché
pa'lino in questo modo.

Léo domandò come poteva essere che la cagnaccia non
avesse nulla da ridire sui loro modi e sui loro vestiti, che imitavano quelli dei nobili dell'Ancien Régime.

– Fuori di qui stanno piú bassi, – fu la risposta, – ma Palazzo Egualità è il loro territorio. Con tutte 'ste botteghe,

gioiellerie, ristoranti per damerini... Finché Saint-Just non avrà fatto piazza pulita, questo rimarrà il loro pisciatoio.

Léo ringraziò per il chiarimento e si riaffacciò sul giardino.

I muschiatini facevano capannello intorno all'uomo che teneva sempre un fazzoletto sulla bocca e sul naso, a mo' di sciarpa. Léo lo aveva già notato, era uno dei custodi del palazzo. Ancora non aveva capito che genere di affari intrattenesse con quella feccia vestita in modo bislacco. Comunque era circondato dal massimo rispetto, e spesso quelle merde profumate di muschio sembravano aspettarlo.

Léo non ricevette piú le attenzioni del gruppo per il resto della giornata.

Dopo la chiusura, ammucchiò le tovaglie nel cesto della roba sporca, spazzò la cucina e avvolse in uno strofinaccio tre tozzi di pane secco, per mangiarseli all'indomani, ammollati in due dita di brodo. Quindi spostò il tavolo contro la parete e allineò sul pavimento tre sacchi di riso da mezzo quintale l'uno. Ci stese sopra due coperte, si accoccolò su quelle, se ne tirò una terza fin sotto il mento e scivolò nel sonno.

Nei giorni seguenti, provocazioni, sberleffi e lanci di croste si sprecarono. Di tutti i locali di Palazzo Egualità, i muschiatini avevano eletto a luogo di ritrovo proprio quel ristorante. Dove trovassero i soldi per cenare lí tutte le sere, Léo lo ignorava. Posavano da ricchi, ma l'appetito li tradiva: si avventavano sul cibo con la foga di chi ha saltato il pranzo. Intascavano di straforo scarti e ossi di pollo. Lanciavano nella schiena dei camerieri solo le bucce piú indigeste. Léo sopportava e sopportava, e si chiedeva spesso chi glielo facesse fare. Non solo le angherie degli inc'edibili, ma anche, forse soprattutto, il fatto stesso di esser costretto a servire. Già, perché lí, a dispetto della rivoluzione, di Madama Ghigliottina, della fraternità eccetera, lo trattavano da servo. Proprio da servo, sí.

La sghessa, si rispondeva. La fame, ecco chi me lo fa fare. Il tizio col fazzoletto sul volto compariva spesso. Teneva conciliaboli. Léo si accorse di passaggi di denaro. Questo spiegava gli abiti e tutto il resto: per certo gli stronzi erano dentro losche faccende, *pa'ola mia.*

Una sera, Léo si accorse che il tizio era sfigurato. Il fazzoletto era scivolato, ma i muschiatini non avevano fatto una piega. Quindi dovevano esserci abituati, perché quella faccia, la prima volta che la vedevi, poteva impaurire o ripugnare.

L'uomo senza naso salutò e prese la porta. I muschiatini parlottarono tra loro, gesticolando in modo affettato.

All'ora di chiusura, il padrone era solito spostare i tavoli cosí che vi fosse abbastanza spazio, al centro della sala, per una ventina di persone. Léo finiva relegato in cucina a sguatterare, mentre i muschiatini si esercitavano alla scherma col bastone. Le sale d'armi erano state chiuse d'imperio perché retaggio dell'antico regime, e molti maestri facevano la fame. La gente però voleva ancora imparare a difendersi. Léo spiava dalla fessura tra porta e stipite, per vedere che cosa insegnassero i maestri d'arme francesi e paragonare le loro tecniche con quelle della buonanima di Mingozzi.

La scherma francese col bastone era meno tecnica di quella italiana, ma bisognava ammettere che andava dritta al sodo.

A mani nude, raramente i Francesi tiravano pugni, preferivano le mani aperte.

Anche secondo Mingozzi la mano non era fatta per picchiare, le nocche men che meno. *Prendila a pugni tu, la zucca di un modenese!*

I Francesi, o meglio i parigini, adottavano uno stile di lotta stradaiola fatto di schiaffi, testate, sbilanciamenti e, soprattutto, calci bassi, subdoli, simili a quelli che si tirano nella scherma da guerra. Pugni e legature no, non erano il loro forte. Chiamavano quella lotta *savate*, ciabatta, *zavata*, e i maestri ufficialmente la disprezzavano, perché veniva dai foborghi, ma poi la imparavano e te la insegnavano pure, se avevi da pagarli.

Ogni sera, mentre lavava piatti su piatti in compagnia di una vecchia sorda che non s'accorgeva di nulla, Léo provava i movimenti che aveva spiato, quelli nuovi e interessanti. E piú tardi, benché stanco morto, non mancava di provare e riprovare quei gesti e quelli appresi a Bologna, per metterli a confronto e immaginare, sotto i colpi, le facce di culo dei suoi angariatori.

2.

Due colpi alla porta e la luce del crepuscolo erano il segnale dell'ora di cena.

I *furiosi* ricevevano il pasto attraverso lo spioncino, e spesso il piatto si rovesciava nel passaggio, provocando ustioni e bestemmie. I *pacifici*, dopo i due colpi d'ordinanza, sapevano che il cibo li attendeva dietro l'uscio.

Laplace aveva imparato a riconoscere gli inservienti dal modo di bussare.

Abbassò la maniglia, la tirò a sé e come previsto si trovò davanti il naso a patata del buon Maurel.

Da quando il dottor Pinel aveva trasferito Malaprez in un altro padiglione, Laplace aveva interrotto ogni rapporto con gli altri alienati, e tra i sani che frequentavano San Prisco, rivolgeva la parola soltanto a Maurel. Non grandi conversazioni, ma abbastanza per accorgersi che l'uomo era il meno rozzo dei colleghi, e l'unico che credesse davvero nei me-

todi di Pussin. Inoltre, da come camminava, era evidente
che soffriva di un dolore ai muscoli o alle ossa.

Laplace prese la scodella di zuppa e la appoggiò sul tavolino senza nemmeno guardarla. Il menu di Bicêtre era fisso
e invariabile ogni settimana. Per sapere che giorno fosse,
bastava dare un'occhiata alla sbobba: lunedí piselli, martedí cavolo, mercoledí zucca... Ma Laplace non ne aveva bisogno: in nove mesi di permanenza lí dentro, non aveva mai
smarrito il filo del calendario e cosí sapeva sempre in anticipo cosa si sarebbe ritrovato nel piatto.

– Notizie di Malaprez? – domandò prima che l'inserviente si allontanasse.

– Sta bene, mangia. E quando non mangia, urla fino a
perdere la voce.

– Maledizione! – esclamò Laplace stringendo i pugni.

– Dovreste trovarvi un altro amico, – disse Maurel, – non
starvene tutto il tempo chiuso qui dentro a pensare.

Laplace scrollò il capo.

– Quello che il dottor Pinel non capisce, è che guarire
Malaprez mi faceva star bene. Anzi, era l'unico modo che
avessi trovato per guarire anche me stesso.

– Dicono che voi non lo avete guarito, – puntualizzò l'inserviente.

– È l'invidia che li fa parlare, – fremette Laplace, – e anche il pregiudizio. Scommetto che tutto l'ospizio si fa beffe
delle mie capacità.

– È vero che siete pratico del metodo di Mesmer?

– Non esattamente. Io...

Maurel fece il gesto di scacciare una mosca.

– Dicono che nemmeno quello guarisce davvero. Anni fa,
per via del mal di schiena, un mio nipote m'aveva consigliato
il dottor D'Amblanc, l'unico mesmerista che curasse anche

i poveracci. Ma poi s'è saputo che era tutta una buffonata, e sono stato ben contento di essermi tenuto i soldi.

– E il mal di schiena? – indagò Laplace. – Vi siete tenuto anche quello?

– Peggio di prima. Ci sono giorni che non mi riesco a piegare.

Laplace allungò le braccia di scatto e strinse la mano dell'inserviente fra le sue.

– Io posso sconfiggere il vostro dolore, – disse cercando di dosare l'entusiasmo al punto giusto: abbastanza eccitato da sedurre, ma non cosí invasato da spaventare. – Fatemi provare e non ve ne pentirete.

Maurel si riprese la mano e fece un passo indietro.

– Tranquillo, – continuò Laplace, cercando a fatica una voce mielosa. – Basta che vi sediate qui, che mi diate la mano, e in dieci minuti vi avrò liberato da ogni fastidio. Ho fatto parlare Malaprez: figuratevi se non posso curarvi un mal di schiena.

– Dieci minuti? E se invece non funziona?

– Per voi non c'è nessun rischio, come bere un bicchier d'acqua. Ma per me, il solo fatto della vostra fiducia... non potete capire quanto bene mi farebbe.

– Adesso ho fretta, Laplace, – tagliò corto l'uomo. – Devo distribuire la cena. Ma vi prometto che ci penserò, d'accordo? Buonanotte.

– Buonanotte, Maurel.

Passarono due giorni. Poi un pomeriggio, mentre Laplace meditava sulla resurrezione di Cristo...

Toc, toc. Toc, toc.

Quattro colpi, dati con le nocche, leggeri ma in rapida successione, come piccole martellate sulla testa di un chiodo.

Maurel.

Laplace corse ad aprirgli e dovette trattenere l'esultanza, quando vide che l'uomo si teneva una mano sul dorso e
stringeva i denti dal dolore.

– Cinque minuti vi bastano? Ho da fare, e già gli altri mi
dicono che perdo troppo tempo a parlare con voi.

– Cinque minuti saranno sufficienti, – sogghignò Laplace
indicando la sedia. – Rilassatevi, chiudete gli occhi, cercate
di estinguere i pensieri. Sentite il calore della mia mano sulla fronte? Io voglio guarirvi.

Piú tardi, i colpi alla porta furono solo due, come per la
cena, ma ormai il crepuscolo aveva affidato il cielo alla luna.

Due colpi vibrati con incertezza, come di nascosto. Le
campane di San Saturnino li riecheggiarono in lontananza.
Don, don.

Laplace scese dalla branda e infilò gli zoccoli.

Dopo le nove di sera, anche la sua stanza veniva spranga-
ta fino al mattino seguente.

Maurel girò la chiave nel lucchetto e spalancò l'uscio.
Reggeva una lanterna, e alla luce della fiamma i suoi occhi
erano fissi e spenti.

– Venite, mio signore, – disse con un mezzo inchino, quindi voltò le spalle e si avviò.

Laplace lo seguí. Stese una mano sopra la sua testa e si
concentrò, giusto per rafforzare il comando magnetico che
gli aveva impartito nel pomeriggio.

Questa notte, alle due, verrai a prendermi nel mio alloggio.

Attraversarono il padiglione, sfilando di fronte alle celle
degli alienati. Oltre le porte si sentiva russare, pregare, parlare a vanvera di rivoluzione.

*Mi accompagnerai al dormitorio comune. Se qualcuno doves-
se incontrarci, dirai che mi stai portando a prendere aria, perché
ho avuto un attacco di mal di chiuso.*

Nella corte centrale, una famiglia di topi tagliò loro la strada.

C'era nebbia fitta, di quella che si infila sotto i pastrani e rende il freddo ancora più freddo. Laplace ne fu certo: nessuno avrebbe potuto scorgerli, anche affacciandosi a una finestra in quel preciso momento. Si complimentò con sé stesso per aver scelto la notte ideale. La fontana gorgogliava invisibile oltre lo stormire dei platani.

Una volta arrivati, mi aprirai la porta e mi lascerai dentro fino a che non ti ordinerò di riaccompagnarmi alla stanza.

Maurel studiò il mazzo di chiavi. Al terzo tentativo trovò quella giusta per far scattare la serratura. Il dormitorio comune si aprì di fronte a Laplace.

– Aspettami qui, – disse all'inserviente. – Interverrai solo se ti dovessi chiamare.

– Come volete, mio signore, – rispose quello mentre gli consegnava la lanterna.

Laplace entrò, vincendo un conato per via del fetore. Gli alienati erano tutti nei loro letti, tranne uno, che a giudicare dalla postura stava pisciando in un angolo dello stanzone. Degli altri, la maggioranza si rigirava senza prendere sonno, alcuni dormivano, altri erano seduti, le ginocchia al petto, intenti a masturbarsi o a fissare il muro. Per il momento, nessuno si era accorto di lui.

Laplace strinse i pugni e fece appello a tutte le sue forze. Liberò la mente, ne affilò la volontà.

3.

Marie rientrò in casa a mani vuote e senza preoccuparsi di non fare rumore. Non si tolse gli zoccoli, né accostò la porta abbassando la maniglia. Bastien era comunque già sveglio e si alzò a sedere sul letto. La osservò muoversi nella stanza, preparare la colazione con il pane secco del giorno prima. Notò i capelli scarmigliati sotto la cuffia, la faccia pesta.

– Chi ti ha fatto l'occhio nero? – le chiese.

– In fila per il pane... un'altra zuffa.

Marie pensò alle parole di Amandine, una che nemmeno alle quattro del mattino davanti al fornaio perdeva il gusto per la provocazione. «Come fa a stare ancora in piedi, quella lí, dopo che è stata in giro tutta la notte...» Sophie le aveva retto bordone ed era finita che si erano appiccicate. Marie se n'era presa una di troppo sopra lo zigomo e si sentiva spezzata, ma non per la sberla. Tutto le appariva sbagliato.

Versò il latte nelle tazze e ci tuffò il pane secco. Sedettero al tavolo e mangiarono in silenzio. I movimenti di Marie si fecero via via piú lenti, finché non si fermò e alzò la testa.

– Quando hai finito, raccogli i tuoi vestiti e mettili in un sacco.

Il ragazzino posò il cucchiaio e la fissò con aria stranita.

– Perché? Andiamo via?

Marie non rispose. Si alzò e andò a prendere una vecchia borsa di cuoio appesa dietro la porta d'ingresso. Ci ficcò dentro un cambio di vestiti per sé e le scarpe.

– Io qui non ci voglio piú stare e tu non puoi starci da solo. Un padre non ce l'hai mai avuto, ma visto che te ne sei scelto uno, va' a stare da lui. Stai con Treignac tutto il tempo, tanto vale che ti prenda a casa sua.

– E tu? – domandò Bastien con voce spenta.

– Da una mia amica.

Il ragazzino si guardò attorno, come se si aspettasse di vedere qualcosa di insolito. Ma era la stessa stanza di sempre, le stesse cose, i pochi mobili, gli oggetti, i ferri e i gomitoli.

– Quella là? – azzardò.

– Non sono affari tuoi, – disse Marie mentre chiudeva la borsa. Quindi sedette sulla sponda del letto, non ancora invasa dalla luce del giorno che entrava dalla finestra. – Hai quasi undici anni, – disse. – È ora che sai chi era tuo padre. Era il mio padrone. Un nobilardo, giú al paese. Facevo la serva in casa sua e un giorno mi ha presa con la forza. Sono rimasta gravida e lui mi ha cacciata via. Ecco di chi sei figlio. Ricordatelo sempre, gli aristocchi fanno cosí: prendono quello che vogliono e non pagano mai. La rivoluzione è proprio questo: fare pagare tutti, senza piú privilegi. La stessa giustizia per il ricco e lo straccione.

Le parole rimasero sospese nella stanza, finché Bastien trovò il coraggio di parlare.

– Come si chiamava?

Marie scrollò le spalle e rispose con voce stanca.

– Non te lo dico, per evitarti guai. Il resto me lo sono dimenticato. Ci ho sparso sopra la brace e la cenere.

Nelle sue parole suonava ancora l'eco dell'antica rabbia.

– Davvero ti ha mandata via? – chiese Bastien.

Marie guardò il ragazzino come per soppesarne la maturità. Avrebbe capito? Decise lo stesso di dirgli tutto, prima di lasciarlo al suo destino.

– Quando la pancia ha incominciato a crescere, il padrone mi ha mandata qui a Parigi, in un convento di suore. Da sola, chiusa là dentro, ho pianto tutte le lacrime che avevo. Ho odiato chi mi aveva ridotta cosí e ho maledetto te, che mi crescevi dentro. Ogni volta che mi guardavo la pancia mi tornava in mente quello che mi aveva fatto il padrone. Pensavo a come poteva essere dopo, crescere un garzolo con la sua faccia. Un giorno che ero disperata, ho confessato a una suora che stavo pensando come ucciderti dentro la mia pancia. Suor Bonaventure, si chiamava. E quella è corsa dritta filata a riferirlo alla madre superiora. Mi hanno punita per quel pensiero. Mi hanno impedito di uscire dalla cella per un mese e poi non hanno smesso di controllarmi. Alle suore hanno ordinato di non rivolgermi la parola. Credevo di impazzire –. Marie sospirò e fece un gesto con la mano, come per scacciare mosche invisibili. – Quando sei nato, – riprese, – volevo lasciarti lí. Ma all'ultimo momento non me la sono sentita. Che ne sanno quelle megere della vita? La vita vera, della gente vera. Quelle mangiano invidia e bugie a pranzo e a cena. Spose di Cristo, le chiamano. Povero Cristo! Che colpa avevi tu da lasciarti a loro? Sbrisga. Ho deciso di portarti via con me e me la sono svignata. Se ho fatto una cosa buona nella vita, è quella –. Si alzò e raccolse la borsa. – Adesso lo sai, com'è andata. Raccogli la tua roba e chiudi la porta quando esci. Buona fortuna, Bastien. Ci vediamo.

Fece per raggiungere la porta, quando la voce del figlio la bloccò.

– Mamma… Non l'ho fatta la spiata su quella donna che ha dormito qui. Sono andato a chiamare Treignac perché pensavo che Georgette e le altre ti conciavano…

Tacque, indeciso su cos'altro aggiungere.

Marie stirò un sorriso.

– Non importa.

Uscí in strada e si incamminò verso il centro. A mano a mano che si lasciava il foborgo alle spalle, sentiva il corpo tremare e al tempo stesso si sentiva leggera. Qualcheduno si voltava a guardarla. Forse per via della sua faccia, o per il modo di camminare. Arrivò alla Porta e mentre passava davanti allo spiazzo della Bastiglia sentí una voce che la chiamava.

Si voltò e vide Georgette che le faceva segno di aspettare. Per un attimo rimase indecisa se tirare dritto, ma alla fine lasciò che la raggiungesse. Non aveva l'aria ostile, non piú del solito.

– Mi hai fatto venire il fiatone, accidenti a te! Sono venuta a cercarti e tuo figlio mi ha detto che te n'eri appena andata. Lo molli cosí?

– Starà con Treignac. Meglio per tutti.

Le due donne si fronteggiarono in silenzio. Marie sapeva che Georgette era andata a casa sua per via della rissa alla fila del pane: non le stava bene e voleva chiarire la cosa.

Marie la osservò mettersi le mani ai fianchi e gonfiare il petto.

– Ho parlato io con le altre. Nessuno ti toccherà piú. Avrai il pane e la tua parte di sgobbo, come tutte.

Marie affettò la voce.

– Troppo buona, Georgette. Preferisco cambiare aria.

L'altra strinse la mandibola ed espirò tra i denti.

– Hai la merda nella zucca, Marie? Vai a stare con le puttane di Leclerc? Non ti basta fare società con loro? Quelle non sono come me e te…

Marie rispose con rabbia.

– Si battono per le cose giuste, proprio come noi. E gli scaldasedie spargono balle sul loro conto. Se permetti, so ancora con chi stare, tra una rivoluzionaria repubblicana e un gianfotti delle Tegolerie.

Si aspettava che Georgette attaccasse a testa bassa, coprendola di insulti, proprio come l'ultima volta che si erano viste, quando aveva cercato di riservarle la cura Méricourt. Invece l'altra annuí.

– Hai detto bene. Noi con gli scaldasedie non c'entriamo sbrisga, e non possiamo nemmeno scambiarci di posto. Loro sono loro e noi siamo noi. Le tue repubblicane rivoluzionarie non lo vogliono capire, ma è cosí!

Marie le indirizzò un gesto come a cancellarla dalla vista.

– Senza le donne la rivoluzione manco incominciava, – disse.

– Negoddio, c'ero anch'io alla marcia su Versailles, fianco a fianco con te! – sbottò Georgette. – E pure in Campo di Marte, a farmi sparare addosso! Ma non si può tirare troppo la corda. Finisce che si spezza e ti resta in mano.

Marie si accorse che nello sguardo di Georgette l'odio aveva lasciato il posto a una preoccupazione sincera.

Fece un passo verso di lei, guardandola bene in faccia perché riportasse al foborgo le parole precise.

– Se non tiriamo adesso… Se non cambiamo tutto, dopo è tardi, non capita un'altra volta di poterlo fare.

Georgette sospirò e scosse la testa.

– Non è la tua strada. Te ne accorgerai.

– Forse, – ammise Marie. – Ma io indietro non ci torno, Georgette.

Vide la delusione dell'altra magliaia. Doveva rassegnarsi a non comprendere.

– Addio, – le disse.

Marie riprese il cammino.

4.

Gli editti sui muri, le giornalaie che strillavano in mezzo alla via, l'andirivieni di muratori, lavandaie, garzoni, le grida degli ambulanti. Parigi era come prima, ma il cielo aveva una tonalità diversa, di un blu metallico, come sa essere soltanto alla fine dell'estate, solcato da nuvole basse, ansiose di proseguire. Gli edifici parevano volersi toccare all'altezza dei tetti, collassare uno sull'altro. L'aria traboccava di fluido magnetico. I corpi che si sfioravano nelle strade avrebbero potuto mandare scintille, pervasi da una consapevolezza nuova, un senso di smarrimento che per paradosso annullava le distanze e rendeva gli esseri umani piú simili, perché alla deriva nella stessa burrasca. Erano parte di un'impresa condivisa, in cui ognuno aveva un ruolo – ai remi, alle vele, al timone – e mai come in quel momento D'Amblanc si sentiva prossimo a scoprire il proprio. Non era piú fuori luogo, ma precisamente là dove doveva essere.

Eppure faticava a immaginare qualcuno piú smarrito di sé stesso. Forse giusto il ragazzino che lo seguiva dappresso, talmente timoroso di perdersi da pestargli i talloni. Jean l'alverniate non aveva mai visto una città in vita sua, e metà di quella vita l'aveva trascorsa nei boschi. Si guardava attorno incredulo, la bocca chiusa e gli occhi spalancati. Dopo il taglio di capelli, un buon bagno e i vestiti nuovi, aveva ripreso la mina di quel che era stato: il piccolo protetto di un aristocratico. Senonché gli aristocratici non esistevano piú e l'unica protezione gliela forniva un medico repubblicano che lo aveva tratto a Parigi con un sotterfugio.

La scoperta fatta in Alvernia ribaltava i principî che avevano ispirato l'agire di D'Amblanc negli ultimi dieci anni e inverava ogni sospetto e timore nutrito fino ad allora. Sapeva di essere giunto alle soglie di un Altrove i cui confini non era dato vedere. Doveva decidere, e questo gli metteva paura.

La sera precedente, al momento di congedarsi, il sergente Radoub gli aveva parlato con la consueta sincerità.

«Non sono sicuro che vi farà bene trovare quello che state cercando, dottore. Quindi non vi auguro buona fortuna, ma buona salute. Che Dio vi protegga».

Già, la salute. D'Amblanc le aveva dedicato la vita, convinto che tra quella dell'individuo e quella del corpo sociale vi fosse uno stretto legame. La Repubblica è nulla senza uguaglianza, e l'uguaglianza è nulla senza un rimedio universale contro la malattia. Una terapia capace di guarire tutti allo stesso modo, senza distinguere il nobile dal poveraccio. Una terapia capace di trasformare ogni uomo in medico, di

sé stesso come di chiunque altro. Le intuizioni di Puységur
avevano additato la via per una simile cura, ma ora il percorso appariva interrotto: la volontà del terapeuta si stagliava
nel mezzo, come una forza nuova e imprevedibile.

In piazza della Grava incrociarono un drappello di miliziani in berretto frigio e coccarda tricolore che scortava un
uomo in ceppi. Il prigioniero indossava una camicia da notte lunga fino ai polpacci. La stoffa bianca spiccava in mezzo alla macchia scura della scorta. Ai piedi calzava panto-
fole in stile orientale e camminava con estrema cautela per
non inzaccherarle nel fango. Quando incrociò lo sguardo di
D'Amblanc, il volto si aprí in un largo sorriso.

Il dottore si domandò se avesse mai visto prima quell'uomo, ma gli parve di no.

– Buongiorno, cittadino! – disse quello ad alta voce. – E
buonasera, visto che io di questo giorno non vedrò la fine.
Quindi, salutatemi il domani!

Il sorriso dell'uomo era ancora impresso nella mente di
D'Amblanc, quando arrivò insieme a Jean davanti a Palazzo Brionne, imponente vestigia del tempo antico, morto e
sepolto. La guardia, dopo avere controllato le credenziali, li
accompagnò su per lo scalone.

Giunti alla porta della stanza, D'Amblanc fece segno al
ragazzino di rimanere seduto sulla panca lí fuori. Quindi entrò, annunciato dalla guardia.

Chauvelin lo accolse con un sorriso e una stretta di mano
che tradiva apprensione. Possibile che fosse stato davvero
in pensiero per lui, si domandò D'Amblanc?

– Prego, sedetevi, dottore. Quando siete arrivato?

– Giusto ieri sera.

D'Amblanc rifiutò la frutta che riempiva un vassoio
al margine del tavolo e si accomodò sulla sedia di fronte

all'agente del comitato di sicurezza generale. Dietro la grande scrivania dai piedi leonini, con l'alto schienale alle spalle, le mani giunte sullo stomaco, Chauvelin appariva come un antico sacerdote, dispensatore di giustizia. Davanti a lui, sull'ampia superficie liscia, le cause da trattare: vite e destini in forma di carta.

– Voi avevate ragione e io torto, – esordí D'Amblanc senza mezzi termini.

In un certo senso, pensò, non c'era poi molto da aggiungere. L'Alvernia sarebbe potuta sprofondare sommersa dai suoi vulcani, e quella verità sarebbe rimasta incontrovertibile. La prova? L'aveva portata con sé, proprio lí dietro la porta: un ragazzino di nome Jean. Jean del Bosco.

Dopo avere ascoltato in silenzio il racconto di D'Amblanc, Chauvelin volle vedere il fanciullo. Lo fecero entrare e Chauvelin gli rivolse un paio di domande. Jean rispose in buon francese, ricordando i giorni in compagnia del cavaliere d'Yvers. Quindi gli ordinarono di uscire di nuovo.

– Molto bene, dottore, – disse Chauvelin. – La vostra scoperta è spaventosa e rassicurante al tempo stesso. Infatti, se è vero che il cavaliere d'Yvers ha plasmato la mente di alcuni contadini, è altrettanto vero che costui agiva per capriccio e non certo contro la Repubblica, dal momento che i suoi… esperimenti si svolsero quando la Repubblica, e addirittura la rivoluzione, erano ancora di là da venire. Inoltre egli è un individuo isolato, senza complici, a quanto mi dite.

– Questo vi rassicura? – chiese D'Amblanc.

Chauvelin lo guardò con aria innocente.

– Non dovrebbe? Un uomo solo, del quale conosciamo persino nome, titolo, provenienza… Preferisco un pericolo del genere, chiaro e circoscritto, alle mille cospirazioni che ammorbano Parigi. I monarchici organizzano evasioni di Maria Antonietta come un tempo organizzavano banchetti nei loro palazzi. Pare che il barone di Grèche abbia offerto un milione per chi riuscirà a liberarla. Poche settimane fa un gendarme della guardianeria ha fermato la prigioniera all'ultimo cancello prima della strada. Lui stesso era stato corrotto, ma per evitare la ghigliottina ha fatto i nomi...

– Voi non capite, – lo interruppe D'Amblanc scuotendo il capo.

Il tono di Chauvelin si fece piú impaziente.

– Capisco che il magnetismo è una dottrina pericolosa, come molti sospettavano, e sono lieto che siate giunto a convenirne con me.

– No, maledizione, non capite! – ribatté D'Amblanc.
– Una volta vi dissi che non esistono i magnetisti, solo il fluido magnetico. Grazie a esso, tutti possono diventare terapeuti, se lo vogliono. Ma da quel che ho visto in Alvernia, c'è una cosa che alcuni sono in grado di fare, sempre grazie al fluido: limitare la libertà degli individui, forzarne la volontà, spingersi oltre le loro difese naturali, fino a dove non sappiamo.

Si accorse di avere alzato la voce e di essere balzato in piedi. Sistemò le pieghe della giacca e si ricompose sulla sedia. Chauvelin gli mostrò il palmo delle mani in un gesto d'accondiscendenza.

– D'accordo, – disse. – Ma io sono un agente della sicurezza generale, e per quanto riguarda la sicurezza generale, in questo momento ci sono altre priorità. Non posso impiegare uomini, tempo, denaro della Repubblica per correre dietro a una sorta di stregone per reati *non politici* di molti anni fa. Il resto è una storia di pretonzoli lubrichi e ragazzini che hanno subito angherie, al pari di migliaia di altri bambini di Francia sotto il vecchio regime.

D'Amblanc si rese conto che l'agente Chauvelin non si era mai aspettato gran che dall'indagine alverniate. Essa era stata solo un buon pretesto per allontanarlo da Parigi in un momento di grande pericolo. Per proteggerlo, e forse anche per qualche altro motivo.

– Nel frattempo, – stava continuando Chauvelin, – voi rimarrete al servizio di questo comitato. Abbiamo ancora bisogno dei vostri servigi.

D'Amblanc sollevò la testa.

– I miei pazienti…

– La Francia è il vostro paziente. Lo è per tutti noi. Siete un uomo di grande intelligenza e capite quanto sia importante che ognuno faccia la propria parte.

D'Amblanc lo capiva, ma non era convinto che la sua parte fosse quella che l'altro immaginava.

– Che intendete farne del ragazzino? – chiese Chauvelin.

– Fossi in voi lo affiderei all'autorità pubblica. Gli troveranno una famiglia.

– La sua mente è sconvolta, – obiettò D'Amblanc. – No, non credo che lo abbandonerò. La sorte lo ha messo sulla mia strada e penso che me ne prenderò cura. Inoltre, è la prova vivente del *delitto*, se mai qualcuno vorrà perseguire chi l'ha compiuto.

Chauvelin sospirò, senza raccogliere la provocazione.

– Come credete. Purché questo non limiti il vostro lavoro –. Fece una pausa per valutare l'impatto di ciò che stava per dire. – Ho un nuovo incarico per voi –. Registrò il silenzio attento del dottore e proseguí. – Maria Antonietta è malata, e come vi dicevo, i complotti per liberarla ci succhiano energie preziose. Pertanto, si è deciso di processarla in tempi rapidi. L'accusa ha mosso svariati capi d'imputazione ed è necessario esaminare Luigi Carlo Capeto. Occorre scoprire se l'austriaca non è in qualche modo venuta meno ai suoi doveri di madre…

Tacque, schiacciato dal peso delle proprie parole.

– Volete che sonnambulizzi il delfino di Francia? – domandò incredulo D'Amblanc. – Volete che estorca delle informazioni...
Chauvelin si irrigidí e lo fissò con freddezza.
– Estorcere? Chi ha parlato di estorcere? Ci interessa solo la verità. Ascoltate: il delfino non vede piú la madre dal luglio scorso. È affidato alle cure del consigliere Simon e della moglie, affinché lo crescano come un buon repubblicano. I due però si sono accorti che il bambino manifesta gravi segni di disagio: catatonia, indolenza, delirio notturno. Si tratta di scoprire cosa si cela dietro questi disturbi. Il timore è che abbia potuto subire violenze nell'ambiente domestico o di corte. Voi padroneggiate il metodo magnetico. Dunque vi si chiede di visitare il bambino com'è vostra abitudine, lasciando che sia lui stesso a fare la diagnosi mentre è sonnambulo. Tutto qui.

D'Amblanc non seppe cosa rispondere. Le scoperte fatte in Alvernia lo stavano ossessionando: non riusciva piú a concepire il magnetismo come una pratica innocua. Prima dell'estate, la precisazione di Chauvelin lo avrebbe tranquillizzato: si trattava soltanto di curare un bambino. Ora però non poteva fare a meno di scorgervi un secondo fine. La volontà degli adulti contro la libertà di un individuo piú debole. Si chiese se non l'avessero mandato in Alvernia sperando in una conferma anziché in una smentita dei timori che scuotevano il comitato. Gli aspetti piú inquietanti del fluido magnetico potevano tornare utili anche alla Repubblica.

Per chissà quale nesso, ripensò al prigioniero in camicia da notte che gli sorrideva e gli augurava buonasera di primo mattino.

Si alzò di nuovo in piedi, ma Chauvelin gli indicò la sedia.
– Sedete, vi prego, dottore.

D'Amblanc si lasciò convincere, ma rimase rigido, senza appoggiarsi allo schienale.

– Siamo sull'orlo di un baratro, – riprese Chauvelin. – Si tratta di costruire un ponte abbastanza solido per attraversarlo. Se non ci riusciremo, la Francia sprofonderà. Maria Antonietta è colpevole, s'intende, non meno di quanto lo fosse Luigi. Eventuali misfatti commessi contro il figlio non sarebbero decisivi per la sua condanna. Ma certo, se ve ne fosse la prova, il popolo avrebbe diritto di saperlo, per farsi un'idea piú chiara di cosa fu la monarchia.

Chauvelin tacque e rimase in attesa di una risposta.

Dopo un lungo silenzio, dall'altra parte del tavolo giunse invece una domanda.

– Avete notizie della signora Girard? – chiese D'Amblanc.

Lo sguardo di Chauvelin si fece cupo, indagatore, come a sondare l'intenzione dietro le parole.

– So che ha lasciato Parigi. Nient'altro. Non è stata coinvolta nella rovina del marito e tanto basta. La sorte dei brissotini è segnata, attendono solo la sentenza.

D'Amblanc annuí, chiedendosi se Chauvelin avesse avuto parte nella fuoriuscita della donna. Di nuovo, sentí riecheggiare le parole dell'uomo in camicia da notte.

«Salutatemi il domani!»

– Le vostre emicranie? – chiese per cambiare ancora argomento.

Chauvelin stirò un sorriso.

– Mettono alla prova il mio spirito di abnegazione.

D'Amblanc si alzò per prendere congedo, ma quando allungò la mano sopra il tavolo per incontrare quella di Chauvelin, si ritrovò fra le dita un foglietto.

– Vi ho segnato l'appuntamento. Il 12 ottobre alle cinque di fronte alla prigione del Tempio. Ci sarò anch'io con il procuratore Hébert.

Quando ebbe richiuso la porta alle proprie spalle, D'Amblanc impiegò qualche secondo a rendersi conto della presenza lí accanto.

– Quando incontriamo il cavaliere, signore? – domandò smarrito il ragazzo.

D'Amblanc gli poggiò una mano sulla spalla per confortarlo.

– Presto, Jean. Adesso vieni, andiamo a casa.

CONVENZIONE NAZIONALE
Estratto dal verbale del 15 brumaio
anno II della Repubblica francese
una e indivisibile
(giovedí 6 novembre 1793, vecchio stile)

Presidenza di Moïse Bayle

Si ammette alla barra una deputazione di quattro cittadine, che si annunciano come portatrici di una petizione molto importante e di oggetto urgente, in rappresentanza di svariate sezioni.

UNA DI ESSE Cittadini, la società delle repubblicane rivoluzionarie, questa società composta per la maggior parte da madri di famiglia, mogli dei difensori della patria, non esiste piú. Una legge, a voi estorta con un falso rapporto, ci impedisce di riunirci...

DIVERSE VOCI Basta! Buttatele fuori! L'ordine del giorno! [*Urla e risate*].

La Convenzione decide all'unanimità di tornare all'ordine del giorno.

Le donne abbandonano la barra a precipizio, senza attendere la risposta del presidente. La sala riecheggia di applausi.

Marea
Ottobre-novembre 1793

1.

Sedevano uno di fronte all'altro. Il bambino lo fissava indifferente, i capelli biondi tosati corti, come il pelo di un bracco, il muso arrossato dal freddo.

Portava abiti di taglia troppo piccola: i polsi spuntavano di mezza spanna fuori dalle maniche, le brache stringevano le cosce.

Il custode Simon disse che con i soldi che gli davano era difficile rinnovare il guardaroba.

– Il grosso se ne va per la cibaria.

In effetti, pensò D'Amblanc, tutto si poteva dire del prigioniero, tranne che fosse denutrito. Del resto Simon, sua moglie e il delfino mangiavano alla stessa tavola, e si vede che il guardiano amava farsela imbandire dal cuoco del Tempio, il famoso Gagnié, che un tempo era stato in servizio alla reggia di Versailles. L'esistenza di Luigi Carlo, per di più, era molto sedentaria. I rapporti sulla sua vita di recluso parlavano di una passeggiata giornaliera sul cammino di ronda e di rare uscite nel giardino, stretto fra la Gran Torre e il muro che la cingeva.

Simon seguitò a parlare restando accanto al medico e fissando il bambino, come se volesse mettersi nei panni del terapeuta.

– Abbiamo dovuto togliergli di dosso la patina da principino, vedrete che alla fine ne verrà fuori un buon repubblicano. Uno del popolo. Gli ho insegnato a bere il vino e a parlare sciolto, senza tanti salamelecchi. E dato che sa già leggere, mia moglie lo fa esercitare sul «Papà Duchesne».

L'uomo appariva soddisfatto del proprio lavoro.

– I sintomi, cittadino Simon.

Era la voce di Chauvelin. Proveniva dalla parete in ombra, in fondo alla stanza. Il funzionario era in piedi, appoggiato alla scrivania dell'ultimo re di Francia.

– Certo, – bofonchiò il custode. – In buona sostanza si sveglia di notte, urla, trema come una foglia, a volte si piscia e si caca sotto, con rispetto parlando... – Si grattò la testa in cerca di qualcosa che sentiva di avere tralasciato, finché non la ricordò: – Fa il muto.

– Intendete che è taciturno? O volete dire che non risponde a segno? – chiese D'Amblanc.

Il custode scrollò le spalle, come non cogliesse la differenza tra le due cose.

– Dico che a volte se ne sta anche un giorno intero senza spiccicare parola, – tagliò corto.

– E questo atteggiamento da quanto va avanti?

– Io l'ho sempre visto cosí, – rispose Simon. – Cioè da quando l'hanno preso via dal piano di sotto, dove stava sua madre, e l'hanno portato qui con me, nell'appartamento del Capeto. Si vede che 'sta stanza gli ricorda la capoccia di suo padre...

– Grazie, cittadino, – lo interruppe D'Amblanc. – Vogliate lasciarci, adesso.

Simon parve interdetto, poi consultò con lo sguardo Chauvelin e l'altra figura accanto a lui, un uomo dal viso affilato, i capelli lunghi fino alle spalle e un sorrisetto fiero che sembrava difficile togliergli dalla bocca.

Se Chauvelin era presente all'interrogatorio per conto del comitato, Jacques-René Hébert era lí come sostituto procuratore del comune di Parigi, con l'incarico di imbastire il processo a Maria Antonietta. Il redattore del «Papà Duchesne», colui che appellava Gesú «il primo sanculotto», era una vera autorità, fra le mura del Tempio.

Al cancello principale, il portiere lo aveva salutato come una vecchia conoscenza, e D'Amblanc non aveva nemmeno dovuto mostrare il lasciapassare del comune. Entrati nel cortile, un commissario li aveva raggiunti di corsa e li aveva scortati attraverso il Palazzo del Gran Priore dei Templari, trasformato in caserma della guardia nazionale. Hébert si era intrattenuto con un ufficiale in divisa, per domandare se vi fossero richieste, osservazioni sui turni di sorveglianza. Piú che il sostituto procuratore di Parigi sembrava il sindaco, quantomeno di quello spicchio di città. Quindi avevano seguito il commissario nel secondo cortile, dominato dalla mole della Gran Torre, e anche per attraversarne il muro di cinta non erano servite grandi formalità.

Alla vista di Hébert, il secondino che stava nella garitta di qua dalla barriera si era attaccato al filo del campanello, per avvertire il compare dalla parte opposta. Il cancelletto pedonale, infatti, si apriva solo se i due infilavano le rispettive chiavi su entrambi i lati della serratura. Stessa sollecitudine, condita con citazioni delle ultime sparate del «Papà Duchesne», anche da parte delle sentinelle alla porta della Gran Torre, dei commissari nella sala del consiglio e infine di Antoine Simon, che li aveva accolti nell'anticamera del secondo piano, tra la stufa e il quadro con la dichiarazione dei diritti dell'uomo e del cittadino.

D'Amblanc avrebbe preferito restare solo con il bambino, senza il peso di quelle presenze alle spalle. Non potendo ottenere tanto, aveva preteso che uscisse almeno Simon, dato che il prigioniero poteva lasciarsi condizionare dalla presenza del suo guardiano.

Dopo che Hébert, con un cenno del capo, confermò a Simon che poteva congedarsi, D'Amblanc iniziò la magnetizzazione.

– Chiudete gli occhi, – ordinò in tono calmo. – Come vi chiamate?

– Luigi Carlo Capeto.

Un lieve colpo di tosse alle spalle di D'Amblanc.

– È opportuno che usiate il «tu».

D'Amblanc si voltò lentamente e inquadrò Hébert, che aveva parlato, ma Chauvelin intervenne prima che potesse ribattere alcunché.

– È un infante. Si sentirà piú in confidenza, non credete?

D'Amblanc decise di non aggiungere nulla. La novità di quei giorni era l'usanza di darsi del tu, per sottolineare l'uguaglianza tra cittadini e l'abolizione di ogni forma reverenziale, residuo dell'antico regime. Tornò dunque al suo paziente, risoluto a dare del tu a colui che per molti era Luigi XVII, re di Francia e di Navarra, con tanto di ambasciatori in ogni corte d'Europa.

– Quanti anni hai?

– Ne ho compiuti otto il 27 di marzo.

D'Amblanc appoggiò le dita sulla fronte del bambino. Pensò che stava imponendo le mani sul corpo di un re guaritore, per chi ancora ci credeva. Eppure in lui non vedeva che un piccolo paziente, bisognoso d'essere guarito.

Prese le mani del bambino nelle sue e gli tenne i palmi verso l'alto, con un contatto leggero. Non poteva occorrere molto tempo per sonnambulizzare un soggetto cosí vulnerabile e provato dagli eventi.

– Dormi, hai bisogno di riposo… – mormorò. – Dormi.

Attese che il respiro si facesse lento e regolare e percepí il fluido magnetico scorrere tra loro due.

– Cosa ti spaventa di notte?

Il bambino impiegò qualche istante a rispondere.
– I brutti sogni.
– Che cosa sogni?
Silenzio. D'Amblanc si preparò a cambiare domanda,
quando il ragazzino d'un tratto rispose.
– La merda.
D'Amblanc percepí il sussulto alle proprie spalle. Quel-
la parola stonava con la faccia d'angioletto miserabile del
bambino.
– Chi ti ha insegnato questa parola? – chiese.
– Simon dice che si dice cosí, – proseguí il bambino. – La
merda esce dal gabinetto. Ha la forma di un uomo piccolo.
Ci sono anche scarafaggi e topi, che gli strisciano dietro.
Cammina nella stanza.
– Hai paura?
– Sí. Quando viene buio lui esce dal gabinetto, là dietro,
nella torretta d'angolo. Mi dice che devo morire.
D'Amblanc ripensò alle parole di Simon: «Si caca sotto,
con rispetto parlando».
– È per questo che non defechi nel gabinetto?
– Ho paura che mi prende e mi trascina giú.
Il dottore sentí ancora scalpitare dietro di sé. Poi la voce
di Hébert, in un sussurro:
– Non ci interessano i suoi bisogni corporali. Dobbiamo
chiedergli della madre. Chiedigli della relazione con la ma-
dre, cittadino D'Amblanc.
Chauvelin intervenne per mettere buono Hébert.
D'Amblanc scosse la testa.
– Sai dov'è tua madre?
– No.
– Cosa facevate quando lei era qui?
– Avevo i capelli lunghi e lei me li pettinava. Giocavamo
a dama. Mi faceva leggere vecchi libri di storie.

Lo sguardo di D'Amblanc scivolò sulla chioma sudicia, uguale a quella di ogni ragazzino dei vicoli di Parigi.

– Che genere di storie?

– Storie di cavalieri e di principesse.

Il sibilo compiaciuto di Hébert attraversò la stanza, seguito da quello di Chauvelin che lo redarguiva ancora sottovoce. Il dottore strinse appena un poco di piú i polsi del bambino.

– Chiedigli come lo appella la madre... – suggerí ancora Hébert.

Il medico rivolse la domanda al bambino, che rispose senza esitare.

– Luigi Carlo... – esitò un istante, come se dovesse ricordare, poi aggiunse: – Altezza reale.

– Ti ha mai detto che sareste potuti andare via dal Tempio? – chiese D'Amblanc.

Le orecchie si tesero, niente sibili o suggerimenti ora. Silenzio e attesa.

– No.

Per qualche ragione quella semplice sillaba caricò un peso enorme sulle spalle di D'Amblanc. Non che avesse sperato in un'altra risposta, com'era probabilmente per il pubblico accusatore. A schiacciarlo era l'assoluta rassegnazione che avvertiva nella risposta. Provava pena per l'essere che aveva davanti, derelitto, sporco e solo. Eppure lui e sua sorella, reclusa al piano di sopra, sarebbero stati forse gli unici della famiglia a salvarsi. Gli unici ad avere un futuro.

– Qual è stata l'ultima cosa che tua madre ti ha detto prima di lasciarti?

Pronunciò la domanda senza sapere se stava conducendo l'interrogatorio che gli era stato commissionato o se non era piuttosto in cerca di una speranza per quel bambino.

– Ha detto che se non ci vedremo mai piú devo confidare in Nostro Signore.

– Chiedigli se mentre lo pettinava lo accarezzava… – sussurrò Hébert.

D'Amblanc strinse i denti per non insultarlo. Non voleva rischiare di interrompere bruscamente la sonnambulizzazione. Finse di non aver udito, ma prima che potesse chiedere altro, il bambino parlò, con gli occhi ancora chiusi e il respiro regolare di un dormiente.

– Mi accarezzava i capelli.

Sollevò una mano e prese a passarsela sul capo, ravviando ciocche immaginarie.

D'Amblanc sentí ancora nell'orecchio il bisbiglio fastidioso di Hébert.

– Chiedigli se sua madre lo ha mai toccato…

Questa volta D'Amblanc dovette raddoppiare gli sforzi per non esplodere. Strinse la mandibola, respirando a fondo, deciso a non aprire piú bocca.

Fu il bambino a parlare.

– Ho paura…

– Di cosa? – si affrettò a chiedere D'Amblanc. – Del gabinetto?

Il bambino scosse la testa.

– Di voi… – Una mano si sollevò a indicare il torace di D'Amblanc. Subito il medico ricordò il gesto della piccola Margot e provò un brivido. – Del vostro male, – aggiunse il bambino. Poi l'indice si spostò a indicare sopra la spalla di D'Amblanc: – Del suo male alla testa.

D'Amblanc sapeva che Chauvelin lo fissava dal fondo della stanza.

– E io? – intervenne Hébert avvicinandosi con tono sarcastico. – Non ho mal di testa, io?

Il bambino aprí gli occhi di scatto e il procuratore trasalí, come se quello sguardo azzurro gli avesse sbarrato la strada.

– Voi la testa la perderete.

– Ah! – sbottò Hébert. – Che io sia dannato se quella puttana infida non mi precederà!

– Basta cosí! – intervenne Chauvelin.

D'Amblanc si alzò in piedi, scostò Hébert con una spallata e prese la porta. Nell'anticamera lanciò un addio all'indirizzo di Simon e sparí nel corridoio che conduceva alla torretta con la scalinata a chiocciola. Sia la porta di legno che quella di ferro erano rimaste aperte. Scese i gradini di corsa, attraversò la sala al pianoterra e uscí di slancio.

Salutò con sollievo l'aria fresca del giorno e respirò a pieni polmoni la brezza autunnale che spirava tra gli alberi.

– D'Amblanc, aspettate!

Chauvelin lo raggiunse a passo spedito.

– Andate al diavolo, – disse D'Amblanc puntando il cancelletto nel muro di cinta.

Il poliziotto aggirò un platano e si parò davanti al medico impedendogli di proseguire.

– Esigo la vostra opinione professionale.

– La mia… – D'Amblanc scosse la testa incredulo. – Quel bambino è sporco, insonne e sconvolto. Cos'altro volete che vi dica?

Lasciò ancora che l'aria secca e fredda gli riempisse il petto. Ebbe un capogiro. Appoggiò la mano al tronco dell'albero, ne sentí la scorza sotto i polpastrelli. Era qualcosa di concreto, di solido, veniva voglia di scorrerci sopra le dita, di grattare la corteccia e staccarne grosse placche grigie.

– Quel bambino ha vissuto sull'Olimpo da quando è venuto alla luce, – ribatté Chauvelin. – Deve soltanto abituarsi a vivere sulla terra, come tutti i mortali.

– Credete sia questo? – domandò D'Amblanc ancora in tono scettico. – In pochi mesi ha perso il padre, lo hanno separato da sua madre e da qualunque persona conoscesse. È spaventato e triste.

La rabbia scavò tra le sopracciglia di Chauvelin una ruga profonda, che pareva dovesse inghiottirgli l'intera fronte.

– Pensate davvero che rendere felice il rampollo del Capeto possa essere una nostra priorità? Avete idea di quanti sono i bambini francesi che soffrono?

D'Amblanc scosse il capo.

– Non è questo. Abbiamo scritto che lo scopo della società è la felicità comune.

– La felicità comune implica l'infelicità dei nemici del popolo, – continuò Chauvelin. – Grassatori, accaparratori, tiranni. Luigi Carlo Capeto era destinato a diventare il prossimo tiranno di Francia, invece sarà un libero cittadino della Repubblica. Vi pare poca cosa?

– Mi pare che al momento sia tutt'altro che libero.

– Al momento. Perché se ora lo liberassimo, sarebbe schiavo del suo destino di re. Bisogna prima educarlo alla vera libertà.

– Sarà comunque un orfano, – disse D'Amblanc, senza piú voglia di litigare. Voleva soltanto andarsene, essere lasciato in pace.

– Sapete che a questo non c'è alternativa, – ribatté Chauvelin. – La Francia è piena di orfani. Orfani di oppositori alla tirannide, orfani di oppositori della rivoluzione, orfani di guerra. La Repubblica si occuperà di tutti loro.

– La Repubblica, sí… – disse D'Amblanc. – Non c'è niente che io possa fare per quel bambino. E non c'è niente che possa fare per voi e per il vostro processo. Ho creduto che Parigi fosse il posto giusto. Non ne sono piú cosí sicuro.

La ruga di Chauvelin si mosse come animata di vita propria.

– Volete mollare la presa, dottore? Credete di potervi nascondere dalla storia?

D'Amblanc fece per smarcarsi muovendo un passo di lato, poi si fermò.

– Ci sono modi di nascondersi anche rimanendo alla ribalta.

Chauvelin lo fissò, incerto su cosa volesse dire.

– Abbiate il coraggio di parlare chiaro, dottore, – lo sfidò.

– Perché non cominciate voi? Che fine ha fatto la signora Girard? – chiese a bruciapelo D'Amblanc.

– Ve l'ho detto. Ha lasciato Parigi.

– Dov'è?

Chauvelin rimase zitto. La sua reticenza fu piú esplicita di qualunque risposta.

– Torno ai miei pazienti, – disse D'Amblanc.

Mentre si allontanava sentí alle spalle la voce di Chauvelin.

– Siete chiamato a qualcosa di piú alto che aiutare il vostro ragazzo selvaggio. Voi lo sapete, D'Amblanc.

Il dottore continuò a camminare.

2.

È che al principio di quel mese, la rivoluzione ha cambiato pure il calendario. Il giorno prima era il 5 di ottobre 1793 e il giorno dopo era il 15 vendemmiaio dell'anno II. Sulle prime questa cosa di non contare piú gli anni dalla nascita di Cristo – che poi non si sa manco quand'è ch'è nato di preciso – a noialtri sanculotti garbava pure, perché voleva dire che mentre eravamo da vivi s'era passato un fatto piú importante di Gesummaria, cioè che la Francia era diventata Repubblica. Quel che ci garbò meno è che invece delle settimane adesso c'erano le decadi, e i giorni non si chiamavano piú lunedímartedí, ma si doveva dire unidí, duedí… Embe'?, dirai tu, chissene del nome dei giorni, tanto per i poveracci è sempre merdodí. E invece sbrisga, perché col sistema di prima c'erano sei merdodí e poi domenica, e la domenica, come Dio comanda, anzi comandava, ci si riposava dallo sgobbo. Ma siccome che dello sgobbo di Domineddio durante la Creazione non se ne voleva piú sentir parlare, ecco che il giorno del riposo – chiamalo domenica o decadí la ciccia è sempre quella – arrivava dopo nove giorni di travaglio, tre volte in un mese anziché quattro. Insomma questa storia del calendario è stata come azzannare una bella brioscia dorata e trovarci dentro uno stronzo.

Però almeno in quel mese di ottobre o vendemmiaio che dir si voglia, ci consolammo con altre cose. Per esempio la notizia che l'armata nostra, dopo sessanta giorni di cannonate, si era ripresa Lione, e s'era cominciata la resa dei conti con la Vandea del Sud. Poi l'affissione del *maximum* dei prezzi sui muri di Parigi (alla buon'ora!): un prezzo per ogni cibaria e chi sgarra paga in solido, di tasca o di crapa.

A consolarci infatti fu soprattutto la mucchia di teste spiccate, con in vetta la piú importante.

I delitti di Maria Antonietta, la vedova del Capeto, erano talmente schiari che il processo è durato solo due giorni. Aveva buttato i soldi dello stato per tenersi i suoi favoriti ben stretti tra le cosce. Austriaca e bagascia, che non si sa cosa sia peggio, aveva convinto il marito a tradire il popolo francese. E quando noialtri s'è fatta giustizia e abbiamo mandato il Capeto a chieder l'ora al vasistas, la realtroia, per non darcela vinta, s'è messa a trattare il figlio da Luigi XVII, l'ha aizzato contro la Repubblica, gli ha ficcato in testa il vecchio mondo peggio di prima, povero garzotto, tanto che s'è dovuto separarli.

Davanti al tribunale rivoluzionario, Hébert l'ha accusata d'essersi infilata nel letto del figlio per monarchizzarlo a puntino, come a dirgli che ormai non era piú la sua mamma, perché lui era re e in quanto re aveva il sacrosanto diritto di fottersi una regina. Apriti cielo! Le donne del foborgo, solo a sentir parlare di una porcheria del genere, si sono sentite offese da Hébert come madri, hanno sgolato fuori che anche la peggior saloppa una roba del genere non la farebbe mai, e solo i padri sono capaci di sbavare dietro al culo delle figlie o di portarsele nel letto.

Cosí il buon Hébert ha finito per pisciare controvento, con grande sgagno dei suoi nemici, per primo Robespierre, che gli ha tirato le orecchie da farlo ragliare mentre che gli prendeva la misura del collo.

Epperò amici e nemici si sono trovati d'accordo almeno su un fatto, e cioè che la libertà d'opinione è una gran bella cosa, ma le donne, quando stanno tra loro, la spendono subito per ficcare il naso in affari che non le riguardano, come andare ai processi a starnazzare o a fare rissa tra i banchi del mercato. Ecco perché, dopo l'ennesima bussata tra amazzoni e pesciarole, tutta la Convenzione ha votato per la chiusura dei club femminili, ché di donne che si accapigliano non se ne può piú. Se passano il tempo in questa maniera, come fanno a fare lo sgobbo che devono?

Oramai s'era in brumaio, il mese della nebbia, anche se molti continuavano a chiamarlo novembre. Altre ventotto teste coronate erano cadute a terra, ma non con la ghigliottina. Quei re li hanno decapitati con una fune. Il boia tira la corda, li stacca dal loro mondo di pietra e li schianta sul pavé di fronte a Nostra Dama. Altro che Luigi XVII monarchizzato da Maria Antonietta. Noi si voleva evitare che quelli come te, i cittadini del futuro, potessero alzare gli occhi ai portoni della cattedrale e dire: «Varda un po' gli antichi re, hai visto che maestà, che regalità, che gloria, sta' a vedere che la Francia era meglio quando c'erano loro...»

Poi finalmente il 10 brumaio è arrivata l'ora di Brissot e degli altri girondini. Quelli che volevano salvare Luigi.

Quelli che hanno votato per fare la guerra, sperando che gli Austriachi arrivassero fino a Parigi. Quelli che il *maximum* è contro il libero commercio e la proprietà privata. Quelli che con il federalismo si son provati di spaccare la Francia. Sono andati al patibolo cantando *La Marsigliese* sotto una pioggia di scaracchi. Sono andati al patibolo solo in venti, perché Valazé ha pensato bene di pugnalarsi nell'aula del tribunale e risparmiare il disturbo al boia. E delle frasi sgolate al vento prima di perdere la testa, ce ne ricordiamo alcune. Quella di Girard, il gecco che aveva provato a scappare vestito da donna, che ha attaccato bene, sgolando forte, ma uno starnuto gli ha tagliato le parole e dopo era troppo tardi, stava già con la testa nel buco, manco il tempo di dirgli salute, che già non gli serviva piú.

Quella di Carra, che in vita è stato un giornalista mediocre, ma prima di tirare i cracchi ha fatto un bel motto senza battere ciglio: «Peccato. Avrei voluto vedere come andava a finire».

Tre giorni dopo hanno colto anche la zucca di Olympe de Gouges, quella dei diritti della donna e della cittadina, amicona di Brissot e compagnia bella. Il procuratore del comune, Pierre-Gaspard Chaumette, che però si fa chiamare Anassagora ed è un compare di Hébert, le ha scritto un bell'elogio funebre. Ha detto che finalmente ci toglievamo di torno la donnauomo che aveva fondato la prima società di femmine per mettere becco negli affari della Repubblica invece di occuparsi dei figli. «Volete imitarla? No di sicuro. Voi sapete di essere interessanti e degne di apprezzamento solo quando siete ciò che la natura ha voluto che foste». Altrimenti sbrisga, vaderetro nella fossa. Amen. Ecco, da lassú in vetta, la bagascia brissotina ha blaterato: «Figli della patria, voi vendicherete la mia morte!»

Quante arie. Tutti a petto in fuori, a darsi un mucchio di importanza come fossero sul palco a teatro. Quando schiattiamo noialtri, di crepaculo o febbre da cavalli, si muore con un rutto o una scoreggia, tutt'al piú una preghiera masticata insieme a una bestemmia, ma non è che a noi faccia piú piacere. E di fosse ne riempiamo tutti i giorni. Quando invece fai il servizio a una dama o a uno scaldasedie della Convenzione tutti a prendere nota e a drizzare le orecchie per sentire le ultime parole famose.

Comunque sul carretto ne salirono molti altri.

Il 16 brumaio andò alla ghigliottina Filippo Egualità, che era stato il duca di Orléans, e il 18 la signora Roland, che nel suo salotto aveva offerto il tè dove inzuppare i biscotti dei brissotini, il 21 Bailly, che quando era stato sindaco ci aveva fatto sparare addosso in Campo di Marte, e il 25 Manuel, che aveva difeso il re, e il 27...

3.

Era un'onda che monta, travolge tutto e poi si ritira, portandosi via ogni cosa. Cosí si sentiva: derubata, come se le avessero tolto quello che aveva di piú importante. Pauline, una delle altre tre venute all'appuntamento, ci stava anche provando a convincerla che non tutto il male viene per nuocere, che saltavano le teste che dovevano saltare: l'austriaca impestata, i girondini, i traditori del popolo, gli infami. Certo, Marie lo capiva che pure la De Gouges doveva dire addio alla sua testaccia di brissotina, però... Però. Le parole per dirlo le si attorcigliavano in testa. Olympe era una bagascia da salotto, ma aveva scritto la dichiarazione dei diritti della donna e della cittadina. Marie l'aveva letta appena una settimana prima, a casa di Claire. Marie aveva detto che a conti fatti le cose che scriveva la De Gouges non le suonavano affatto storte.

«Hai sempre detto che non te ne fai niente dei diritti
se non hai da mangiare...», aveva commentato Claire. Poi
aveva mutato tono ed espressione, quasi cercasse di contenere la rabbia.

«Forse la De Gouges scriveva cose giuste, sí. Ma come
pensava di metterle davvero in pratica? Sperava forse che lo
facesse il suo amico Brissot, salvando i benefici dei ricchi?
Non puoi affermare un diritto mentre conservi un privilegio».

Si era zittita, consapevole di dove la portava il proprio
ragionamento, in base al quale Robespierre e Danton non
apparivano diversi dagli altri: la costituzione che avevano
scritto era un gioiello, ma non avrebbero fatto le leggi per
metterla in pratica. Almeno finché durava la guerra.

Lo sapevano entrambe anche adesso, mentre guardavano
ciò che restava della società delle cittadine repubblicane rivoluzionarie. Non era una coincidenza che avessero chiuso
con un decreto tutti i club femminili e tre giorni dopo avessero tagliato la testa alla De Gouges.

L'onda si stava ritirando.

L'immagine che veniva in mente a Marie era quella di una
donna con il culo esposto alla frusta. Una frusta impugnata
da un'altra donna.

– E adesso che si fa? – chiese la quarta, Darcelle, la giovane adepta della società che una sera era andata a cercare Marie per salvare Claire dalla prigione. – Mica possiamo
andare in delegazione solo noi quattro. Perché non è venuta nessun'altra?

Non ottenne risposta. Ciascuna di loro scelse la propria
in silenzio.

Claire inspirò a fondo. Sfoggiava i vestiti da amazzone e
per Marie non era mai stata cosí bella.

– Io non resto zitta, – disse. – Vado a protestare là dentro. Se questa è la fine, che almeno sia a modo nostro.

Le altre tre fissarono il grande edificio che campeggiava oltre lo spiazzo. La Convenzione, la montagna piú alta, il tempio della Repubblica.

– Ci copriranno di sputi, lo sai, – disse Pauline. – Non aspettano altro.

Claire le guardò tutte e quando Marie incrociò il suo sguardo le apparve davvero come un'amazzone antica, come quelle scolpite dagli scultori o che si vedevano stampate sui giornali. Marie pensò ancora che quella disperata determinazione la rendeva bellissima e terribile, da non toglierle gli occhi di dosso. Un lieve sorriso inclinò la bocca a cuore di Claire.

– Sí, lo faranno, – disse. Poi aggiunse: – Le altre hanno già scelto. Voi non siete tenute a venire con me.

Marie fece un passo al suo fianco, con l'emozione che le inondava lo stomaco.

Il sorriso di Claire si fece appena piú marcato. Entrambe rimasero in attesa delle altre.

Pauline si mosse con una scrollata di spalle.

– Al diavolo. Siamo venute fin qui…

Darcelle, gli occhi inondati di lacrime che si sforzava di non far sgorgare sulle guance, appariva ancora piú giovane di quanto non fosse. Là dentro l'avrebbero sbranata, pensò Marie. Poi la vide muovere un passo incerto, ma nella direzione giusta.

Darcelle tirò su col naso.

– Andiamo, – disse.

Si incamminarono una di fianco all'altra, percorrendo la distanza che le separava dalle Tegolerie. Alcuni passanti si voltavano a guardarle incuriositi da quella passeggiata a quattro; altri le ignoravano. Un gruppetto di ragazzini prese

a seguirle, ridacchiando alle loro spalle, ma dato che le donne non reagivano alla provocazione lasciò perdere in fretta.
Giunte davanti all'ingresso si fermarono a contemplarne
l'imponenza, consapevoli che probabilmente era l'ultima
volta che entravano là dentro.

– Sapete… – disse Claire in tono scanzonato, – la prima
volta che ho esordito in una commedia è stata come sostituta
della primattrice, che si era ammalata. Quando il pubblico
ha visto me al posto suo, ha preso a insultarmi e a lanciare
di tutto sul palco. Io sono andata avanti lo stesso fino alla
fine del primo atto. Poi sono rientrata per il secondo atto, e
non hanno piú lanciato niente.

Pauline si concesse una risatina per alleviare la tensione.
Accanto a lei, Darcelle apparve un poco rincuorata dall'aneddoto.

– Vuoi dire che può essere meno peggio di quello che
pensiamo?

Marie le toccò una spalla.

– Vuole dire che bisogna tenere duro abbastanza per arrivare al secondo atto.

– Ammesso che ci sia un secondo atto, – concluse Pauline
senza nascondere lo scetticismo.

Claire le passò di nuovo in rassegna.

– Pronte?

Annuirono.

Entrarono insieme nelle fauci della Convenzione.

4.

L'odore di arrosto era un rigagnolo sospeso tra le case.
Scorreva silenzioso ad altezza d'uomo, sfiorava i davanzali delle prime finestre e il vento gelido lo spingeva lontano

lungo la via. Bastien lo seguiva naso all'aria, come un cane da lepre. La colazione con mezza cipolla gli aveva solo rinnovato l'appetito. Non impiegò molto tempo a scovare la sorgente del profumo: sgorgava dalla macelleria dei fratelli Napie.

Una fila di trenta persone orlava il muro dell'edificio, dall'ingresso fino all'angolo di un vicolo. Bastien si mise in coda, gli occhi bene aperti, dietro due massaie che leggevano «Il Papà Duchesne». Subito notò che nella bottega entravano molti piú clienti di quanti non ne uscissero col cartoccio sottobraccio. Segno che tutti gli altri usavano un'uscita secondaria. Dunque avevano qualcosa da nascondere.

Attese il suo turno di varcare la soglia. L'odore di arrosto lo lasciò a bocca aperta: pareva di potersi saziare anche solo girandoci dentro la lingua. La matrona davanti a lui aveva il culo grosso come un cuscino, e Bastien immaginò di sprofondarvi la faccia e addentarle una chiappa. La donna cinguettò col macellaio qualche frase incomprensibile. Quello, invece di servirla, la fece accomodare nel retrobottega.

– Carne ce n'è? – domandò allora Bastien, e riconobbe sul volto dell'uomo l'ombra di malcelata inquietudine che coglieva sempre i commercianti, quando si ritrovavano di fronte il garzo di Treignac.

– Finita, – rispose Napie. – L'ultimo pezzo con le gioie se lo sono già preso. Adesso mi sono rimaste le gioie, ma senza la carne.

Il bottegaio fece un gesto col braccio, a indicare dietro di sé, sul banco di legno, un mucchio di ossi, tendini e sfilacci di grasso. Bastien si sporse a guardare.

– Allora perché ci fai stare in fila, se non hai piú niente?

– Vedi, – sospirò il macellaio, il tono mieloso da ti-spiego-come-va-il-mondo, – tanta gente compra gli ossi per farci il brodo.

Il ragazzo finse di prendere per buona la spiegazione, girò i tacchi e filò via senza nemmeno salutare. Conosceva bene lo stratagemma della carne cotta: visto che la legge fissava un prezzo massimo per la carne cruda, quelli te la vendevano arrosto, al doppio della cifra, poi dicevano che la differenza era per via del fuoco, della legna, del sale.

A passo svelto arrivò alla bottega di Treignac e lo trovò intento a risuolare un paio di stivali.

– Il macellaio Napie vende la carne cotta e fa uscire i clienti dal retro, – disse in un fiato.

Treignac annuí, senza alzare gli occhi dal lavoro.

– Lo so.

– Se ci vai subito, lo becchi proprio con le mani nel sacco, – insistette il ragazzo.

– Ci vado stasera, – rispose Treignac ancora concentrato sulla cucitura della tomaia.

– Perché? – protestò Bastien. – È adesso che sta imbrogliando!

Treignac appoggiò lo stivale al banco da lavoro e passò le mani sul grembiale sozzo.

– Ascolta, qua è come dare la caccia alle mosche in un letamaio. Se arrestiamo tutti i commercianti che non rispettano le regole chi la vende la roba? Tu?

La fronte di Bastien disegnò rughe molto esplicite. Il ragazzino puntò l'indice contro un manifesto appeso alla parete.

– Allora che ci sta a fare la tabella dei prezzi?

Treignac sospirò.

– Hai la stessa testa dura di tua madre. Il *maximum* è una cosa giusta, che impedisce ai prezzi di salire senza controllo. Però ci vuole pazienza, siamo in guerra col mondo intero, e allora per forza c'è poco pane, e quel poco costa di piú, e se vuoi farlo pagare meno, va a finire che sparisce del tutto. Dobbiamo tenere i prezzi sotto controllo, ma dobbiamo anche lasciare che i negozianti ricavino il loro guadagno. Robespierre fa una legge dietro l'altra, per far viaggiare la farina, per andarsi a prendere quella imboscata, per piantare piú grano e raccoglierne di piú. Tutte cose che vogliono tempo. Magari già quest'estate avremo il pane, la carne, i prezzi bassi e la pace, ma prima di allora è tanta grazia se non si crepa di fame.

Lo stomaco di Bastien rispose con un brontolio che valse piú di una replica. La cipolla della colazione era ormai un lontano ricordo. Treignac pescò una galletta da un involto di carta e la lanciò al ragazzino che l'afferrò al volo.

– Succhia, non mordere, o ti spezzi i denti dal gran che è dura.

Bastien portò il cibo alle labbra con cautela.

Treignac lo guardò di sottecchi.

– Sei venuto solo per dirmi di Napie?

Il ragazzo esitò, concentrato a rosicchiare la galletta.

– Hai chiesto ai tuoi amici? – biascicò.

– Sí, – annuí Treignac, che aspettava quella domanda. – Pare che vive a casa di quell'attrice. Sta bene, comunque. Adesso che le società femminili sono state sciolte avrà meno occasioni di cacciarsi nei guai.

Riprese tra le mani lo stivale, ma prima di rimettersi al lavoro si rivolse ancora a Bastien.

– È gagliarda. Se la caverà.

Il ragazzo non disse nulla. Mosse la mano in segno di saluto e sparí fuori, in strada, con la galletta tra lingua e palato.

«L'AUDITORE NAZIONALE»

n. 436, pagina 2

Estratto dal resoconto

della seduta della Convenzione nazionale

11 frimaio, anno II (1° dicembre 1793)

BOURDON (del dipartimento dell'Oise), a nome del comitato per l'agricoltura, propone alla discussione un decreto sul prosciugamento degli stagni. Egli fa notare che queste masse d'acqua furono create, in maggioranza, da monaci e beneficiari ecclesiastici, i quali, per avere bei pesci, sacrificarono i cantoni piú fertili delle nostre campagne. Dichiara inoltre che in tutte le contrade dove esistono questi stagni, i raccolti di grano vengono quasi sempre rovinati dal gittaione, una pianta tossica, e i paesi sono spesso preda di epidemie. Pertanto, il prosciugamento degli stagni produrrebbe due risultati assai vantaggiosi: l'aria piú salubre e la restituzione di cinquecentomila acri di terreno all'agricoltura.

DIVERSI MEMBRI domandano che si decreti solo il prosciugamento degli stagni nocivi per il raccolto e pericolosi per la salute.

Ma DANTON interviene: «Tutti noi appoggiamo la congiura contro le carpe e amiamo il regno dei montoni. Domando che il progetto venga messo ai voti».

Dopo un ulteriore dibattito, si decretano i due seguenti articoli:

Art. 1. Tutti gli stagni e i laghi della Repubblica che si usa svuotare per raccoglierne i pesci, quelli formati da dighe o chiuse, verranno prosciugati entro il prossimo 15 piovoso.

Art. 2. Il suolo degli stagni prosciugati verrà seminato con grano marzolino, o con ortaggi commestibili per l'uomo.

Su proposta di un membro, la Convenzione nazionale incarica inoltre il suo comitato per l'agricoltura di presentare un progetto di decreto per la semina di quei parchi e giardini che fino a oggi sono stati consacrati solo al lusso e al superfluo.

Fame a volontà
Autunno-inverno 1793-94

1.

Peggio del freddo cagnardo c'è soltanto la fame ladra e schifa, che ti fa azzannare le gambe dei tavoli per non mordere quelle dei commensali. Avevamo avuto il *maximum*, ma i frodaioli spuntarono come funghi. Chi ti vendeva il vino finto, che era sidro colorato di rosso, chi il pane finto, impastato con la polvere di gesso. Per il vino si nominarono dei commissari «degustatori», come se non bastasse il nostro gusto a distinguere il piscio dal succo d'uva. Per il pane, si costrinsero i fornai a cuocere il pane dell'egualità e sbrisga, con tanto di timbro di garanzia. L'esercito lo mandarono di scorta ai carri dalla campagna, e già che c'erano spedirono a travagliare nei campi le reclute e il canagliume delle galere.

Quel trappolaio di Danton se ne uscí con la trovata di seccare gli stagni e coltivare pure quelli, per farci brucare le bestie da ciccia. «Dobbiamo appoggiare la congiura contro le carpe e sostenere il regno dei montoni», disse. Cosí si parlava allora alla Convenzione, coi denti grossi. E chissene che i regni non li voleva piú nessuno: quei nobilardi a quattro zampe dovevano riempirci la panza. E in effetti la pensata di andare a prendersi quegli altri, quelli bipedi, dalle prigioni, per sgranocchiarseli, qualcuno la fece anche, ma ci è mancato lo stomaco, che quindi è rimasto vuoto.

Il comitato di salute pubblica ordinò di piantare patate in ogni striscia di terra: nelle aiuole delle Tegolerie, nei giardini del Lussemburgo, nei cortili, cosí che gli ignorantoni smerdi come noialtri smettessero di darle ai porci e si rassegnassero a mangiarsele, ché rimpinzavano bene e soprattutto, al contrario degli zamponi, quelle ricrescevano. E allora dove che il giorno prima c'era un giardino, il giorno dopo era spuntato un orto di patate. Se c'era una zolla libera, certo come la mortazza che ci piantavano patate, quindi guai a vuotarci pitali o le budella. Ci uscivano dalle orecchie, le patate. Insieme alle aringhe secche, pure quelle, al posto della carne che ormai te la sognavi di notte e di giorno e ti saresti tagliato una fetta di culo, giusto un assaggino, tanto per gradire, se non ti fosse servito per sederti.

Insomma, quell'inverno si correva da un cantone all'altro della città in cerca di briciole, come formiche. Tutto era razionato: zucchero, sapone, olio, e soprattutto il sale in zucca, ché di quello ce n'era davvero poco. Perché quando che hai fame, e questo chissà se tu lo puoi capire da là dove stai, la testa non funziona piú come prima, s'incaglia, ché non ti consola nemmeno avercela ancora sul collo, se non te ne fai piú niente.

2.

Era stato un inverno durissimo, e non accennava a mollare la presa. Poco da mangiare, poco guadagno, e la scena tenuta saldamente dalla primattrice, Nostra Dama Ghigliottina.

Léo continuava a sentirsi meno di una comparsa. E sentirsi cosí nel mezzo di una rivoluzione era il modo peggiore di sentirsi. Certo, almeno aveva una sorta di giaciglio, sul retro del ristorante, e quindi anche un tetto sulla testa. Aveva persino una paga, ancorché scarsa, ma sufficiente a non morire di fame. A volte, nella solitudine della sua branda, mentre fuori il gelo notturno faceva scricchiolare il legno, ripensava alla sarta Marie. Il loro amplesso era uno dei ricordi che conservava con maggiore premura. Anche perché non aveva piú avuto un'altra donna dopo quel giorno, a casa sua. A ripensarci, era stato bello essere l'eroe del foborgo di Sant'Antonio, per un po' di tempo.

«Un uomo importante si riconosce dallo strascico di fighe che si porta dietro». Le parole del maestro Goldoni. La solitudine di Léo ne decretava dunque la mediocrità? Forse. Forse doveva arrendersi a quell'evidenza. Non era piú un attore, ma uno sguattero. Ed era povero. Ma Léo non si piangeva addosso: non ci voleva molto ad accorgersi che c'era chi stava peggio. Come Andria, il vecchio cameriere corso, preso di mira dai lazzi e dai dispetti dei muschiatini. Poiché Léo non aveva reagito alle provocazioni, alla lunga quei finti damerini senza erre, lezzosi di muschio, che frequentavano la taverna, avevano deciso di lasciarlo perdere, per ripiegare su Andria. Erano dei marronari come gli altri, ma si atteggiavano a chi sta meglio e la sa piú lunga. E poi parlavano in quella maniera ridicola, consapevoli di irritare il prossimo. Uno dei loro passatempi era andare al mercato del pesce a sobillare le donne. Senza farsi vedere dalla cagnaccia, inteso. Quelli le odiavano le donne, era chiaro, volevano soltanto vederle combattere come cagne nell'arena e scommettere sulle une o le altre.

«Mio ca'o, p'op'io ie'i abbiamo assistito a un conf'onto inc'edibile… inc'edibile. Una lavandaia della 'ivagoscia cont'o una pescia'ola dei Me'cati. Da sganascia'si dal 'ide'e».

Andria si divertivano a sfotterlo. Gli attaccavano pezzi di cibo ai vestiti, gli facevano lo sgambetto quando passava tra i tavoli, oppure lo chiamavano in continuazione per il gusto di vederlo correre di qua e di là.

Léo non capiva. Non capiva perché, con tante teste che rotolavano sulla pubblica piazza, quei ceffi dovessero mantenere indisturbati la propria. Forse, si rispondeva, perché il boia aveva ben altri ceffi a cui pensare, piú pericolosi per la patria di quella ghenga di sfaticati. O forse perché erano molto bravi a non farsi notare, trascorrevano quasi tutto il tempo a Palazzo Egualità, e le imprese al mercato erano marachelle.

Dedicavano una risata a ogni inezia, pensavano soltanto a come divertirsi alle spalle di qualche disgraziato, mai una parola critica su come andavano le cose. Alcuni di loro portavano la coccarda. Anzi ne portavano anche tre o quattro sul bavero, ostentandole come se fossero oggetti ridicoli. Presenziavano a tutte le decapitazioni e scommettevano su chi sarebbe stato il prossimo a infilare la testa nel buco. Cosa avessero da confabulare con il tetro custode di Palazzo Egualità, l'uomo senza naso, Léo non avrebbe saputo dirlo. La faccia di teschio e i ridenti muschiati.

Finché, alla fine del merdoso inverno, in una di quelle notti insonni in cui non riusciva a placare i pensieri e cincischiava con una mano tra le gambe, indeciso se inseguire il ricordo della sartina o i ricordi di gioventú a Villa Albergati, un'intuizione si fece strada nella sua mente e lo lasciò di sasso.

I muschiatini non parlavano davvero di nulla. Andavano a omaggiare l'operato di Madama Ghigliottina solo per i pettegolezzi e le scommesse. Léo non li sentiva mai commentare gli avvenimenti se non per scherzarci sopra. Ecco, quegli uomini non esistevano. Non lí, almeno. Era come se si trovassero altrove, come se nulla li riguardasse. Semplicemente, non vivevano la rivoluzione. Ogni loro gesto era frutto di una studiata retorica, atta a ignorare il mondo circostante. Come attori che recitassero senza un pubblico.

La mano di Léo si era allontanata dalle pudenda e lui si era ritrovato seduto sulla branda, in preda a un'idea schiacciante: i muschiatini odiavano la rivoluzione. E odiavano la Repubblica. Le odiavano a tal punto da... – Léo ebbe un sussulto – da cancellarne l'iniziale dal vocabolario!

Trascorse il resto della notte in un inutile dormiveglia e al mattino scattò in piedi rapido, pronto a mettere in atto il suo piano.

Dovette arrivare mezzogiorno, il momento in cui gli sfaccendati olezzosi si radunavano all'osteria in almeno sei o sette, a pasteggiare con una mezza forma di cacio e un fiasco di vino. C'era anche il piú odioso della banda, un gecco che portava un monocolo e si chiamava Jean-Dominic, per tutti Jean-Do. Léo lo aveva individuato come il capoccia dei bellimbusti. Attese che si mettessero di buona lena a provocare Andria.

Quando Jean-Do fece lo sgambetto al vecchio cameriere e quello cadde per terra in un rovinare di piatti e in uno scrosciare di risate, Léo fece ciò che doveva.

Salí in piedi su un tavolo.

Quel semplice gesto attirò su di lui l'attenzione di tutti. Lo sghignazzo cessò e persino le chiacchiere. Il padrone non fece in tempo a girare intorno al banco per andare a maledirlo, che Léo aveva già attaccato a parlare.

– ORsú, cuoR-di-lepRe che vi tRastullate l'aRnese sotto lo scRanno mentRe ve la pRendete con i poveRi e angaRiate gli sventuRati per sentiRvi foRti e gagliaRdi! ORsú, cRicca pRiva di veRgogna, che invece di difendeRe la FRancia tRascoRRe i gioRni in osteRia, gRattandosi le cRoste dal cRanio e Ridendo delle disgRazie altRui! ORsú, gRumi di steRco Rinsecchito, che cRedete di copRiRe l'odoRe di meRda e putRefazione con il pRofumo di fioRi moRti! ORsú, voi che paRlate come stRanieRi in patRia e tRovate incRedibile ogni stRonzata come io tRovo assuRdo il vostRo non esseRe ancoRa cRepati, tRafoRati dagli stRali della RRRivoluzione! ORsú, pRendete lo scRoscio che vi peRtiene!

Ciò detto, Léo sbottonò le brache, estrasse il membro e diresse il getto di piscio sui muschiatini, che si ritrassero disgustati, ancora esterrefatti e senza parole. E tali rimasero per alcuni momenti, quando Léo sgrullò le ultime gocce.

Anche l'oste era ammutolito, e cosí gli altri clienti.

Il primo a fare un passo avanti, spazzandosi la giacca bagnata, fu Jean-Do. Capelli biondi e denti fessi, monocolo, faccia da putto mal cresciuto.

Jean-Do si produsse in un lento applauso, greve e tetro.

– E bravo l'italiano. Non è da tutti firmare cosí la propria rovina –. Improvvisamente ogni leziosità, ogni posa, era sparita. – Alla barriera dei combattimenti. Dopodomani, di primo mattino. Se hai il coraggio di farti vedere.

Detto questo lasciò l'osteria a passi corti e posati, come stesse passeggiando lungo un viale, seguito dalla ghenga che lanciava occhiate all'intorno.

Quando furono usciti, Léo smontò dal tavolo e si ritrovò faccia a faccia con il padrone.

– Vattene. Prendi i tuoi stracci e sparisci.

Léo non obiettò, non disse nulla. Sapeva che sarebbe stato uno spettacolo senza repliche.

3.

Quando sentí bussare, il dottor Pinel interruppe la lettura.

– Avanti.

La faccia che comparve era quella di Pussin, ma sembrava invecchiata di anni.

– Cittadino, in cortile… Sta accadendo qualcosa.

Era il tono di chi ha appena assistito a un evento eccezionale e inspiegabile, come poteva essere un'eclissi per un uomo dei secoli bui, o un miraggio per un marinaio.

Pinel fu sul punto di chiedere spiegazioni, ma il volto terreo del governatore lo trattenne. Racchiudeva una richiesta d'aiuto essenziale, come a rimettere in ordine il cosmo.

Tolse dal naso le lenti a molla e le depose sul foglio. Si alzò e seguí Pussin fuori dallo studio, nel corridoio, giú per le scale, fino al cortile. La scena che gli apparve dinanzi lo bloccò.

Gli inservienti erano schierati lungo il perimetro del cortile con in mano i bastoni.

I degenti allineati in file, a distanza di mezzo braccio l'uno dall'altro. Erano almeno una cinquantina e ognuno guardava davanti a sé.

Il dottor Pinel capí di avere la stessa espressione di Pussin. In mezzo agli alienati sparsi per lo spiazzo in gruppi di tre o quattro, oppure smarriti nella propria follia, si stagliava con ordine marziale quella schiera di corpi, immobile come un cubo di granito.

– Cosa significa?

Pussin allargò le braccia.

– Sono usciti e si sono disposti cosí. Non so perché, nessuno ha detto niente, non sembra nemmeno che si siano parlati.

Il tono tradiva ansia, forse anche un accenno di paura sincera.

Pinel consultò gli inservienti in capo, che confermarono la risposta.

– Avete ordinato loro di rientrare? – chiese il dottore.

Il capoinserviente annuí ancora.

– Fate rientrare tutti gli altri.

Nel giro di pochi minuti, nel cortile erano rimasti soltanto
gli uomini in file parallele. Pinel scese le scale senza timore
e camminò davanti agli alienati. Erano le facce di sempre,
quelle della miseria umana e della sofferenza, inespressive,
spente. Ma gli occhi fissavano il vuoto.

Si fermò davanti a uno dei piú emaciati.

– Vi ordino di rientrare immediatamente.

Non accadde nulla. Pinel lo toccò su una spalla e percepí
una resistenza fisica inattesa, la forza d'inerzia di un corpo
non disposto a muoversi di un passo.

Quegli uomini opponevano la loro presenza ordinata all'ordine dell'ospizio. Non appena questo pensiero ebbe attraversato la mente, Pinel si irrigidí. Una disposizione ordinata
implica un ordine. E quell'ordine doveva provenire da qualcuno. Una volontà si era imposta sulle altre.

Sollevò lo sguardo verso una finestrella in alto, dietro la
quale era certo si celasse un sorriso di compiacimento. Come quell'uomo avesse fatto, era una cosa che avrebbe scoperto in seguito, pensò Pinel. Il problema immediato era
come uscire da quella situazione.

Uno scacco matto.

Gli inservienti non aspettavano altro che l'ordine di bastonare quegli infelici e trascinarli dentro con la forza. Il
suo avversario avrebbe goduto per una soluzione del genere: vederlo ricorrere alla forza bruta contro il potere della
mente – perché si trattava di quello, Pinel ne era certo –
sarebbe stata la migliore affermazione.

D'altra parte, anche se li avesse lasciati lí, a consumarsi
sotto le intemperie, l'altro avrebbe comunque avuto partita vinta.

Dunque, che fare?

– Cosa facciamo? – domandò Pussin, come se avesse seguito il corso di quei pensieri.

Il dottore strinse i denti. Se era destinato a perdere, nemmeno il suo antagonista avrebbe vinto davvero.

– Riportateli dentro, – sentenziò.

Girò sui tacchi e si allontanò verso l'edificio principale,
raggiunto dai suoni secchi delle bastonate, come gocce di
pioggia che si fanno via via piú fitte.

– Cittadino Pussin! – chiamò. Il governatore lo raggiunse
affrettando il passo.

Pinel lo ricondusse nel suo ufficio. Sedette allo scrittoio e
vergò alcune righe, in fondo alle quali appose il proprio timbro. Quindi consegnò il foglio a Pussin.

– Da questo momento il degente Auguste Laplace non è
piú un pensionante, ma un malato come gli altri. Deve essere rinchiuso e deve essergli negato il contatto con chiunque.
Inservienti inclusi.

Pussin annuí e si affrettò a lasciare la stanza.

Rimasto solo, Pinel si alzò e raggiunse la finestra. Guardò
di sotto, oltre il vetro. Gli inservienti erano alle prese con i
ribelli. Non sembravano reagire alle bastonate. Alcuni, colpiti alla testa, sanguinavano, ma non facevano una piega.
Qualcuno era a terra, privo di sensi, mentre chi riusciva a
rimettersi in piedi guadagnava la posizione di prima, senza
scomporsi. La fatica di Sisifo. Avrebbero dovuto sollevarli
a uno a uno e portarli dentro di peso.

Pinel avvertí un brivido dietro la nuca.

4.

Poco prima di mezzogiorno, sotto un sole tiepido, i due
viaggiatori scesero dalla vettura all'imbocco di un lungo viale
costeggiato sui lati da file di cipressi, alla maniera toscana.

Il cocchiere frustò i cavalli e la carrozza ripartí sollevando una nuvola di polvere giallastra.

D'Amblanc si spazzò le maniche della giacca. Il ragazzino si era avvicinato a uno dei pilastri di mattoni che delimitavano l'ingresso alla tenuta. Lo stemma nobiliare era stato rimosso a colpi di scalpello.

– Dovrò restare qui? – chiese il ragazzo.

D'Amblanc non seppe cosa rispondere.

– Non è un brutto posto, – bofonchiò facendo qualche passo all'intorno.

Il viaggio era stato scomodo e noioso, in compagnia di un agente del comitato di salute pubblica in missione a Soissons e di un prete federato, secco come un chiodo, che non aveva mai alzato il naso dal breviario. Avevano attraversato una campagna monotona, villaggi popolati da contadini magri, già in là con gli anni, e bambini che razzolavano in branchi e inseguivano la carrozza vociando, fino alla fine dell'abitato, prima di lasciarla filare via, lungo la strada polverosa.

D'Amblanc si sentí in dovere di parlare ancora al ragazzo.

– Qui vive una persona che può aiutarti a guarire.

– Sono malato, signore?

D'Amblanc guardò Jean con condiscendenza.

– Non chiamarmi signore. I signori non esistono piú. E tu non sei malato, ma hai ugualmente bisogno d'aiuto. Siamo qui per questo.

In realtà D'Amblanc sapeva di essere parte in causa, di volersi confrontare con qualcuno che parlasse la sua lingua. Da troppo tempo, dopo la diaspora dei mesmeristi, conduceva la sua attività in solitudine. Ora che aveva con sé la prova dell'inesattezza dell'assioma di Puységur, doveva parlare con lui. Gli aveva soltanto accennato al problema, nella lettera che aveva inviato pochi giorni prima di partire, annunciando al vecchio mentore il suo imminente arrivo. *De visu* gli

avrebbe detto dei due Jean che vivevano nello stesso corpo.
Quello posato, che parlava come un damerino di prima della rivoluzione, e quello selvaggio, che si arrampicava sugli
armadi ringhiando come un lupo, tanto che l'ultima volta
c'era voluto del bello e del buono per tirarlo giú, sonnambulizzarlo e riportarlo alla vita civile.

Era inquietante pensare che entrambe quelle persone erano il prodotto di un intervento esterno: l'educazione e il suo
contrario. Un orfano miserabile educato come un nobile sotto
trattamento sonnambolico e poi fatto regredire a uno stadio
bestiale attraverso la stessa pratica. D'Amblanc aveva quasi pudore a formulare quel pensiero. Chiunque avesse commesso il misfatto aveva agito come fosse un esperimento, un
gioco, per dimostrare qualcosa a sé stesso: il proprio potere
assoluto su un inerme. Era un'idea orribile, che D'Amblanc
teneva relegata in un angolo della mente, senza consentirle
di dilagare e scatenare il malessere.

Per qualche ragione pensò agli indiani che lo avevano torturato in America e compí il gesto usuale di toccarsi il costato. Per loro era del tutto diverso: torturare il prigioniero era
un modo di omaggiare il suo coraggio, dandogli la possibilità
di resistere al dolore e morire da uomo.

Tastandosi udí un rumore di carta stropicciata, nella tasca
dove teneva il lasciapassare, quello che Chauvelin gli aveva fornito per l'Alvernia. Da quando era tornato, lo teneva
sempre con sé, come buona precauzione, anche se avrebbe
dovuto restituirlo. Sulle prime si era sentito in colpa per quella piccola infrazione, ma dopo che l'uomo del comitato gli
aveva chiesto di visitare il delfino, e di sopportare quell'invasato di Hébert, gli sembrava che il pezzo di carta fosse un
giusto risarcimento.

D'Amblanc guardò ancora il ragazzo e si domandò che
ne sarebbe stato di lui. Senz'altro, la capitale non era posto

per Jean del Bosco. E forse non lo era piú nemmeno per Orphée d'Amblanc.

Raccolsero i bagagli e insieme si incamminarono verso la grande magione che sorgeva in fondo al viale, circondata da un boschetto di faggi, come un enorme animale accucciato nella tana.

D'Amblanc si meravigliò di non incontrare un guardiano, né un giardiniere o un guardiacaccia. Proseguirono fino al boschetto e soltanto allora si imbatterono in una dozzina di persone, uomini e donne, che si tenevano per mano formando un cerchio intorno all'albero piú grosso, un vecchio faggio nodoso.

Tra loro e l'albero, un solo individuo, che D'Amblanc non ebbe difficoltà a riconoscere. Indossava un pastrano di seta aperto sul davanti, e alti stivali da cavallerizzo. I capelli corti esaltavano il naso largo e schiacciato. Occhi chiari e vivaci.

– Lasciate scorrere il fluido, – stava dicendo il magnetista. – Lasciate che scorra tra di voi. Nessuno spezzi la catena.

Si avvicinò al tronco e vi appoggiò sopra una mano a palmo aperto. Quindi con l'altra afferrò le mani giunte dei due che gli erano piú prossimi e fu come se trasmettesse loro una scarica elettrica. Il cerchio prese a oscillare, scosso da un'onda. Qualcuno gettò la testa all'indietro, qualcun altro iniziò ad ansimare forte. Il magnetista rafforzò la presa, gli occhi chiusi nella massima concentrazione. Tornò il silenzio, i corpi si placarono. Ora parevano tutti addormentati.

– Michel, vuoi dirci qualcosa?

Un contadino basso e smunto parlò con voce impastata.

– Il maldipanza non lo sento mica piú. Quando che sto qui con voi mi sento benone e non faccio aria darré.

Il magnetista annuí.

– Jeanette...

Una ragazza dall'incarnato pallido e un visino minuto che quasi scompariva sotto la cuffia parlò.

– È come se sento la forza dell'albero. La sua forza dentro di me, nella pancia. Mi fa bene, il sangue smette di scendermi da sotto.

Il magnetista si spostò appena, volgendosi verso un vecchio che a stento teneva dritta la schiena.

– Maurice, parla tu.

Il vecchio non aveva piú denti in bocca, la sua parlata fu una sequela di sibili e dentali mancate.

– Dio benedica vossignoria e vi preservi *inseculinculorumamen*. La schiena non mi fa piú male. Domani pioverà. Cacherò due volte. E mi verrà anche duro. La vacca di Antoine sgraverà.

– Bene, – disse il magnetista. – Molto bene.

Proseguí a interrogare i partecipanti uno per uno. Qualcuno, invece di citare i propri malanni, parlava di decisioni da prendere, dispute da dirimere, litigi.

– Ero in collera con i Renaud per la pulizia del bosco, ma ora capisco che possiamo farla noi e tenerci in cambio due terzi della legna.

– Devo vendere il porco a Meunier per la cifra che mi ha chiesto, come mi avevate suggerito.

– Mia moglie e Cortot sono amici d'infanzia, non mi devo preoccupare.

Solo quando tutti ebbero detto la loro, e dopo aver chiesto il loro permesso, il magnetista li risvegliò. Li congedò con una parola di conforto per tutti. Alcuni si incamminarono lungo il viale, evidentemente per tornare al villaggio di Buzancy. Altri entrarono invece nella villa, accolti dai domestici, come fossero pazienti di un ospedale.

Il magnetista si guardò attorno soddisfatto e solo allora notò i due nuovi arrivati. Un sorriso cordiale si allargò sulla sua faccia.

– Benvenuti, – disse andando loro incontro. – Benvenuto dottore. È un piacere rivedere un vecchio sodale.

Per un istante D'Amblanc si trovò in imbarazzo, dato che prima della rivoluzione avrebbe dovuto inchinarsi al marchese di Puységur, ma subito optò per stringere la mano al cittadino Chastenet.

– È un piacere ritrovare un maestro, – disse D'Amblanc. Indicò le persone vicine all'albero e il capannello che si scioglieva. – Il vostro metodo vegetale mi ha salvato da uno dei miei attacchi, qualche mese fa. Non lo avevo mai provato, ma mi sono ricordato dei vostri scritti.

Chastenet annuí soddisfatto.

– Io stesso l'ho riscoperto da poco. Per anni mi ero concentrato sulla terapia individuale, ma le sonnambulizzazioni collettive sono molto interessanti –. Gli brillavano gli occhi. – Mentre curano il corpo del singolo, agiscono sulla salute del gruppo –. Lo sguardo scese su Jean. – È il ragazzo di cui mi parlavate nella vostra lettera?

– Precisamente, – rispose D'Amblanc.

Il ragazzino si inchinò.

– Ebbene, venite, – disse il padrone di casa. – Lasciate qui i bagagli, manderemo a prenderli dopo –. Prese D'Amblanc sottobraccio e lasciò che il ragazzino li seguisse dappresso. – Caro dottore, sono felice di rivedervi. Spero che possiate fermarvi per un po' qui da noi.

– Lo spero anch'io, – soggiunse D'Amblanc.

– Ditemi, quali notizie da Parigi? Come va la rivoluzione? – chiese Chastenet.

La domanda colse D'Amblanc di sorpresa.

– Non saprei, davvero.

Chastenet annuí, come a lasciare intendere che aveva capito senza bisogno di parole.

– Chissà che io non riesca ad appassionarvi alla mia.

D'Amblanc rimase ancora piú stupito.

– La vostra rivoluzione?

Chastenet sorrise di nuovo e indicò il parco all'intorno, fermando il gesto all'altezza del grande albero.

– La rivoluzione senza ghigliottina.

Estratto da
«IL PAPÀ DUCHESNE»
n. 355 e ultimo
Data presunta: 21 ventoso, anno II (11 marzo 1794)

La gran collera di papà Duchesne, contro i moderati che ci mettono del verde e del secco per opporsi all'esecuzione dei decreti rivoluzionari e per salvare gli aristocrassi e i cospiratori. I suoi buoni consigli ai veri repubblicani affinché mettano tutti la testa in un berretto per far rispettare la legge del *maximum* e quella che confisca i beni degli uomini sospetti.

Ah, cazzarola, quanto è dura da uccidere, l'aristocrazia. Quando sarebbe pronta per il colpo di grazia, quella fa la morta, e quando sembra spacciata, si rivolta e si rianima tutta d'un colpo per tirare il suo veleno con ancora piú forza. Ogni giorno partorisce nuovi mostri per tormentare il popolo. Perché cazzo i patrioti si fermano sempre a metà strada? Tutto sarebbe finito il 10 agosto se i bastardi indormentatori non avessero bloccato il braccio vendicatore del popolo; l'orco Capeto e la sua razza abominevole avrebbero perso il gusto del pane, e con un solo colpo di rete si sarebbero levati da Parigi tutti i foglianti, tutti i realisti, tutti gli aristocratici; ma al contrario, i sanculotti si lasciarono imbambolare dai

gianfotti doppiafaccia e il moderatismo l'ebbe vinta; con che
risultati, a fottere? I brissotini han fatto la pioggia e il bel
tempo; il vecchio Roland, coi soldi che la Convenzione gli
aveva affidato per acquistare vettovaglie, ha impastrugnato
la controrivoluzione; quasi tutti i giornalisti, venduti a questa cricca infame, hanno avvelenato l'opinione e i migliori
cittadini sono finiti nel fango. Marat venne dipinto come un
lupo mannaro, l'hanno fatto passare per una bestia feroce,
e in parecchi dipartimenti ci si domandava quanti bambini
mangiasse per pranzo e quante pinte di sangue bevesse ogni
giorno: eppure, cazzo, non c'era in tutta la Repubblica un
uomo piú umano di lui.

La giornata del 31 maggio è servita da secondo atto alla
tragedia del 10 agosto: ha salvato la Repubblica, ha portato
al patibolo i principali capi della congiura, ma cazzarola, non
li ha distrutti del tutto. Carra e Brissot sono resuscitati; le
stesse infamie che svendevano in giro, vengono ripetute da
altri leccaculo della loro razza.

I brissotini di nuova produzione, mentre spandono il veleno del moderatismo, osano condannare le misure rivoluzionarie che hanno salvato la libertà. Essi minano il governo
sottobanco, al fine di prenderselo. Cosí, proprio quando i
nostri bravi guerrieri bruciano dall'impazienza di stermina-
re gli schiavi dei despoti, ecco che gli si mettono i bastoni
tra le ruote.

Bravi sanculotti, non bisogna gettare il manico dopo
l'ascia. Coloro che predicano il moderatismo sono i vostri
peggiori nemici. Non c'è piú spazio per indietreggiare,
cazzo: la rivoluzione deve compiersi. La Convenzione ha
rilasciato un nuovo decreto sul *maximum*, che sterminerà
gli accaparratori e riporterà l'abbondanza. La legge che
confisca i beni degli uomini sospetti, e che ordina la loro
deportazione, toglierà a tutti i nemici del popolo i mezzi

per turbare la pace e purgherà la Repubblica da tutti i mostri che l'avvelenano. Bisogna che tutti i veri repubblicani continuino a stringersi intorno alla Convenzione che lavora a strappapiede alla felicità del popolo. Che i sanculotti si riuniscano dunque per liberarla da tutti i traditori che cospirano contro la libertà: il loro numero è ancora grande.

Non saprei ripeterlo piú di cosí: la causa di tutti i disordini che ci agitano, viene dall'indulgenza che si è messa nel punire i traditori. Un solo passo indietro perderà la Repubblica. Giuriamo dunque, a fottere, la morte dei moderati, come quella dei realisti e degli aristocrassi. Unione, coraggio, costanza e tutti i nostri nemici chiuderanno il becco per sempre.

Primavera

Aprile 1794 (germinale, anno II)

I.

Nel giro di pochi giorni, la primavera sembrava essersi decisa a conquistare la campagna intorno alla tenuta che
era stata dei marchesi di Puységur. Sugli alberi crescevano
le ghiande, il verde dell'erba si faceva piú intenso, e persino il canto degli uccelli si era alzato di tono, in onore della
rinascenza stagionale.

A D'Amblanc non sembrava affatto di trovarsi nel mezzo di una rivoluzione, in un paese in guerra con tutte le potenze d'Europa. Quel luogo era cosí diverso e lontano dallo
sconquasso parigino e ancora di piú dalla selvaggia asprezza
d'Alvernia. Inoltre lí poteva osservare all'opera il proprio
mentore, dopo tanti anni discutere con lui, magnetizzare i
suoi pazienti. Chastenet si dedicava a loro come un padre
avrebbe fatto coi propri figli. Aveva una parola per tutti ed
era ricambiato da un amore incondizionato. Il suo nome non
veniva quasi mai pronunciato, forse per l'imbarazzo dei domestici e dei villici su come appellarlo: non piú marchese,
non piú signore, e forse il semplice «cittadino» pareva loro
irriverente. Dunque Chastenet era soltanto «Lui». E non
c'erano dubbi sul fatto che Lui fosse il faro per le anime in
pena squassate dallo scompenso magnetico che si radunavano alla sua piccola corte.

La Francia restava fuori dei cancelli.

– Fu ciò che mi diceste anni fa, quando ci incontrammo a Parigi. Diceste che il bene avrebbe fatto la differenza. Che nessuno avrebbe potuto magnetizzare o sonnambulizzare qualcun altro senza il suo consenso, allo scopo di nuocergli. Lo dimostraste, ricordate? L'avvocato Bergasse intimò a una dama in sonno magnetico di togliersi i vestiti e lei oppose un categorico rifiuto.

– Ricordo, sí… – disse Chastenet, assumendo l'espressione vaga di chi si perde nel labirinto della memoria. – Che ne è stato di Bergasse?

D'Amblanc non si aspettava quella domanda, ma rispose senza esitare.

– Fuggiasco.

Chastenet annuí in silenzio. Tornò al presente e dedicò al dottore il sorriso lieve di sempre.

– E ora voi sostenete che il ragazzo rappresenterebbe la prova che mi sbagliavo.

Guardarono entrambi il sonnambulo Jean, gli occhi socchiusi, seduto sul sofà nello studio del terapista. Era pomeriggio, la luce entrava dalla portafinestra e illuminava gli oggetti sulla scrivania, rassicuranti nei loro contorni ben definiti. Un fermacarte, il calamaio, alcuni libri. Persino la sciabola appesa alla parete faticava a richiamare alla mente il caos della guerra e si sarebbe dato per certo che la lama avesse da tempo perso il filo.

Osservando Jean, per un istante D'Amblanc ebbe la visione del delfino, seduto nella stessa posizione, le mani sulle ginocchia, tanto composto quanto piú miserabile e stazzonato. Sentí nuovamente la rabbia per l'ignobile pantomima di Hébert. Scacciò l'immagine e poco mancò che vi aggiungesse un gesto inquieto della mano. Si trattenne e fissò ancora Jean. Indossava persino una giacca, per l'occasione. Essere magnetizzati alla presenza di Chastenet non era cosa di tutti i giorni. D'Amblanc aveva indotto il sonnambulismo da pochi minuti. Non poteva negare a sé stesso d'essere emozionato. Eccoli infine alla prova decisiva.

– Come intendete procedere? – chiese Chastenet.

D'Amblanc si schiarí la voce.

– Finora, ogni volta che Jean del Bosco è tornato in superficie sono riuscito a tenerlo sotto controllo sonnambulizzandolo e appellandomi a Jean del Castello, il ragazzino mite che avete davanti.

– Ne parlate come se fossero due persone distinte, – osservò Chastenet.

– In effetti lo sono, – disse D'Amblanc. – Una scaccia l'altra. Ora vorrei tentare di fare il contrario: portare in superficie il ragazzo selvaggio –. D'Amblanc indirizzò un lieve inchino del capo al padrone di casa e si posizionò davanti al ragazzino. – Jean, puoi dirmi cosa causa i tuoi attacchi di rabbia? – chiese.

Jean impiegò alcuni secondi prima di trovare le parole.

– La voce nella testa.

– Senti una voce? Di chi?

Silenzio.

– La voce del cavaliere d'Yvers?

Nel pronunciare quel nome, D'Amblanc ebbe un brivido. Rivide lo sguardo spiritato di Margot, la profetessa bambina, figlia dell'angelo che aveva messo incinta sua madre. Dovette respirare forte per impedire ai ricordi di alterare il suo stato d'animo.

– Sí, – rispose Jean.

– Che cosa ti dice quella voce?

L'espressione di Jean mutò, la faccia si contrasse.

– È come un verso… come un… cane.

Sollevò le mani per proteggersi da colpi invisibili.

D'Amblanc e Chastenet scambiarono un'occhiata fugace. Jean si accucciò, abbracciandosi la testa. Erano bastonate, non c'erano dubbi, e sembrava che le sentisse davvero. Iniziò a guaire, e poco alla volta il verso divenne il ringhio di una bestia ferita, un misto di odio e paura. Finché il ragazzino non spalancò le braccia e latrò il proprio furore.

Jean del Bosco era tornato.

D'Amblanc si rese conto di avere perso il controllo magnetico sul ragazzino, che saltò in piedi sulla sedia e da lí sulla scrivania. Il calamaio si rovesciò, lasciando colare fuori l'inchiostro nero.

– Mi credete ora? – disse D'Amblanc.

Chastenet appariva teso, l'espressione serafica era svanita.

D'Amblanc si avvicinò al ragazzino, le mani tese in avanti, nel tentativo di ristabilire il contatto magnetico, ma lui balzò sul mobile vicino alla parete.

– Potrebbe farsi del male, – disse Chastenet.

D'Amblanc annuí.

– È sufficiente immobilizzarlo e ristabilire la catena magnetica, per richiamare Jean del Castello. L'ho fatto altre volte.

In quel momento accadde qualcosa che D'Amblanc non aveva previsto. Jean allungò una mano e trovò l'impugnatura della sciabola appesa alla parete. Brandí l'arma e digrignò ancora i denti contro i due uomini.

Il dottore fece un altro passo avanti. Questa volta udí il sibilo dell'aria tagliata poco sopra l'orecchio.

– Credo sia meglio chiamare qualcuno a dare manforte, – suggerí, e mentre lo diceva si accorse di riconoscere a stento la propria voce.

Chastenet non fiatò. Si limitò a girare sull'altro lato della stanza, raggiungendo la porta sul fondo. La socchiuse e gridò un nome, finché un domestico accorse e ricevette un ordine.

Presto il domestico fu di ritorno e consegnò al padrone di casa una cassa di legno senza coperchio. D'Amblanc vide che conteneva sei strane bottiglie. Su un lato, tenuta in posizione da due ganci, c'era un'asta d'ebano con l'impugnatura in cuoio e un grilletto che sembrava quello di un fucile. Chastenet la agguantò. Due cavi la collegavano al contenuto della cassa, mentre all'estremità opposta aveva due punte metalliche, simili a chiodi.

– Un folgoratore? – chiese D'Amblanc incredulo.

L'altro non rispose e si avvicinò a Jean. La scena era grottesca. Sciabola contro bastone. Il ragazzo dei boschi contro il grande magnetista.

– Che intendete fare? – domandò D'Amblanc.

– Impedire che ci stacchi la testa, – fu la risposta secca.

Chastenet protese l'asta fino a toccare con la punta la lama della sciabola. Jean venne sbalzato all'indietro, sbatté contro la parete e cadde sul pavimento.

D'Amblanc si affrettò a soccorrerlo. Era cosciente, gli occhi sbarrati. Tastò il polso per controllare il battito. Quindi lo prese in braccio e lo depose sul divano.

– Jean? – chiese timoroso.

Il ragazzo strinse gli occhi.

– Sí, signore…

D'Amblanc tirò un sospiro di sollievo.

– Ti senti bene?

– Mi gira la testa, signore…

D'Amblanc gli passò una mano sulla fronte, poi si volse verso Chastenet che stava riponendo l'attrezzatura.

– Lo avete folgorato!

– A mali estremi, estremi rimedi. Un flusso elettrico improvviso può spezzare quello magnetico. Finora lo avevo sperimentato solo sui polli, ma…

Il dottore si alzò e si parò davanti a Chastenet. Si sentiva spaesato.

– E se gli aveste fermato il cuore?

L'altro si sforzò di recuperare l'espressione serafica.

– La carica delle bottiglie non era sufficiente, – sentenziò. – E poi io *non volevo* fargli del male.

– E dunque? Intendete dire che anche il fluido elettrico agisce secondo la volontà?

– Intendo dire che la volontà di fare il bene è la forza piú grande che vi sia nell'universo.

D'Amblanc scrollò la testa, mentre il suo maestro raccoglieva la sciabola per appenderla di nuovo alla parete. Quindi Chastenet richiamò il domestico e gli chiese di prendersi cura di Jean. L'uomo sollevò il ragazzino e lo portò fuori.

Rimasti soli, i due magnetisti tacquero per alcuni minuti, come dovessero raccogliere le idee dopo quanto avevano visto accadere sotto i loro occhi. D'Amblanc si massaggiò a lungo il costato.

– La vostra vecchia ferita? – chiese Chastenet.

– Che ci crediate o no, in Alvernia una bambina sonnambula è riuscita a farmi contorcere dal dolore.

Chastenet sospirò e fece alcuni passi per la stanza, prima di andarsi a sedere alla scrivania inondata d'inchiostro.

– Voi, dottore, date per scontate molte cose.

D'Amblanc s'irrigidí.

– Il cavaliere d'Yvers ha magnetizzato Jean. Ha plasmato la sua personalità fino a farne un aristocratico, poi gli ha ordinato di soffocarla per lasciare spazio alla piú bestiale ferinità. È un abominio.

Il padrone di casa tamponò la macchia d'inchiostro come meglio poteva, ma alla fine rinunciò a rimediare al disastro e con aria rassegnata si appoggiò allo schienale.

– È un'ipotesi. La *vostra* ipotesi, amico mio.

Nel tono di voce c'era una vena di scetticismo che irritò D'Amblanc.

– Ho visto con i miei occhi cosa ha fatto Yvers in Alvernia!

Chastenet alzò una mano in segno di pace.

– Avremo tutto il tempo di capire meglio. Jean è al sicuro qui. E lo siete anche voi.

– Io? Io sono venuto per sottoporvi il caso, – obiettò D'Amblanc.

– Certo. Ma siete anche molto stanco e scosso. Non negatelo, per favore –. Chastenet si alzò e fece segno all'altro di precederlo. – Andiamo a informarci sulle condizioni del ragazzo, volete?

D'Amblanc esitò, incerto sul proprio stato d'animo e su ciò che avrebbe voluto dire. Infine annuí rassegnato e si diresse verso la porta.

2.

Semisdraiata sul divano sfondato, Marie osservava il dipinto appoggiato sul pavimento, nel punto dove il soffitto era piú basso. Era appartenuto a Leclerc, che certo non aveva pensato di portarselo dietro, ingombrante com'era. Al centro della scena, la Francia, o la libertà, che è la medesima cosa, sembrava davvero imponente. Era vestita come una popolana, e lei sí, aveva il cappello frigio. Perché era un'idea, e rappresentava tutti, pensò Marie. Pensò anche a quando Jacques era ancora con lei. Le venne alla mente il pomeriggio di una lontana domenica di tre anni prima, quando a naso in su lei e Jacques avevano assistito all'ascensione di un pallone. Sulla navicella era appeso un tricolore. Il semplice fatto di tenere lo sguardo in cielo li aveva resi felici. Ricordava bene quel sentimento, cosí diverso da qualunque altro avesse mai provato prima: non essere piú sola, sentirsi parte di qualcosa di grande insieme all'uomo che amava. Quel giorno erano tornati a casa e avevano fatto l'amore, rimanendo poi sdraiati l'uno a fianco all'altra, senza parlare, soltanto ascoltando il proprio respiro. Il pensiero scivolò sull'ultima volta che aveva stretto a sé il corpo di un uomo, quell'italiano, Léo Modonnet, lo Scaramouche di Sant'Antonio. Si chiese che fine avesse fatto, trascinato via dalla risacca degli eventi, finito in fondo alla sentina o ancora a galla con la forza della disperazione.

Marie si scosse e cercò intorno a sé, fino a incontrare la figura di Claire, di spalle, seduta allo scrittoio. Lei volse la testa e accennò un sorriso. Era bella anche con il viso smagrito.

– Pensi che potremmo tornare alla vita di prima?

Invece di rispondere, Claire si alzò dallo scrittoio. La veste da camera, sdrucita e lisa, ricadde fino alle caviglie. Marie notò che aveva piedi piccoli, come quelli di una ragazzina.

– Ho un ricordo di tanti anni fa. Doveva essere il 1775, di primavera. I forni di Lione erano stati assaltati da una folla di malcontenti, di agitatori, come li chiamavano allora, che protestavano per il prezzo del pane. Ne portarono due alla forca e il popolo li lasciò appendere senza dire né fare nulla. Mentre li mandavano al patibolo, ricordo che quei due gridavano: «Vigliacchi! Noi moriamo per voi!»

Claire fece una pausa e Marie riconobbe in lei l'attrice.

– Per molti anni non ho capito il senso delle loro parole. Intendevano dire che era colpa della folla se li avevano condannati? Oppure che la colpa della folla era consentire che la sentenza venisse eseguita?

Claire sedette di fianco a Marie.

– Ora so che non si lamentavano di pagare per tutti, ma di vedere la gente a capo chino, dopo un brevissimo fuoco. Il pane non era che un pretesto.

Marie scosse il capo.

– Il pane non è mai un pretesto.

– Certo, lo ammetto, in quei giorni non avevo ancora provato la fame vera... Voglio leggerti una cosa.

Si alzò dal divano, attraversò la stanza e prese uno dei libri allineati su una mensola.

– Ecco, – schiarí la voce. – «Il popolo è floscio, piccolo, nano; si vede bene, al primo colpo d'occhio, che non si tratta di repubblicani».

Marie si incupí, poi comprese.

– Quando l'hanno scritto il libro?

– Nel 1783. E senti che dice qui: «A Parigi, la plebaglia si disperde davanti alla canna di un fucile». E anche questa: «I parigini, giammai profondamente asserviti, giammai liberi».

Marie ponderò.

– Il libro è tutto sbagliato.

Claire lesse ancora.

– «Il popolaccio, liberato dal freno a cui è abituato, s'abbandonerebbe a violenze tanto piú crudeli che non si saprebbe dove si fermerebbe».

– Questo è giusto, dico, – soggiunse Marie. – Non si sa dove si fermerà, il popolo.

Claire chiuse il libro e sbirciò fuori dalla finestra.

– Ricordo bene quegli anni. Ci si lamentava che nulla accadeva, e si pensava impossibile che qualcosa accadesse. Eravamo ciechi. E la cecità continua a ottenebrare gli occhi di molti. Chi guida il popolo, chi dovrebbe rappresentarlo, lo svia. Non so quanto tempo ci vorrà, Marie, perché noi si sia davvero libere. So solo che accadrà, prima o poi.

Marie annuí.

– Prima è meglio di poi. Che cosa faremo, Claire?

– Non lo so. Proveranno a farcela pagare in tutti i modi, Marie. In tutti i modi. Essere dentro le cose fino al collo accorcia la vista. Ci si lamentava che non accadeva nulla, in Francia, e si è messo il mondo sottosopra. A dispetto dei nostri casi, potrebbe essere prima, non poi.

Marie aveva alzato lo sguardo verso il soffitto.

– Mi piace qui, – disse.

Claire sorrise.

– Mi piace che tu sia qui, Marie.

Si abbracciarono. Marie sentí il corpo smagrito dell'amica sotto la veste da camera, ne percepí l'odore.

– Che cosa faremo? – chiese di nuovo.

– Andremo via, – disse Claire. – Lontano. Dall'altra parte del mondo.

Marie restò pensosa. Il sorriso di Claire si spense un po' alla volta e sfociò in un silenzio eloquente, che fu subito interrotto dal rumore di una raffica di tonfi sordi e di colpi piú netti sulla porta.

Marie scattò in piedi. Anche Claire si alzò, ma tornò a sedere subito, come se le gambe cedessero. Marie la guardò, muta, mentre da fuori chiamavano Claire Lacombe per nome e cognome e intimavano di aprire. Lei inspirò, poi si alzò lisciando con le mani il tessuto della veste sul ventre. Andò alla porta e, con tutta semplicità, aprí.

Gli sbirri si erano presentati in forze. I volti erano tesi, eccitati. Un funzionario, diversi agenti, un intero manipolo della guardia nazionale.

Il funzionario guardò all'intorno, nella stanza, poi lesse a voce alta, con una inflessione non parigina, il mandato d'arresto per la cittadina Lacombe.

Claire, pallida ma presente a sé stessa, chiese che le concedessero il tempo di vestirsi. Il funzionario replicò che la donna era in stato d'arresto e, fino alla consegna alle autorità competenti, doveva essere tenuta sotto custodia. Quindi poteva vestirsi, ma non appartarsi e sottrarsi alla vista neanche per un istante. Alcuni degli sbirri ridacchiarono. Marie fu invasa da una rabbia cieca. Il funzionario se ne accorse e le intimò di fornire le generalità e di mostrare la carta civica.

– Mi chiamo Marie Nozière.

Passò la carta al poliziotto con un gesto brusco, sgraziato.

– Marie Nozière, eh? Il tuo nome non è sulla lista, cittadina, a differenza dei tuoi sodali Pauline Léon e quel mestatore di Leclerc. Torna a casa, prima che sia troppo tardi, e ritieniti fortunata.

La ramanzina fece avvampare Marie.

– Voi state arrestando una patriota colpevole solo di agire per il bene di tutte le cittadine francesi!

Claire intervenne.

– Non serve che ti faccia arrestare anche tu.

Il funzionario avanzò verso Claire e la strattonò per un braccio.

– Appunto. Forza, vestiti!

Claire provò a sottrarsi alla presa e lo sbirro la tirò verso di sé, mentre un altro brandiva gli schiavettoni. I ferri produssero un rumore metallico, limpido. Marie si scagliò verso il funzionario che ancora teneva per il braccio Claire, ma prima che potesse raggiungerlo, un altro degli uomini della forza pubblica la spinse con un calcio nei glutei.

Marie rovinò a terra fra le risate degli sgherri.

Scoppiò a piangere per la rabbia e la frustrazione. Il funzionario alzò la voce.

– Cittadini, siamo qui nell'interesse del popolo e per rendere un servizio alla patria. Basta così, non c'è nulla da ridere nell'arresto di un nemico della Repubblica –. Indicò Claire.

– Questa donna è pericolosa, non c'è motivo di ilarità –. Poi si rivolse a Marie, ancora seduta a terra, in lacrime. – Bada a te e alle compagnie che frequenti.

Claire chiese e ottenne che almeno gli altri agenti volgessero lo sguardo alla parete. Il funzionario di polizia invece tenne gli occhi su di lei, ligio alle consegne.

Marie si alzò e aiutò Claire a vestirsi. Sembrò un tempo eterno. Dalla strada giungevano voci, andava formandosi un capannello di curiosi.

– Non piangere, – sussurrò Claire. – E ricordati: prima o poi.

– Silenzio! Sbrigatevi, – intimò il funzionario.

Marie si sentí triste come in nessun altro momento della vita. La sua amica, la sua compagna, le veniva strappata. Fu certa che non l'avrebbe piú rivista, le avrebbero fatto fare la stessa fine della De Gouges, e dovette fare uno sforzo immane per trattenere altre lacrime. Sistemò un foulard attorno al bel collo di Claire, come avrebbe fatto con una figlia. Claire aveva ripreso colore, e sembrava piú decisa, ora, piú serena.

– Eccomi pronta, cittadino, – disse allo sbirro. – È un abuso e un'ingiustizia, e tutti voi lo sapete. Fingere che non sia cosí è un danno che fate soprattutto a voi stessi.

Il funzionario fece un gesto come un breve applauso.

– Già. L'attrice Claire Lacombe. Vediamo come affronti il prossimo palcoscenico.

Claire uscí attorniata dalle guardie. La gente presente all'arresto seguí l'operazione in silenzio, a parte qualche commento l'uno all'orecchio dell'altro.

Il drappello e la prigioniera si avviarono. Marie li seguí a qualche passo di distanza. Claire si voltò e le parlò a voce piú alta.

– Prima o poi, Marie Nozière. Prima o poi.

Allora Marie si fermò, e si prese la testa fra le mani.

3.

Non si può dire che la sfida con l'olezzante-di-muschio occupasse tutti i suoi pensieri. In realtà, a risuonare nel cranio erano pensieri a nastri, a ciocche, a ridde e tresconi, pensieri vari, mutevoli, triviali o elevati, cacofonia che mischiava stridori e angeliche melodie. Castelli di note sublimi, scivoloni fuori tonalità, brusii, rumori di fondo, immagini a pezzi e frammenti. La faccia di Jean-Do, prossimo avversario, ad attirare voti di vendetta, *zirudèle* di scherno, freddi piani di battaglia.

Léo si era informato. Le mani nude erano il suo terreno favorito. La merda muschiata aveva preso lezioni da Bernard Macchia, uno dei maestri d'arme che sulla strada, dopo la chiusura delle sale ufficiali, aveva saputo attirare a sé una variopinta congrega di teppisti. Macchia era di Marsiglia e aveva portato al Nord lo stile di combattimento dei marinai del Sud, basato sui calci alti, anche alla testa. Lo soprannominavano Bernard la Rana. Era un pericoloso, vecchio cane da combattimento. Si diceva che sarebbe stato presente alla disfida: gli piaceva scommettere.

Lo sai te cos'è che capita a chi si sente troppo sicuro di sé? Finisce con la faccia spaccata se gli va bene. Non sarai mica uno di quei maronari che gli piace sul serio fare a pacche?

Se avesse avuto dei baiocchi, Léo non avrebbe esitato a scommettere su sé stesso. Se avesse avuto soldi veri, non assegnati. Ne sarebbero bastati pochi: l'entità del successo dipendeva da quanta gente avrebbe scommesso, non dalla posta iniziale, e Léo sapeva coinvolgere il pubblico.

Ascolta, bisogna che capisci bene che si alzan le mani solo per difendersi o per lavoro, come me quand'ero nei soldati.

In realtà, non si curava del denaro. Il punto era l'onore. E, in fondo al cuore, l'odio per quella strana forma di vita che puzzava di finto profumo da ricchi.

Di nuovo, gli tornò alla mente Mingozzi, la sua figura nodosa, i capelli bianchi corti, gli occhi grigi da cane, mani esageratamente grandi, le nocche in rilievo. Mingozzi amava bere e mangiare, ma solo in compagnia. Per il resto, era parco in misura estrema. Amava il pesce di fiume, le trote che venivano dai monti dietro Bologna.

Trote alla brace. Ne sentí l'odore insieme a tutta la distanza che lo separava da casa.

Ma occorreva muoversi. Con gli assegnati che aveva, contava di procurarsi dell'acquavite e del vino. Nelle pause, specie se il combattimento andava per le lunghe, era buona cosa tracannare un buon sorso di vino e un sorsetto di distillato. Il vino per dissetarsi, l'acquavite per sentire meno le pacche.

Quando l'avevano cacciato dal ristorante, Léo era tornato a dormire sotto Pontenuovo, e per fortuna che la primavera avanzava. Un paio di notti all'addiaccio gli avevano già messo la luna storta ben bene. La scritta «Vive la Trance» non c'era piú. Qualcuno doveva averla cancellata, o forse era stata un parto della sua immaginazione nutrita dalla fame.

«Nutrita dalla fame», mica male come frase. Anche meglio di «Vive la Trance».

Prima di risalire i gradini che portavano sul ponte, Léo estrasse dalla bisaccia mezzo pane nerastro, colloso. Il pane dell'uguaglianza era di grano (poco), avena (un po' di piú), gesso, calcinacci e segatura (in abbondanza). Si diceva che, tirato contro il muro, vi rimanesse appiccicato. Léo non ne aveva mai avuto esperienza diretta. Poco furbo tirare del pane contro un muro, ma era una cosa che si diceva accadesse. Il pane dell'uguaglianza faceva schifo, ma era quel che c'era. Per l'incontro, gli avevano detto che doveva portarsi un secondo, ma Léo non aveva piú nessuno.

– *S't vû èser bän sarvé cmanda e pò fà té*, – mormorò, poi intraprese la salita.

Sul ponte incontrò il bergamasco, Rota. Si portava ancora dietro il carretto dei libri, anche se dall'ultimo che aveva venduto era passato chissà quanto. Degli ambulanti, ormai era rimasto soltanto lui.

Léo ebbe l'intuizione.

– Va bene, bolognese, – disse il libraio. – Io ci sto, a venirti a vedere mentre fai a pugni. Solo che, con rispetto parlando, in due giorni ho mangiato una fetta di pane con una saracca sopra, sola, rinsecchita, sembrava piangesse di solitudine, chiedeva pietà. Io non ne ho avuta, si intende. Quindi, io vengo, ma devo mettere qualcosa nella pancia. Sacco vuoto non sta in piedi. E bere pure qualcosa, cosí mi metto allegro e mi godo le pacche.

Léo gli disse che era messo peggio di lui, ma in tasca serbava ancora qualche assegnato, poco piú che carta straccia. Di sicuro, alla barriera dei combattimenti avrebbero trovato qualcosa da mangiare.

– Dammi solo il tempo di portare il carretto in deposito, è a dieci minuti da qui.

Léo acconsentí e i due si avviarono lenti, l'ex attore davanti, lo zoppo dietro con la sua libreriola.

Mentre lo portavano via, l'uomo sulla lettiga inveiva e malediceva la sfortuna. Léo si stupí della sua veemenza, perché era davvero conciato male. Sembrava passato attraverso una ruota di mulino. Tutta la pelle in vista, faccia e braccia e mezza gamba, era coperta di escoriazioni. Si allontanava dalla scena della battaglia che lo aveva visto transitorio protagonista, un decadí del mese di fiorile.

– Ecco uno che ci ha rimesso il valsente, – disse Rota.

Léo pensò che il denaro, quello sí, è un demone. Lo sfortunato combattente avrebbe fatto meglio a preoccuparsi d'altro. Avrebbe cagato sangue per giorni, dal gran che l'avevano pestato.

Lettiga, barellieri e infortunato passavano tra le ali di una piccola folla. Alle loro spalle, nei prati a ridosso delle mura, c'erano capannelli, accrocchi, brigate di uomini e donne. I volti e le taglie erano una dissonante Babele. Léo notò individui di tetra bruttezza ed esseri che sembravano piovere da un altro cielo, spalla a spalla. La barriera dei combattimenti era un'occasione per sfogare le tensioni di una vita fatta di fame e incertezze.

Il cibo scarseggiava. Il popolo aveva idee contrastanti sulle cause della fame. La tipica risposta: «C'è chi monopola, imbosca, lucra e si sazia!», sembrava sempre meno soddisfacente. Il popolo la sua legge contro i parassiti l'aveva avuta, ma la situazione non era migliorata. Gli odori che accolsero Léo non avevano alcuna parentela con il buon cibo. Odore di cavolo bollito. C'era un vinaio, attorniato da congreghe dall'aria trista, e un venditore di formaggio che puzzava di culo d'asino. Il formaggio. E anche il venditore.

Ciò non impedí a Rota di andare a bagnarsi il becco e prendersi un boccone, che desse compagnia alla saracca del giorno prima.

Il *bouquiniste* si fermò anche a dare un'occhiata oltre la piccola folla pronta ad assistere a una delle sfide, e provò a scommettere l'ultimo assegnato. A gesti, il tizio che raccoglieva le scommesse fece capire che no, si potevano puntare solo soldi veri. O roba, tipo gioielli, orologi, catenine. Il vec-

chio fece un dietrofront macchinoso, sventolando a mezz'aria
la gamba sciancata in un movimento simile a quello di una
porta che gira sui cardini.

Intanto Léo osservava, ascoltava. La gente era divisa in
bande, per foborgo e quartiere, cioè per ceto e dunque fazione politica. Le zuffe erano frequenti. I gecchi facevano
il possibile per giungere sul teatro dei confronti agghindati
al meglio. I vestiti avevano uno scopo e un senso. Se non li
avevi ed eri coperto di stracci o quasi, la tua appartenenza era
dubbia. Chissà se eri nato povero o se era stata la rivoluzione
a impoverirti. Chissà a chi ti saresti venduto. Gente vestita
di stracci, a parte i mendicanti, alla barriera non ce n'era.

Il corso dei pensieri fu interrotto dai sensi. Odore di muschio.

Man mano che l'odore si intensificava, montò il fitto
chiacchiericcio di una congrega. I muschiatini di Palazzo
Egualità in tutta la loro pacchiana, arrogante magnificenza.

Stavano al gran completo e nel miglior arnese possibile, le
giacchette striminzite ridondanti di bottoni e brillii, l'andatura chissà perché curva in avanti, sulle punte delle scarpe,
in testa tricorni assurdi che imitavano quelli di antica foggia, bastone da passeggio o randello alla mano. Si muovevano compatti, lanciando sfottò e occhiate svagate.

La formazione dei muschiatini si aprí, disponendosi in un
bleso, vociante anfiteatro fetente di muschio. Léo udí la piccola folla che andava aggruppandosi attorno al campo della
futura disfida mormorare i nomi dei muschiatini piú noti,
o famigerati. Léo vide il suo avversario, già a torso nudo.
Jean-Dominic. Torso nudo e monocolo: Léo non aveva mai
visto una tale combinazione.

Il muschiatino avanzò di un passo, mentre il ventaglio dei
suoi zittiva quasi di colpo.

Léo lo accolse con garbo.

– Puzzi come una troia.

Il muschiatino sorrise, mentre i suoi scoppiavano a ridere preventivamente. Quando la risata si placò, Jean-Do articolò meglio che poteva la risposta.

– Ma è inc'edibile, mio ca'o, la coincidenza. Giungo o' o'a da casa tua. Tua mamma e tua so'ella dicono di non fa'ti del male.

Léo avvampò, non perché si chiamasse in causa la mamma (la povera ragazza Modonesi morta mettendolo al mondo), ma perché si era reso conto che la sua battuta aveva fatto acqua chiara, offrendo il gancio all'avversario per farne una migliore. Léo si maledisse. Si ripromise di farlo uscire dal campo in lettiga, lo stronzo.

Si tolse la giacca e la affidò a Rota. Si guardò intorno. La folla sente subito se c'è aria di pacche serie. E il carisma di un buon attore zittisce le platee piú riottose. Non volava una mosca. Léo inspirò profondamente. Era di nuovo sul palco.

La gente aveva già cominciato a scommettere, utilizzando un codice di gesti che Léo conosceva appena. Qualcheduno prese a inveire contro i muschiatini, augurandosi giusta pena per le loro malefatte.

Léo notò che tra i muschiatini c'era un tipo piú anziano. Sedeva su uno sgabello, ed era vestito come un garzone di bottega invecchiato, con assoluta noncuranza. Mangiava a morsi una cipolla e beveva della birra. Doveva essere Bernard la Rana. Léo si sentí onorato. Prese l'acquavite e ne bevve a piccoli sorsi, guardando di sottecchi l'avversario. Il muschiatino, dopo un'esitazione, chiamò il suo secondo e bevve a sua volta.

Léo sorrise. Jean-Do si tolse la lente dall'occhio e l'affidò al suo secondo, poi si piegò sulle gambe e si risollevò ponendo le braccia in posizione di guardia: testa indietro, peso sulla gamba posteriore. Era una di quelle guardie, busto arretrato e pugni chiusi portati in avanti, che Mingozzi chiamava «all'inglese», anche se non era mai stato in Inghilterra, no sicuro, e dalle parti della laida Bologna Inglesi se ne vedevano ben pochi.

Fu dato il via al combattimento.

Léo si avvicinò piano, in guardia di tre quarti e braccia basse. Studiò i lineamenti dell'avversario, incorniciati da capelli lunghi, radi, biondastri, inanellati. Tratti regolari, fin troppo, labbra carnose piegate in un'espressione di malessere e minaccia infantile. Gli occhi acquosi, blu, sporgenti, quasi da idropico.

Malauguratamente, uno divergeva.

Jean-Do era strabico. Léo non se n'era mai accorto prima, per via del monocolo. Bestemmiò in silenzio, offendendo solo il foro, riunito, della propria coscienza.

E se on l à i ûc' stôrt, brisa guardèrel!

Se l'occhio destro guarda in fuori, ti può assestare un diretto destro.

Se guarda in dentro, occhio alla sventola e al manrovescio.

Se si mandano a fare in culo l'uno con l'altro, occhio al centro.

Se guardano la punta del naso, occhio ai lati.

Èt capé, marunèr?

Léo fintò un calcio basso. Jean-Do sollevò la gamba, sottraendola all'indietro. L'olezzante individuo sorrise. Sudava già, mandando odore di muschio fradicio. Con la stessa gamba lanciò un calcio di mezza staffa, uno *chassé*, come lo chiamavano. Era abile, movimenti precisi. Poi avanzò a due mani, menando sventole e manrovesci che Léo riuscí in gran parte a schivare. In gran parte. Mica tutti. Una sberla lo colpí allo zigomo sinistro. Dolore. Ci voleva altra acquavite. I due si fermarono e si studiarono. Attorno, la gente scommetteva.

Dalla folla si alzò un ululato di incitamento. Volevano il sangue. I combattimenti in punta di fioretto erano poco graditi da quando facevano andare Madama Ghigliottina come una spola da telaio. Anche Rota, contagiato dall'umore della plebe, incitò Léo:

– Accoppalo!

La battaglia riprese. Il muschiatino provò una tecnica piú lunga, stendendo il braccio di scatto e cercando di ferire Léo agli occhi con la punta delle dita. Léo arretrò di un pollice e il colpo tornò indietro innocuo... ma non il successivo: la punta della scarpa destra, che Léo non aveva visto partire, raggiunse il torace, scuotendo le costole vicino allo sterno. Il muschiatino ci aggiunse una manata larga, che colse Léo mentre stava arretrando, i polmoni svuotati dal calcio. Vacillò ma si resse in piedi, fuori dal raggio dei colpi. Non andava affatto bene, pensò.

Di nuovo uno di fronte all'altro. La gente, intorno, si azzittí o quasi. Si udiva solo un brusio. Scambiavano pareri all'orecchio, e poi scommettevano. Partirono insulti verso l'uno e l'altro dei contendenti – «Italiano di merda!», «Fammi una pompa, inve'tito!» – e allora la folla riprese a sgolarsi, come svegliatasi a un preciso segnale.

Jean-Do era in vantaggio ma aveva poca pazienza. Sentiva la pressione. Le ingiurie lo infastidivano. Si lanciò all'assalto con un balzo, raggiungendo Léo al volto con un ceffone. Guardia inglese, ma niente pugni. I pugni erano rischiosi. Coi pugni si rompono le mani sulle ossa, in genere una zucca è piú dura delle nocche.

Ciapla te, coi pògn, la zoca d'un mudnais.

Vaffanculo, pensò Léo. Con entrambe le braccia cinse Jean-Do sotto le ascelle, lo sollevò e lo gettò a terra. La folla urlava. Léo montò sopra il muschiatino, ginocchia sulla pancia, e prese a tempestarlo di colpi. Alcuni lo stronzo li deviava, li parava, li ammortizzava con le mani, ma molti lo raggiungevano. Léo sentí le ossa della faccia sotto i pugni. *Ciapla te, la zoca d'un mudnais.* La folla incitava l'attore italiano. Léo sorrise e alzò lo sguardo, per bearsi di quell'approvazione. Jean-Do ne approfittò: dalla foresta di braccia emerse un colpo perfettamente verticale, che colse Léo in pieno mento e per poco non gli mozzò la lingua. L'attore sputò sangue. Il grido della folla sembrò rimbalzare sulla volta del cielo e ricadere con rumore di grandine. Il muschiatino dette un colpo di reni, disarcionò l'avversario e la situazione si capovolse. Toccò a Léo difendersi dai colpi che gli calavano sulla faccia.

Bravo, Leonida, bravo.

T'î prôpi un paiâz.

Lingua dolorante, fiato sempre piú corto, braccia pesanti, volto raggiunto sempre piú spesso dalle nocche e dal taglio della mano del muschiatino. Una mano dura come il marmo, come il travertino.

Ciapla te, coi pògn, la zoca d'un mudnais.

Léo chiamò a raccolta ogni energia e sollevò la testa all'improvviso. Dove un istante prima c'era la faccia, adesso c'era il cranio duro dell'italiano. Troppo tardi perché il muschiatino potesse fermare il poderoso destro che aveva appena caricato a tutta forza. Il pugno colpí poco sopra la fronte. A denti stretti, Léo sostenne l'urto e il dolore, mentre si udiva un rumore al tempo stesso flebile e secco, come di un guscio d'uovo che va in frantumi. Jean-Do gemette forte.

La mano di travertino si era rotta sulla testa di Leonida, l'attore, il guitto.

Di nuovo la situazione si capovolse: Léo sopra, Giando sotto. L'azione, tuttavia, era piú lenta. Il muschiatino aveva una mano fuori uso, ed entrambi i lottatori erano stremati.

Di sottecchi, Léo vide che Bernard la Rana scuoteva il capo e rideva. Perché? I muschiatini si agitavano, inveivano, sollevavano i bastoni da passeggio.

Léo chiamò a raccolta gli ultimi residui di vigore e calò sul volto dell'olezzante un paio di ganci terribili, sinistro-destro, che fece sussultare gli astanti come un sol uomo.

Jean-Do aveva perso conoscenza. Il combattimento era finito.

Nel silenzio, si udí solo la risata di Bernard la Rana.

Poi il grido di Rota:

– Síííí!

Soltanto allora Léo si ricordò che c'era anche lui.

Si levò in piedi, mezzo stordito, svuotato. I muschiatini ruggivano, la folla li spintonava, partirono alcune bastonate. Bernard la Rana urlò qualcosa, due uomini raccolsero Jean-Do e lo portarono chissà dove.

Bernard la Rana finí di contare i soldi, poi si alzò e prese lo sgabello per una gamba. Aveva scommesso su di me, pensò Léo. Incredibile.

Si accorse che molti, fra gli astanti, lo avevano riconosciuto. Gente di Sant'Antonio. Ricevette sguardi d'approvazione e di intesa. Ma ora, mentre il fiatone scemava, si accorse del dolore alle costole. Forte. Piegò le gambe, i palmi sulle ginocchia, e lasciò cadere la testa tra le spalle prendendo fiato.

Sentí una mano posarsi sulla spalla.

– Tutto bene, italiano? – chiese una voce dall'accento marsigliese.

– Sta peggio quell'altro, – rispose Léo, senza nemmeno rialzare il capo.

La Rana gracidò da baritono. Era di ottimo umore.

– Sei un signor pugilatore, come ti chiami?

– Léo Modonnet.

– Io e te dobbiamo parlare.

– Perché no? – disse Léo mentre si rialzava in piedi.

– Benone. Vieni con me, andiamo a bere qualcosa che non sappia di merda.

Léo guardò Rota, come per estendere l'invito, ma il libraio scosse la testa.

– Io torno a prendere il mio carretto. Qui mi son divertito, ma la panza brontola ancora. Devo provare a vendere i miei *buchén*, se ci riesco! – E rise di gusto. In bocca aveva solo tre o quattro denti. – Buona fortuna, bolognese.

– Grazie, bergamasco, spero di rivederti.

– Spera di no! Se mi rivedi, vuol dire che sei tornato a Pontenuovo.

Léo guardò il vecchio allontanarsi, dondolante sulla sua gamba storpia.

– Dunque? – fece Bernard.

– Andiamo, – disse Léo, e insieme, muovendosi lenti, attraversarono lo spazio nuovamente invaso dai rumori della barriera dei combattimenti. Richiami intristiti di venditori, risate, invettive, grida di scommettitori, uno strillone che commentava le notizie sul giornale, frammenti di canzoni politiche, canzonacce… e canzoni che erano entrambe le cose.

Nel silenzio bucato dai rumori, Léo vide che il cielo era screziato di nubi a fiocchi, a stracci biancastri, a ricami, a viluppi.

4.

La fine dell'inverno non volle dire la fine della fame.

Il pane dell'egualità, già te lo si è contato: se quello era pane, allora le bovarde sono budini al cacao, ma almeno era un masticone che ci potevi riempire la strozza, non ti stecchiva, e il mattino dopo, con la tua brava cartolina, andavi dal fornaio e avevi diritto a un'altra razione. C'erano delle femmine che per averne di piú, di quell'impiastro, si mettevano una padella disotto al vestito e dicevano d'essere incinte, e altre ancora che facevano le finte gravide per evitare le botte, ché ormai le code per accattare il mangiume erano i posti piú violenti dell'intera città.

Poi a un certo momento è sparita la carne. Non ce n'era piú in tutta Parigi, manco a Palazzo Egualità. E gli operai, i carrettieri, i facchini – tutta la gente che fa uno sgobbo di fatica lontano dalla magione – han cominciato a dire che loro, senza un pranzo di carne, non avevano manco la forza di lavorare.

E intanto, sulla via di Vincennes, capitava spesso che la gente del foborgo fermava il carro di un villano e lo costringeva a vendere le uova *hicetnunc*, al prezzo massimo stabilito. E il villano ti ripeteva sempre la stessa manfrina, e cioè che lui, la settimana prima, aveva venduto cento uova e ci aveva comprato trenta candele. Solo che adesso, con quella stessa cifra, di candele se ne compravano venti, e allora o si faceva il *maximum* generale totale – per i vestiti e per le scarpe, per il carbone e per la birra – oppure lui a Parigi non ci metteva piú piede.

E noi a dirgli sí, quanto ci hai ragione, ma intanto che sei venuto, vendici le uova al prezzo che ti si dice e vedi pure di darti una smossa.

Tu ti chiederai perché stiamo a menarla adesso, ché la fame ormai la si è patita e se non ci s'è ribellati al tempo giusto, non è il rimpianto di oggi che darà da mangiare ai noialtri di allora.

Ma c'è dei momenti che la panza ti fa devoto di Santa Insurrezione, e dei momenti che no, perché lo capisci da solo che per quanto strilli, c'è poco da cavarne: hai avuto il *maximum*, hai avuto la legge contro i monopolatori, hai il rasoio nazionale che spaventa i gianfotti come i fantocci per i passeri che beccano il grano, hai il giardino del Lussemburgo trasformato in orticello, che altro t'inventi per mettere insieme la cena? La fila dal macellaio, non quella davanti alle Tegolerie per mandare via certuni e farne venire certaltri che dicono d'essere piú bravi.

Ecco perché nessuno è andato dietro a Hébert, quando s'è messo a dire e a scrivere che ci voleva una rivolta contro la Convenzione e che si aveva bisogno di un dittatore che riportasse l'abbondanza.

A dirla tutta, «Il Papà Duchesne» ci aveva pure un po' rotto il cazzo, e certe spesse volte, leggendo il giornale di quel suo gran nemico, «Il Vecchio Cordigliere» di Camillo Desmoulins, ci si scopriva a far di sí con la testa, specie quando scriveva che per un sanculotto la vera rivoluzione non è rimanere sanculotto, cioè senza brache, o portare gli zoccoli per risparmiare il cuoio e farci gli stivali da dare all'armata. La vera rivoluzione dovrebbe dire al popolo: vi ho trovato sanculotti e vi ho culottati. Invece Hébert, sul «Papà Duchesne», aveva passato almeno due mesi a contarci di quanto gli piaceva il sanculotto Gesú, il primo giacobino della storia, uno che ai poveri ci voleva bene.

Cosí quando Hébert s'è svegliato e ha chiamato la rivolta, s'è ritrovato da solo con i suoi pochi amici. Li hanno arrestati, li hanno accusati, li hanno mandati a chiedere l'ora al vasistas, e nessuno ha mosso un muscolo, se non la lingua, per domandare notizie di come andava il processo e poi raccontarlo in giro.

S'è detto che la carestia era colpa del barone di Grèche, che pagava i villani per tenere la ciccia lontano da Parigi, e che il barone era d'accordo con «Il Papà Duchesne»: io ti affamo il popolo e tu lo inciti ad abbattere la Convenzione e a mandare in vacca la Repubblica.

Hanno fatto pure una grossa inchiesta, per demascare il complotto, ma l'unica cosa che hanno scoperto è che di complotti non ce n'era uno soltanto, ce n'erano migliaia, migliaia di piccoli micmac di piccoli contadini e bottegai e sanculotti che non rispettavano la legge sul massimo, piú qualche profittatore che faceva i soldi con il mercato nero.

Allora s'è detto che il barone aveva messo in piedi pure un altro complotto, quello della liquidazione della compagnia delle Indie, un brutto casino che non te lo stiamo a spiegare, ma insomma 'sto qua aveva corrotto alcuni deputati, apposta per infangare tutta la Convenzione, di modo che Hébert potesse incitare il popolo ad abbatterla e a mandare in vacca la Repubblica. Ma anche qui, non è che siano venute fuori delle prove schiaccevoli. E allora vaffanculo, niente barone, si son tolti la spina dal piede. Hanno accusato Hébert di aver incitato il popolo a rovesciare la Convenzione, e buonanotte all'orchestrina.

Fatto fuori lui, pareva che la battaglia l'avevano vinta san Giorgiacco Danton, il patrono dei bottegai, e l'amico suo fedele Camillo Desmoulins.

Invece fa tempo appena a passare una decade, ed ecco che Danton è sotto processo, Saint-Just lo accusa e Robespierre si domanda se la Francia sarà bastante coraggiosa da abbattere un vecchio idolo, ché oramai dentro è tutto marcio e verminoso.

Anche lui lo tirano in mezzo a una faccenda di quattrini, dicono che ha preso i quibus della compagnia delle Indie e pure quelli di Luigino e degli Orléans. Ma a buon gatto, buon ratto: con la sua parlantina da legale, Danton restituisce colpo su colpo, pare un lottatore alla barriera dei combattimenti.

E va bene che i vermi e il marcio cominciavano a puzzare anche da fuori, va bene che Danton voleva far la pace

con l'aristocrazia, ma per i noialtri di allora era pur sempre
l'eroe del 10 agosto. Lascia stare che adesso dicono che lui
manco c'era, per strada, il 10 agosto: non è una questione di
giorni. La questione è che Danton significava la Repubblica, e a vederlo col collare Corday faceva davvero una brutta impressione.

Eppure, anche lí, nessuno s'è mosso. Il giorno dopo siamo
tornati in fila dal macellaio, a dirci che oramai quel rotolare
di teste ci aveva dato l'abitudine, e per farci venire la bocca
tonda e il brivido giú per la schiena ci voleva qualcosa di
piú grosso, qualcosa di enormissimo, tipo che pisciassero
sulla tomba di Marat, o tagliassero la zucca a Robespierre.

5.

Scrutando con ansia il cortile interno, Philippe Pinel pensò
a quanto le cose possono cambiare nel volgere di brevi stagioni. Questo era vero prima del 1789, e lo era in misura ancora
maggiore in quel duodí dell'anno III. Eppure, mai si sarebbe aspettato di dover rivedere alcuni capisaldi delle proprie
conoscenze a causa di una terapia come quella di Mesmer.

Per due lunghe settimane aveva consultato i testi piú
aggiornati, in cerca di casi analoghi e ipotesi plausibili. Si
era anche riletto la famosa relazione contro il fluido magnetico, stilata da illustri accademici quando la Francia
non era ancora Repubblica. Suggestione, avevano decretato allora Lavoisier, Franklin e compagni. Il convincimen-
to di essere guariti scambiato per vera guarigione. Ma la
semplice suggestione non bastava a chiarire come un uomo
possa convincere cinquanta alienati a eseguire il suo volere
e a non desistere nemmeno sotto le percosse, come automi
caricati da una molla, per di piú infrangibile.

Alla fine, si era dovuto arrendere: fra le mura di Bicêtre era accaduto un fatto nuovo. Un fatto che si poteva comprendere ricorrendo a una teoria caduta da tempo in disgrazia. Sempre che, al di là della voga dei salotti, il mesmerismo avesse mai convinto qualcuno.

Pinel si corresse. Quell'osservazione era imprecisa. Negli anni prima della rivoluzione, in effetti, il mesmerismo aveva sedotto fior di intelletti, non solo signore annoiate o isteriche. Bisognava ammetterlo. Uomini come Bergasse, come il conte D'Artois, come Lafayette. Nemmeno dopo il parere di quella commissione scientifica, nemmeno dopo che Mesmer se n'era tornato in patria portando con sé il frutto in denaro sonante di cinque anni di traviamento collettivo, nemmeno allora il mesmerismo era sparito del tutto. Quell'epoca recente aveva prodotto lasciti, bisognava ammettere anche questo. Se i medici parigini sperimentavano l'uso terapeutico dell'elettricità, lo si doveva piú a Mesmer che a Luigi Galvani.

Cosí, eccolo allo scrittoio, davanti a un foglio bianco. La lettera che doveva scrivere era la richiesta di una consulenza. Meglio, era una richiesta d'aiuto.

La persona a cui si rivolgeva gli era nota, un dottore devoto alle dottrine di Mesmer. Orphée d'Amblanc, si chiamava. Avevano avuto una corrispondenza, anni prima, a proposito del cosiddetto magnetismo animale. Quell'uomo era riuscito a contrapporre al suo scetticismo alcune argomentazioni interessanti. Si augurò che abitasse ancora allo stesso indirizzo e intinse la penna nel calamaio.

Stimato dottor D'Amblanc,
  spero che questa lettera vi trovi in buona salute e in buona disposizione d'animo. Perdonatemi se non mi dilungo in formule di cortesia e vengo subito alla ragione per cui vi scrivo.

Ricorderete senz'altro lo scambio che intrattenemmo riguardo alla teoria del magnetismo animale, e rammenterete anche il mio scetticismo.

Da alcuni mesi svolgo l'incarico di medico dell'infermeria di Bicêtre. Ebbene, alcuni fatti accaduti tra queste mura mi spingono a riconsiderare la mia posizione di un tempo.

Uno dei convittori dell'ospedale si è dimostrato in grado di suggestionare gli alienati, anche piú d'uno alla volta, per sottometterli al suo volere e addirittura comandarli a distanza.

Vorrei fornirvi i dettagli di persona, perciò vi invito a raggiungermi qui, per conferire con me ed esaminare il caso.

Le vostre conoscenze in questo campo superano di gran lunga le mie e quelle di tutte le persone che conosco.

Spero dunque di poter contare sulla vostra competenza e sul vostro aiuto.

Pinel rilesse con attenzione, scandendo a mezza voce alcuni passaggi. La missiva era concisa, diretta. Tra le righe, filtrava la preoccupazione che lo agitava da giorni. Non conosceva bene D'Amblanc, ma da ciò che si diceva di lui e dai ricordi della loro antica frequentazione, non sembrava uomo da tirarsi indietro di fronte a una richiesta d'aiuto e a un'occasione di ricerca scientifica.

Pinel chiuse la lettera, vi appose un sigillo, si alzò dallo scrittoio e tornò a guardare fuori.

Il cortile era spazzato dal vento. Si alzavano nubi di polvere.

Osservazioni mosse al dipartimento dei Lavori pubblici dai cittadini GILLET, *commissario di polizia della sezione sulla via di Montreuil;* ALMAIN, *della sezione dell'Indivisibilità; e* PASSOU-NAUD, *della sezione di Quindici Venti, del foborgo di Sant'Antonio, dove dal 26 pratile, sulla piazza del Trono Rovesciato, si fanno le esecuzioni e inumazioni dei condannati dal tribunale rivoluzionario.*

1. Sulla piazza dell'esecuzione si è scavato un buco di circa una tesa cuba, dove scola il sangue dei suppliziati e l'acqua con la quale si lava il posto. Questo buco è pressocché pieno e manda un odore pestifero del quale tutti coloro che abitano sottovento si lagnano grandemente. Conviene coprire questo buco e farne un altro accanto, piú profondo, fino a incontrare una terra capace di assorbire il sangue.

2. Dalla piazza dell'esecuzione al cimitero di Picpus non esiste altro che un percorso lungo il muro di cinta, il quale, non essendo pavimentato, è impraticabile, specie per il nuovo tipo di carri che trasportano i cadaveri; questi carri, avendo ruote troppo basse, si piantano nella sabbia e la terra smossa li blocca, a prescindere dal numero di cavalli che gli si può attaccare. Converrebbe far pavimentare uno stretto cammino, lungo questo muro, per una lunghezza complessiva che può essere valutata in duecento tese superficiali di pavé.

3. Nel cimitero è del tutto impossibile verbalizzare, il piú delle volte di notte, all'aria aperta, alla pioggia o quando il vento impedisce di tener acceso un lume. Poiché nel suddetto cimitero esiste una grotta, si tratterebbe di metterci giusto due infissi e di chiudere la detta grotta con una porta. Allora si potrà redigere al coperto la lista esatta degli effetti personali del suppliziato; si potrà lasciare là il registro, sopra un tavolino, e tenervi l'inchiostro, la penna e una luce. L'intera spesa di tale chiusura non arriverà mai a cinquanta lire, mentre una sola redingote dimenticata può diventare una perdita di cinquanta lire per la nazione, e quando piove o c'è vento ne possono davvero scappare parecchie.

A Parigi, questo 21 messidoro, l'anno II della Repubblica francese, una, indivisibile e imperitura.

FIRMATO

Gillet
Almain
Passounaud detto Treignac

Il mondo si arbalta
Luglio 1794 (termidoro, anno II)

1.

Decade I, giorno della mora, nonidí di termidoro dell'anno II della Repubblica.

Che poi sarebbe il 27 luglio. Nove stronzidí a travagliare in attesa del giorno di festa, e la sera non si fa in tempo a trarre il piú smerdo e smorto dei sospiri che ti giunge la novella:

– Hanno arrestato Robespierre!

– Robespierre chi? – domanda qualcheduno, che non ti viene in mente un quesito piú sdozzo, di quelli che si fan giusto per prendere tempo, ché certe notizie ti arrivano come un papagno sul mezzo del labbro, mica sei pronto subito, e allora va bene qualunque cosa per gagnare un minuto secondo, anche uno sbatter di ciglia potrebbe bastare, cosí ti raccatti a fiatare la roba piú fessa del mondo, tipo (a labbro gonfio): «Prego?», e magari il papagno che segue lo pari, e lo ritorni doppia razione, e ci fai pure la porca figura. Ma una notizia cosí è ben peggio di un papagno. E cosí, la domanda sdozza cade male.

– Come sarebbe a dire, «Robespierre chi»? Robespierre Robespierre. Lui.

– L'Incorruttibile?

– Dura ancora molto? Cosa sei, un merlo indiano? Proprio lui, Massimiliano Robespierre. E suo fratello Agostino detto Bonbon. E anche Saint-Just.

– Saint-Just?

– Sí, Saint-Just. Diteglielo anche voialtri, su!

– È vero, li hanno arrestati. E insieme a loro Couthon... Le Bas e Hanriot del comitato di sicurezza generale... Dumas...

– Dumas il presidente del tribunale rivoluzionario?!

– Proprio lui. Li han portati al Lussemburgo poco fa. Per ordine della Convenzione.

Per un po' ci s'azzittisce, e ciascheduno si domanda che ne sarà d'ora innanzi della rivoluzione, nonché delle nostre povere budella.

Robespierre in prigione. Sembra ieri che lo festavamo alla processione per l'Ente Supremo, con lui che marciava nella sua marsina turchina, petto all'infuori, in capo alla delegazione di deputati, venti passi avanti a tutti, mezzo condottiero e mezzo papa. La rivoluzione, ha detto una volta Machand...

– E chi sarebbe?

– Un arrotino del Pantano. La rivoluzione, diceva, è come quei mazzi di carte da gioco dove re, dame e cavalieri son divisi a metà, una diritta e l'altra rovesciata, testa insú e testa dabbasso, giri e rigiri la carta ma cambia un cazzo, il re che sta diritto è sempre insieme a quello capovolto, che è come se gli tirasse il ghignone, come se da sotto gli dicesse: «Io sono te che vai a finir male! Goditela finché puoi, perché il mondo si arbalta!» Quel giorno là, al Campo di Marte, sembrava che Robespierre se la godesse. Noialtri lo si è saputo solo piú avanti che, dadietro, dei deputati bofonchiavano e gli facevano mina grigia, tipo pissipissi ma in modo che gli giungesse alle recchie. Mentre passavano, qualcheduno di noi li ha sentiti, e piú tardi ci ha riferito. C'erano Thirion, Montaut, Ruamps... Gli dicevano robe tipo:

«Dittatore stracciaculo, ti ci rompi il becco, prima che poi».

«Cialtroncello, non ti credere che va sempre bene».

«Ricordati la fine del Capeto».

In pratica, gli han rovinato il tripudio. L'Incorruttibile faceva buon viso a cattivo sangue, ma è vidente che l'ha patita, perché dopo quel giorno han detto che s'era preso del raffreddume e non si è fatto vivo per due decadi.

– Fors'anche tre.

Può essere che meditava sul da farsi. Solo che, quand'è tornato, non è che si sia mosso proprio bene: ha tirato ben tanto la corda, anzi, piú d'una, ha tirato tante corde che alla fine ci si è trovato ingrovigliato. Ogni giorno un discorso per denunziare dieci complotti diversi, a sentir lui e Saint-Just eran tutti controrivoluzionari tranne loro. E non era tempo di scherzi: se uno era creduto un controrivoluzionario, dall'oggi al domani lo rivedevi scorciato. Intanto girava la cittadina Fame, certuni di noialtri sotto i calzoni avevano solo cotenna e ossa, e c'era chi diceva che la nazione doveva pensare a questo, non ai giochi di spie…

Alla fine una parte della Convenzione si è stufata di sentirli che minacciavano a destra e a manca.

– Soltanto a destra. Alla loro manca non restava piú nessuno.

– Esatto, e nessuno poteva piú difenderli dalla destra.

– Qualcuno ci ha provato: il comune è insorto.

Bastante vero. Quella sera di novedí, non si fa in tempo a digerire la notizia degli arresti, che subito arriva la giravolta: il comune di Parigi ha liberato Robespierre e gli altri, e li ha portati al municipio. A quel punto sembra che ce l'ha Robespierre il mannarino dalla parte del manico…

– Lo ricordo bene, Hanriot ha fatto puntare mille cannoni contro le Tegolerie…

– *Bum!*

– Macché, alla fine non hanno sparato.

– «Bum» perché *tu* l'hai sparata. Dondecazzo li prendevano mille cannoni? Erano un centinaio di *cannonieri*.

Cheti, ché si perde il filo... A ogni modo, Robespierre e Saint-Just terginicchiano, parlaversano, fan passare le ore, e intanto i loro sostenitori radunati in piazza della Grava si nervosiscono, anche perché stanno a stomaco vuoto. Si guardano l'un l'altro, si chiedono che ci fan lí, maledicono la puttana di mamma e di nonna perché non arriva un ordine che sia uno. Passata la mezzanotte arriva voce: Robespierre è dichiarato fuorilegge. Vuol dire che quando lo brancano, lo stangano senza processo, lui, Saint-Just e tutta la banda, e già li si chiama traditori. La rivoluzione, diceva Trabant...

– Arrotino pure lui?

Maniscalco. Del foborgo San Germano. La rivoluzione, diceva, è un carnevale piú lungo del consueto, che si slunga fino a contenere la quaresima, la resurrezione, tutto quanto.

– Parecchio filosofi, i maniscalchi di San Germano.

Dopo il nunzio, i fedelissimi si dispargono. È la fine dell'insurrezione. La forza pubblica irrompe nel municipio. Le Bas si spara in testa e tinteggia di rosso una parete. Robespierre prova a imitarlo ma riesce solo a sfracellarsi una mascella. Lo trovano che ulula, stracciato dal dolore. Lo strattona via un gendarme che di cognome fa Merda.

– Merdà?

Merdà. Bonbon Robespierre si butta giú da una finestra ma riesce solo a spaccarsi una gamba. Couthon si finge stecchito ma non ci cascano. Hanriot rimane ferito nessuno ricorda piú come. Saint-Just non frappone resistenza, si fa arrestare a zucca alta, bel bello come un dio, il capello che fa l'onda.

Li scorciarono tutti il giorno dopo, primo decadí di termidoro, alle cinque della sera. Per una decade seguitarono a cadere zucche. Ottanta membri del comune incontrarono Madama Ghigliottina.

– Brutta storia. E dopo?

Eh, dopo. Dopo, fu tutta quaresima.

– Ne è valsa la pena?

Troverai sempre qualcheduno che dice di no, si tratti del senno di poscia (troppo facile) o del senno dei servi (piú facile ancora). Fosse per quelli cosí, non si farebbe mai una sega. Noi abbiamo provato a costruire la torre, ricordi? La torre che permettesse di sguardare il mondo, e i tiranni del mondo cadere dabbasso. Per questo gli si è voluto bene a Robespierre e Saint-Just, anche quando stavano sul cazzo. Persino quando ribollivano come la zuppa di latte, e minacciavano di spiccarci la zucca, persino quando dicevano che noialtri non eravamo noi ma foresti venuti da fuori a sobillare noi stessi, persino quando sviavano in galera qualcheduno di sbagliato, si può dire che noi, popolo sanculotto, gli si è voluto bene. Delle volte è in modo strano che si ama. In Campo di Marte abbiamo festato l'Incorruttibile, e poco tempo dopo lo han festato nell'altro modo.

A quel punto è cambiato tutto. Tempo al tempo, ché te lo si conta. C'è mica da aver fretta.

2.

La fama di Bernard la Rana era conclamata e Léo non impiegò molto a constatarlo. Nonostante apparisse un tipo schivo, Bernard conosceva tutti e tutti lo conoscevano. Le sue giornate trascorrevano dietro l'organizzazione di incontri, la raccolta delle scommesse, e l'immancabile partecipazione a qualunque manifestazione civica. Bernard non si perdeva nemmeno la piú piccola commemorazione, funerale patriottico o posa di corona d'alloro. Il motivo era presto detto: sapendo di essere suscettibile all'arresto per via delle scommesse clandestine, in questo modo non solo dava prova di impeccabile civismo, ma rendeva facile per chiunque rintracciarlo. Bastava scoprire quale fosse l'evento del giorno e cercare il patriota che cantava con piú fervore, ostentando la coccarda piú grande sul bavero della giacca.

Viveva modestamente, al pianoterra di un vecchio caseggiato, in un appartamento di tre stanze, insieme alla figlia, Adèle, una ragazza di poco piú di vent'anni, sordomuta. La giovane teneva dietro alla casa, e rare volte si occupava anche di rattoppare graffi e contusioni dopo i combattimenti di Léo. Faccenda che di norma competeva a Bernard, che applicava sui lividi una pomata dall'odore nauseabondo ma in grado di fare miracoli. «Altro che le manine del re», diceva ogni volta che infilava le dita tozze nel barattolo.

Léo era ospitato nel sottoscala, in quello che un tempo doveva essere un deposito, e che dopo Pontenuovo gli sembrava una reggia. Il mobilio era scarso, ma l'ambiente confortevole. Adèle era una brava cuoca, e per quanto possibile Bernard si premurava che Léo venisse nutrito con cibo buono.

Gli incontri che procurava si svolgevano di sera, ora che le giornate estive erano lunghe e faceva caldo anche dopo il tramonto. I luoghi prescelti erano i piú disparati, svuotati dalla carestia e dalla guerra: sale da ballo, scantinati, magazzini, granai. A ogni incontro i muschiatini accorrevano entusiasti. Jean-Do non c'era piú, girava voce che i pugni lo avessero scimunito. Gli olezzanti scommettevano poco, ma si sgolavano molto, soprattutto contro Léo. L'italiano era l'oggetto di quasi tutti i loro lazzi e degli insulti che piovevano nell'arena. A rodere il fegato non era tanto che avesse spacciato Jean-Do, ma il fatto che Bernard la Rana avesse preso proprio l'italiano sotto la sua ala. Bernard portava Léo agli incontri anche quando non toccava a lui combattere. Serviva a studiare le tattiche, diceva, a conoscere gli avversari, a scoprire nuovi colpi. Léo guardava quegli uomini darsele di santa ragione, vedeva la gente attorno, e pensava che anche

quello era un modo di calcare la scena, di tenere il palcoscenico. Solo che le pacche erano vere.

Una sera fu tentato di scommettere anche lui. Un tizio
nerboruto della rivagoscia affrontava il campione dei muschiatini, che se ne stavano tutti radunati dietro il suo angolo. Soncourt, si chiamava. Il tizio dei bassifondi era piú grosso di lui, e pareva pure piú agguerrito, ma dai primi scambi
Léo si accorse che se avesse scommesso avrebbe buttato via
i soldi. Soncourt infatti aveva piú tecnica ed era piú efficace nel portare i colpi, calci inclusi. Quello era un lottatore e
un pugile tra i migliori che Léo avesse visto.

– Gecco cazzuto, – disse all'orecchio di Bernard.

L'altro annuí.

– Apposta siamo venuti a occhiarlo. È il tuo prossimo
avversario.

Un istante dopo furono assordati dal boato di trionfo dei
muschiatini, davanti al crollo dell'energumeno della rivagoscia. Soncourt alzò il braccio in segno di vittoria e se ne tornò all'angolo ad asciugarsi il sudore, come avesse sbrigato
una faccenda ordinaria.

– Perché hai preso l'incontro? – chiese Léo preoccupato.

Bernard gli fece segno di accompagnarlo fuori e i due si
ritrovarono per strada.

– I senzaerre hanno lanciato la sfida. Ho una reputazione.

– E il prezzo della tua reputazione sono io, – si lamentò Léo.

Bernard gli gettò un'occhiata indecifrabile e continuò a
camminare fino a casa, senza piú aggiungere nulla. La serata
era magnifica, il cielo sopra Parigi era limpidissimo, talmente carico di stelle che parevano dover cadere sulla città. E
forse era cosí, pensò Léo. Forse il cielo sarebbe caduto giú.
La Rana non era tipo da farsi scrupoli, alla barriera dei combattimenti Léo l'aveva visto puntare su di lui e incassare i
soldi dei muschiatini senza battere ciglio.

– Pensi di scommettere contro di me? – chiese quando furono sulla soglia.

– Dimmelo tu. Sei tu che combatti, – rispose l'altro.

Léo rimase zitto e scese nel sottano con la mente affollata di pessimi presentimenti.

Il giorno dopo rimase a letto fino al pomeriggio, a rimuginare sull'incontro a cui aveva assistito e su quello che avrebbe dovuto sostenere la settimana successiva. Lo attendeva una grande prova d'attore, contro un rivale piú forte. Poteva anche essere la fine della sua terza carriera sulle scene.

A mezzogiorno sentí bussare alla porta. Era Adèle che gli portava il pranzo. Léo le chiese a gesti dove fosse suo padre, lei rispose che era uscito. Sarebbe tornato soltanto a sera, o almeno a Léo parve che la ragazza mimasse il calare del sole. Era piuttosto brutta e segaligna, ma quando prese a togliersi i vestiti fino a rimanere nuda, Léo non poté che constatare che era pur sempre una donna. E non stette a chiedersi i perché né i percome. Tantomeno avrebbe potuto chiederli a lei.

I clamori del pomeriggio lo raggiunsero stravaccato sulla branda, con il corpo della ragazza disteso sopra. Dalle finestre all'altezza del lastrico giungevano grida che rimbalzavano da una via all'altra. Léo si destò e si accostò alla finestrella. Qualcuno, pochi metri piú in là stava gridando:

– Hanno arrestato Robespierre! Hanno arrestato Robespierre!

Léo si volse, esterrefatto, per informare Adèle, ma quando se la trovò di fronte, già rivestita, con l'aria da cane bastonato di ogni giorno, si rese conto di non sapere come mimarglielo. Robespierre… Saint-Just… Come lo spieghi a una sordomuta? Ci rinunciò e le diede invece una carezza, come fosse una bestiola, sentendosi invadere dalla pena e dall'imbarazzo.

Si rivestí e corse in strada, dietro le voci di Parigi che lo portarono fino al municipio. Parecchia gente si era radunata là attorno e discuteva fitto, condivideva notizie ed emozioni. Léo orecchiò una magliara dire che Robespierre, Saint-Just, Couthon e Le Bas si erano barricati là dentro insieme ai partigiani del comune. Contemplando l'edificio si chiese cosa avrebbe potuto fare. Gironzolò sul piazzale, raccogliendo notizie ai capannelli, e finendo per bivaccare davanti a uno dei fuochi che si accesero quando scese la notte.

Quando, all'alba del giorno seguente, si sollevò da terra con le membra intorpidite, si rese subito conto che durante la notte non pochi baldanzosi della sera prima avevano pensato bene di tornarsene a casa. I parigini non avrebbero difeso l'Incorruttibile. Qualcuno aveva scritto per terra, col gesso: «Morte al tiranno!» Qualcun altro aveva vergato un'intera frase di Saint-Just: «Chi fa una rivoluzione a metà non fa altro che scavarsi una tomba».

Ecco, sí, pensò Léo. Nell'alba fresca sulla quale incombevano i destini della Repubblica, quel palazzo, che era stato il simbolo dell'orgoglio del popolo parigino, adesso aveva tutta l'aria di una tetra tomba. Quando piú tardi, nella mattinata, la guardia nazionale irruppe sul piazzale, Léo scappò dalla carica e prese comunque un paio di bastonate, che riuscí ad attutire malamente, sulla spalla. Le guardie circondarono il palazzo e in seguito trascinarono fuori i giacobini, ma a quel punto Léo era già lontano, sulla via di casa, dove giunse stanco e malandato, dopo avere attraversato una città in preda a una sorta di festoso smarrimento. Qualche poveraccio inneggiava all'abolizione del *maximum* sui salari. Poco piú in là, un bottegaio si spingeva a caldeggiare quella del *maximum* sui prezzi. Léo si domandò se il rinculo della rivoluzione gli avrebbe portato piú guai o piú opportunità. Probabilmente gli uni e le altre.

Bernard lo stava aspettando seduto sull'uscio, sbucciando patate. Lo salutò con un cenno, senza smettere di armeggiare con il coltello.

Léo percepí la sua disapprovazione e nondimeno gli sedette accanto, sulle scale, massaggiandosi la spalla dolorante, in attesa di una lavata di testa, che invece non arrivò. Era come se Bernard sapesse tutto, dove era stato, a fare che… Magari persino di lui e della figlia Adèle.

Léo decise di chiedergli l'unica cosa che in quel momento avesse davvero rilevanza nelle loro vite.

– Come lo batto Soncourt?

– Non puoi, – disse la Rana. – Non se combatti di fino.

Léo rifletté sul significato implicito di quelle parole.

– Vuoi che giochi sporco. Pensavo che fossi preoccupato della tua reputazione.

Bernard alzò il serramanico e, per un istante, Léo temette che volesse ficcarglielo in pancia. Invece lo richiuse e lo infilò in tasca.

– Da oggi vale tutto, – disse Bernard con un gesto vago che indicava la città intorno a loro. Si alzò per rientrare in casa, ma prima di varcare l'uscio aggiunse: – E vedi di buttarlo giú subito, perché se aspetti un minuto di troppo ti butta giú lui.

3.

Marie depose ago e filo per stropicciarsi gli occhi intorpiditi. La fila di donne intente a cucire lungo il bancale andava da un capo all'altro della sala. Davanti a ognuna, un mucchietto di bottoni e una pila di uniformi. Le teste oscillavano appena, accompagnando il ritmo dei gesti. Ogni tanto una di loro si alzava e copriva in pochi passi la distanza fino agli scaffali dove venivano disposti i capi, pronti per essere imballati e spediti alle guarnigioni. C'erano soprattutto donne molto giovani e anziane. Il fatto era che il padrone non consentiva di portarsi appresso i figli, perché, diceva, interrompevano il lavoro e disturbavano il silenzio operoso. Questo tagliava fuori le donne dell'età di Marie, che infatti erano poche.

L'odore della stoffa di poco prezzo mescolato all'afa saturava l'ambiente e, dopo dieci giorni lí dentro, a Marie iniziava a dare il voltastomaco. Per fortuna era riuscita a farsi assegnare un posto presso la finestra e ogni tanto volgeva la faccia verso l'esterno per respirare aria fresca. Fuori non c'era niente da vedere, perché la finestra affacciava su un vicolo con dirimpetto un muro di mattoni. La luce per le operaie proveniva dai lucernari sul tetto. Marie respirò il filo di brezza e le parve di cogliere come un brusio, voci lontane, provenienti dalla strada in fondo al vicolo.

– Qualcosa non va, cittadina Nozière?

Marie si voltò e vide il padrone che la osservava con cipiglio dalla soglia della stanza accanto alla sala. Scrollò le spalle e si rimise al lavoro, ma per un po' continuò a sentire su di sé lo sguardo dell'uomo. Lo stesso sguardo lascivo con cui l'aveva squadrata da capo a piedi quando si era presentata al bottonificio in cerca di lavoro. Si chiamava Duval. Era un tizio alto e magro, che portava il cappello anche al chiuso. Marie provava repulsione per lui, i suoi modi le ricordavano emozioni antiche, che con grande fatica aveva sepolto in un angolo della mente. Il lavoro però era sicuro, e se in estate si pativa quella clausura, il pensiero era andato facilmente all'inverno, quando avrebbe lavorato al riparo dal freddo.

Prese ad armeggiare con l'ago, a passarlo velocemente attraverso i fori nei bottoni, per assicurarli alla stoffa.

D'un tratto percepí la presenza di qualcheduno fuori dalla finestra, nel vicolo, si voltò di scatto e si trovò davanti una faccia stravolta, una bocca aperta che non emetteva suono. Trasalí. Poi la bocca parlò.

– Hanno arrestato Robespierre e Saint-Just! Li hanno portati alla ghigliottina!

Prima che Marie potesse realizzare il senso di quelle parole, venne travolta dal trambusto delle esclamazioni di stupore e delle sedie spostate. Le donne erano in piedi, parlavano tutte insieme, qualcuna imprecava, altre si abbracciavano, difficile a dirsi se per sollievo o paura. Presero a sciamare verso l'uscita. Duval tornò ad affacciarsi per reclamare ordine e silenzio, ma non poté fare nulla, solo guardare le operaie che abbandonavano in fretta i posti di lavoro.

Marie seguí l'onda. Si ritrovò presto in mezzo a un fiume di persone che camminavano lungo le strade senza sapere dove dirigersi, seguendo il passante piú vicino, trascinate da un'invisibile corrente, sulla quale galleggiava il nome dell'Incorruttibile. Le facce apparivano sollevate e spaesate al tempo stesso. Era come se vedessero la città per la prima volta, come se aspettassero che qualcheduno o qualcosa le svegliasse dal sonno.

Chi era, dov'era fino al giorno prima quella gente che ora percorreva le vie di Parigi, rumoreggiando come non si udiva da tempo, sospirando di ritrovata leggerezza? Non era, almeno in parte, lo stesso popolo che spediva a Robespierre lettere di ammirazione? Marie ne ricordava alcune frasi, pescate chissà come – forse inventate? – dalla voce della plebe e portate nei foborghi.

«Protettore dei patrioti, genio che tutto prevede e tutto smaschera...»

«Meraviglioso vessillifero della rivoluzione...»

«Voglio saziare i miei occhi e il mio cuore delle tue fattezze...»

Adesso che era morto, l'Incorruttibile era il Tiranno, il Traditore, il Terrorista. Certo, era impossibile che tutti lo pensassero, ma chi non lo pensava si teneva lontano dalle strade. E se gli toccava attraversarle, lo faceva adeguandosi all'umore che esibiva il suo prossimo. Il Terrore è finito, viva il Terrore contro il Terrore!

Marie si guardò intorno: com'era diversa dai sanculotti del foborgo quella folla di estranei! Una folla lontana da tutte quelle che avevano riempito le strade dall'89 in avanti. Una folla... indistinta. Irriconoscibile. Pochissimi urlavano, notò Marie. Non era una festa. In quel momento Marie si fermò, cosí, all'improvviso, piantandosi in mezzo a quel goffo deambulare. I passanti la sorpassavano veloci, piú veloci della sera che andava rimpiazzando il giorno. Corpi e parole. Il tiranno... Adesso... Vedrai che la Convenzione... Torneremo a chiamarlo «agosto», come Dio comanda... Torneremo a chiamarlo «Dio», come...

La testa di Robespierre era rotolata nel cesto solo due ore prima.

Marat non era piú. Robespierre non era piú. Saint-Just non era piú. E prima Hébert, Danton, la De Gouges, Brissot, e prima ancora la regina, il re... Jacques.

La mancanza di Claire la invase, un senso di vuoto la piegò in due. Claire però non era morta, si forzò di pensare Marie. Era rinchiusa in gattabuia, poteva ancora farcela.

Eppure non ci credeva. Qualcosa le diceva che nessuna di loro due ce l'avrebbe fatta.

Il cielo era scuro, la città piú aliena che mai, le voci galleggiavano intorno. Marie sentí gli occhi inumidirsi. Piangeva la morte di quello che era stato e di quello che sarebbe potuto essere. Piangeva per Claire e per sé stessa. Per Bastien e per Parigi. Per tutti loro e per la Francia.

4.

L'uomo che non è piú Laplace piange calde lacrime.

Finiscono gli anni di Bicêtre.

È giunto il momento di andare.

La morte di Robespierre è piú che un segno, è direttamente un segnale che dice: «Via libera».

Ma andare non basta. Occorre farlo con giustizia. Chiudendo i conti, prima di varcare la soglia. Con un gesto abile, degno di essere ricordato.

Bussano alla porta, piano, con discrezione, come se la cella fosse un alloggio privato. Il flusso dei pensieri si arresta. Balena un'idea. Un'Idea, l'uomo lo sa, è come se venisse dall'altrove, rispetto al materiale bruto che troppo spesso affolla la mente. Un'idea talmente netta che ha i contorni di un piano, e delinea ineluttabilmente quella serie di scelte e gesti che compongono l'Azione.

La porta si apre. È l'inserviente Maurel. Crede che, ancora una volta, l'insolito recluso tratterà con il fluido il mal di schiena che l'affligge. L'uomo che fu Laplace lo fa sedere. Mormora qualcosa, il volto appena piú vicino di quanto conviene alle buone maniere, e Maurel si leva in piedi, esce dalla cella in silenzio.

Fa ritorno in compagnia di Malaprez. Il biondo, mezzo bruto e mezzo uomo, porta con sé una sacca. Non c'è biso-

gno di mesmerizzare. L'uomo sa che Malaprez gli appartie-
ne, oltre e al di là dell'azione del fluido. Incontrando lui, ha
incontrato un destino.

Due ore dopo, ormai al crepuscolo, Philippe Pinel attra-
verserà il grande cortile di Bicêtre coi suoi fogli sottobraccio. Giungerà al cancello, si farà riconoscere dalle guardie
all'entrata e a passo svelto si avvierà lungo la strada, forse
in cerca di una carrozza.

Passerà mezz'ora. Le guardie al cancello vedranno il dottor Pinel attraversare di nuovo il grande cortile e appropin-
quarsi soprappensiero alla loro garitta.

– Buonasera... cittadino... Dimenticato... qualcosa?

Pinel noterà la cadenza strascicata della guardia, come di
persona desta da poco.

– No, cittadino Héraclite. Perché me lo chiedi?

– Perché... sei uscito... mezz'ora fa... cittadino Pinel.
Assieme a... a un inserviente. Non ricordi, cittadino? Abbiamo... parlato per... per cinque minuti buoni.

– Cinque minuti, dici? E di che abbiamo parlato?

La guardia rimarrà in silenzio. Poi a voce piú bassa dirà:

– Perbacco... Non ricordo...

Philippe Pinel guarderà negli occhi Héraclite e il suo compagno.

In quegli occhi vedrà qualcosa di sinistro.

Penserà alla lettera che ha inviato a D'Amblanc.

5.

D'Amblanc non avrebbe saputo dire quando aveva perso il senso del tempo. A Buzancy i giorni diventavano setti-

mane e le settimane mesi, a un ritmo regolato soltanto dallo studio e dalla pratica sui pazienti.

D'Amblanc era rapito. Di giorno magnetizzava insieme a Chastenet, riempiva quaderni di appunti, sonnambulizzava Jean. Niente poliziotti, niente politicanti né boia. Poteva prendersi cura di una giovane vittima, invece di torturarne una.

D'Amblanc impiegò alcune settimane prima di ammetterlo a sé stesso, ma alla fine dovette cedere: si sentiva libero. I dolori alle vecchie ferite erano scomparsi del tutto e lo sguardo sereno di Chastenet si rispecchiava nel suo, conteneva la soddisfazione di una profonda comunione d'intenti.

Soltanto al risveglio, nella manciata di minuti che precedeva l'inizio della giornata, D'Amblanc percepiva una vaga ansietà, come una leggera stretta allo stomaco che non avrebbe saputo a cosa attribuire. La sensazione svaniva non appena iniziava l'attività quotidiana coi pazienti e diventava un remoto ricordo alla sera, per poi ripresentarsi puntuale all'alba. Domandò a Chastenet di sonnambulizzarlo, e ne trasse giovamento. Tuttavia, l'ansia non scomparve del tutto.

Nel frattempo l'estate irrompeva nella tenuta: fiori e frutta e bagni nella grande vasca antistante la magione, e ancora lunghe sedute di magnetizzazione collettiva intorno al grande albero nel parco.

«Curare la gente è meglio che decapitarla». Era la massima che Chastenet ripeteva spesso e che avrebbe persino fatto incidere sulla facciata del suo palazzo, se non fosse suonata compromettente agli occhi dell'autorità repubblicana. D'Amblanc osservava il giovane Jean e si lasciava lusingare dall'idea di averlo tratto in salvo e portato lí, in quel luogo di pace, dove niente avrebbe potuto nuocergli. Eppure sospettava che il malessere che tormentava i suoi risvegli avesse a che fare proprio con lui, con il suo destino e ciò che rappresentava.

Una notte di fine luglio, poco prima dell'alba, D'Amblanc fu visitato da un sogno che in seguito non avrebbe saputo ricordare con precisione, fatta eccezione per le parole, la voce inconfondibile...

Also, mein Freund, alla fine del tour avete trovato *ihren Platz...* il vostro posto. *An der rechten des guten Königs...* al la destra del buon re. *Ein wundertätiger König...* Un re tau maturgo che cura i suoi fedeli *untertani.* Cercavate una via e avete trovato *einen Führer...* una guida, sí. *Keine Wunden, kein Krieg, kein* kranko. È questa la vostra *Revolution?* Non avevate bisogno di lasciarmi per trovare dasesto. Non c'era bisogno di tagliare la kopfa del re di Francia.

Il gallò cantò. Un trillo acuto e subito strozzato, lugubre. D'Amblanc si svegliò di soprassalto, la stretta allo stomaco piú forte del solito, l'eco della voce di Mesmer ancora nella testa. Andò a sciacquare il viso nel catino, quindi si vestí in fretta e scese dabbasso, in cerca del padrone di casa, ignorando i domestici che confabulavano tra loro. Doveva essere accaduto qualcosa. La porta dello studio di Chastenet era aperta ed egli era in piedi, avvolto nella sua lunga veste orientale, accanto alla finestra, intento a leggere una lettera.

– Robespierre e Saint-Just sono stati giustiziati, – disse in tono grave.

D'Amblanc impiegò alcuni istanti a immaginare la scena e accettarne la sostanza. Due uomini, uno dei quali molto giovane, in piedi accanto alla ghigliottina. Quindi i loro colli nel buco. La lama che cala. Le teste che rotolano nel cesto.

– Robespierre... – riuscí a bofonchiare incredulo.

È questa la vostra Revolution?, ripeté Mesmer nella sua testa.

Dovette sedersi. La notizia aveva appena infranto il muro delle sue intenzioni, che rimanevano lí, ma come se fossero crollate a terra e dovessero essere raccolte.

– Com'è possibile? – mormorò.

Chastenet guardò oltre il vetro.

– C'era da aspettarselo. Hanno tirato troppo la corda. Credo che in fondo fosse la fine che cercavano. L'unica che li mantenesse all'altezza dei loro ideali.

D'Amblanc dovette fare uno sforzo ulteriore per seguire quel ragionamento.

– Cosa intendete dire?

– Ora sono martiri della rivoluzione, – proseguí Chastenet. – Come Marat, Danton, Hébert...

D'Amblanc scacciò quelle parole scrollando la testa.

– Devo tornare indietro, – riuscí a dire.

Chastenet si volse verso di lui.

– Perché? Non c'è piú nulla per voi a Parigi.

In quel momento D'Amblanc comprese di avere usato Jean per fuggire, per ritirarsi. Era giunto lí con la prova vivente che le teorie di Chastenet si reggevano su un falso assioma e non ne aveva ancora tratto le conseguenze. Tantomeno Chastenet sembrava interessato a farlo. Dopo l'apparizione violenta di Jean del Bosco si erano concentrati esclusivamente sul recupero dell'equilibrio del ragazzino, nel tentativo di stabilizzarne la personalità.

Un re taumaturgo che cura i suoi fedeli sudditi.

– A voi non importa di Jean e di ciò che rappresenta, – disse D'Amblanc.

Chastenet alzò la mano in un gesto vago.

– Voglio curarlo, proprio come voi.

D'Amblanc parve non averlo nemmeno sentito.

– Fin dall'inizio non siete stato incuriosito dal suo caso. Voi lo sapevate già. Voi sapevate che è possibile volgere il magnetismo al male. Non è cosí?

Chastenet si appoggiò alla cornice della finestra e fu avvolto dalla luce del mattino. Con la veste orientale, rosso vino, e i tratti del viso sfumati, poteva sembrare Mesmer in persona.

Per trovare questo non c'era bisogno di tagliare la testa del re di Francia.

E quella di Robespierre? Quanti anni aveva Saint-Just? Ventisette? I grandi uomini non muoiono nel loro letto. Era stato lui a scriverlo.

La voce di Chastenet fece evaporare i fantasmi.

– Il cavaliere d'Yvers mi scriveva. Avevamo una discreta corrispondenza, prima della rivoluzione. Mi raccontava i suoi esperimenti. O almeno alcuni di essi.

Si lasciò cadere sulla poltrona e vi sprofondò dentro, come se volesse farsi ingoiare.

– Mostratemi le lettere, – disse D'Amblanc.

– Le ho bruciate tanto tempo fa, – rispose l'altro. – Non gli credetti. E certo non mi interessava mettere alla prova quanto affermava. Uno scienziato, un terapeuta, deve avere un'etica al servizio dell'Uomo. Aiutare gli altri. Curare il corpo della nazione. Ritrovare l'armonia universale.

D'Amblanc sentí una fitta al costato, ma riuscí a stringere i denti e a non darlo a vedere.

– Yvers usava i contadini come Galvani le rane, – disse. – E se questo è possibile, noi non possiamo tenerlo nascosto. Non possiamo seguitare a dire che in quanto facciamo non è insito un rischio; è proprio l'etica a imporcelo.

– Noi facciamo il bene e tanto basta, – disse ostinato Chastenet. La voce si era irrigidita, ma gli occhi erano sfuggenti.

– Noi? – insistette D'Amblanc. – Cosa siamo voi e io? Un tempo mi diceste che i magnetisti non esistono, esiste solo il magnetismo, e che chiunque può essere terapeuta. Non è ciò che vedo all'opera qui. I vostri pazienti sono guariti? Qualcuno di essi è mai tornato a vivere meglio? O non ha avuto sempre piú bisogno delle vostre magnetizzazioni, quindi di voi?

Chastenet parve accusare quelle parole.

– È cosí brutto ciò che vedete? – domandò.

Sembrava non avere alcuna intenzione di difendersi, quanto piuttosto di evitare lo scontro.

– Nient'affatto, – rispose D'Amblanc. – Nondimeno, devo diffidarne.

Aveva perso la foga iniziale e sedeva ricurvo in avanti, le braccia conserte, come avesse paura di rompersi in tanti pezzi.

– Se tornate indietro adesso, presto o tardi finirete al patibolo anche voi, – disse Chastenet sconsolato. – Restate. Non siamo rimasti che noi due.

D'Amblanc si alzò, ancora le braccia incrociate sullo stomaco.

– No. Ce n'è almeno un altro –. D'Amblanc gli rivolse un mezzo inchino. – Abbiate cura di Jean.

Chastenet annuí senza piú aggiungere nulla.

L'indomani, Chastenet mise a disposizione il proprio calesse, affinché D'Amblanc potesse raggiungere il villaggio per la prima corriera del mattino. Si presentò al commiato con l'aria piú serena che gli riuscisse, reggendo tra le braccia una cassetta avvolta in un telo.

– Permettetemi di aggiungere al vostro bagaglio un regalo d'addio.

Chastenet aprí il fagotto e gliene mostrò il contenuto.

– Il folgoratore? – domandò sorpreso D'Amblanc.

– Non voglio usarlo di nuovo, – disse Chastenet e indicò una cartella che faceva da coperchio alla scatola di legno. – Questi sono i miei appunti sugli esperimenti che ho condotto con l'elettricità. Potete proseguirli, se vi sembrano interessanti, e magari scrivermi che cosa scoprite. Io preferisco dedicarmi al bene dei miei pazienti.

– Grazie, – disse D'Amblanc caricando la cassetta insieme ai suoi bagagli. – Vorrei prendere commiato da Jean, adesso.

Lo andò a cercare nel parco e lo trovò che stava aiutando il giardiniere a togliere le erbacce dal prato. L'attività all'aria aperta era considerata salutare per tutti i pazienti di Chastenet.

– Addio, Jean. Sono venuto a salutarti. Devo tornare a Parigi. Qui starai bene. Scriverò per avere tue notizie.

Gli rivolse un sorriso che avrebbe voluto essere rasserenante e che il ragazzino non ricambiò. D'Amblanc si volse e fuggí l'imbarazzo incamminandosi verso il viale. Pochi passi e si sentí tirare per la manica.

– Portatemi con voi, – disse Jean.

Lo aveva raggiunto e si era aggrappato alla sua giacca con la stessa foga di un naufrago che agguanta una gomena.

L'imbarazzo di D'Amblanc crebbe fino a farlo arrossire.

– Non posso. Parigi non è piú un posto sicuro, capisci?

Gli occhi del ragazzino erano lucidi, ma non scendeva una lacrima. La sua espressione sembrava covare piú rabbia che amarezza.

– Non lasciatemi qui, – implorò.

D'Amblanc gli accarezzò una guancia.

– Qui ti cureranno. Starai bene.

La risposta di Jean suonò come una sentenza.

– Sarò solo.

– Non è vero, c'è chi si prenderà cura di te.

– Sarò solo, – ripeté Jean.

D'Amblanc liberò la manica con quanto piú garbo poté e si forzò a proseguire. Riuscí a fare qualche altro passo, prima di fermarsi.

E io?, pensò. Non sarò solo?

Tornò a volgersi verso Jean.

Il ragazzino era immobile in mezzo al prato, la testa appena inclinata verso il basso, le braccia lungo il corpo.

Il vetturino fece schioccare la frusta e il morello partí di buon trotto, lanciato verso la campagna verde e dorata della Piccardia. D'Amblanc lanciò l'ultima occhiata alla grande magione dei Chastenet e a tutto ciò che racchiudeva. Stava lasciando la vita che aveva sognato ed era certo che fosse la cosa giusta da fare. Non sapeva cosa avrebbe trovato a Parigi, ma, come aveva detto Carra prima di infilare il collo nel buco, voleva vedere come sarebbe andata a finire. Non se lo sarebbe perso per niente al mondo.

Sorrise a Jean, stretto fra lui e il vetturino, e questa volta venne ricambiato.

Atto quarto

Termidoro

CONSIGLI AI SANCULOTTI
Parole di Jean-Étienne Despréaux

Rivestiti, popolo francese
non ceder piú alle licenze accese
dai falsi patriotti.
Non creder piú che andare in giro nudo
sia un segno di virtudo.
Orsú, rimettiti i culotti.

Distingui dunque l'uomo dabbene
dagli oziosi, dalle mille cancrene
e dai falsi patriotti.
Popolo onesto e indipendente
non mascherarti piú come un pezzente.
Orsú, rimettiti i culotti.

Non giudicare dal vestito
dello stupido o dell'uomo istruito
né dei buoni patriotti.
Borghesi, possidenti, ricchi e mercanti
farebbero morire mille lavoranti
se andassero in giro senza culotti.

Non imitare piú di questi tempi
i popolari ciarlatani e malesempi
che saccheggiano i veri patriotti.
Dio fece l'industria e le mani
per fare vivere gli umani
e guadagnarsi i loro bei culotti.

Dell'uomo sostenete i diritti
ma senza offendere gli editti
siate buoni patriotti.
Concittadini, senza piú farvi pregare
celate ciò che occorre celare
orsú, rimettetevi i culotti.

Vale tutto

Agosto-settembre 1794 (fruttidoro, anno II)

I.

«Ci auguriamo che si difendano con ferocia».

Léo finí di leggere la frase e acciuffò il manifesto per un angolo incollato male. Strappò via dal muro una striscia sottile e con essa la chiosa, quella che sempre concludeva gli annunci dei combattimenti.

«Ci auguriamo che si difendano con ferocia».

Lotte fra animali, non fra uomini. Doghi contro lupi contro cinghiali.

Il campione piú acclamato era un vecchio orso di nome Clodoveo, che si diceva avesse sconfitto persino una tigre. I suoi incontri erano cosí seguiti che si tenevano nell'arena di legno, quella per gli eventi piú grossi, da festa comandata, come le corse di tori alla maniera di Spagna.

Léo appallottolò la carta con rabbia, la gettò a terra e la spedí con un calcio a mollo in una pozza. Quindi sputò l'acido che sentiva in gola, per scongiurare il malocchio di quelle parole scellerate.

«Ci auguriamo che si difendano con ferocia».

Deputati e consiglieri tuonavano a settimane alterne contro il circo alla barriera di Pantin, quella che tutti chiamavano «dei combattimenti». C'era chi si scandalizzava per un cane sventrato e chi si arrogava il compito di educare il popolo. A Léo fregava una cippa degli uni e degli altri, ma per certo, quel pomeriggio, non s'augurava che il suo avversario si difendesse con ferocia.

Il cortile era al numero 9, in via del Granaio alle Belle, proprio di fianco alla fattoria che dava il nome alla strada, poiché da tempo ospitava non piú frumento, ma baldracche. Era il campo delle grandi occasioni, per quanto gli incontri fra bipedi fossero meno popolari di quelli fra quadrupedi.

Gli spettatori erano già in attesa: le prime due file in piedi, attorno a un quadrato approssimativo, disegnato per terra con un bastone e ribadito agli angoli da quattro sacchi di segatura. Subito dietro, appollaiati su carri e carretti, branchi di ragazzini, vagabondi e tutti quelli che non avevano soldi da scommettere. Alle finestre, le megere del palazzo, braccia incrociate sui davanzali, e in cima ai tetti altri bipedi, ma con le piume.

Un brusio crescente salutò l'arrivo di Léo. Il pubblico dei combattimenti cominciava a riconoscerlo. La sua presenza era garanzia di spettacolo, buona tecnica e incontri prolungati, incerti, dove ci si poteva divertire ad aggiustare le puntate un minuto dopo l'altro. Bernard la Rana gli ordinò di scaldarsi.

L'attenzione di Léo era rivolta alla dozzina di giovani dorati sul lato opposto al suo. Il loro lezzo appestava l'aria, ma i gecchi non s'erano vestiti col tipico sfarzo. Indossavano abiti piú comodi, meno vistosi, anche se il loro campione non aveva rinunciato alle nappe tricolori infiocchettate sotto il ginocchio, sull'orlo dei culotti biancomonarchici. Alcuni portavano sul bavero effigi di Robespierre rovesciate a testa in giú.

«Ci auguriamo che si difendano con ferocia», rimuginò Léo, mentre Bernard la Rana andava a controllare che l'avversario fosse pulito da lame o altri arnesi, e i suoi secondi facevano lo stesso con lui.

Gli spettatori sollecitarono l'inizio della sfida con incitamenti, grida e qualche ritmico battimano.

Léo sciolse i muscoli di braccia e gambe di fronte a Bernard, che gli sibilò poche parole:

– Sai cosa devi fare.

Léo alzò la mano per segnalare che era pronto. Soncourt lo imitò, scese un rapido silenzio.

– Andate! – gridò una voce.

I due lottatori guadagnarono il centro del quadrato, agili sulle ginocchia, come compassi in cerca della giusta misura.

Appena l'altro gli arrivò a tiro, Léo partí con un calcio basso alla tibia, ma di proposito non inclinò il busto all'indietro. Soncourt, da bravo campione, parò il colpo con la suola della scarpa e subito con l'altra gamba cercò il bersaglio che l'avversario gli offriva. La testa. Un calcio teso, ben portato. Léo riuscí a contenerlo col braccio e ad agganciargli per un attimo la caviglia.

Giusto il tempo di replicare con una poderosa pedata nelle palle.

Il pubblico gridò sbigottito. La risposta canonica, in casi come quello, era uno sgambetto sul piede d'appoggio, per ridicolizzare l'avversario e inasprire la lotta. Ma Léo non aveva intenzione di inasprire alcunché. Agganciò la testa di Soncourt, che si era piegato in avanti a stringersi l'inguine, e gli rifilò una ginocchiata sul naso.

Soncourt gli si buttò addosso con tutto il peso, rotolarono a terra. Léo si rialzò. Soncourt rimase giú, le mani sui coglioni, il naso spiaccicato e grondante sangue.

I suoi lo soccorsero, provarono a tirarlo in piedi, ma la vertigine lo costrinse a inginocchiarsi. I secondi dovettero trascinarlo fuori dal quadrato.

L'incontro era finito.

La meraviglia del pubblico montò e svelta si convertí in un ribollio di delusione.

Coitus interruptus: alcuni non erano nemmeno riusciti a scommettere, altri avevano fatto appena in tempo a comprarsi una birra.

Meno male che i combattimenti nei cortili erano a ingresso libero, a differenza di quelli nell'arena. Altrimenti qualcuno avrebbe di certo preteso un rimborso.

I muschiatini, stretti intorno al loro campione, strillavano come pescivendole. Ingiurie all'italiano di merda e al suo popolo di truffatori. Minacce di ritorsione. Sputi.

Léo voltò le spalle agli improperi e tracannò un sorso di acquavite.

– L'incont'o va annullato! – sgolò un mervegioso col tono da avvocaticchio.

Una pioggia di voci approvò.

– Giusto!

– Ben detto!

– È da rifare!

– Ci ho rimesso due cucchi, sangueddio!

– Col zullo! – si opponevano altri, e già intorno a Bernard la Rana si andava raggrumando un capannello di rimostranti, che sbracciava e scancherava e gonfiava il petto. L'uomo, impassibile, se ne stava seduto sul suo scranno a contare gli incassi, mentre Léo, protetto da quelli che avevano puntato su di lui, beveva alla salute del grande sconfitto.

I giovani pierculi, riavutisi dallo sconcerto, smisero di strillare e si mossero in schiera compatta per protestare con l'organizzatore dell'incontro. La calca però impediva loro di raggiungerlo e presero a farsi largo con i randelli.

Allora Bernard la Rana decise di alzarsi. La ressa si schiuse al suo passaggio come di fronte a una sposa, ed egli raggiunse il centro del cortile, dove il sangue di Soncourt impastava la terra.

– Chiediamo l'annullamento dell'incont'o, – lo affrontò il piú muschiato del gruppo quando se lo trovò di fronte.

– 'ivogliamo i nost'i soldi, – fece eco un compare piú basso di una spanna.

– Il mio uomo ha vinto, il vostro ha perso, – li zittí Bernard. – Che c'è che non vi torna?

– Un uomo non vince con un calcio nei dioscu'i, – protestò l'altro. – È 'oba da mocciosi.

– Dove credete di essere, a Londra? Qua non ci sono colpi proibiti.

Il muschiatino si girò verso la sua teppa.

– Sentito, compa'i? Niente colpi p'oibiti.

– Buono a sape'si, – commentò ghignando uno del gruppo, mentre alzava il bastone. Gli altri lo imitarono minacciosi.

Léo osservava la scena rinvigorito dall'alcol. I muschiatini facevano sul serio, ma quando il loro capetto tornò a girarsi verso Bernard, si trovò la canna di una pistola puntata verso le labbra.

Il lezzoso deglutí. Ringalluzzito dalla superiorità numerica, trovò il coraggio di parlare.

– In canna hai un colpo solo.

– È tutto tuo, – disse Bernard senza battere ciglio.

Nel silenzio che seguí, il capoccia dei muschiatini fece le sue valutazioni.

– Ci auguRiamo che si difendano con feRocia! – sghignazzò Léo in un brindisi solitario, levando la bottiglia al cielo.

Ma quello non era un pomeriggio fortunato per gli amanti dei duelli spettacolari, e i muschiatini, per coronarlo a dovere, decisero di battere in ritirata, senza costringere Bernard la Rana a premere il grilletto.

2.

La carrozza scendeva lenta lungo via San Giacomo. I due lati della strada erano invasi da botteghe ambulanti, ciascuna poco piú di una coperta stesa per terra, e lo spazio per le vetture era di molto ridotto.

D'Amblanc osservava stupito l'accozzaglia di merci. Non vi era criterio né mestiere riconoscibile. Quello che alla prima occhiata poteva sembrare un mercante di vini, accanto ai pochi fiaschi offriva pure tagli di cuoio, legna da ardere e un sacco di farina. Un ortolano cercava di piazzare scampoli di stoffa, un carbonaio decantava la qualità dei suoi pani di zucchero, mentre sua moglie grattava la ruggine da un mucchio di attrezzi da falegname.

Dopo tre mesi lontano da Parigi, D'Amblanc ancora si meravigliava di quelle fiere improvvisate. Sulle prime, al rientro da Soissons, si era lasciato ingannare: era come se la morte di Robespierre avesse cancellato d'un colpo i problemi di approvvigionamento della capitale. Solo dopo un paio di giorni, passeggiando per il suo quartiere, il dottore aveva capito il trucco. Nessun miracolo, soltanto il mercato nero che diventava bianco, gli accaparratori che mettevano le teste fuori dalle tane perché il gladio della legge non era piú lí, affilato e pronto a mozzargliele.

Difatti, non è che le pance dei parigini fossero piú piene di prima. Le file davanti alle macellerie erano sempre lunghe e animose. Il pane si comprava con la tessera, il sale era razionato. D'Amblanc, durante le sue passeggiate, per ben due volte si era trovato a soccorrere cittadini svenuti in mezzo alla via, il corpo ormai roso dall'inedia.

Un pomeriggio, mentre se ne stava lí ad assistere un vecchio, cinque bulli s'erano avvicinati per dirgli di lasciar perdere, perché quello era un noto ubriacone, uno che si sbronzava col miglior vino dopo aver pasteggiato con fricassea, involtini e ananas. Erano tipi tutti agghindati, coi capelli boccoluti e coperti di cipria. Uno indossava addirittura una vistosa parrucca. Avevano il collo fasciato di seta, baveri e camicie di colori sgargianti, fiocchi alle ginocchia, scarpe col tacco, guanti in pelle e bastoni da passeggio nodosi. Ostentavano la mancata pronuncia della erre.

– Inc'edibile, un alt'o ub'iaco, – ripetevano con voce chioccia e crasse risate, assai divertiti dalla geniale ironia di rinfacciare gozzoviglie a un morto di fame.

D'Amblanc ricordava di aver visto gente vestita a quel modo soltanto sotto i colonnati del Palazzo Egualità, ma in poco tempo si erano riversati su tutti i viali, come se fino ad allora fossero rimasti nascosti, in attesa di un segnale convenuto.

Il dottore ne scorse un drappello davanti al portone della chiesa di San Dima. Uno di loro s'era arrampicato su una scala. Gli altri, da sotto, gliela reggevano in posizione. Armato di mazzuolo, il tizio smartellava l'inscrizione sopra l'architrave: «Il popolo francese riconosce un Essere Supremo e l'immortalità dell'anima». Nel frattempo, lo stesso popolo francese scemava d'intorno, alzava gli occhi attirato dal rumore e poi li riabbassava indifferente, magari per dedicarsi al gioco piú in voga, quello di staccare dai muri brandelli di manifesti firmati da persone ormai decollate. Un Brissot si scambiava per tre Saint-Just. Un Danton per quattro Hébert.

Un secondo gruppetto azzimato lavorava di scalpello per grattare via dal muro di un palazzo le parole «o la morte» dopo la triade «Libertà, Egualità, Fraternità». Poco oltre, una scritta recente, in vernice rossa, annunciava:

ARRIVA L'ARMATA DEI SONNAMBULI!

D'Amblanc si domandò il senso dell'avvertimento. Forse una critica nei confronti del nuovo corso della rivoluzione?

La carrozza s'impuntò in una brusca frenata e dovette accostare per consentire il passaggio ad altre due in direzione opposta. Anche il numero delle vetture era un aspetto nuovo della nuova Parigi: ne circolavano di piú, e i ricchi avevano ripreso a usarle persino per brevi spostamenti, come segno per distinguersi dal volgo.

D'Amblanc, invece, aveva noleggiato la sua per visitare un luogo appena fuori città, troppo distante per recarvisi a piedi.

L'ospedale dei folli di Bicêtre.

Pochi giorni prima, di ritorno a Parigi, aveva trovato ad attenderlo una lettera del dottor Pinel, datata secondo il vecchio calendario, addí 9 di aprile 1794. Il collega, un medico stimato e molto attento, gli domandava consulenza rispetto al caso di un alienato, che sembrava capace di controllare la volontà degli altri ospiti anche a distanza. Dalle parole del mittente non si capiva se quella *distanza* fosse da intendersi in senso spaziale – cioè da lontano – oppure temporale – cioè con effetto ritardato – oppure entrambe. Sia come sia, D'Amblanc si era affrettato a organizzare la breve trasferta. Aveva lasciato Jean nell'osteria sotto casa, a mondare verdure insieme alla cuoca, e sperava che il ragazzino selvaggio non scegliesse proprio quel pomeriggio per compiere una delle sue sortite.

– Purtroppo, il caso di cui vi scrivevo non è piú qui.

Philippe Pinel si accomodò sulla sedia, raggruppò un mazzo di fogli battendolo due volte sulla scrivania, quindi lo girò e lo fece scivolare sotto gli occhi del collega.

D'Amblanc lesse l'intestazione, in alto al centro.

AUGUSTE LAPLACE
nato a Aurillac il 18 marzo 1752, di professione artista.
Ricoverato a pensione il 26 gennaio 1793.
Dimesso per fuga il 10 termidoro dell'anno II.

– Fuggito, come vedete. E in una maniera piuttosto singolare. I sorveglianti lo hanno lasciato passare convinti di avere di fronte... me.

– Voi?

– Sí, proprio io. E vi assicuro che nessun travestimento può aver ingannato quegli uomini, persone che mi frequentano piú spesso di mia moglie.

– Credete che sia ricorso al magnetismo?

– Questa è una domanda che avrei preferito rivolgervi io stesso. Come sapete, non sono un ammiratore delle dottrine di Mesmer. Ho fatto pratica da un suo discepolo, quand'era di moda, e ne ho ricavato soltanto qualche incontro galante.

D'Amblanc storse la bocca di fronte al cliché del magnetista seduttore. Pensò agli sforzi compiuti per non confermarlo. Pensò alla nuca e alle spalle della signora Girard...

– A ogni modo, – continuò Pinel, – è evidente che Auguste Laplace aveva un potere di suggestione fuori del comune, che lo si attribuisca o meno al fluido universale.

D'Amblanc si armò di taccuino e matita, scrisse due righe di appunti, domandò lumi sulla questione del controllo a distanza. Pinel spiegò che gli alienati agivano sotto l'evidente influsso di Laplace anche quando questi non era presente. Paragonò i suoi ordini a ordigni, piazzati nell'animo altrui e capaci di esplodere giorni piú tardi, come innescati da una scintilla invisibile. Quindi espose i fatti salienti che aveva osservato o che gli avevano riferito, e al termine della prolusione invitò il collega a leggere il fascicolo dell'alienato, dove senz'altro avrebbe trovato ulteriori dettagli.

D'Amblanc tornò a fissarne l'intestazione.

AUGUSTE LAPLACE
nato a Aurillac il 18 marzo 1752, di professione...

Aurillac.

D'Amblanc batté l'indice sul nome.

Aurillac. Sul Massiccio Centrale. In Alvernia.

– C'è qualcosa che non va, cittadino? – chiese Pinel.

O meglio, in quella che prima della rivoluzione era la provincia d'Alvernia, e adesso era suddivisa nei dipartimenti del Poggio Domo e del Cantal.

Dipartimento del Cantal. Capoluogo: Aurillac.

Dove D'Amblanc e la sua scorta erano pronti a condurre il prete Clément per consegnarlo alla giustizia.

– Cittadino...

Clément che aveva abusato di una ragazza in stato di sonnambulismo. Sonnambulismo che si manifestava in modo ricorrente, anni dopo le... cure magnetiche ricevute.

A distanza.

Aurillac, luogo di nascita di Auguste Laplace.

Un folle. Alverniate. Esperto di controllo a distanza.

D'Amblanc pensò a Jean del Bosco. Prima orfano. Poi nobile. Poi il suo benefattore se n'era andato a Parigi. Pochi giorni dopo, Jean si era trasformato in un selvaggio.

Pochi giorni dopo.

A distanza di tempo e di spazio.

Un ordine che esplode nella testa come un ordigno.

Sentí il palato farsi asciutto come polvere. Deglutí a fatica.

– Questo Auguste Laplace, – domandò, – aveva con sé una carta civica che ne attestasse l'identità?

– Nel fascicolo non l'ho mai vista, – dichiarò Pinel, la fronte corrugata. – Ma i pensionanti come lui entrano con una semplice richiesta di ricovero firmata da un medico.

D'Amblanc domandò se fosse possibile esaminare la richiesta di ricovero del cittadino Laplace.

– Perché vedete, – aggiunse, – il caso che mi avete descritto ricorda quello di un alverniate, il cavaliere d'Yvers. Un uomo capace di condizionare gli individui contro la loro stessa volontà, e forse persino a distanza. Di lui so soltanto che venne a Parigi nell'89, per gli stati generali. Non un folle, ma uno che potrebbe aver trovato rifugio in un ospizio per folli.

– Di certo non era un alienato come tutti gli altri, – ammise Pinel. Quindi si alzò. – Vado a chiamare il governatore Pussin, – disse mentre già apriva la porta.

I suoi passi affrettati echeggiarono nel corridoio.

Orphée d'Amblanc si gettò a capofitto sul fascicolo di Auguste Laplace.

3.

L'interno buio faceva somigliare il vecchio magazzino alla stiva di una nave. L'uomo in nero, che non si faceva piú chiamare Laplace, seguí con gli occhi La Corneille mentre camminava saltellando lungo il perimetro, accendendo i candelabri con un mozzicone di cera. La luce era importante. Il suo scranno era l'unico punto illuminato dello stanzone. Su una sedia impagliata, piú in basso, tra lui e il pubblico, sedeva Malaprez. Il bruto biondastro riposava composto, le braccia sulle cosce, la schiena arcuata. Guardava il nulla davanti, e respirava rumorosamente.

Ora che la luce delle candele mandava ombre lunghe sui muri, il cavaliere d'Yvers pensò che chi entrava avrebbe avuto l'impressione di accedere alla cripta di un chiesa antica.

Anche questo era un effetto studiato. Il mistero, il sacramento che si compiva aveva a che fare con un nuovo ordine del mondo.

Poiché era il tempo della Grande Parodia, i primi guerrieri contro la barbarie dell'uguaglianza non potevano che sorgere dalla stessa schiuma, dalla stessa acqua di scolo dei giacobini. La feccia fece il suo ingresso. La Corneille doveva averli indottrinati, perché muschiatini e altri reietti della borghesia si muovevano con attenzione, circospetti, come se avessero deposto l'arroganza fuori della grotta iniziatica. Quegli esemplari sfoggiavano il loro pomposo, ridicolo vestiario. Salutavano e si sedevano, si guardavano intorno, parlottavano in un brusio costante ma non scomposto né sguaiato. Prima delle funzioni, i fedeli in una chiesa di campagna avrebbero tenuto forse il medesimo comportamento.

La scenografia, per semplice che fosse, funzionava. Ogni potere ha bisogno di una forma di gloria, di apparato teatrale, di trombe e ori e stucchi. Come le vasche e le armoniche a bicchieri e gli accessi convulsionari ai tempi della voga mesmerista. La penombra, le luci, la prospettiva, l'aura misterica, stregonesca: gli elementi adatti alla messinscena di quei giorni convulsi.

Una volta, nella cattedrale di Chartres, Yvers aveva avuto una conversazione con un vecchio prete. Aveva percorso il labirinto sul pavimento della navata centrale, e osservava dipinti e vetrate. Il prete gli si era avvicinato e lo aveva invitato a guardare ciò che raramente attirava l'attenzione. Aveva indicato col dito una sezione oscura. Una pletora di figure antiche, bassorilievi romanici. Insignificanti rispetto allo splendore di altri apparati: estasi di santi, le sofferenze del Salvatore... Il prete invece indicò una figura di acrobata, un saltimbanco. Si reggeva su palmi e avambracci e guardava chi lo guardava. Il corpo, in alto, era inarcato in modo che la

verticale si tramutasse in una curva, le gambe piegate, i piedi
che toccavano la testa. Da una prospettiva diversa, il corpo
si sarebbe potuto inscrivere in un cerchio. Uroboro umano.
Il vecchio prete lo pregò di riflettere sul senso di quel che
vedeva, e di tenere presente che il saltimbanco stava per la
perfezione. La condizione di chi vive pienamente nella grazia, e la condizione nella Gerusalemme celeste.

Ora Yvers capiva che quel saltimbanco era un'istruzione
diretta. La condizione dei corpi non guidati da una volontà pura e ferrea non era propriamente umana. Se l'uomo è
immagine di Dio, allora la perfezione è la tendenza di chi è
veramente uomo. Chi non tende volontariamente alla perfezione è buono solo come strumento, non dissimile da un
animale, selvaggio o domestico. Soprattutto, la perfezione
ginnica dell'acrobata nascondeva una profezia. La posa al-
ludeva a un ciclo, a una rivoluzione, a un compimento. La
stasi, l'inerzia della pietra ne rivelava l'equilibrio e riusciva
altresí a evocarne il movimento.

Ora i piedi stavano piú in alto della testa, e occorreva
trattare con gli strumenti che il destino gli poneva di fronte: i rivoltanti e promettenti esemplari di muschiatini che
La Corneille aveva radunato.

Di tutta la progenie mostruosa vomitata dalla rivoluzione,
quei figli delusi erano i piú interessanti, pensò Yvers. Chi sa
cosa rimproveravano ai loro padri. L'aver creduto di poter
vivere senza un sovrano, ed essere finiti, per questo, impo-
veriti. Erano figli di artigiani e commercianti. O magari di
qualche funzionario.

Sei tappezziere o ebanista o commerci vino e formaggi e
ti vedi sopravanzato, o minacciato, da qualche pezzente che
crede di aver trovato la voce solo perché si strepitano parole
d'ordine. Non si era parlato di questo, quando si cianciava
di virtú repubblicane.

Se sei funzionario, poi, nessuno tocchi la divisa. Tu per un po' ti accodi, ma questi vogliono la tua stessa quantità di piaceri, stesso vino e formaggio e copulare piú di ogni tanto, e scopri che *tu sei tu perché sei diverso da loro.* Uguaglianza dei piaceri? Non sia mai detto. O forse uno dei tuoi, un fratello, è crepato al fronte per difendere la vostra, la *loro* cosiddetta patria. Ogni potere ha bisogno di gloria, del resto, a maggior ragione se si tratta di un potere illegittimo. Il sacrificio umano ne è il culmine. Credi alle sirene, ne intendi le voci e ti fai irretire da un canto ambiguo, e poiché senti parlare di ragione ti atteggi a scimmia razionale, perché speri convenga agli affari. Ma in simili temperie, caro muschiatino, prosperano solo i delinquenti, quelli veri, di vocazione. E oltre a una simile vocazione devono averne altre, di doti, e cosí si vede che la rivoluzione ha giovato agli affari di ben pochi. Tutti delusi, tutti pronti alla reazione.

Yvers studiò il piú eminente dei convenuti, mentre La Corneille spendeva il fiato in un pistolotto introduttivo.

Il vestito del muschiatino rifletteva delusione, rancore, una maldestra utopia. Il lezzo adatto a una meretrice, odore di disagio simile a una ferita. La ferita in suppurazione, la Francia, impegnata in un folle tentativo di igiene. Pile di teste, maschere sogghignanti, e quei muschiatini, eroi adatti ai tempi, gioventú dorata, Ragazzi-gloria, Incredibili, Mervegliosi, teppa sgargiante. Vermi brulicanti entro le proprie stesse ferite. Cosí era quella l'idea di nobiltà prevalente tra quei figli delusi. Una parodia. La fazione perdente, quella dei sanculotti, dei democratici, una volta sacrificati gli uomini di spicco, ora doveva guardarsi dall'imitazione di una nobiltà decaduta, logora, che si diceva incarnasse una reazione.

Yvers doveva, o meglio voleva, per necessità di teatro, additare ai capi dei muschiatini scopi e obiettivi, adombra-

re una strategia, come se ne esistesse una al di là dell'esperimento, della prova che avrebbero presto subito.

Prima di avere una strategia, però, occorreva la massa di
manovra. Indurre i molti ad abdicare alla volontà in modo
volontario è un risultato che si può ottenere se si dispone
della retorica giusta, ma soprattutto se l'idea che ti muove è
vera. I muschiatini non avevano nulla a che fare con l'idea
di ordine che l'antico regime, anche nei suoi giorni piú vili, aveva incarnato. Erano loro la rivoluzione: il precipitato
dell'insensatezza, della follia. L'aggressività e il vittimismo
li rendevano truppa provvidenziale. Progenie imperfetta, le
loro azioni insensate avrebbero preso forza all'interno di una
Visione. Che altro è una redenzione, se non questo?

E la strategia che avrebbe delineato era questa: attaccare
il serbatoio del popolino, l'utero che aveva partorito tanti
sanculotti e stracciaculi, il fomite dello scandalo dell'egua-
glianza, che non conviene a nessuno come ogni buon muschiatino sa e dimostra di sapere. Ma non sezioni o luoghi di
ritrovo politici: colpire là dove la marmaglia vive.

La parola marmaglia aveva divertito i signori muschiatini.
«Sí, quella dannata ma'maglia, pa'ola mia!»

– Ed ecco come faremo.

Yvers si leva in piedi e la piccola folla ammutolisce, rassi-
curata dal vino. Compie qualche passo studiato verso Malaprez. Traccia un gesto davanti al volto del compagno e sus-
surra qualche parola inudibile.

Malaprez fa sí con il capo e si leva in piedi a propria volta.

Accorre saltellando La Corneille, mulinando un bastone,
una luce fredda e infantile negli occhi.

Vibra un colpo sulle reni di Malaprez, poi uno sul costato, secchi, sonori. Colpisce le gambe, finché l'uomo in nero
non fa cenno di smettere.

Malaprez è impassibile.

L'uomo in nero guarda la folla. Schiuma. Magnifica teppa. Hanno capito. L'invincibilità, anche imperfetta, anche solo apparente, mera insensibilità al dolore, li attrae, li cattura. La Corneille stringe mani, si stappa una bottiglia. Questi capibanda, questi signori teppisti sono pronti a coprirsi del manto di gloria che possono permettersi.

4.

L'orologio a parete non ebbe il tempo di finire i rintocchi che già le operaie si muovevano verso l'uscita in un brusio di chiacchiere ed espressioni di sollievo. Quando si sentí chiamare per nome, dalla soglia dello stanzino dove il padrone trascorreva la giornata a far di conto, Marie ebbe un brutto presentimento. Raccolse la propria sacca e raggiunse Duval nello stanzino che puzzava di chiuso.

L'unica sedia era quella su cui stava seduto lui, dietro uno scrittoio tarlato. Marie rimase in piedi davanti a quel volto secco, senza età. Al solito, gli occhi piccoli dell'uomo tornarono a scrutarla dalla testa ai piedi, mentre faceva oscillare la testa, come se annuisse a un pensiero che teneva per sé.

– Dunque per voialtre la festa è finita, – disse in tono compiaciuto.

Marie lo fissò senza capire.

La testa oscillò ancora.

– Mi sono informato sul tuo conto, Marie Nozière. Ho alcuni amici al comitato di sicurezza generale. Sei una testa calda, amica di controrivoluzionarie. Vivi in casa di una di loro, che marcisce in galera –. Tamburellò con le dita sul banco. – Cosí eri una di quelle che volevano portare le brache e combattere come gli uomini.

Si alzò e sovrastò Marie in tutta la sua altezza, passandosi una mano sul ventre. Fece due passi fino alla minuscola finestra da cui lo stanzino prendeva luce. Marie avvertí il puzzo di sudore rancido provenire da sotto il cappello che il padrone non toglieva mai. Lo sguardo prese a vagare, come volesse evadere da quello spazio angusto. Vide un calamaio con una penna d'oca spelacchiata; una pila di fogli unti; un tampone; un libro contabile, su uno scaffale; uno scarafaggio che si arrampicava lungo il margine del muro...

– Se ti saltasse in mente di mettermi le donne contro, – disse Duval, – be', finiresti male. Non voglio rogne con voialtre.

Il guizzo che Marie avvertí nei suoi occhi non le piacque per nulla. Doveva andarsene, ma per qualche ragione non riusciva a farlo, si sentiva bloccata, era il peso di un ricordo che lottava per risalire il pozzo dove giaceva da anni.

– Guarda, – disse Duval indicando il vetro sporco.

Marie sbirciò fuori.

Nel vicolo stazionavano tre uomini. Parlottavano tra loro, lunghe pipe in bocca e facce torve da malfattori.

– I miei procuratori, – disse Duval con un ghigno. Marie non capí cosa intendesse, ma seguitò a restare zitta. – Guardali bene. Se pianti rogne, dirò che ti diano una ripassata. Non vanno tanto per il sottile, sai?

Marie sentí lo stomaco stringersi fino a diventare una noce. A stento trattenne un conato di vomito. La voce seguitava a non uscirle, il ricordo aveva raggiunto la superficie e stava occupando la sua mente, senza piú freni.

– Oppure puoi vedertela con me, – soggiunse Duval scivolandole alle spalle. – Io sarò piú gentile di loro.

Lei era giovane, giovanissima, e completamente sola, come adesso. Anche allora era uno stanzino. Un ripostiglio. Poca luce, odori forti, la sensazione di soffocare. Il padrone spesso era già lí dentro che l'aspettava, oppure le ordinava di entrare e la seguiva dappresso. Poteva succedere in qualsiasi momento, quando lui ne aveva voglia. Gli altri domestici lo sapevano o avevano intuito, ma fingevano, rassegnati piú di lei. Nessuna serva si era mai ribellata. Nemmeno lei l'aveva fatto. E aveva pagato il prezzo piú alto: una vita non desiderata che le cresceva dentro, l'allontanamento, la clausura nel convento in una città gigantesca, spaventosa.

Duval si appoggiò dietro di lei e le strinse forte il seno con le mani.

Le mani del padrone, che toglievano l'aria, lo spazio, la voglia di vivere. Duval si abbassò appena sulle ginocchia e spinse con le anche.

Marie si riscosse. Gli piantò un gomito nello stomaco e si voltò di scatto. Era molto piú alto di lei e le stava addosso. Duval imprecò, mentre le immobilizzava le braccia. La schiacciò con tutto il peso contro la finestra e prese ad alzarle la sottana. Marie lo azzannò alla spalla. Strinse come avrebbe fatto un cane rabbioso, sentendo il tessuto della camicia cedere sotto i denti insieme alla carne. Duval ringhiò e fu costretto ad allentare la presa, quanto bastò a Marie per scivolargli sotto le gambe. Lui la trattenne per i capelli, sbattendola contro il banco. Marie afferrò il calamaio e glielo spaccò sulla testa. L'inchiostro inondò la faccia contorta di Duval, chiudendogli un occhio, ma con la sua mole occupava ancora tutto lo spazio della porta.

Marie calciò dritto con lo zoccolo di legno, colpendo in mezzo alle gambe.

Duval si accasciò in ginocchio, ululando bestemmie. Lo sguardo di Marie cadde sulla sacca, finita sul pavimento. L'agguantò e ne trasse i ferri da maglia. Li tenne entrambi nel pugno in modo che le spuntassero tra le dita. Duval se li trovò a un pelo dall'occhio sano. L'ansimare di Marie li faceva oscillare appena, producendo piccoli graffi sopra lo zigomo del padrone, che rimase immobile, mentre lei lo scavalcava e raggiungeva la porta. Lui sputò sul pavimento un grumo di saliva, sangue e inchiostro.

– Ti faccio ammazzare, saloppa maledetta… – sibilò tra i denti, mentre ancora si teneva una mano in mezzo alle gambe.

Marie ascoltò quelle parole e si accorse che non gliene importava. I giorni da serva erano finiti per sempre. Sarebbe stato cosí anche se non ne fossero seguiti altri. Questo le dava una forza che nessuno poteva toglierle e sapeva che Duval glielo leggeva in faccia.

Strinse la sacca e arretrò, tenendo ancora i ferri sguainati. Uscí dalla fabbrica di bottoni per non tornarci mai piú.

Passò accanto ai tre ceffi ai quali Duval aveva minacciato di darla in pasto. Camminò spedita fino all'incrocio e solo dopo che ebbe svoltato l'angolo diede di stomaco. Dovette appoggiarsi al muro per non cadere. Le gambe non volevano sostenerla, ma le forzò a farlo.

Non aveva detto una parola. Non un grido. Come nel ripostiglio, tanti anni prima. Ma il padrone non era lo stesso padrone. E nemmeno lei era piú la stessa.

5.

La carne di maiale rosolava sulle braci, gocce di grasso risvegliavano piccole fiamme.

L'orologio di San Palpano segnava le quattro, ma Bernard la Rana non dormiva. Chino davanti al fuoco, girava lo spiedo, pensando all'ultima volta che aveva cucinato un arrosto cosí. Roba di quando era ancora viva sua moglie. Adèle dormiva nell'altra stanza. Non aveva voluto svegliarla a un'ora cosí tarda, preferendo arrangiarsi con la brace.

Quella notte, un colpo di fortuna. Erano ancora in pochi, alla fila per il carbone – Bernard, quattro megere e un vecchio rimbambito – quando dal vicolo era sbucato un gecco che si guardava intorno a sparaguai. L'uomo teneva sulle spalle una carcassa. Fossero stati altri tempi, lo si poteva prendere per un assassino che cercasse dove nascondere il cadavere della vittima. Ma visto l'andazzo degli ultimi mesi, nessuno s'era fatto venire il minimo dubbio: quello era un macellaio che aveva preso accordi con un qualche gianfotti per portargli a casa un intero porcello, invece di venderlo al mercato al prezzo stabilito.

Corrergli dietro e incantonarlo era stato facile, ma poi il gecco s'era mollato il porcello dietro le spalle e per difenderlo aveva estratto una canna, che però non gli era servita a tenere lontano i calci di Bernard e la famigerata «mossa della rana» alla quale si doveva il suo soprannome: entrambe le mani appoggiate a terra, per spingere le gambe con piú forza sulla faccia e sul petto dell'avversario. Un colpo che sembrava preso a prestito piú dagli asini che dai batraci, ma il prestigio del lottatore aveva impedito a chiunque di paragonarlo a un somaro.

Il gecco era finito con il mento sul porfido, di fianco ai lardi del suo caro porcello. Quindi Bernard s'era fatto portare un coltellaccio e aveva fatto in pezzi la carcassa seduta stante, tenendo per sé la parte del leone. Né il vecchio né le donne se l'erano sentita di protestare.

Giunto a casa, aveva deciso di ritardare il suo secondo sonno per prepararsi uno spuntino come si deve, altro che pane e cipolla.

Ora l'arrosto era quasi pronto. Bernard controllò la cottura con un forchettone. Mentre cercava il coltello per tagliare un primo assaggio, sentí passi pesanti sulle scale di fuori e, come faceva sempre in quei casi, agguantò il candelabro e andò ad aprire la porta per dare un'occhiata.

Un uomo grondante d'acqua, i capelli incollati alla fronte e le scarpe coperte di fango scendeva nel sottano. Si voltò verso la luce e Bernard lo riconobbe.

– Che hai combinato? – domandò.

– Un bagno nella Senna, – rispose Léo balbettando per il freddo.

– Per smaltire la sbronza?

– Per non farmi ammazzare.

Bernard alzò il candelabro sopra la testa e guardò meglio l'italiano. Tremava come un cencio steso in un giorno di brezza.

– Vieni dentro e togliti quella roba, – gli disse. – C'è il fuoco acceso.

Mentre Léo si spogliava e strizzava i vestiti sul pianerottolo per non infradiciare tutta la stanza, Bernard gli lanciò una coperta. Tolse l'arrosto dal fuoco e lo ravvivò con gli ultimi sterpi rimasti in fondo alla cassa.

Léo avvicinò una sedia al camino e ci si annidò come un piccione bagnato, il panno tirato su fino alle tempie. Tossí e sputò sul pavimento, per non infierire sulla fiamma timida che dava almeno un'impressione di calore. Bernard la Rana gli porse una forchetta con un bel pezzo di carne.

– Gli amici di Soncourt, – spiegò Léo masticando. – Quando sono arrivato alla Porta San Martino, erano lí ad aspettarmi.

– Tutta la ghenga? – chiese Bernard.

– Una decina. Con mazze e lame. Ho provato a sfumarmi per i vicoli del quartiere, ma ogni volta che svoltavo, me ne trovavo due di fronte. Alla fine, mi sono scapicollato al ponte di Nostra Signora.

– E ti ci sei nascosto sotto?

– Al contrario, l'ho imboccato. Una metà m'è venuta dietro, gli altri han preso il ponte del Cambio per aspettarmi sulla sponda opposta. Mi sono messo tra due fuochi. L'ho scampata saltando in acqua. Se poi sapevo anche nuotare era la fuga perfetta. Invece ho rischiato di annegare –. Il ricordo dell'impatto con l'acqua del fiume scatenò un brivido nel corpo di Léo. – Non avresti un po' di vino? – domandò al padrone di casa.

Bernard aprí la credenza e gli versò un mezzo bicchiere di rosso. Quindi sedette di fronte al camino, come dovesse riflettere su qualche oscuro dilemma.

– È per la faccenda di Soncourt, – disse Léo in tono amaro, prima di tracannare il vino.

Bernard assunse un'espressione torva, accentuata dalle ombre che il fuoco gli proiettava sul viso.

– Le cose sono cambiate. Sarebbero cambiate anche se non conciavi Soncourt. Ora che il gatto è stato accoppato, i topi vengono fuori dalle fogne e si mettono a ballare. Quella gente vuole prendersi le strade. E sulla strada ci sei tu.

Léo dovette reprimere la rabbia e la frustrazione che gli salivano in gola.

– Cosa dovrei fare? Nascondermi? Andarmene? – domandò esasperato.

– Non hai molta scelta, – rispose Bernard rimestando le braci con l'attizzatoio. – Come contro Soncourt. O rinunci e sparisci, oppure li metti sotto prima che loro mettano sotto te.

– Fare la guerra uno contro cento? – ribatté Léo. – È una follia.

– Infatti non te lo consiglio. Fossi in te farei fagotto e me ne tornerei in Italia.

Léo rimase colpito da quelle parole. In un attimo si ritrovò davanti a Mingozzi, nella tenuta del conte Albergati. Il vecchio mentore gli dava il viatico che l'avrebbe portato a Parigi, sulle tracce di Goldoni, in realtà in fuga dalla sventura.

Bernard si avvicinò al candelabro e spense tre fiammelle su quattro. Le candele distribuite dalla sezione bruciavano in fretta, e una volta finite, non c'era garanzia di trovarne altre.

– Io me ne vado a letto, – annunciò. – La pancia piena mi ha fatto venir sonno. Quando hai finito di scaldarti, spegni tutto e chiudi la porta.

Léo annuí, mentre fissava le braci come per trarne un vaticinio.

Cinque minuti piú tardi dormiva stravaccato sulla sedia.

Estratto da

«CORRIERE REPUBBLICANO»

Decadí 20 brumaio, anno III della Repubblica (lunedí, 10 novembre 1794)

Ieri sera, a Palazzo Egualità, s'era sparsa la voce che la società dei giacobini echeggiava di mozioni incendiarie contro i rappresentanti della nazione e che si discuteva il modo di sottrarre alla giustizia Jean-Baptiste Carrier, il piú sanguinario di tutti i terroristi, responsabile dei massacri di Nantes e della Vandea.

Gli spiriti si scaldano, l'indignazione è al culmine e, all'istante, una colonna considerevole di cittadini, che presto s'ingrossa lungo il cammino, si porta verso il luogo delle sedute della società, al grido di «Viva la Convenzione!» e «Abbasso i giacobini!»

Si penetra all'interno e qualche donna, tra le cosiddette devote di Robespierre, viene schiaffeggiata e pure scudisciata, mentre le altre scappano lanciando alte grida.

All'interno della società, la cittadina Crassous sviene, il presidente si nasconde, ma tutto ciò non impedisce al tumulto di aumentare. Si lanciano pietre che rompono i vetri e rotolano nella sala.

La società fa una sortita; si combatte alla porta con esito incerto. I giacobini fanno pure dei prigionieri e li mettono sotto la propria protezione, sistemandoli a fianco del presidente con un berretto frigio in testa. Nel mentre, alcuni associati si dànno alla fuga con le donne, e sono accolti dal popolo con grida, costretti a marciare tra la folla, in mezzo a un corteo di tre o quattromila persone che li coprono di obbrobri. Per evitare le frustate, le devotè giurano di non essere della società, mentre i giacobini ricevono qualche schiaffo e calcio in culo di passaggio.

Questa scena tragicomica è terminata grazie all'intervento dei rappresentanti del popolo, giunti in pompa magna, accolti da attestati di rispetto per la Convenzione nazionale.

I deputati hanno arringato il popolo e gli hanno fatto osservare che la costituzione consente la riunione delle società popolari. La risposta è stata che nessuno ne voleva alle società, ma solo ai giacobini, uomini sanguinari, sempre in rivolta contro la Convenzione, pur fingendo di rispettarla e obbedirle.

Grida di «Viva la Convenzione» si sono di nuovo fatte intendere per ogni dove.

I rappresentanti, soddisfatti, hanno invitato i cittadini a ritirarsi e un istante dopo tutto era calmo.

La parte smerda

Autunno 1794 (anno III della Repubblica)

1.

Eh... Adesso bisogna contarti la parte smerda. Tocca farlo.
Era smerda pure l'altra, ma era uno smerdo che noi si poteva
dire qualcosa, perché in fondo era in nome nostro che s'era
fatto quel baraondo, la guerra, il Terrore... Era spinti dalla
paura che mettevamo nella cute noialtri, il Sovrano Popolo
Sanculotto, che si decideva questo e codesto e ci si mandava
l'un l'altri al patibolo e perde chi ci arriva per primo.
  – Anche arrivarci per ultimo, mica è stata 'sta grande
vittoria...
  – L'ultimo ha visto di piú, e almeno se l'è goduta.
  – L'ultimo chiude la porta, e Robespierre l'ha chiusa in
faccia a noi, che come sempre l'abbiamo presa nel barsacco.
  – Sbrisga! «Come sempre» un bel zullo! Perché sarà anche
durata poco, ma durante quelpoco li abbiam fatti tremare,
gli aristocchi, i gianfotti, i pierculi...
  – Sí, ma guarda come siam ridotti adesso...
  – Mica credere, mettiamo ancora scago... Mettiamo sca-
go perché ci si è provato una volta, e niente esclude che ci
si provi ancora.
  – Sarà...
  – Scommettiamo?
  – E che scommetto? I buchi che ho nella gabbana?
Prima era comunque un bello smazzo, si faceva la fame e
tutto, ma i giochi erano aperti, mentre dopo... Dopo è andata ben peggio, e peggio ancora. Indiragionperculo, preparati

ché arriva la storia del Grande Smerdo, quello che noi non si poteva piú dire niente, perché niente era piú in nome nostro, anzi, era proprio in nome di qualchedunaltro, cioè di quelli che non eravamo riusciti ad accorciare. Ci si incazza ancora, a pensarci oggi… Comeché la vuoi mettere e comeché l'abbiano messa e la metteranno, alla fine la verità è una e una sola: ne avevamo tagliate troppo poche.

Già, perché ancertopunto sono sbucati fuori dei gecchi che già prima qualcheduno li aveva occhiati, tipo a Palazzo Egualità o dove si faceva a pacche per soldi, ma poi li si è visti dilagare, diventare sempre di piú, e chi erano lo abbiamo nasato: mentecattume, la schiuma lercia dell'onda, l'onda che ci aveva portati fin lí. Mentre noialtri la cavalcavamo, loro stavano sotto, poi sotto ci siamo finiti noi e…

– Loro chi?

Erano giovani aspiranti picruli ché finché c'era la rivoluzione dovevano tener la cresta bassa per evitare potature, *zac!*

Erano giancaccole che renitevano la leva e zompavano da una città all'altra per non essere arruolati, *pum! pum!*

Erano garzi della bottega di papà che aspettavano di ereditare l'accaparro, *sgraffign!*

Erano sfaccendati che, in anni come quelli, si permettevano il lusso di annoiarsi, *sbadigl!*

– L'ho sempre detto, io, che la noia è controrivoluzionaria.

– Non la noia: gli annoiati. Garzo, diffida di chiunque si lamenti della noia che patisce. Chi ti dice che si annoia è uno stronzo, sempre, uno che ti vuol mettere il gioppino nel retro.

Questiquà ce l'avevano a morte coi sanculotti, e coi giacobini, e con la qualunque, purché fosse a sinistra dei cazzi loro. Aspettavano solo il momento di farcela pagare, per aver osato salire sul palco e bloccare la recita, e intanto vivacchiavano nel foyer, sognavano chissà cosa, vivevano di borsa nera.

Pensa che non dicevano la erre, per non dover dire l'iniziale della rivoluzione. Pa'lavano cosí, dicevano cose tipo: «Inc'edibile!» o «Pa'ola mia, oggi è p'op'io una bella gio'nata». Quand'è a'ivato Te'mido'o hanno avuto il via libe'a. Li ha a'uolati la 'eazione pe' bastona'e noialt'i. È cominciata la 'ep'essione...

– Svitoddio, la vuoi finire? Mi fai tornare in mente quelli là, finisce che ti spacco il muso...

Li dovevi vedere, girare per le strade di Parigi con quei ghigni sulla faccia, i randelli e gli abiti sbrilluccicosi... Palandrane multicolori piene di spille e ammennicoli, orecchini, capelli tenuti su con la chiara dell'uovo, per dire che loro potevano pure sprecarle, le uova fresche, mentre nei foborghi il popolino si torceva dalla fame.

– Ma chi li manteneva?

C'era chi aveva uno sgobbo in ufficio, chi aveva i soldi di papà e chi campava col mercato nero. Gli altri erano pagati dai gianfotti termidoriani per fare gli sgherri, e infierire sulla rivoluzione che tirava gli ultimi. Dovevi vederli, coi collettoni verdi, i culotti d'antan, le stivalazze scintillanti, e certi inutili occhiali pinzanaso colorati di rosso, di viola, di blu... Facevano male agli occhi, dal gran che risplendevano. Per questo li chiamavano la Gioventú Dorata. Li comandava gente che fino a pochi giorni prima era «terrorista», ecco la parola, è venuta fuori proprio in quei giorni, si dava la caccia al «terrorista». «Terrorista» era chiunque rammentasse al prossimo che anche i ricchi cagano.

Questo fu la Gioventú... Termidorata: una sorta di «sanculotteria dei ricchi», il popolo di strada dei reazionari. C'era chi aveva nostalgia del Capeto, ma non era necessario: importanza era odiare i poveri. Per essere chiari: mica gli dispiaceva che ci fossero i poveri, perché cosí potevano percularli.

– Se non c'è un povero, a chi si sente superiore il ricco o aspirante tale?

– Però il povero deve stare al suo posto, e soprattutto esser privo di favella, o quasi. Deve dire solo «Sissignore», riga.

La piú grossa differenza tra noialtri e lorolà era che i sanculotti avevano alzato la testa e non si erano fatti metter sotto facile, nemmeno da Robespierre, mentre i giovani dorati prendevano ordini da gentuzza sminchia come Fréron, uno che si diceva avesse un marone solo, che fino a poco prima era «terrorista» pure lui e adesso ci faceva la guerra, che l'asino se lo fotta in Guyana…

– Gli ex terroristi che ce l'avevano coi terroristi. Quelli erano i peggiori.

Com'è come non è, han cominciato subito a darci giú che ci davan giú. Protetti dalle guardie è facile, puoi fare quel zullo che vuoi: braccare la gente cento contro uno, pestare le donne e i vecchi, ammazzare di pacche i mendicanti, dar fuoco agli ultimi club giacobini rimasti…

Tanto, eravam tutti te'o'isti.

2.

Una piccola azione teppistica reca in sé i germi della grandezza. Uno di quei casi in cui la forza non dipende dalla forza e la grandezza prescinde dalla statura degli interpreti, o meglio, degli esecutori.

La Forza, la Grandezza, la Bellezza sono su un piano anteriore, originario. È la visione del grande a conferire aura, a ordinare corpi in fondo grotteschi in configurazioni efficaci, ad attribuire a forme di vita non compiutamente umane una missione.

Il cavaliere d'Yvers osservava il gruppo, l'embrione in
opera della sua armata di sonnambuli, e respirava l'odore
delle strade. Si sentiva bene. Effettivamente, nel suo corpo
e nella sua mente si era prodotto qualcosa di simile a una guarigione. Udiva i passi cadenzare con precisione il tempo che
separa dalla morte, i polmoni ritmare con la forza di man-
tici il tempo dei respiri, e i muschiatini, molto avanti a lui,
gli parevano ombre cinesi incaricate di avviare, sul fondale
di quelle vie, la trama che avrebbe portato alla risoluzione,
alla guarigione collettiva. Un organismo è sano se la colonia
di organi che lo compone rispetta funzioni e gerarchie: che
l'apparato escretore cachi, le gambe camminino, le braccia
lavorino e il capo comandi.
    Al suo fianco, Malaprez. Davanti a lui, andatura ballon-
zolante, il senzanaso La Corneille.
    – Rallentiamo il passo, signore, – disse, volgendosi, il la-
tore di quel viso mutilato. – Lasciamo che l'armata ci prece-
da di un bel po'. Dobbiamo sembrare passanti.
    Il cavaliere d'Yvers, di umore olimpico, sorrise a sé stes-
so mentre ascoltava il servo ripetere a modo suo i concetti
e le istruzioni che aveva ascoltato dal padrone solo qualche
ora prima. Si sentí come quando passeggiava coi cani, nella
tenuta paterna, insieme a stupidi e fedeli molossi e bracchi
bavosi e abitudinari. Rallentò e vide i sonnambuli, pronti all'azione, distanziarsi e svoltare l'angolo. Malaprez, per
chissà quale ragione e seguendo chissà quali pensieri, sbuffò.
La Corneille compí una specie di veronica e si accodò, come
a nascondersi dietro le spalle del capo.
    Voltarono l'angolo. Una cinquantina di passi davanti a
loro, di fronte all'osteria, i sonnambuli si erano schierati, e
invitavano a uscire con vocalizzi sguaiati. E i prossimi avversari uscirono, interdetti, dalla porta di quella fabbrica di
ebbrezza e idee fallaci. Alle prime urla di risposta e ai primi

insulti, si vide gente dirigersi a passo veloce verso il gruppo che già veniva alle mani. I muschiatini, a una sola voce, intonarono il nuovo inno antigiacobino, *Il risveglio del popolo*.

Il popolo. Astrazione assurda, eppure forza reale, primigenia. Yvers sorrise ancora. Dormienti che intonavano canzoni di risveglio e di riscossa, di fronte ad altri che avevano fatto del popolo un dio, un idolo. Pensò che il prossimo soggetto a comparire sulla scena, quello che avrebbe ristabilito un ordine risonante con l'ordine del mondo, si sarebbe forse presentato come un campione della generalità delle persone, o meglio come l'incarnazione delle assurde superstizioni e circonvoluzioni dei piú. Per perseguire l'ordine, si sarebbe presentato come campione della medietà. Un condottiero capace di passare per uno della truppa. Un demarca.

Era un concetto nuovo, che meritava una riflessione ponderata. Intanto, là davanti, la mischia si accendeva. I muschiatini, insensibili al dolore, mulinavano braccia e bastoni, gambe e ginocchia e gomiti e testate. Gli avversari, giacobini abituati allo scontro, si avventavano con rabbia ma con scarsi risultati. La mesmerizzazione conferiva non solo insensibilità, ma anche l'abilità automatica di intuire colpi e azioni dell'avversario. Per strada c'era già mezzo foborgo. La danza somigliava a una buffa rissa tra burattini e, subito dopo, a uno di quegli scontri che costruiscono l'epica dei poveri, quella dei torti da ripagare, delle bastonate date e ricevute, dei soprannomi pronunciati col rispetto e la venerazione che un tempo altri popoli avevano tributato a ettori e achilli, o magari a qualche atleta o gladiatore.

Ormai gli avversari dell'armata erano troppi. Benché la truppa si portasse bene, il divario numerico fra arti e teste degli uni e degli altri cresceva sempre piú. Alcuni, accorrendo verso l'epicentro degli scontri, chiesero a Yvers e ai suoi perché non s'unissero alla pugna.

– Sono convalescente, – rispose il capo. – A stento mi reggo in piedi. E i miei compari, – indicò Malaprez e La Corneille, – non hanno tutti i venerdí.

Gli sguardi si fissarono su Malaprez e La Corneille. Senza fare motto, il gruppo di sanculotti si allontanò in fretta, verso l'osteria.

Dall'altra parte della strada, Yvers notò un gruppetto di gendarmi. Parlottavano, indecisi, e gesticolavano. Guardandosi attorno, lasciarono la scena.

Yvers lo sapeva, erano quelle le istruzioni, quando la Gioventú Dorata – o chi per essa – si manifestava per vessare giacobini e plebaglia. I gendarmi avevano l'ordine di *lasciar passare, lasciar accadere*. L'apparente disordine di una sera contribuiva a edificare il nuovo ordine, non vi era tutore dell'ordine che ne fosse ignaro. Né vi era chi ignorasse che a prezzolare e comandare la Gioventú Dorata erano proprio i nuovi capi termidoriani, in primis Louis-Marie-Stanislas Fréron. Colui che, da infuocato montagnardo, era divenuto il piú feroce persecutore dei vecchi robespierriani.

Situazione ideale, per l'Armata dei Sonnambuli.

– Ora, – intimò Yvers.

Il terzetto ripercorse i propri passi e svoltò l'angolo, in modo da uscire dalla visuale. La Corneille estrasse dalla tasca un fischietto da marinaio trovato da un rigattiere e soffiò forte.

L'armata, fra insulti, lanci di pietre e gli ultimi focolai di rissa, si ritirò. I difensori rinunciarono all'inseguimento, anche perché tra le file dei sonnambuli alcuni avevano spianato pistole e persino un fucile da caccia.

– Perché ritirarsi, mio signore? – La Corneille si era tolto il cappello e lo torceva tra le mani. Sembrava un contadino di fronte al prete.

Il cavaliere d'Yvers sogghignò.

– Grande, grande vittoria. Domani tutta Parigi parlerà degli scontri. Diranno che una schiera di coraggiosi è penetrata in uno dei covi della marmaglia e ha tenuto testa a un numero soverchiante di aggressori. Dirà che i sonnambuli se ne sono andati tutti con le loro gambe, a testa alta e intonando inni. Provvedi a che i feriti siano curati, e distribuisci il denaro. Ora è la nostra forma di terrore che deve battere le strade.

La Corneille, gli occhi lucenti di gioia servile, annuí col capo. Malaprez, per motivi indiscernibili, sbuffò come un cavallo da tiro. Ora bisognava uscire dal quartiere, ma il piú era fatto. L'attacco dei sonnambuli a San Marcello era ormai storia.

3.

L'isolato al numero 4 di via del Traghetto aveva una facciata di aspetto nobile, ma appena D'Amblanc penetrò nel primo cortile, si rese conto che gli edifici avevano conosciuto tempi migliori. Il muschio si inerpicava fin sui muri e un odore di intonaco ammuffito stagnava sui carri e sugli attrezzi.

Un uomo era intento a spaccare legna. Piantò l'accetta sul ceppo, sputò per terra e, senza attendere domande, informò l'intruso che il dottor Gallonnaire stava al quarto piano della scala di destra.

D'Amblanc si inerpicò per gradini che parevano schiantarsi a ogni passo. Lo spazio era appena sufficiente per passare con le spalle.

Bussò e si ritrovò di fronte un grosso cinghiale sovrappeso, con una pancia monumentale e il naso da alcolizzato. I capelli giallastri gli stavano appiccicati alla testa in un elmo unto e compatto. L'occhio destro era sigillato dietro la palpebra. Il sinistro fissò l'estraneo. La bocca gli intimò di presentarsi.

– Mi chiamo Orphée d'Amblanc, anch'io sono medico. Avrei bisogno di consultarmi con voi a proposito di un vostro vecchio paziente.

L'uomo stese il braccio destro, col palmo della mano rivolto in su.

– Sono trenta franchi, – disse in attesa del conquibus. Poi, vedendo che l'altro esitava: – Pagamento anticipato, – ragliò.

– Di questi tempi, è l'unica garanzia... Dico bene, collega?

D'Amblanc versò la cifra richiesta e soltanto allora l'uomo lo invitò ad accomodarsi a un tavolo di legno, ancora mezzo ingombro dei resti del pranzo.

– E allora, – attaccò fregandosi le mani. – Di chi stiamo parlando esattamente?

– Auguste Laplace, ricoverato a Bicêtre il 26 gennaio 1793.

Il dottor Gallonnaire rimasticò il nome sottovoce, scrollò il capo, quindi scomparve in un'altra stanza e ne riemerse pochi minuti dopo, con una risposta secca e senza appello.

– Mai sentito nominare.

D'Amblanc sfilò dalla borsa un pacco di fogli e li appoggiò sul tavolo, l'aria di chi è costretto a giocare una mossa scontata.

– Eppure la richiesta di ricovero è firmata da voi, vedete?

L'uomo allungò la mano sul plico e lo fece ruotare di mezzo giro. Le carte si allargarono a ventaglio davanti a lui.

– «Il cittadino Auguste Laplace», – lesse ad alta voce, – «nato a Aurillac, eccetera eccetera, soffre da tempo di una grave forma di melancolia, dalla quale non riesce ad avere alcun sollievo. Chiedo pertanto che egli venga ricoverato come pensionante per un periodo minimo di mesi tre e fino a completa guarigione. Firmato…» – Sollevò dalla pagina l'occhio buono e stropicciandosi l'altro dichiarò che la firma era contraffatta. – Mi è già capitato altre volte, – commentò, mentre riempiva un bicchiere di vino rosso e ne mandava giú una buona metà. – Specie coi melancolici, vero, collega? Si convincono di aver bisogno di un ricovero, e pur di ottenerlo sono pronti a fare carte false.

D'Amblanc non si scompose e passò alla mossa successiva.

– Gli altri fogli, – disse indicando il plico, – sono rispettivamente la minuta della lettera che l'economo di Bicêtre vi spedí per informarvi che Auguste Laplace era stato accettato e la vostra risposta autografa con alcune informazioni aggiuntive sul vostro paziente.

L'uomo questa volta lesse le carte con la voce della mente, sorseggiando il vino che non aveva nemmeno offerto al collega. Sfogliò l'intero fascicolo, compulsò le annotazioni di Pussin e del dottor Pinel.

– Dunque? – domandò alla fine, come se la conversazione fosse appena iniziata. – Che genere di consulenza vi serve, collega?

D'Amblanc era piuttosto infastidito da quel continuo ricorso alla parola «collega». Tuttavia, cercò di mantenere l'espressione asettica che si era riproposto di sfoggiare.

– Vorrei sapere se davvero conoscevate da tempo il cittadino Laplace e le sue patologie.

– Mi pare evidente di no, collega, – disse l'altro mentre riordinava i fogli davanti a sé. – Purtroppo non posso esservi d'aiuto.

Spinse il plico verso il centro del tavolo e si alzò, per segnalare che il colloquio era terminato.

D'Amblanc sentí che la rabbia cominciava a interferire con la sua mimica controllata. Pensò alla magnetizzazione contro la volontà e a quanto gli sarebbe piaciuto usarla per far parlare quel farabutto. Per la prima volta, provò per il cavaliere d'Yvers una punta d'invidia.

– Perché allora avete mentito, scrivendo che conoscevate da tempo la sua malattia?

– Questo io non l'ho scritto, collega.

– Però avete chiesto di ricoverarlo come se fosse un folle.

– Perché, non lo era? Correggetemi se sbaglio, collega, ma mi pare di aver letto in quelle carte che l'esimio dottor Pinel, a un certo punto, decise di trattare il Laplace come un internato e non piú come un pensionante. Tant'è che Laplace è poi *fuggito* dall'ospizio di Bicêtre. Dunque la mia diagnosi si è rivelata corretta.

– Già, corretta. E qual è la vostra tariffa, per un'analisi tanto brillante? – sbottò D'Amblanc. – Se trenta franchi è il prezzo per una consulenza, allora un documento falso deve costare almeno il triplo.

– Dite, D'Amblanc, voi siete un medico o un poliziotto? – Ora era il dottor Gallonnaire a mostrarsi impassibile di fronte alla collera dell'altro. – Giusto per capire se mi state offendendo oppure accusando. Perché nel primo caso vi sfido a ripetere quel che avete appena detto. Nel secondo, a provare contro l'opinione mia e del dottor Pinel che Auguste Laplace non era un alienato e che dunque io dichiarai il falso per farlo internare. Per quale scopo, poi?

– Voi avete aiutato un pericoloso controrivoluzionario a nascondersi tra i folli, per sottrarsi alla giustizia.

– Ah, dunque è di questo che mi si accusa! – disse Destouche sghignazzando di gusto. – Allora posso dormire sonni tranquilli. Non so se ve ne siete accorto, D'Amblanc, ma la caccia ai controrivoluzionari imboscati non va piú di moda.

Al contrario, si loda chi contribuí a salvare certi aristocratici innocenti, brissotini senza colpa, sacerdoti fedeli al papa... Sento che anche per me potrebbe esserci dietro l'angolo una bella medaglia, eh? Che ne dite, collega? Volete brindare alla mia salute?

E mentre l'altro riempiva per la prima volta due bicchieri, Orphée d'Amblanc raccolse il fascicolo su Auguste Laplace e se ne andò dalla casa del dottor Gallonnaire, senza salutare e con trenta franchi di meno nel portamonete.

4.

– Si chiamava Carlo Coralli e di professione era il segretario del marchese Albergati, ma nel tempo libero si dilettava col teatro, recitava. Bravino, ma non eccelso. Ha recitato pure qui a Parigi, al *Teatro degl'Italiani*... Adesso è morto, *puvrâz*. Aveva sei, sette anni piú di me. Io quattordici e lui una ventina. Questo Coralli s'era innamorato della nipote di Antonio Sacco, un grande attore. E siccome voleva starle vicino, aveva convinto il marchese a scrivergli piú d'una raccomandazione, grazie alle quali si era fatto assumere nella compagnia del Sacco, a Venezia, e io per questo lo amavo come la scabbia. Invidia? Certo. Ma per quel calcio in culo, mica per il talento. Insomma il Coralli è in partenza per Venezia, e prima di congedarsi dalla Villa, come ultima prova d'attore, domanda al marchese di recitare una commedia di Goldoni: *La burla retrocessa nel contraccambio*. «Perché proprio quella?», chiede l'Albergati. «È un Goldoni mal riuscito. Il maestro l'ha pure riscritta, in veneziano e col titolo cambiato, ma il pubblico del *San Luca* l'ha fischiata con le quattro dita». Coralli ribatte che l'opera invece è sopraffina, tutto sta nel recitarla in un certo modo, e lui quel modo lo ha colto, dopo mesi di studio. Il marchese allora accetta, fanno le prove, e io devo ammettere che mi sbudello dal ridere, e quando poi la mettono in scena, per i pierculi amici dell'Albergati, è tutto un complimentarsi col Coralli e un dirsi certi che farà gran carriera. Da quel giorno, *La burla* è diventata il mio chiodo. L'ho letta e riletta, e ogni volta mi veniva in mente una nuova trovata, una nuova mimica o un'intonazione, per recitarla meglio di Coralli, e tirar fuori il comico da indove lui non c'era riuscito. Ho letto il testo in veneziano, *I chiassetti del carneval*, una fatica bestia. Ho piluccato un po' qua e un po' là, ho mescolato alcune battute, le ho provate per anni quasi tutte le sere, e quando il marchese ha cominciato a darmi delle particine, dei ruoli da servo e da comparsa, ho sognato che prima o poi ce l'avrei fatta, a recitare *La burla*, e a dimostrare a tutti che ero più bravo del Coralli. Però capisci, non è che potevo andare dal marchese cosí, a bruciapelo, e domandargli se avesse voglia di mettermi alla prova su quel testo, già era molto se mi faceva salire sul palcoscenico ogni tanto. E cosí sono passati gli anni, finché un giorno vengo a sapere che in un teatro di Bologna si recita una commedia veneziana di Carlo Goldoni: *Chi la fa l'aspetta, o sia, La burla vendicata nel contracambio fra i chiassetti del carneval*. Vacca boia, mi son detto, questa non me la perdo sicuro, e raggranello i danari per due mesi interi: perché di solito andavo alle prove, mica alle recite vere, e invece stavolta no, stavolta voglio vedere la prima, a costo di dormire sotto un portico e di tornare a Zola la mattina. Insomma vado. Entro. Mi piazzo in mezzo al pubblico in piccionaia. Si apre il sipario. Nel ruolo del protagonista c'è Norberto Rizzi, mai sentito nominare. Io sono lí, rapito dall'emozione, pronto a recitare col cuore ogni battuta, e a misurare lo scarto tra l'interpretazione di Rizzi e i mille segreti che soltanto io, nel mondo, ho saputo cogliere in quel testo cosí bistrattato. Io sono lí, Norberto Rizzi è sul palco, dà le prime battute, e mi rendo conto da subito che il suo stile, la mimica, i gesti del corpo, il tono della voce, sono proprio i medesimi che ho visto e rivisto nello specchio in tanti anni di recite a me stesso! Con una differenza: Norberto Rizzi è veneziano, dosa il dialetto alla perfezione, mescola l'italiano della *Burla* col vernacolo dei *Chiassetti*, e la sua pronuncia è un canto di sirena. Seconda differenza: Rizzi, al posto del mio specchio, ha una platea di gente che ride a pancia sbottonata, si diverte, applaude, fa chiamate a scena aperta, e a ogni nuovo incidente l'ilarità si fa piú clamorosa. È come se Rizzi avesse carpito i miei segreti! Io lo ammiro in preda alla febbre, sbigottito, straziato dalla scoperta che quel tizio sul palco sono io, ma io non posso essere quel tizio sul palco. Giunti all'ultimo atto, dimostra pure di saper danzare e cantare, laddove io, da regista di me stesso, avevo pensato di omettere balli e canti perché mi vengono male. Un trionfo. Un quarto d'ora di battimani. Le signore della Bologna nobile, i gianfotti delle smerde famiglie senatorie, tutti si domandano come mai una pièce cosí fenomenale sia rimasta sepolta per vent'anni. Io tremo, ho la bocca secca, mi sento come se il Reno in piena mi avesse trascinato per dieci miglia in balia della corrente. Decido, in uno slancio di passione, che devo incontrare Norberto Rizzi, devo parlargli, abbracciarlo, dirgli che è mio fratello gemello. Fuori dal teatro c'è calca. Si attendono soprattutto le attrici, anche loro superbe nelle parti delle varie siore e della serva. Scorgo Rizzi e provo ad avvicinarmi, domando permesso, passo negli spiragli fra un corpo e l'altro, attratto come polvere di ferro da un magnete. Quando sono a tiro, allora mi sbraccio, dico: «Signor Rizzi, signor Rizzi!» Provo di farmi notare, ma tutto quel che ottengo sono le attenzioni di un signorino azzimato che mi intima di non rompere i maroni. Ma io *brisa*, non desisto, sento che se non parlo con quell'uomo finirò per svenire, spingo ancora, ci metto i gomiti, e tutto quel che ottengo è una manata in faccia da un altro signorino, piú grosso del primo, che mi domanda se per caso deve spiegarmelo meglio lui, che non devo rompere i maroni. Io vorrei rispondere, reagire, ma in quella, il manipolo che attornia Rizzi si stacca dal resto della folla e si avvia sotto il portico, mentre io faccio giusto in tempo a sentire che son diretti a Palazzo Ranuzzi, per festeggiare il successo del primattore. Decido di seguirli, di corsa, affianco il manipolo e di nuovo mi rivolgo al mio idolo gemello, lo chiamo, quello si volta, ma un terzo signorino mi molla una spinta, mi manda per terra e con un calcio in culo dice di lasciar perdere e di tornarmene in campagna a spalare letame. Te credi che gli ho dato retta? Col zullo! Mi tiro in piedi e questa volta decido di precederli davanti al portone di Palazzo Ranuzzi, e appena li vedo comparire in fondo alla via, riprendo a sbracciarmi: «Signor Rizzi, signor Rizzi!» Il grande attore mi vede, e stavolta, distintamente, sento che esclama: «*Oh, cancar! Ancora queo!*» Ma uno dei signorini che ho già conosciuto gli fa segno di star tranquillo, ci pensa lui, e mi viene sotto con l'aria truce, mentre gli altri si infilano per lo scalone tra lazzi e risate. Restiamo soli io e il signorino. Lui mi offende, mi dà dello zotico, mi ordina di sparire. Gli rispondo che invece intendo aspettare Rizzi lí per strada, che nessuno me lo può impedire, ma quello, per tutta risposta, alza il bastone e me lo stampa su un fianco. Io reagisco e il signorino dimostra di essere una mezza-sega: le prende secche. Due belle noci alla mascella e poi un cartone al fegato, come m'ha insegnato mio padre, che poi non era proprio mio padre, ma insomma, quel colpo lí me l'ha spiegato lui, e già l'avevo usato soquante volte, nelle risse in strada, e mai m'era successo quel che m'è successo lí, cioè che il signorino va giú come un sacco svuotato. Forse batte la zucca sui sampietrini, perché quando mi chino per mollargli altri due ceffoni, vedo che piscia sangue da dietro l'orecchio. Stecchito. Allora via, gioco di gambe dritto filato, scappo e corro fino a Porta Saragozza e me la faccio a piedi infino a Zola, alternando corsa e marcia, come mi ha insegnato sempre il Mingozzi, cinquanta passi corri e cinquanta cammini, cinquanta corri e cinquanta cammini, avanti cosí per un paio d'ore. Arrivo, entro in casa, sveglio il Mingozzi e gli racconto tutto. L'ho accoppato, gli dico. Lui si stropiccia gli occhi e fa: «*T'î prôpi un pajâz*», sei proprio un pagliaccio. Non dice altro, non mi tira dietro le solite bestemmie, le lagne per quanto sono *sgrazié*, no. È come se tutti quei cancheri li ha condensati dentro l'ultima vocale della frase: *pajâz*, con quella *a* lunga, dolorosa e cattiva. Domanda dettagli, vuol sapere se penso che qualcuno m'ha visto, mentre m'accapigliavo con quello. Io rispondo che no, non mi pare. Non mi pare proprio. Lui si alza, butta un panno sul tavolo, ci mette sopra una forma di pane, una salsiccia passita, tre-quattro monete. «Prendi la tua roba e vattene, – mi dice. – Al padrone ci racconto che sei partito a cercar fortuna con una banda di quei comici che ti piacciono tanto». E poi basta. Si rimette a letto, tira su la coperta e si gira verso il muro. Io faccio fagotto, aspetto la prima luce e vado, dove non so, ma vado, e il resto piú o meno lo sai: di come sono arrivato fin qua, di come ho incontrato il Goldoni, di come sono diventato attore e del perché poi non sono tornato a Bologna, una volta che la buriana si è chetata e nessuno aveva sospetti sul mio conto. Il punto è che ora, di nuovo, son qua che dovrei far fagotto, perché una banda di signorini col trucco ha deciso di mettermi le vesciche al culo. Be', ecco la mia risposta: una volta basta e avanza. Basta fuggire. Basta mandar giú amaro. Basta farsi dare la battuta dagli altri, come una comparsa qualunque. Io sono nato primattore. Primattore nel vecchio teatro, quello che si recitava al chiuso delle sale; primattore nel Nuovo, quello della rivoluzione; primattore alla barriera dei combattimenti e primattore pure adesso, in questo teatro che è cambiato ancora ma non cambia la solfa: i signorini cercano sempre di mettermi i piedi in testa. Ma stavolta si va a mostrare ai tacchini con che legna mi scaldo. Tu mi hai detto che non c'è alternativa: o mi dileguo o li metto sotto. O smetto di combattere, o combatto da solo contro cento. Io rispondo che le due cose non si escludono. Non sono le strade di un bivio. Sono il lancio di due dadi. Mi dileguo *e* li metto sotto. Mi dileguo, perché *bonalé* con gli incontri di pugilato, e li metto sotto, perché non lo sanno mica, contro chi si sono messi!

Bernard intuí che Léo aveva terminato.

– Se ho capito bene, li vuoi colpire tu prima che ti colpiscano loro.

– Proprio cosí.

– E sospendi i combattimenti per non essere dove loro ti aspettano.

– Precisamente.

Bernard si alzò dallo sgabello dove aveva trascorso l'ultima ventina di minuti. Fissò Léo, poi scosse il capo, lento e grave, tanto che l'attore si immaginava la solita sentenza, l'antico verdetto, il giudizio che aveva temuto: *Sei proprio un pagliaccio.*

Quel che Bernard disse fu invece:

– Se non combatti, tocca che paghi l'affitto.

Il marsigliese salutò e prese la porta senza aggiungere altro, quasi che volesse contrapporre un pugno di parole alla logorrea dell'altro.

Léo contò quanti soldi gli restavano in tasca, infilò gli stivali, cucí un bottone sul pastrano e poi anche lui uscí, nell'ultima luce che sfiorava Parigi.

Sul far della sera, Pontenuovo aveva un che di lugubre. I lampioni proiettavano ombre oblunghe sull'acciottolato e il lungofiume appariva come un oscuro oltretomba. Nondimeno, Léo pensò che fosse l'atmosfera giusta. Il tempo della commedia era finito da un pezzo, e ora anche la ghigliottina, con il suo terrore equanime e pulito, menava il pubblico alla noia. Il nuovo-Nuovo Teatro sarebbe stato un impasto di dramma e…

– Ehi! Bolognese, dico a te!

Léo si girò e si trovò davanti Rota, l'uomo del carretto di libri. L'ultima volta che l'aveva visto era stata… Alla barriera dei combattimenti, il giorno che aveva steso Jean-Do e conosciuto Bernard.

– Ancora sul ponte a quest'ora, bergamasco?

– Stavo appunto andando via, – rispose il *bouquiniste* indicando la sua libreriola, tomi e lunari già dentro le casse.

– Non mi dire che sei di nuovo finito qua!

– No, no… – disse Léo. – Sono venuto a recuperare qualcosa. Qualcosa che avevo lasciato qui. Come ti va?

– Oh, – fece Rota, muovendo la mano come uno scacciamoscerini, – riesco a stento a non affogare. A te come va? Fai ancora il pugile?

– Piú o meno, – rispose Léo, guardando l'acqua scura del fiume. Acqua passata, si diceva del tempo trascorso. Pensò ai suoi primi giorni a Parigi, ai sogni, alle illusioni… – Di' ben su, Rota… Io non ti ho mai chiesto una cosa: come ci sei finito in Francia?

Rota emise una sorta di risolino sbuffato.

- Eh, caro mio! Tu non ci crederai, ma son venuto qui a fare il gondoliere.

Léo aggrottò la fronte.

- Mi stai perculando? Un gondoliere bergamasco a Parigi?

- Non proprio a Parigi. A Versailles.

Léo guardò l'omarino che gli sorrideva, e capí.

- Tu eri uno dei gondolieri della Piccola Venezia a Versailles? Veramente?

- Uno di quei dieci, per servirvi, - rispose Rota con un inchino scherzoso.

- Pensavo foste tutti veneziani... Della laguna, intendo...

- I primi quattro erano tutti veneziani. Poi la corte comprò altre sei gondole e si rivolse all'ambasciata per assumere i gondolieri. Quelli partirono da Venezia, ma all'altezza di Bergamo uno si infilò in una rissa e si ritrovò sgozzato, proprio nella locanda dove facevo il cameriere. Io mi ero già rotto le balle, avevo deciso di andarmene, partire alla ventura. Loro non potevano presentarsi a Versailles in cinque, per giunta con la notizia di uno morto com'era morto, e non potevano neanche tornare indietro. A quel punto, mi sono offerto. Non ero anch'io un cittadino della Serenissima? Se mi coprivano, a Parigi potevo ben passare per veneziano -. Il bergamasco si rabbuiò. - Adesso a Versailles non c'è piú niente. Mi han detto che il Gran Canale e il Bacino d'Apollo sono pozze fangose...

A Léo, che aveva ascoltato il racconto pendendo dalle labbra dell'amico, esplose in testa un pensiero.

- Hai mica conosciuto Carlo Goldoni?

- Macché. Io sono arrivato a Versailles nell'80, lui era già venuto via da un pezzo.

E fu allora, quasi al termine di quella giornata dedicata ai ricordi, che Léo narrò del suo incontro col maestro, al *Caffè meccanico* di Palazzo Egualità, e dell'immortale lezione di vita ricevuta: «Un òmo de importansa se conosse dal codasso de mone che'l se tira drio».

Alla fine dell'aneddoto, Rota rimase in silenzio, serio serio. Sembrava imbarazzato.

– Cosa c'è? – chiese Léo.

– Mi sa che ti ha dato del coglione.

All'improvviso, il mondo di Léo si affollò di punti di domanda. Fluttuavano nell'aria a sciami, come tafani.

– Come sarebbe a dire?

– Sarebbe a dire che in veneziano *mona* vuol dire anche idiota, imbecille, mentecatto… Goldoni ti ha detto che un uomo importante si porta sempre dietro un codazzo di idioti. Tu hai idea di quante persone lo fermavano ogni giorno per chiedergli qualcosa, un favore, una spintarella, e magari gli raccontavano la loro storia? Soprattutto italiani come noi. Io stesso ne ho conosciuti un paio. Tu eri uno dei tanti… Ma guarda che sei fortunato, almeno ti ha dedicato un motto di spirito!

Tutti i punti di domanda caddero a terra con strepito di vetri infranti.

Dunque è cosí, pensò Léo.

Cosí termina questa giornata.

Anche l'ultimo sogno doveva essermi sottratto.

E sia.

Davvero riparto da zero.

Il nuovo-Nuovo Teatro sorgerà su una tabula rasa.

Contò i mattoni del pilone e individuò quelli che cercava, quindi con un punteruolo li liberò dalla calce. Li sfilò con facilità ed estrasse l'involto che aveva nascosto tempo addietro. Puzzava di umidità. Si sbarazzò della tela di iuta e rimase a contemplare la maschera come se si trattasse di uno specchio o del volto di un'amante ritrovata.

Mentre saggiava il rostro, ancora duro e acuminato, un ratto uscí dal buio. Aveva la stessa corporatura, le stesse movenze sfrontate del vecchio Capitan Fracassa. Dritto sulle zampe posteriori, muso all'aria, sembrava in attesa del destino.

– Riscatto. Redenzione, – lo apostrofò Léo. – Questo è quanto, sul palcoscenico di Parigi, vi rappresenteremo nei prossimi giorni. E se a esso prestar vorrete orecchio, pazientemente, noi faremo in modo, con le risorse del nostro mestiere, di sopperire alle manchevolezze, all'angustia di questi nostri tempi.

Un inchino al pubblico di Pontenuovo. Un ghigno a storcere la bocca.

Non un bivio, ma il lancio di due dadi. Léo il lottatore poteva sparire dalle strade. Darla vinta ai muschiatini. Sottrarsi di giorno alle loro angherie. Di notte, Léo l'attore, l'uomo in maschera, avrebbe cercato vendetta e messo sotto i suoi nemici.

Di nuovo in scena, un'ultima volta.

Prima della fine, prima che la storia facesse il suo giro, prima di andarsene al diavolo o in gloria.

L'ultimo spettacolo di Scaramouche.

Il pensiero gli strappò una risata, ma quello che uscí fu piuttosto un ringhio, che risuonò basso sotto le volte del ponte e si perse sull'acqua cupa della Senna.

Capitan Fracassa si ritirò impaurito, o forse sazio di quella prova d'attore.

Léo nascose la maschera sotto la giacca e risalí verso le strade.

5.

Era come scivolare per terra e accorgersi di non essere piú in grado di rialzarsi. Sai cosa dovresti fare: flettere il ginocchio, appoggiarti sul gomito, puntare il piede, fare leva con i muscoli... ma non ci riesci. Forse perché in fondo non vuoi farlo. Perché all'orizzonte non vedi nulla. Nessun motivo valido per rimetterti in piedi.

Era cosí che Marie si sentiva. Dormiva quasi tutto il tempo, stesa sul divano sfondato di Claire, con i vestiti addosso. A volte andava nel guardaroba, indossava uno degli abiti di scena e si guardava allo specchio, per fingersi un'altra. Spendeva gli ultimi soldi per comprare vino, anziché pane. Vino scadente, che bruciava in gola, ma stordiva a dovere. Cosí riusciva a non sognare il vecchio padrone. A non sognarlo con la faccia da faina di Duval, o peggio... con la faccia di Bastien. Bastien piú grande, uomo fatto. A volte erano i conati di vomito a svegliarla, rischiando di soffocarla.

A mano a mano che i giorni passavano e diventavano settimane, i giri in cerca di un qualunque lavoro si fecero piú corti e sporadici. Alla fine cessarono. Prese a elemosinare dagli osti i fondi delle botti, la risciacquatura del mosto, qualunque cosa l'aiutasse a spegnere i ricordi e i pensieri il piú in fretta possibile. La mente iniziò lunghe circonvoluzioni che la portarono lontano, in territori dove anche il pensiero di Claire iniziò ad assopirsi e Jacques non era che un fantasma dai tratti indistinti. Una notte – o forse era giorno – sognò Scaramouche, con un naso enorme, il mantello spiegato come le ali di un rapace, che aggrediva uomini imparruccati, colpendoli con il rostro e cavando loro gli occhi. Assomigliavano tanto ai gecchi che stazionavano a Palazzo Egualità. Marie li vedeva quando faceva il giro delle osterie. Le avevano perfino allungato qualche spicciolo, una volta, coprendola di sfottò. Uno le aveva chiesto quanto volesse per una sveltina nell'androne accanto. Marie gli aveva ringhiato contro. E quando si era vista riflessa in una pozzanghera aveva riconosciuto il viso di Théroigne de Méricourt, scarmigliata e folle: lo stesso sguardo perso, il mento che tremava.

Ogni sera tornava nella soffitta di Claire, a consumare il poco che aveva raccolto. A volte piangeva, pensando a sé stessa, poi anche le lacrime finivano, e restava silenziosa, al buio, a chiedersi perché Nostra Signora della Ghigliottina non la chiamasse a sé, accanendosi a risparmiarla.

6.

Piovoso per il periodo piú freddo dell'anno. *Frimaio* per il piú piovoso. I rivoluzionari avevano preso un abbaglio, pensò Léo.

La pioggia annegava tigli e aiuole. Dietro la colonna di Palazzo Egualità, Léo osservava avventori stringersi sotto il porticato, mentre i vialetti si mutavano in torrentelli fangosi.

Altro che abbaglio. I rivoluzionari non si erano limitati a porre etichette diverse sotto gli oggetti e i fatti di un tempo. Avevano chiamato Basso l'Alto e Uguale il Diverso. Che rivoluzione sarebbe stata, altrimenti?

Sí, altro che abbaglio. Invertire molti piú nomi bisognava, compresi i propri. Se fai una cosa, chiosò, falla bene. Alla Gengis Khan, alla Tamerlano, che non lasciavano dietro di sé spazio possibile a vendette. Loro l'avevano avuto, il fegato di lasciarsi alle spalle montagne di teschi, nessun nemico vivo.

Perché infatti eccoli, i muschiatini. Persi in gozzoviglie, sotto il porticato, fuori del solito ritrovo, le vesti sempre piú sgargianti, arroganti, acconciature a orecchie di cane, cravatte a nascondere il mento tirate su fin sotto la bocca, bicorni amplissimi, randelli come bastoni da passeggio. Le voci suonavano alte, ghigne e accenti artefatti foravano l'atmosfera diaccia e giungevano a ferirgli le orecchie.

Brindarono alle baldracche delle madri loro, poi, infine, due gecchi si accomiatarono dal resto della ghenga.

Léo attese il rituale dei saluti. I fecciosi amavano scambiarsi strani inchini: un colpo secco del collo, il mento che si abbatte sul petto, come se la ghigliottina li avesse appena fulminati. Geniale ironia, grasse risate. I due si mossero verso l'uscita sul retro.

Léo li precedette nell'ombra, una corsa leggera, un balzo in strada, sotto l'acqua fitta. A destra tutto tranquillo, a sinistra pure. Raggiunse l'angolo del palazzo e strinse la mano sul manico del badile. Pensò al muratore a cui l'aveva sgraffignato: se avesse potuto spiegargli l'uso che intendeva farne, di certo quello glielo avrebbe prestato volentieri e gli avrebbe augurato buon lavoro e piena soddisfazione. Invece gli aveva tirato dietro solo cancheri e bestemmie.

Calò la maschera, attento che il rostro calzasse bene sul naso.

Non per un pubblico, non piú.

La vecchia stagione del Nuovo Teatro era finita, chiusa a doppia mandata, epoca abbandonata alla polvere e ai fantasmi. Spettri di attori falliti, rintanati in mille cunicoli. Signori delle botole. Fantasmi in vedetta, in agguato dietro vecchie scenografie. Uomini ombra, come Scaramouche.

Fradicio ma incurante della pioggia, Léo vide uscire i due muschiatini. Solo uno era armato di randello. Lo utilizzava proprio come un bastone da passeggio, aiutando affettatamente, ogni qualche passo, un'andatura artefatta, sussiegosa. L'altro si riparava sotto un parapioggia all'inglese. Li lasciò sfilare, nascosto dietro un angolo, poi assestò un colpo violentissimo sulle gambe di uno dei due. Il secondo si volse, un'imprecazione sulle labbra, ma venne raggiunto da un cazzotto in piena faccia, tra naso e bocca, e si portò le mani al viso. Il parapioggia cadde e girò sul perno offerto dal puntale, la pancia verso l'alto, a raccogliere il diluvio. Quello colpito alle gambe faticava a rialzarsi. Il suo bastone era rotolato via, distante qualche passo. Léo sferrò un calcio con la punta dello stivale sul mento. Sentí il rumore dei denti che gemevano un'arcata sull'altra. Quello del parapioggia provava, intanto, a estrarre qualcosa da sotto la giacca. Una pistola, di quelle con una lama di coltello saldata sulla canna. *Pa'ola mia*, ebbe appena il tempo di dire prima che il manico di badile si abbattesse tra capo e collo con un tonfo smorzato. Tramortito, l'avversario scivolò a terra come un sacco vuoto.

La pistola cadde. Benché il cane fosse armato, non sparò. Polveri bagnate. Léo ringraziò il diluvio, estrasse dal tascapane una corda da barcaiolo e si girò verso l'altro, che era riuscito a mettersi in ginocchio e tendeva la mano verso il suo randello, ahilui troppo fuori portata. Léo lasciò un braccio di corda tra le mani e strinse con quella il collo del muschiatino. Fu solo allora che il bicorno, calzato a fondo sul capo, cadde a terra, dondolando sulla tesa come una barchetta sul mare agitato. Il muschiatino intanto implorava con lo sguardo, il volto ormai cianotico. Léo allentò la presa con un ghigno di disprezzo. Il merveglioso si portò le mani alla gola, tossí. Poi cadde, tramortito da una bastonata secca.

Léo guardò i suoi nemici. Respirò forte, allargando le froge come uno stallone. Niente pubblico, no, ma certo un trionfo.

Legò i corpi in modo che sedessero, le schiene appoggiate, le gambe lunghe distese sulla pavimentazione fradicia. Meditò se fosse il caso di spogliarli, ma pensò che non occorreva strafare. Era andata sin troppo bene. L'occhio gli cadde sul bastone di uno dei muschiatini, poi sulla pistola, ma ad attrarlo era il bastone. La forma della testa ricordava un volto umano. L'altra estremità sembrava quella di un osso, di una tibia. Pensò che quell'oggetto doveva essere suo. Piú efficiente di un manico di badile, e il legno era stato trattato con resina, in modo che non prendesse umido e non si deformasse. Lo raccolse, lo rigirò tra le mani. La consistenza e il peso intimidivano, ma si trattava di un attrezzo estremamente maneggevole. Scaramouche aveva trovato un'arma adatta, pensò. Ironia della sorte, l'arma di elezione dei suoi avversari. Bottino di guerra.

DA UN RAPPRESENTANTE
DELL'ARMATA DEI PIRENEI ORIENTALI
AL COMITATO DI SALUTE PUBBLICA

Montpellier, 24 brumaio, anno III (14 novembre 1794)

Ho ricevuto l'altroieri una lettera, la cui prima busta era al mio indirizzo e la seconda ai rappresentanti del popolo presso l'armata dei Pirenei Orientali; l'ho aperta e ho visto che la lettera era di Simonin, riscattatore dei prigionieri di guerra francesi in Spagna.

Voi, cittadini colleghi, non potrete leggere senza la piú grande indignazione i tre seguenti articoli, racchiusi nella lettera di Simonin, che vi allego in copia.

«La Spagna, – si dice, – riconoscerà il sistema o la forma di governo che la Francia ha adottato o vorrà adottare». Oh, quanta bontà!

«La Francia, metterà a disposizione della Spagna i due figli del fu Luigi XVI». È buffo vedere un nemico sconfitto usare un simile linguaggio. Spetta al solo popolo francese decidere la sorte dei due figli del Capeto. E senza dubbio, dal momento che si trova nella posizione di dettar legge ai suoi nemici, non accetterà ordini da nessuno, tantomeno da una nazione orgogliosa, vigliacca e perfida.

«La Francia, – continua, – renderà al figlio di Luigi XVI le province limitrofe alla Spagna, nelle quali egli regnerà e governerà come unico re». Ammetto che ci vuole molta flemma per leggere questo articolo mantenendo il sangue freddo. Ma come? Dacché il popolo francese si è liberato per sempre delle catene della schiavitú e ha proclamato la Repubblica, gli si propone di rendere al figlio di Capeto le province limitrofe alla Spagna? Si pensa dunque che gli abitanti di tali province, amanti gelosi della libertà, che hanno giurato di vivere liberi o morire, chinerebbero di nuovo il capo sotto il giogo di un despota?

Si può pensare che la Francia vittoriosa, le cui armate occupano il territorio nemico, consentirebbe mai che la minima parte del suo venga deturpata dalla presenza di un tiranno?

Nella vostra saggezza, voi soppeserete il partito che è meglio prendere; ma, nell'attesa, persisto nel credere che ogni corrispondenza tra uomini liberi e schiavi debba cessare, dal momento che costoro osano proporre leggi, quando invece sono fatti per subirle.

L'unica corrispondenza che vi può essere è quella del cannone e della baionetta.

Saluti e fraternità,

Vidal

L'Ammazzaincredibili
Novembre-dicembre 1794 (frimaio, anno III)

1.

L'arma di Scaramouche era lo spirito di Marat. Soquanti dicon che era una sbarra di ferro, qualchedun altro ricorda che era un femore d'uomo, un femore placcato d'argento. Qualcheduno lo ha pure visto nella bottega di un trovarobe.

– Chi, Scaramouche?

Sei scemo? Il femore. Dice che il cugino di qualcheduno faceva il facchino, si smazzava mobili e cazzi vari. Ancertopunto vede l'osso in una bacheca e chiede al titolare: cos'è quel robo lí? E il gecco gli fa: oh, quella è roba che vale, non si tocca! È l'arma di Scaramouche, l'Ammazzaincredibili.

– Figurarsi se quello aveva lo spirito di Marat sottovetro! Sarà stato un osso rubato a un cane, coperto con del ferro e un velo d'argento, per venderlo al primo gonzo che...

Per la verità uno Scaramouche s'era già visto nel '93, a Sant'Antonio, aveva sbregato il culo a due o tre accaparratori, poi s'era infognato chissadove. Dicevano che fosse un saltimbanco italiano.

– Mi ricordo. Infatti anche il saltimbanco era svanito dal foborgo.

– Pure perché, diciamocelo, quando Madama Ghigliottina macinava che macinava, c'era ben poca bisogna di un eroe mascherato.

– Però poi è tornato fuori.

Ma mica lo sai se era sempre l'italiano, concesso e non ammesso che la prima volta fosse lui. Che poi chi era 'sto italiano? È esistito davvero o l'ha inventato qualcuno?

Insomma, le strade erano zeppe dei pierculi armati che ti dicevo, quelli che Fréron... Te lo ricordi Fréron?

– Girava voce che fosse evirato, ma che in compenso aveva tre balle...

– Seee, le aveva in testa, le tre balle...

Fréron aveva assoldato quei gianfotti a guisa di cagnaccia, ma eran peggio della cagnaccia... Sí, loro, quelli che non dicevano la erre, che giravano coi calzari tipo Giulio Cesare con il zagno che faceva quell'inverno, e avevano diciassette bottoni sulle palandrane in onore di Luigi XVII, che poi sarebbe il delfino...

– E la sciarpazza fino alle labbra per dire: a me non m'avete decollato!

– E la coppa rasata e scoperta per dire: tie', questa è ancora qui!

– E avevano ragione, dovevamo accopparli tutti.

C'erano pure quelli peggio ancora, che potevi dargli una zoccolata sui maroni e manco una piega, nemmeno abbassavano lo sguardo. Quelli che poi hanno fatto quel gran buridone.

– Chiamalo buridone!

– Però quelli son venuti fuori dopo.

Insomma, noi all'epoca s'era ben mesti. S'era mesti fin da termidoro. Nelle nostre stamberghe si gelava. La panza era vuota. Il governo faceva cacare. I merdegliosi pistavano e mazzavano i nostri compagni, un giorno sí e l'altro perché no? Eravamo perseguitati e quelli, mentre ce le davano, ci ghignavano pure in faccia. Era proprio una brutta roba prenderle da simili facce di piercazzo, agghindati e sbrillucchi e olezzanti d'essenze.

– Certuni erano delle donne.

– E certuni finocchi.

– Giravano mezze nude a febbraio, con abiti di garza che si vedevano le tette...

– Soquante son morte di freddo, infatti.

– Se è vero ben gli sta, saloppe maledette.

Insomma, dicevo, noi s'era ben mesti, e s'è continuato a esserlo, madancertopunto qualche soddisfazione, qualche buona notizia ci ha fatto almeno sorridere, perché è saltato fuori Scaramouche, e chissenefotte se era quello di prima o un altro ancora o addirittura piú di uno. Scaramouche portava una maschera di cuoio con un naso aguzzo e lunghissimo, un becco come un pugnale. Lo ficcava negli occhi dei pierculi.

Scaramouche era una macchina ammazzacattivi. Il primo che ha beccato era un certo Grisaille, che lo chiamavano «il Mago». Uno di quelli che bazzicavano Palazzo Thellusson.

– No, mica era il primo, ne aveva già stesi soquanti...

– Grisaille andava in giro con una coda di leone, una *vera* coda di leone, penzolante dalla culotta. Portava sulla zucca un cappello giallo con la tesa larga larga e alto mezzo braccio, allacciato sotto il mento da una corda di raso che finiva con dei campanellini a forma di teschio. Dentro il cappello, appeso al soffitto, ci teneva il randello, il «pote'e esecutivo». Quando attaccava a slacciarsi sotto il mento, voleva dire che stava per menare. Scaramouche lo ha beccato una sera sul boulevard degli Italiani, anzi no, si chiamava già boulevard Cerutti. C'erano altri muschiatini, ma nessuno ha fatto in tempo a dir beo. Scaramouche sbuca all'improvviso, gli si para innanzi e fa:

«GRadevole seRata, nevveRo, pezzo di meRda?»

Il Mago resta a bocca aperta e perlappunto *sbam!*, si prende lo spirito di Marat sulle labbra, una svirgolata sinist-dest che gli fa saltare il cappello e schizzare via soquanti denti da sotto la sciarpa. Aquelpunto, Scaramouche gli spara un discorsetto.

«Voilà, Razza di Ripugnante iRRedimibile stRonzo! Non dovRai piú compieRe alcuno sfoRzo, oRa, peR evitaRe di diRe la eRRe. AppRezzi o non appRezzi il soccoRso dello spiRito di MaRat?»

Astopunto il Mago è annebbiato...

– *Solo* annebbiato? Merda, io sarei stato già dall'altra parte...

Il Mago non ha nemmeno urlato, però è confuso forte, vede ghignare la morte, rognaccia! In un battito di ciglia gli han cambiato mezza faccia, sente il sangue che scende e già cola nella mutanda... Aquelpunto, gesto futile come tutta la sua vita miseranda, prova a prendere il cappello per pigliare il manganello, ma Scaramouche gli sferra un calcio sull'uccello, proprio in segno di dispregio, e il tipo strilla, come uscito da un sortilegio, e sputa sangue e ancora qualche dente, poi si accascia, perdente, tutto storto, già quasi morto. Scaramouche si guarda intorno: i compari del Mago son delle caccole, becchi mosci di mezze taccole, e com'è ovvio sono in preda allo scago. Provano a pigolare qualcosa, ma Scaramouche gli mostra la mazza spaventosa, lo spirito di Marat slercio di sangue, che di notte è ancor piú una brutta roba, perché è nero. In piú, l'uomo col rostro ringhia vapore, sembra un animale, e ci ha una musta da matto, infino col buio si vedono gli occhi rossi nei buchi della maschera e il sorrisetto da ti-strappo-i-visceri-e-ci-faccio-una-fionda. Tutti si azzittano. Scaramouche afferra il Mago per la coda di leone e lo strascina via, con la faccia che gratta per terra. Mentre si dilegua col bottino di guerra, dice a chi resta:

«Mi Raccomando, anzi, ve lo oRdino: RifeRite ai vostRi compaRi, ai vostRi padRoni e alle vostRe baldRacche meR-

degliose che a RiduRRe cosí il vostRo amico è stato ScaRamouche, l'AmmazzaincRedibili! ScaRamouche è toRnato,
e peR voi bastaRdi saRanno cazzi amaRi!»

Questo a mo' di saluto, poi svanisce, il tutto è durato meno di un minuto. I muschiatini non saprebbero manco dire
com'era vestito. Ricordano solo la maschera, il rostro... e lo
spirito di Marat. Soquanti dicono che Scaramouche era un
mostro, grosso come un armadio. Altri dicono no, anzi, era
un piccoletto, tarchiato e muscoloso. Grisaille lo han trovato poco distante la mattina dopo, stoccafisso, appeso a un
albero a zucca in giú. Scaramouche gli ha mozzato entrambe le recchie.

Qualche sera dopo, Scaramouche branca un muschiatino,
nei pressi di Palazzo Egualità. Quando lo ritrovano, lo riconoscono dai vestiti, perché la cartola non ce l'ha piú. Anche
a questo ha mozzato le recchie, e c'è un cartello:

TREMATE, SGHERRI DI TERMIDORO
LO SPIRITO DI MARAT VI COLPIRÀ A UNO A UNO

Scaramouche incantona un muschiatino, ancora nei pressi
di Palazzo Egualità. Quando lo ritrovano, non possono riconoscerlo dai vestiti, perché è ignudo come una larva. Come
al solito, niente recchie, e c'è un nuovo cartello:

TREMA ANCHE TU, FRÉRON
IO VENGO A RESTITUIRTI UN PO' DEL TUO TERRORE

Una foresta di erre, per percularli di brutto. Anche se a
quel punto, a soquanti muschiatini gliene fotte poco di pronunciare o non pronunciare la erre, sono troppo indaffarati
a chiedersi: chi cazzo è 'sto Scaramouche?

2.

I tre merdegliosi avevano un secchio di vernice nera e un grosso pennello. Uno li portava e ogni tanto si fermava a scrivere, gli altri facevano da scorta. Di rado incrociavano qualcuno. Se capitava, lo guardavano torvo e quello girava al largo, rapidissimo. Prima uno sgraziato, poco dopo una battona. Della cagnaccia, nessuno. Giravano indisturbati dall'autorità, in ossequio alle disposizioni di Fréron.

Scaramouche li seguiva a distanza da almeno mezz'ora, avvolto nel mantello per essere tutt'uno col cuore della notte, ogni tanto prendendo scorciatoie per attenderli piú avanti, passando nelle vie piú strette e oscure, tra rifiuti, escrementi, carcasse di gatti macilenti.

Già da un po' Léo aveva adocchiato quelle scritte. «Arriva l'Armata dei Sonnambuli», «Viva l'Armata dei Sonnambuli». Si era chiesto che volessero dire, e chi mai le stesse scrivendo. Sinceramente, non avrebbe mai pensato ai muschiatini. Che cazzo avevano in mente?

I tre si fermarono e ripresero a scrivere. «Viva l'A...»

E pó bon!, pensò Léo, che ne aveva abbastanza. Era il momento di entrare in azione.

– Non saRà oRa di andaRe a doRmiRe, scRibacchini?

I tre si girarono di scatto, ma – strano a dirsi – non sembravano stupiti. In viso avevano espressioni impenetrabili.

Nondimeno, Léo scattò.

Scaramouche esordí entrando con il rostro nell'occhio di uno dei tre. Sentí il bulbo esplodere, *pop*. Quello però ebbe solo un istante di esitazione: fece un passo indietro, poi riprese a mulinare i pugni avanti a sé. Scaramouche arretrò e colpí con lo spirito di Marat le gambe dell'avversario. Un colpo al centro della coscia in grado di azzoppare un mulo. Il gecco lo assorbí, *ugh!*, buttando fuori giusto un po' di fiato in piú, ed ecco che gli furono addosso. Léo stava per finire sotto il mucchio quando ebbe l'idea di utilizzare il bastone in una traiettoria montante, dal lastricato al mento di uno dei lezzosi. La mascella schioccò e il collo frustò all'indietro, giusto in tempo perché Léo uscisse di corsa dal mucchio di corpi e dalla tempesta di colpi, ma quello, il muschiato, anche dopo aver subito un calcio in bocca continuò ad avanzare, barcollando un passo o due. Scaramouche arretrò ancora e si mise in guardia. La paura c'era, l'avvertiva, era in fondo al coccige, ma se rimaneva lí poteva essere un motore. Infatti, Léo si scoprí lucido come uno specchio. Se invece la paura sale e tocca le viscere, ecco che ti caghi addosso.

Mentre lottava per non far salire la paura dal perineo alla pancia, Léo ebbe un'intuizione.

Automi.

Esseri caricati a molla.

Del resto, per imitare alla perfezione i movimenti di un uomo, basterebbe un buon orologiaio. La cute si fa con qualche pelle ben conciata. Gli occhi, con gemme o pezzi di vetro, a seconda di chi sei e che posto hai nel mondo.

E quegli occhi somigliavano *davvero* a pezzi di vetro.

Léo sentí i peli della schiena rizzarsi. I colpi, i gesti, i respiri, i corpi, i minimi atteggiamenti delle membra sembravano eseguire una coreografia. Forse i muschiatini erano in preda all'effetto di qualche droga o farmaco che li rendeva capaci di intuire i colpi altrui e ignorare il dolore.

Eran disposti a triangolo. Quello al centro avanzò. Scaramouche gli sferrò sul ginocchio un *coup de pied bas*. Bernard glielo aveva insegnato alla perfezione e lui lo portava in modo sciolto, lungo, cosí che la parte interna della scarpa, di taglio, segasse la gamba sul molle, sul cedevole dell'articolazione.

Il muschiatino cadde in avanti. Prese a trascinarsi con le braccia, l'arto colpito piegato in modo contrario al disegno divino. Léo si diede del coglione, sí, era stato un coglione solenne a lasciare sdegnosamente a terra la pistola, notti prima, arma che avrebbe costituito una parte legittima del suo bottino di guerra. Ora l'avrebbe usata, eccome. Perché la guerra è guerra, e se la cominci o ti ci trovi in mezzo devi andare fino in fondo e vincerla, quale che sia lo spiegamento di forze o la crudeltà che il nemico possa allestire o mettere in atto.

Léo bestemmiò, deciso a vincere in ogni modo. Perché la morte, sua, sarebbe stata l'altro esito probabile dell'impresa. *Zó bot!*, pensò nel suo dialetto. Lo spirito di Marat si abbatté sulla tempia dell'avversario di destra, che cadde tramortito. Esistono punti colpiti i quali la macchina implode. Sferrò un calcio poderoso al basso ventre dell'altro. Nemmeno una piega. L'avversario mostrò solo una piccola titubanza nel compiere il passo successivo, per finire però investito da una gragnuola di mazzate. Il muschiatino non poté reagire, ma continuò a rimanere in piedi finché gli avambracci a protezione del volto non cedettero e la faccia scomparve, sepolta, maciullata.

Léo respirò affannosamente. I suoi avversari erano battuti. Anche quello con la gamba rotta fu raggiunto e finito a bastonate, rumore da far gelare il sangue.

Li guardò come si guarda un prodigio nefasto. Sentí, improvviso, il dolore dei colpi subiti. Collo, costole, braccia. Uno dei muschiatini biascicava qualcosa, mandando bava dalla bocca. Léo si avvicinò e tese l'orecchio. Sembrava una serie di numeri, una sciarada ritmica di cui non si coglieva sillaba. Sí, erano macchinari rotti, difettosi. A renderli umani, solo l'odore, il lezzo dei corpi, il ricordo di com'è fatto un uomo visto da fuori.

Mentre riguadagnava il fiato, vide che uno dei tre corpi si muoveva. Non erano gli spasmi di un moribondo: si stava rialzando, nonostante la fronte squarciata si stava rialzando, mani puntate a terra si stava rialzando.

Léo sentí la paura montare dal coccige e invadere le viscere. Avrebbe potuto finire anche quello, ma era esausto, schifato, atterrito da quel che aveva visto.

A fatica, Léo armeggiò con la chiave. La stava ancora girando nella toppa quando l'uscio si aprí e, nel chiarore dell'alba, apparve Bernard. A quell'ora usciva per comprare da mangiare. I due si guardarono e, per la prima volta da da quando Léo lo conosceva, il marsigliese ebbe un sussulto di sorpresa. Non doveva essere un bello spettacolo: pallido come zuppa di latte, mezzo storto e visibilmente dolorante, in mano un fagotto lercio. Avrebbe dovuto lavare a fondo il costume, se voleva tornare in azione.

Del resto, aveva tempo. Il corpo aveva bisogno di riposo, e la mente di quiete per riflettere.

– Facciamo che io non so quello che fai di notte, – disse Bernard. – Siamo intesi?

– Siamo intesi, – rispose Léo, poi scostò il suo padrone di casa e si trascinò oltre la soglia.

3.

In piedi accanto alla finestra, l'uomo osservava una vespa ronzare contro il vetro. L'insetto sbatteva testardo, incapace di accettare che il mondo esterno, pure cosí nitido, fosse irraggiungibile. Probabile che avvertisse l'affievolirsi del fluido magnetico, il diminuire della temperatura... Ci si inoltrava nell'autunno e la vespa non sarebbe sopravvissuta a quell'ultima stagione. Cosí si accaniva contro il vetro e il suo ronzare suonava come rabbia.

Yvers avvertí, a pochi passi da sé, la presenza dell'uomo senza naso. Aveva la discrezione di certi uccelli, zampettava in silenzio, occhieggiando di qua e di là, fino ad arrivarti accanto.

– Mio signore... – gracchiò.

Il cavaliere d'Yvers lasciò cadere su La Corneille uno sguardo distratto. Strana cornacchia senza becco, pensò. Tanto orrida quanto fedele. Troppo vicina. Dovette fare un mezzo passo indietro per scostarsi dalla deformità di quel volto.

– Ti ascolto.

La Corneille si schiarí la voce per darsi contegno.

– Tre dei nostri sono stati attaccati nottetempo. Due sono morti, l'altro è conciato molto male. Potrebbe rimetterci la buccia.

Yvers assimilò la novità senza battere ciglio. Tornò a osservare la vespa che ora camminava lungo il bordo del vetro.

– Scaramouche?

La Corneille annuí. Puzzava forte e Yvers si scostò ancora un po'.

– Un agguato. A colpo sicuro.

L'espressione imperturbabile del capo fu attraversata da un'ombra. L'ombra di un rapace notturno.

Da giorni e giorni l'uomo mascherato attaccava i muschiatini di Palazzo Egualità. Era solo questione di tempo perché entrasse in collisione con l'Armata dei Sonnambuli.

Quando per la prima volta gli avevano riferito di un'azione di Scaramouche, Yvers si era subito rammentato dell'eroe dei sanculotti. Era dal tempo di Bicêtre che non lo sentiva piú nominare.

Cioè dal tempo del «cittadino Laplace».

Cioè dal tempo di Robespierre.

Scaramouche, il vendicatore della plebe.

Quante ne aveva udite raccontare sul suo conto. Matti, inservienti, visitatori.

Poi, di punto in bianco, non aveva piú udito nulla. L'eroe straccione era svanito.

Una rondine non fa primavera, si disse Yvers, ma un gufo che ritorna fa brutto tempo.

Perché tornare in scena adesso? Per chi pugnava? Il suo mondo era in pezzi.

Quale profonda disperazione doveva muoverlo...

La vespa percorreva il lato della finestra. Yvers la bloccò tra pollice e indice con un gesto rapidissimo e la osservò contorcere l'addome nel tentativo di pungerlo. Il pungiglione roteava come una spada, arrivando a sfiorargli la pelle. Era ammirevole come quell'infima forma di vita lottasse contro il proprio destino con tutte le sue ultime forze.

– La strada dell'ideale è ricca di ostacoli, – disse. – E questo è un bene: esso altrimenti sarebbe un fetido pascolo di greggi.

La Corneille si avvicinò, pendendo dalle sue labbra, e di nuovo il fetore penetrò nelle belle narici del cavaliere.

– È quasi giunto il momento. Tieniti pronto.

– Quando, mio signore? – chiese trafelato La Corneille.

La risposta giunse secca.

– Per il secondo anniversario del Capeto.

Gli occhi di La Corneille brillarono d'eccitazione.

– Nel frattempo, – aggiunse Yvers, – manda i nostri a esercitare il potere esecutivo sui sanculotti.

La Corneille si fregò le mani e annuí vistosamente.

– A proposito di questo, mio signore... Stamane sono venuti da me quelli di Fréron.

Yvers sollevò la vespa in controluce.

– Che vuole il nostro deputato? – domandò sprezzante.

– Chiede di colpire a Sant'Antonio. Quel foborgo è l'ultimo bastione dei sanculotti. Lí continua a riunirsi l'estrema sinistra…

Il cavaliere alzò la mano e gli impose il silenzio. Strinse le dita, finché il pungiglione della vespa non schizzò fuori dall'addome, insieme a parte delle interiora. Quindi depositò sul vetro l'insetto, che ancora si muoveva.

– Parlami di quell'osteria, La Corneille.

L'uomo senza naso annuí.

– *La Gran Pinta*. È uno dei loro ritrovi. E c'è di piú: rapporti di spie dicono che l'anno scorso, quando Scaramouche agiva in quel foborgo, l'osteria era il suo quartier generale: è il loro eroe.

Sí, pensò Yvers. L'ultimo eroe dei pezzenti.

– Riferisci a Fréron che ci pensiamo noi.

La Corneille prese congedo con vari inchini.

Yvers rimase a studiare l'agonia della vespa come un entomologo. O piuttosto come un demiurgo, che osserva l'esito del proprio agire. Per qualche ragione gli venne in mente Jean. Si domandò che fine potesse avere fatto. Non per interesse verso di lui, ma per la curiosità di sapere se era sopravvissuto alla prova. Certo, rispetto a ciò che stava per realizzare, quello di allora appariva come un piccolo esperimento, un pallido tentativo di approssimarsi alla perfezione, all'affermazione assoluta della volontà. Adesso stava per farlo e quel pensiero lo riempí di orgoglio. Avrebbe dimostrato la verità davanti agli uomini. Avrebbe sancito una vittoria inoppugnabile, di fronte alla quale non sarebbe potuto esservi altro che un silenzio sacrale.

La vespa smise di muoversi. Yvers aprí la finestra e con un dito la spazzò via.

4.

L'agente Chauvelin sembrava invecchiato di anni, pensò D'Amblanc una volta entrato nella grande stanza. Il volto era teso, sudato. Era in piedi dietro la scrivania, un fascio di carte serrato nella mano a mo' di mazza. L'uomo si ricompose, deponendo i fogli e stirandoli sul tavolo.

– Le mosche mi fanno dannare, – disse il funzionario. – Ne girano un paio da stamattina, e sono torturato dall'emicrania. Il ronzio dei dannati insetti mi fa impazzire. Prego, accomodatevi.

D'Amblanc sedette rispondendo all'invito. Guardò gli occhi dell'interlocutore. Erano infossati, stanchi.

– Dunque siete tornato. Alla fine avete scoperto che il vostro posto è qui a Parigi, – disse Chauvelin.

D'Amblanc non aveva alcuna intenzione di riprendere le schermaglie e non colse la provocazione. Era lí con uno scopo preciso.

– Sono tornato perché il mio lavoro non è ancora finito.

– Se vi riferite a me, – disse Chauvelin portandosi una mano alla fronte, – credo di essere un caso disperato.

D'Amblanc scosse la testa.

– A dire il vero non ero nemmeno sicuro di trovarvi ancora qui.

Chauvelin annuí.

– Qualcuno è stato allontanato, – ammise.

– Non voi.

– No, infatti. Intendo servire la Francia e la Repubblica finché sarò in grado di farlo. Credo sia questo il dovere di ogni buon rivoluzionario.

D'Amblanc pensò che in quell'ufficio avrebbe preferito trovare qualcun altro, uno di quei funzionari usciti dal colpo di termidoro. Eppure al contempo era proprio Chauvelin, il giacobino della prima ora, che sperava di incontrare.

– I rivoluzionari sono quasi tutti morti, – disse.

Chauvelin gli lanciò un'occhiata sconsolata.

– L'orgoglio finirà per essere la vostra rovina, dottore. Ancora pensate che la rivoluzione debba adeguarsi alle vostre aspettative. Chi vi credete di essere? Ve ne andate, restate lontano per mesi, tornate… Vi comportate come un amante stagionale. Restare fedeli alla rivoluzione anche se non è quella che ci aspettavamo, ecco la vera impresa –. Lo sforzo di parlare parve averlo stremato. Strinse gli occhi e si asciugò il viso con il fazzoletto. – Cosa siete venuto a dirmi? – domandò, poi subito aggiunse: – Sempre che siate ancora intenzionato a dirmelo…

D'Amblanc esitò un istante, prima di parlare.

– Ho buone ragioni di credere che il magnetista del quale ho scoperto le tracce in Alvernia, il cavaliere d'Yvers, si trovi a Parigi in questo momento.

– Non mi sorprende, – commentò Chauvelin. – Molti partigiani monarchici si annidano ancora a Parigi.

D'Amblanc scosse di nuovo il capo.

– Lasciatemi concludere. Dalla fine di gennaio del '93 al termidoro di quest'anno, costui ha risieduto sotto falso nome all'ospedale di Bicêtre, dove ha continuato i suoi esperimenti sul sonnambulismo. Il dottor Pinel lo ritiene capace di controllare la volontà altrui, anche a distanza.

Il funzionario ebbe un sussulto, difficile dire se a causa di una fitta di dolore o della rivelazione di D'Amblanc. Parevano trascorsi secoli da quando il commissario Chauvelin aveva sventato il complotto per sottrarre Luigi XVI alla ghigliottina, lasciandosi sfuggire la mente della congiura.

– Grazie alle false dichiarazioni di un certo dottor Gallonnaire, – aggiunse D'Amblanc, – costui è riuscito a farsi ricoverare come pensionante il 26 gennaio 1793. Cinque giorni dopo il tentativo di liberare il Capeto. Potrebbe essere uno degli uomini che vi è scappato allora.

D'Amblanc lasciò che Chauvelin facesse le proprie valutazioni. Colse una luce nuova nel suo sguardo, ma proprio in fondo, un barlume sopravvissuto ai rivolgimenti e all'emicrania.

Riprese.

– Avrete sentito parlare dell'Armata dei Sonnambuli.

Chauvelin annuí serio, agitando la mano davanti al volto. Puro automatismo, perché a D'Amblanc non era parso d'udire alcun ronzio.

– E immagino sappiate, – continuò, – che si parla di una loro innaturale resistenza al dolore, di un'espressione assente, lontana. Sui muri della città vi sono scritte che inneggiano a quella banda.

– Se Brissot fosse ancora tra noi, – disse Chauvelin con uno sforzo, – potremmo dargli soddisfazione. A quanto pare, la controrivoluzione dei sonnambuli è incominciata.

D'Amblanc accolse quelle parole con gelo. Sembravano contenere sarcasmo, ma l'espressione di Chauvelin era invece pesante, profonda. Guardava in basso, verso il piano della scrivania, come a cercare qualcosa. Forse il filo smarrito dei propri pensieri.

– Dietro le azioni di questi sonnambuli ci sono i muschiatini di Palazzo Egualità, – proseguí il poliziotto. – Ne conosciamo nomi, cognomi e soprannomi. Non si tratta di una misteriosa armata, ma di una banda fra le molte che si agitano in città in questi tempi burrascosi. Fanno capo a uno dei custodi del palazzo, un certo La Corneille. Non sappiamo se le scritte sui muri siano un'idea sua. Di sicuro, hanno aggiunto al profilo della banda un certo non-so-che...

Gli angoli della bocca di Chauvelin lottarono per alzarsi e formare un sogghigno, ma si arresero dopo un istante, come vinti da un peso che nessun altro poteva sentire.

D'Amblanc acquisí la nuova informazione, deglutí l'orgoglio prima di ribattere.

– Perché non arrestate questo La Corneille? Potrebbe portarvi all'uomo che ho in mente, lo stesso uomo con cui avete un conto in sospeso da quel 21 gennaio. Oppure potreste incastrare il dottore che gli ha firmato la richiesta di ricovero. Tempo fa mi diceste che un uomo solo non era un pericolo urgente, a paragone dei complotti che agitavano Parigi. Oggi quell'uomo potrebbe essersi unito ad altri uomini, che agiscono impuniti per le strade grazie ai suoi insegnamenti.

Chauvelin si decise a guardarlo in faccia.

– Ci sono ordini superiori, – disse. – Questa sedicente Gioventú Dorata non va perseguita. C'è chi ne ha in mano le briglie.

D'Amblanc non si trattenne.

– Chi? Fréron? Thuriot? Quelli che prima hanno maneggiato con Danton, poi hanno tradito Robespierre, e adesso vogliono riportare le cose allo *status quo ante*? È questo che voi chiamate restare fedeli alla rivoluzione? Prendere ordini dai voltagabbana?

Chauvelin si strinse le tempie con le dita e respirò a fondo. Quindi si alzò e si mise di tre quarti, verso la finestra, osservando l'autunno che incedeva inesorabile su Parigi.

– La rivoluzione ci ha insegnato che la differenza fra un patriota e un criminale può essere sottile quanto quella fra una guida illuminata e un tiranno. Da una parte Fréron, dall'altra i sanculotti oltranzisti… Chi difende la Repubblica, chi la minaccia? I terroristi che non si rassegnano, perché piú della Repubblica amavano il Terrore. Costoro sono un pericolo. E quella specie di... – Chauvelin cercò le parole, – giustiziere da commedia dell'arte, che vuole far le veci dello stato... Un guitto che afferma di combattere i nemici della Repubblica, e intanto fa del repubblicanesimo una farsa... È un patriota? O piuttosto un delinquente?

D'Amblanc trattenne a stento la rabbia.

– Dunque i sanculotti e Scaramouche sono i veri nemici, e la Gioventú Dorata ha un salvacondotto per combatterli. E questo non è far le veci dello stato? Non è dare la Repubblica in mano a buffoni?

– Vi ho detto come la penso. Ognuno sceglie il proprio destino.

Mesi prima, D'Amblanc avrebbe provato compassione per l'uomo che aveva davanti. Non era che un burocrate, avrebbero detto gli economisti, schiacciato dal peso di un tempo del quale si sforzava d'essere all'altezza. Come tutti. Adesso invece lo sentiva complice della sua sorte. Aveva scelto. O meglio, aveva lasciato che altri scegliessero per lui, scambiando il coraggio per rassegnazione. La rassegnazione non è mai rivoluzionaria.

Sulla scrivania, qualcosa attirò l'attenzione di D'Amblanc. Da sotto il bordo di un fascicolo spuntava un biglietto. Sembrava un invito. Nella prima riga si poteva leggere a chiare lettere: «La Signoria Vostra è invitata al Ballo delle Vittime».

«Signoria Vostra». Era davvero cambiato tutto.

Nell'intestazione c'erano una data e un indirizzo: Palazzo Thellusson, via di Provenza. D'Amblanc provvide a stamparseli nella mente.

– Avreste un gran bisogno di una seduta di magnetizzazione, – disse D'Amblanc quando Chauvelin tornò a voltarsi verso di lui.

L'altro si concesse un sorriso tirato.

– Lo so. Vi assicuro che la tentazione è forte. Ma ormai ho imparato a fare senza di voi e a sopportare stoicamente. Altrimenti non sarei piú al mio posto. Meglio lasciarsi cosí.

D'Amblanc capí l'antifona e si alzò.

– Avete ragione. A ciascuno il suo destino.

Non disse nemmeno addio. Lasciò la stanza gravato dal peso di un pessimo presentimento.

LEGGE DEL 4 NEVOSO, ANNO III
(24 dicembre 1794)

Art. 1. Tutte le leggi riguardanti la fissazione di un *maximum* sul prezzo delle derrate e delle mercanzie, cesseranno d'aver effetto a contare dalla pubblicazione della legge seguente.

Art. 2. Tutte le requisizioni ordinate fino a quel giorno, per il vettovagliamento delle truppe di terra e di mare e per l'approvvigionamento di Parigi, saranno eseguite.

Art. 4. Le derrate cosí sottratte verranno pagate al prezzo corrente del capoluogo di ogni distretto.

Art. 9. A mezzo del presente decreto, la circolazione dei grani sarà completamente libera all'interno della Repubblica.

Art. 14. Tutte le procedure cominciate per violazioni fatte alla legge sul massimo sono annullate; i cittadini detenuti in virtú di tali giudizi saranno messi in libertà senza alcun rinvio.

Art. 15. Tutte le requisizioni di derrate o mercanzie, eccetto quelle sopra elencate, sono annullate a partire dalla pubblicazione del presente decreto.

Il Ballo delle Vittime
Dicembre 1794-gennaio 1795 (nevoso, anno III)

1.

Gli restava un solo abito elegante, cimelio del tempo prima della rivoluzione. Non lo indossava da allora. Gli sarebbe sembrato ridicolo sfoggiarlo in quei tempi di penuria, e poi non voleva rischiare di rovinarlo in caso avesse dovuto impegnarlo o venderlo. Certo non avrebbe mai pensato che sarebbe tornato utile per quell'occasione.

Jean lo osservò mentre indossava la giacca. Gli stava appena un po' larga. Negli ultimi mesi era dimagrito. Come tutti, del resto.

– Siete molto elegante, signore.

– Grazie, Jean.

D'Amblanc si spostò davanti al piccolo specchio appeso alla parete per sistemare la cravatta.

– Dove andate di bello?

– A una festa alla quale non mi hanno invitato.

Il ragazzino assunse un'aria pensosa.

– Non è una cosa corretta, vero?

– Decisamente no, – rispose D'Amblanc con il mento in alto, mentre armeggiava col nodo.

– Pensate che vi lasceranno entrare grazie al vestito?

D'Amblanc sorrise.

– Non credo proprio –. Fece qualche passo nella stanza per riprendere confidenza con quell'abbigliamento, simulò un inchino. Jean rise. – Dovrò inventarmi qualcosa.

– Perché non mi portate con voi, signore?

D'Amblanc gli scompigliò i capelli con la mano.

– Non credo proprio che i ragazzini siano ammessi... E smettila di chiamarmi signore.

Jean si scusò e andò a prendergli il cappello.

Lui lo calcò sulla testa. Poi guardò Jean dall'alto in basso.

– Non aprire a nessuno. Tornerò presto.

Palazzo Thellusson era la dimora di una famiglia di banchieri svizzeri. Inconfondibile: al giardino all'inglese della villa si accedeva attraverso un enorme arco che campeggiava di fronte all'imbocco di via d'Artois. Le carrozze passavano sotto la volta e scaricavano gli ospiti davanti al colonnato.

D'Amblanc raggiunse il luogo a piedi e rimase a lungo a studiare la fauna che scendeva dalle vetture, imbacuccata nei pastrani eleganti, che riparavano dall'aria pungente d'autunno. Erano facce di mercanti, investitori di borsa, e – avrebbe scommesso – nobili appena reintegrati o risarciti dei propri beni e delle confische della Repubblica.

Nei giorni precedenti, D'Amblanc era andato in cerca delle voci di strada e aveva scoperto che per ricevere l'invito al Ballo delle Vittime era necessario avere avuto almeno un parente ghigliottinato. Si rendeva omaggio ai propri morti, ma al tempo stesso si festeggiava lo scampato pericolo.

D'Amblanc pensava che ci fosse qualcosa di osceno in tutto ciò. Tuttavia la domanda che lo assillava era perché Chauvelin avesse ricevuto l'invito. Era certo che non avesse avuto parenti ghigliottinati. E soprattutto era un funzionario del comitato di sicurezza generale. Che c'entrava con quella gente? Era scampato alle epurazioni dopo la caduta di Robespierre, e si era subito riciclato con il partito vittorioso. La rivoluzione continua, non è successo niente.

Il sospetto di D'Amblanc si era fatto strada e si era trasformato nella volontà di trovare una risposta ai suoi dubbi.

C'era qualcosa in Chauvelin, una reticenza che aveva colto fin da quando era tornato dalla missione in Alvernia, e che adesso gli appariva come l'indizio di una colpa.

Si avvicinò all'ingresso senza fretta, rimanendo discosto, in attesa di accodarsi ad altri. Oltre la grande soglia, gli invitati mostravano l'invito al maggiordomo e consegnavano pastrani e cappotti ai domestici.

D'Amblanc notò che gli uomini portavano una fascia nera al braccio, oppure vestivano di nero dalla testa ai piedi, come se, anziché a un ballo, stessero andando a un funerale. Le dame erano acchittate in fogge curiose. Alcune avevano al collo un nastro rosso sangue; altre avevano il volto e il petto talmente cosparsi di cipria bianca da sembrare cadaveri ambulanti. Tutte avevano le spalle scoperte e i capelli raccolti in alto sopra la nuca. Gli uomini avevano tagliato il colletto della camicia e anche il codino, in favore di acconciature alla Bruto. O piuttosto alla Tito, come si era preso a chiamarle adesso.

Non era difficile capire quale fosse il tema della serata.

La decollazione.

Nell'andito, D'Amblanc notò che gli invitati si salutavano inclinando il collo con uno scatto brusco. Un altro macabro sberleffo alla ghigliottina.

Da una delle carrozze scese un uomo corpulento, con un cappello sul quale spiccava una coccarda tricolore. Appena lo riconobbe, D'Amblanc pensò che non avrebbe avuto un'altra occasione. Lo affiancò e si esibí in un mezzo inchino.

– Il cavaliere di Sauvigny…

L'uomo strizzò gli occhi e si fece piú vicino, quindi allargò un sorriso.

– Buon Dio, Orphée d'Amblanc… Siete proprio voi?

– In persona, – rispose D'Amblanc nel tono piú affabile.

– L'ultima volta che ci siamo visti è stato prima…

La frase si spense davanti all'incertezza del ricordo, o piuttosto, pensò D'Amblanc, all'eventualità di nominare gli anni trascorsi senza conoscere come li avesse spesi l'interlocutore.

– Prima che Mesmer lasciasse Parigi, – terminò D'Amblanc, togliendo l'altro dall'imbarazzo.

– Buon Dio, sí, – ribatté il cavaliere con sollievo. – Sono almeno sette anni. Da tanto non mi immergo in una vasca magnetica. Chi l'avrebbe detto che ci saremmo ritrovati qui! Anche voi avete avuto una perdita?

D'Amblanc sperò di non essere del tutto cane come attore.

– Mio fratello Homère.

L'altro si esibí in un'espressione di profondo rammarico.

– Ne sono addolorato. Capisco il vostro stato d'animo. Ho perduto mio cognato appena l'anno scorso.

D'Amblanc non commentò, e annuí con aria grave.

– Venite, entriamo insieme, – disse il cavaliere di Sauvigny.

Ci siamo, pensò D'Amblanc. Era il momento di ritirare l'amo.

– Purtroppo ho perso il mio invito. Temo che dovrò rinunciare.

L'omone lo prese a braccetto.

– Volete scherzare? Entrerete con me. Conosco personalmente la famiglia Thellusson. Sono un loro devoto debitore. Venite.

D'Amblanc si lasciò trascinare dentro, senza darsi il tempo di ringraziare la buona stella di Franz Anton Mesmer e il sacrificio di un fratello che non aveva mai avuto.

Si inoltrò in mezzo agli invitati che affollavano la grande sala da ballo, chiacchierando amabilmente con il cavaliere di Sauvigny, e insieme a lui andò a presentare i propri omaggi ai padroni di casa.

Lo spettacolo di tutte quelle persone vestite a lutto, o meglio, travestite da aspiranti cadaveri, era inquietante. Le risate, su quelle bocche pallide o violacee, erano ghigni, ragli, ruggiti, e sembravano voler dire: «Siamo ancora qui, guardate i nostri candidi colli, guardate le nostre testacce ancora bene attaccate, siamo vivi, siamo sopravvissuti al Terrore e adesso il Terrore siamo noi».

La musica suonava stonata ed era come se i ballerini seguissero un altro ritmo, che martellava solo nelle loro orecchie. Danzavano una carmagnola, imitando i poveracci che avevano danzato sotto la ghigliottina.

D'Amblanc attese che il cavaliere di Sauvigny venisse distratto da altri ospiti, poi si defilò. Vagò tra smorti lazzi e sorrisi macabri. Infine si fermò accanto a una colonna.

Fu allora che colse un profumo.

Non lo aveva dimenticato. Anche se era trascorso molto tempo dall'ultima volta che l'aveva sentito.

Gelsomino.

Inconfondibile.

Pensò che poteva ancora andarsene senza voltarsi. Bastava puntare l'uscita e nessuno si sarebbe mai accorto di nulla. Invece si girò sapendo in anticipo che il presentimento che lo aveva spinto fin lí stava per trovare conferma. Colse il riflesso delle luci sulla chioma castana. Anche lei lo stava guardando, ben salda al braccio del suo cavaliere. Incredula.

D'Amblanc avanzò verso di loro.

Cécile Girard indossava un abito grigio, sobrio ed elegante. I tratti del viso apparivano appena induriti. Dai tempi piú che dal tempo, avrebbe detto D'Amblanc. La scollatura lasciava scoperta la parte superiore del seno e il collo eburneo, cinto da una sottile sciarpa di raso rosso.

Ecco una persona che aveva diritto a stare lí. Al contrario dell'uomo che l'accompagnava. Quest'ultimo, evidentemente, aveva ricevuto l'invito in quanto suo cavaliere.

D'Amblanc piantò gli occhi in faccia a Chauvelin, che impallidí senza bisogno di cipria.

Decise di ignorarlo e tornò a guardare la signora Girard. Lei parlò in tono fermo.

– Mio caro Chauvelin, volete essere cosí gentile da lasciarci per qualche istante?

Il commissario non parve nemmeno cercare un motivo per protestare. Si allontanò, limitandosi a non perderli di vista.

D'Amblanc gli diede le spalle, non lo voleva nel campo visivo.

– Siete sempre rimasta a Parigi, dunque, – disse rivolto alla donna.

– No, – rispose. – Vivo in una casa poche miglia fuori città, nei pressi della foresta di Fontainebleau. Mio marito l'aveva acquistata prima di essere arrestato.

D'Amblanc registrò l'informazione come fosse il sintomo di un paziente.

– È lí che ricevete le visite del vostro cavaliere?

La donna tacque, valutando la freddezza della domanda.

– Voi siete svelto a giudicare, – disse infine.

– I tempi lo richiedono, – ribatté D'Amblanc.

– Richiedono anche che una donna abbia qualcuno che la protegga, – si difese lei.

D'Amblanc non intendeva cedere di mezza spanna, non dopo essere giunto fin lí, per smascherare l'imbroglio.

– Qualcuno come il persecutore del proprio marito?

La signora Girard ricevette l'affondo senza mostrare alcuna pena per sé stessa. Né per l'uomo che aveva davanti.

Tutt'attorno la festa proseguiva, ma come fosse in un altro luogo, i tetri cachinni degli invitati giungevano sordi.

– Ditemi: chi altri? – disse la signora Girard. – Voi ve ne siete andato. Non mi avete chiesto di venire con voi né di aspettarvi. Mi avete detto addio invece di dirmi la verità.

– Quale verità? – chiese D'Amblanc.

– Che mi amavate, – rispose lei. – Non è cosí? E adesso volete solo condannarmi, come un qualunque spasimante deluso. È la storia ad avervi deluso, amico mio. Non scaricatene il peso su di me. Ho già il mio da sopportare.

D'Amblanc strinse i denti. Il prurito alle cicatrici era fastidioso, costante.

– Voi non sapete nemmeno cosa sia portare un peso, – sibilò. – Tenetevi il vostro protettore. Festeggiate d'averla scampata. Ma quelli che sono stati ghigliottinati, fossero nel giusto o nel torto, sono morti per un buon motivo, non sono vissuti per... – Indicò la scena che li circondava e da cui erano temporaneamente avulsi. – Per niente.

– Forse dovrei rimpiangere di non essere finita al patibolo con mio marito, – rispose la vedova Girard. – Dio solo sa quanto avrei voluto essere Olympe de Gouges. Sono riuscita soltanto a essere la vedova Girard. E voi? L'avete trovato il vostro buon motivo?

D'Amblanc non rispose, ma impresse bene il suo volto nella mente. Voleva ricordarla cosí. Altera, triste, meravigliosa.

– Vi auguro la miglior fortuna, – disse secco. Quindi prese congedo, attraversò la sala, satura di musiche e voci, per raggiungere l'uscita. Non sopportava piú di stare lí dentro.

Recuperò il pastrano e proprio nell'andito venne raggiunto da Chauvelin.

L'occhiata che D'Amblanc gli lanciò dovette essere eloquente, perché il commissario si mantenne a una certa distanza. Nondimeno D'Amblanc dovette riconoscergli un certo coraggio a presentarsi ancora davanti a lui.

– Ora è chiaro il motivo della vostra reticenza, – disse. Il commissario si avvicinò di mezzo passo.

– Mi chiedeste di fare ciò che era nelle mie possibilità per salvarla, – disse.

D'Amblanc sentí montare la rabbia e la voglia di colpirlo al volto. Strinse i pugni. Le cicatrici adesso bruciavano.

– È cosí che tenete a bada la vostra coscienza? – disse.

– La verità è che mi avete tenuto all'oscuro della sua sorte. Ognuno dunque scelga la propria.

Chauvelin scosse la testa.

– Ascoltatemi, D'Amblanc. Per quanto adesso possiate disprezzarmi, quello che vi dò è un consiglio sincero. Non andate a caccia di guai. Un ingegno come il vostro è sprecato dietro la pista che seguite. Potete solo danneggiare voi stesso. Non servirà a niente.

Sí, pensò D'Amblanc, il tono era sincero. Era quasi disposto a credere alle sue intenzioni, sebbene nascessero dalla cattiva coscienza.

– Vi sbagliate, – disse. – Restiamo soltanto quell'uomo e io. Se lui esiste è perché quelli come me e voi non hanno voluto vedere. Non commetterò lo stesso sbaglio due volte.

Ecco un buon motivo, pensò, mentre girava sui tacchi e usciva da Palazzo Thellusson senza piú voltarsi indietro.

2.

Erano andati a chiamarlo per la vecchia consuetudine: quando all'orizzonte c'è buriana, dillo a Treignac. Anche se lui, Treignac, non era piú quello di prima. La testa dell'Incorruttibile aveva trascinato con sé nel cesto la sorte di molti. A Parigi, i poliziotti amici dei giacobini erano stati sbattuti fuori e lo stesso accadeva in tutti i dipartimenti di Francia. Tirava una brutta aria per chi era stato coi fratelli Robespierre e con Saint-Just. Come a dire che c'era poco da protestare, meglio accontentarsi di non aver perso, insieme all'incarico, anche la testa. Sí, perché le teste non avevano mica smesso di rotolare, solo che adesso rotolavano da un'altra china. Cosí, a Treignac era rimasta solo la bottega.

Aveva messo in mano a Bastien cuoio, forbici e ago. Imparare un mestiere non era una brutta alternativa a starsene in giro tutto il giorno per raccogliere spiate. Eppure il garzotto non aveva perso il vizio: appena aveva una pausa dal lavoro, correva all'osteria di Férault.

Ecco perché Treignac era preoccupato e trottava spedito sulla via per *La Gran Pinta*. Sapeva che Bastien doveva essere là. E là stava succedendo qualcosa. Erano andati a chiamarlo, a dirgli che da Férault era arrivata della gente. Brutta gente.

Sbucò dal vicolo proprio in faccia all'osteria, e quel che vide non gli piacque per nulla.

Un cordone di tizi armati di bastoni schierati davanti alla *Gran Pinta*.

Facce ottuse, sguardi fissi. Treignac sentí un brivido.

E dire che ne aveva viste tante. Insomma, era stato in mezzo ai tumulti del 10 agosto, aveva legnato a destra e a manca, e quand'era in servizio di polizia ne aveva grattate di rogne all'apparenza anche peggiori. Allora perché sentiva accapponarsi la pelle davanti a quelle facce?

Si avvicinò e si ritrovò accanto alla magliara Georgette. Era lí con le sue amiche, i ferri del mestiere ancora in mano.

– Che succede? – chiese Treignac.

Georgette fece scattare il mento in direzione dell'osteria.

– Ci sono questi fecciosi. Alcuni dentro, a fare non si sa. Questaltri fuori, a tenerci alla larga.

– Chiamo un po' di gente e li sbaracchiamo.

Georgette fischiò l'aria tra i denti e mostrò il ferro da maglia.

– Mica facile. Madeleine ha piantato uno di questi nella coscia di uno di quelli, – indicò i tizi in linea davanti all'osteria. – Non ha detto nemmeno ahia. Fermo come un albero. Mi sa che doveva mirare agli occhi.

Treignac non disse nulla, ma pensò in fretta. Ne aveva sentito parlare, di gecchi brutti che se li colpivi non sentivano dolore. La prima volta, dopo il buridone al foborgo di San Marcello. I muschiatini avevano cantato *Il risveglio del popolo* davanti a un crocchio di sanculotti, e apriti cielo! Una battaglia di strada di quelle grosse. Il giorno dopo tutti dicevano che quei mervegliosi erano strani: potevi spaccargli a mezzo un labbro e loro niente, nemmeno un zigolio, e tornavano a venirti sotto. Alla fine giú ci andavano, dio prete, ma dovevi proprio tritargli le ossa, o spegnergli il cervello come un lume. Ed era facile che lo spegnevano prima loro a te.

Questi qui, però, non erano vestiti da muschiatini. Da pierculi sí, ma niente che desse troppo nell'occhio.

Dopo San Marcello e qualche altra apparizione, qualcuno aveva detto a Treignac che forse c'entrava la scritta sui muri, apparsa in molti foborghi ma non a Sant'Antonio: «Arriva l'Armata dei Sonnambuli».

Di chiunque si trattasse, la faccenda era smerda. E in giro nemmeno una guardia. La nuova cagnaccia si teneva alla larga.

Treignac iniziò a guardarsi intorno in cerca di facce note. Adocchiò un paio dei suoi, che come lui erano tornati a sgobbare in proprio. Con un fischiò li richiamò e li mandò a cercarne altri.

– Avete visto Bastien? – chiese alle magliare.

In risposta ricevette smorfie e spallucce.

Treignac imprecò tra sé. Vuoi vedere che è proprio là dentro?

Dall'interno esplose un rumore di legno fracassato. Qualcuno gridò, e pareva proprio la voce di Férault.

Non c'era tempo di aspettare rinforzi. Treignac si lanciò contro il ceffo piú vicino e lo travolse. Aggrovigliato a lui, menò cazzotti alla cieca, ne prese uno sull'occhio che gli fece sbattere la testa per terra. Mollò un altro pugno, ma il tizio che gli stava sopra sembrava non sentirli. Eppure lo zigomo gli sanguinava mica male.

Treignac provò a scrollarselo di dosso, e invece gli arrivò un altro cazzotto in faccia. Poi il ceffo recuperò il bastone e lo sollevò per calare il colpo letale.

Buonanotte, si disse Treignac, un attimo prima che il bastardo si ritrovasse uno spillone da maglia piantato nell'occhio. Non gridò, ma saltò in piedi. Mosse la testa in cerca dell'avversario, con lo spillone che gli spuntava dall'orbita. Georgette affiancò Treignac.

– Visto? Puntare agli occhi!

Sophie, Madeleine e Armandine travolsero il ceffo e lo pestarono bene bene sotto gli zoccoli, prima di stringersi a fianco a loro due. Gli altri energumeni circondarono il gruppo. Perfino l'accecato si rialzò, pesto e sanguinante com'era. Questa volta Treignac rabbrividí di brutto. Da dove saltava fuori gente cosí?

Pensò che avrebbe fatto una morte da minchione: in mezzo alle donne, e senza manco uno spillo per difendersi.

Non finí di elaborare quel pensiero che Georgette gli ringhiò nelle orecchie: – Guarda te se dovevo rimetterci la buccia per uno sbirro!

– Consolati. Non sono piú uno sbirro, – rispose lui con un ghigno storto.

Uno schianto proruppe dall'osteria, accompagnato da una vampata di fuoco dalle finestre e dal camino. L'odore di bruciato investí tutti quanti. Dalla *Gran Pinta* corse fuori una mezza dozzina di altri ceffi mazzamuniti. Treignac sapeva riconoscere la gerarchia: c'era uno, un energumeno biondo, che doveva essere il capomanipolo.

– Bastien! – urlò Treignac, e si avventò contro gli avversari a testa bassa. Il biondo gli calò la mazza sul collo, un colpo secco che lo mandò per terra. Da terra, Treignac riuscí ad azzannare una caviglia. Strinse con tutta la forza, sentendo il sangue in bocca e i tendini che si laceravano. Poi un ultimo colpo lo costrinse a mollare la presa. Provò a sollevare la testa, ma non ci riusciva, il collo era un groviglio di dolore. Con uno sforzo immane rotolò sulla schiena e rimase cosí, come una tartaruga rovesciata. Vide un viso stagliarsi contro il cielo. La faccia di un negro. Chiamava il suo nome, da lontanissimo.

Perché quel negro conosceva il suo nome?

Poi si accorse che sotto i solchi lasciati dalle lacrime la pelle era chiara e riconobbe Bastien, con la faccia coperta di fuliggine e la tosse che gli spezzava la voce. Il ragazzo era salvo. Poteva morire in santa pace, adesso.

3.

Non c'era bisogno di fare domande.

Bastava passeggiare lungo la gran via, fermarsi agli angoli con le strade laterali, entrare nelle botteghe di ebanisti e tessitori, mettersi in fila per un cartoccio di carote bollite.

I dettagli sul rogo della *Gran Pinta* volavano intorno a D'Amblanc come coriandoli nel vento. Al suo fianco, Jean li attraversava naso all'aria, senza capire bene quale motivo li avesse spinti fin lí.

«Tu tieni sempre gli occhi aperti, – gli aveva detto il dottore, – ché se ti capita di riconoscere il cavaliere d'Yvers, gli facciamo una bella sorpresa».

Jean si era ormai abituato a quel gioco di rimpiattino. D'Amblanc glielo proponeva ogni volta che uscivano insieme. Diceva che il cavaliere non gli aveva ancora dato un appuntamento, ma di sicuro era a Parigi e poteva anche darsi di incontrarlo per la via. Quel mattino, però, Jean era piú distratto del solito, come se le voci di Sant'Antonio fossero davvero coriandoli, o farfalle.

Le fiamme. Gente strana. Come a San Marcello. No, peggio che a San Marcello, là c'erano state solo pacche, mica il fuoco. I nostri li bastonavano e quelli niente. Férault è morto arrosto. Bastien si è salvato perché si è buttato nel pozzo. Erano tanti, almeno una quarantina. Seee, almeno un centinaio! L'Armata dei Sonnambuli. Quella delle scritte. Ma chi cazzo sono? Fortuna che l'incendio non s'è allargato. Ma chi diavolo sono 'sti gecchi bastardi? Treignac ha rimediato una brutta botta. Gioventú Dorata. I fecciosi di Palazzo Egualità. A Syran dovranno tagliargli un braccio. Te lo ricordi, Syran? Bisogna fargliela pagare. Ci vorrebbe Scaramouche. Ci penserà Scaramouche. Mi sa che cercavano Scaramouche. Dov'era Scaramouche? Hanno sfidato Scaramouche.

Quella mattina, al caffè, D'Amblanc aveva sentito leggere la notizia dell'incendio a Sant'Antonio. I giornali ancora non avevano fatto in tempo a stamparla, ma già circolava su quei fogli scritti a mano che portavano le informazioni da un quartiere all'altro, nel giro di poche ore. Tutti parlavano dell'Armata dei Sonnambuli.

Prima della rivoluzione, un medico mesmerista di nome Malin aveva compiuto diversi esperimenti sull'anestesia magnetica. Aveva sonnambulizzato un uomo di quarant'anni e lo aveva operato di cataratta senza che sentisse alcun male. I suoi scritti avevano suscitato grande interesse. Nessuno, però, era mai riuscito a ottenere analoghi risultati. I sonnambuli avevano una percezione attutita del dolore, questo era noto, ma quel che si diceva dell'Armata dei Sonnambuli era tutt'altra pietanza. Subivano le bastonate come fantocci di carne, continuavano a battersi con un occhio maciullato da un ferro da calza...

– Nemmeno un urlo.

– Li colpivi e andavano dritti per la loro strada, come se quel che avevan da combinare era piú forte delle botte che gli mollavi.

– Solo a spezzargli le gambe andavano giú.

– L'Armata dei Sonnambuli.

– Cazzo, sí! Le avete viste anche voi le scritte, vero?

– «Arriva l'Armata dei Sonnambuli». Dici che sono gli stessi gecchi?

– E chi altri, sennò? Gli stessi di San Marcello.

– 'Sti qui però non eran pomponnati da teste di cazzo...

– Si saranno vestiti piú sdozzi per arrivare fino all'osteria senza dare nell'occhio...

Coriandoli o farfalle, fu inseguendo lo svolazzare di voci che Jean e D'Amblanc giunsero di fronte alla carcassa nera della *Gran Pinta*. Il tetto di legno era crollato, ma i due comignoli in pietra erano rimasti in piedi, dritti e composti come sentinelle del disastro. Sulle pareti delle case attigue si allargava un'ombra scura, ma le strutture apparivano intatte. La strada era un andirivieni di uomini e donne, come parenti nella camera di un defunto. C'era chi voleva toccare la salma e annerirsi le dita e chi si toglieva il cappello in segno di rispetto. Qualcuno aveva addirittura lasciato il suo sui gradini dell'ingresso. Un capannello di anziani fissava l'osteria, forse nel tentativo di riedificarla con lo sguardo.

Probabile che nelle loro teste quella ricostruzione stesse già avvenendo, pensò D'Amblanc. E per crederla piú vera, ci versavano sopra lunghe sorsate di vino, la bottiglia girava tra le mani, i pensieri afferravano assi e piantavano chiodi. Pochi passi piú in là, un tizio teneva banco raccontando di come s'era salvato la pelle e descrivendo la morte dell'oste Férault straziato dal fuoco. Una voce domandò se già si sapeva per quando fosse il funerale. Un'altra chiese quanto ancora si sarebbero trattenuti.

– Hai freddo Jean? Vuoi tornare a casa?

– Questo posto non mi piace, – spiegò il ragazzino. – E poi avevate promesso di insegnarmi come si usa la macchina elettrica.

– Non te lo avevo promesso, Jean. Ti avevo soltanto detto che lo avrei fatto, è una cosa diversa.

Il piccolo alverniate tacque. D'Amblanc avrebbe voluto avere piú tempo per prendersi cura della sua educazione. Invece, tra gli impegni coi pazienti, la caccia ai sonnambuli, lo screzio con Chauvelin e la riapparizione della signora Girard, non era riuscito a dedicare molte energie al suo nuovo ospite. Spesso gli toccava lasciarlo da solo o in compagnia della cuoca nell'osteria sotto casa. Altre volte lo coinvolgeva in un'attività interessante, ma presto si vedeva costretto a sospenderla, per poi riprenderla quando ormai l'entusiasmo di Jean era spezzato. Gli aveva mostrato le meraviglie del folgoratore, usandolo per produrre scintille o anche per drizzarsi i capelli sul capo con una carica leggera. Jean si era molto divertito e aveva espresso il desiderio di imparare tutto sull'elettricità. Quando la richiesta di apprendere viene dall'allievo, rimuginava D'Amblanc, per il maestro è un successo, ma non bisogna farsi fuggire l'occasione.

Il dialogo tra due uomini che contemplavano i resti dell'osteria lo distolse dai ragionamenti pedagogici.

– Era come se si muovevano senza bisogna di guardare, – diceva uno col braccio fasciato. – Come se erano ciecati, però colpivano sempre il punto giusto.

– Cioè dove?

– Non un punto preciso, scemo. Era come se sapevano prima quello che avresti fatto. Giusto un attimo prima.

– Allora non erano ciecati.

– Col zullo, ci vedevano eccome. Però tenevano gli occhi mezzo chiusi, come quando uno ha trincato troppo e non gli sta su la zucca.

– Quindi erano sbronzi?

– Macché sbronzi, se erano sbronzi li cacciavamo nella Senna a pedate. Quelli erano svegli, però avevano l'aria di chi si vuole imbrandare.

– Non ci capisco un zullo.

– Perché sei uno scemo, va'. Te lo spiego da capo.

D'Amblanc decise che ormai non aveva bisogno di altre conferme. Tutti i dettagli rafforzavano l'idea che l'Armata dei Sonnambuli fosse formata di veri sonnambuli. Insensibili al dolore. Capaci, come lo erano i sonnambuli, di prevedere le azioni altrui. Tutti mossi da un'unica volontà, come membra di un solo cervello. Un cervello che era in grado di metterli in quello stato per poi mantenere il contatto a distanza di tempo e di spazio. Come questo fosse possibile, ancora non l'aveva capito. Ma era chiaro che il cavaliere d'Yvers – o il «cittadino Laplace», come s'era fatto chiamare a Bicêtre – praticava magnetizzazioni di gruppo. Altrimenti, per sonnambulizzare uno alla volta decine di uomini, avrebbe impiegato una giornata intera.

D'Amblanc ripensò a quel che gli aveva raccontato il dottor Pinel: una cinquantina di folli, schierati nel cortile di Bicêtre e determinati a tenere la posizione a ogni costo. «Gli inservienti hanno dovuto bastonarli e sollevarli di peso».

– Vieni, Jean. Possiamo andare, adesso.

– Davvero? E mi farete vedere…

– Sí, Jean. Ti mostrerò come produrre il fulmine, contento?

– Evviva! – batté le mani il ragazzino.

Perché chiaramente, ricominciò a ragionare D'Amblanc, il vantaggio di un'armata di sonnambuli stava proprio in questo: per formarla bastava una magnetizzazione collettiva, mentre per sgominarla bisognava colpirne i soldati uno alla volta. Bastonarli alle gambe per farli cadere. O magari smagnetizzarli. Di solito non è difficile svegliare un sonnambulo: basta distrarre il magnetista che lo controlla. Ma se quel magnetista è lontano, se il suo dominio agisce a distanza, allora diventa impossibile spezzarlo.

– È vero che col folgoratore si può uccidere un topolino? Mi piacerebbe provare. Potremmo catturarne uno lungo la Senna e poi fare un esperimento.

– No, Jean, – rispose D'Amblanc soprappensiero. – Non è divertente veder morire un animale.

Nel teatro della mente, rivide la scena di un ciarlatano che torturava un passerotto con l'elettricità. Rivide Chastenet che folgorava Jean del Bosco per interromperne la crisi. A dispetto di quei medici che cercavano nelle scariche una terapia, D'Amblanc era convinto che usare l'elettricità contro un essere vivente fosse sempre assai rischioso. Rivide ancora Chastenet, il folgoratore in mano…

– Ma poi, quando mi avrete insegnato, potrò adoperarlo da solo?

Il folgoratore usato per liberare Jean del Bosco dagli effetti di una crudele magnetizzazione a distanza.

– Anche quando voi non ci siete, intendo.

«A mali estremi», aveva detto Chastenet, e il folgoratore si era dimostrato capace di interrompere l'antico dominio del cavaliere d'Yvers sul piccolo Jean.

Capace di disinnescare l'ordigno.

– Vi potete fidare, sapete? Quando imparo una cosa non me la dimentico piú. Se aveste una spinetta vi dimostrerei che la so ancora suonare, come quando stavo con il cavaliere. Le magnetizzazioni collettive sono molto potenti, ma sono anche fragili. «Basta che *nur einer*, uno solo si disconecta, – disse la voce di Mesmer, – perché *alle* siano egalmente interupti. Per questo non è buono fare magnetismi colectivi con persone ancora troppo distratte e inesperte».

Dunque, pensò D'Amblanc, se il folgoratore aveva liberato Jean del Bosco, allora poteva anche liberare un soldato dell'armata. E se l'armata era ottenuta da una magnetizzazione collettiva, allora la libertà di uno voleva dire la libertà di tutti. Cioè la distruzione dell'intera armata.

– Dottor D'Amblanc, ma non dobbiamo svoltare a destra? Andiamo a casa, giusto? Vi stavo dicendo del folgoratore...

4.

Per la maggior parte del tempo Treignac dormiva. Anzi, se non fosse stato per il leggero sollevarsi del petto sotto la camicia, sarebbe sembrato morto. Con la testa bendata, gli occhi pesti e il braccio al collo, era come se fosse un altro. Bastien aveva pianto nel vederlo ridotto cosí. Poi si era dovuto vergognare di quello che provava: delusione, rabbia. Per lui Treignac era sempre stato invincibile. Non poteva essere battuto da un avversario. Anche se questi avversari non erano come gli altri. Bastien aveva visto le loro facce da morti, attraverso la finestrella che dava sul cortile della *Gran Pinta*. Non si erano accorti che li spiava, ma lui aveva visto tutto. Avevano cacciato fuori la gente, picchiato Férault che si era messo in mezzo, poi l'avevano legato a una trave, prima di dare fuoco a tutto quanto. Quando le fiamme avevano sfondato i vetri e si erano proiettate fuori, con un ruggito di drago, mangiando l'aria della sera, Bastien aveva pensato di morire. Il fuoco gli aveva bruciacchiato i capelli e azzannato la manica della giacca. Allora si era gettato nel pozzo, all'istintiva ricerca dell'acqua. Per fortuna era riuscito a tenersi attaccato alla catena e poi, un po' alla volta, a risalire, fradicio da non attirare piú le fiamme. Cosí era sgattaiolato fuori, in tempo per vedere Treignac lottare come un leone, prima che il gigante biondo lo abbattesse.

E adesso era inerte sul letto. Bastien lo aiutava a mangiare e gli vuotava il pitale. Lo portava alla latrina con fatica. Per fortuna Georgette e le altre magliare del foborgo gli davano una mano, cucinavano, pulivano, e cosí lui poteva portarsi un poco avanti con il lavoro a bottega.

Anche il suo braccio era bendato. Doveva spargerci sopra un unguento ogni sera. Non era bella a vedersi, la pelle morta e bruciata. Forse sarebbe rimasto cosí per sempre. Chissà. I capelli invece sarebbero ricresciuti, erano soltanto un po' piú corti su un lato, ma poco male.

Quel mattino aveva preso la decisione e si era messo a frugare tra le carte di Treignac, nel vecchio quaderno che teneva quand'era sbirro e al quale mai e poi mai l'avrebbe lasciato avvicinare. Era cosí che aveva beccato l'indirizzo di Marie. Dopodiché si era trattato di domandare la strada alle persone che incrociava lungo il cammino. Non gli era capitato spesso di lasciare il foborgo e quella lunga passeggiata fu come un viaggio in terra straniera. Quando finalmente trovò la strada e capí qual era l'edificio, salí le scale titubante, fino alla soffitta, ed ecco la porta di Marie.

Bussò a lungo senza ottenere risposta, al punto che si rassegnò a scendere e ad aspettarla dabbasso. Ma proprio in quel momento sentí il chiavistello girare e la porta si aprí.

Impiegò qualche istante a riconoscerla. Per lei dovette essere lo stesso. Sua madre era nel peggiore arnese, i capelli sciolti, gli occhi arrossati, e con addosso l'odore di vino e fuliggine. Non sembrava davvero lei, la donna che lo fronteggiava accigliata.

– Che ci fai tu qui? – gli chiese infine Marie.

– Hai saputo cos'è successo al foborgo?

– No. Cosa?

– Hanno bruciato *La Gran Pinta*, hanno ammazzato Férault. Treignac è rimasto ferito e io…

– Chi? Chi è stato? – Sollevò una mano per farlo tacere. – Aspetta, aspetta… Vieni dentro.

Bastien la seguí all'interno. Fece pochi passi, guardandosi cauto attorno e rimanendo poi impalato in mezzo alla stanza. Vide la coperta sul divano, la cenere del camino sversata sul pavimento, vestiti di scena sparsi ovunque.

Marie riemerse trangugiando un bicchiere d'acqua.

– Chi ha ucciso Férault?

– I sonnambuli, – rispose il ragazzino. – È cosí che si fanno chiamare. A noialtri ci odiano. Io ero là quando hanno incendiato l'osteria. Ho visto tutto…

Fece per mostrare alla madre il braccio fasciato sotto la camicia, poi si trattenne, accorgendosi della sua espressione distante.

– Treignac è messo malaccio, non riesce nemmeno a parlare. L'hanno conciato, quei mangiamerda.

D'istinto, attese uno scappellotto che non arrivò.

Marie sedette su una sedia sbilenca guardandosi la punta delle scarpe.

– Mi dispiace, – disse con voce roca. – Treignac è un buon diavolo –. Sollevò gli occhi su di lui, osservandolo da chissà dove. – Non posso aiutarti.

Bastien si strinse nelle spalle. Non era andato lí per chiederle aiuto.

– Sei malata?

Marie scosse la testa, seguitando a fissare le linee del pavimento.

– Perché te ne sei andata? – insistette lui.

Lei sospirò, cosa che le strappò alcuni colpi di tosse. Bevve ancora dal bicchiere.

– Non lo sopportavo piú quel posto, – disse quando ebbe ripreso fiato. – Può darsi che quando sei piú grande lo capisci. Magari te ne vai pure tu. Non ci hai rimesso niente. Non sono buona come madre, io. Non sono buona, no. Mi dispiace. È meglio che te ne vai, adesso.

Il ragazzino non si mosse.

– Perché non mi vuoi piú? – chiese.

Lei parve valutare la risposta prima di parlare.

– Perché ogni volta che ti guardo è come guardare il tempo di prima. Quando ero una serva. Non è colpa tua. Ora piantala. Lasciami perdere.

Bastien sentí di nuovo la rabbia provata davanti a Treignac immobile nella sua branda.

– È come se sono solo, adesso.

Marie incrociò le braccia sullo stomaco, incurvandosi leggermente in avanti.

– È cosí per tutti. La gente se ne va, muore, finisce in galera. Alla fine si resta da soli. Meglio per te che lo impari presto.

Bastien ebbe una gran voglia di scappare, di correre via di lí. Si trattenne fino a che non fu in fondo alle scale, poi lasciò libere le gambe di portarlo il piú lontano possibile, secche e veloci, fino al vecchio foborgo. Il luogo dove si era sempre sentito al sicuro e che era stato violato, ferito a morte. Ridotto a uno straccio su una branda.

5.

Louis-Marie-Stanislas Fréron, l'ex terrorista a capo della marmaglia muschiatina, aveva un accenno di doppio mento. Tutto il suo profilo tendeva verso il basso: il doppio arco delle sopracciglia, le palpebre pesanti, la lunga rampa del naso, le labbra che sembravano tenute all'ingiú da una zavorra di parole mai esclamate.

Il cavaliere d'Yvers lo vide entrare nel confessionale, al posto che, prima della Grande Parodia, spettava a un ministro di Dio. Dopo un minuto, si alzò dall'inginocchiatoio dove – ancorché a modo suo – aveva pregato, e andò a sedere al posto del peccatore.

– Non si era parlato di un incendio.

La voce di Fréron era un bisbiglio. Oltre la tenda, uno avrebbe potuto credere davvero che un prete stesse comminando penitenze. Attraverso la grata che li divideva, Yvers scorgeva il timido luccichio di un bottone. La luce delle candele filtrava da una fessura e si rifletteva sul metallo dorato.

– L'indicazione era: colpire a Sant'Antonio, – rispose Yvers. – È quel che abbiamo fatto.

– Avete attirato l'attenzione dell'intera città! – Il tono del sussurro di Fréron si alzò di scatto. – Un conto è bastonare sanculotti, altra faccenda è rischiare di mandare a fuoco un intero quartiere.

Yvers ribatté senza scomporsi: – Abbiamo piegato la volontà della plebaglia, l'abbiamo annichilita, colpendola dove essa era usa radunarsi. Nonché… – si avvicinò alla grata fin quasi a toccarla con la punta del naso, – dove si dice sia nato il cosiddetto «eroe» Scaramouche.

Dall'interno del confessionale giunsero uno schiocco di lingua sul palato e un fischio d'aria che passa tra i denti.

Yvers immaginò mandibole serrate. Tre secondi di silenzio, poi Fréron buttò fuori il fiato.

– Non è solo l'esito immediato di un'azione quel che ci preme, – disse il deputato. – Atti del genere non possono essere presentati come iniziative spontanee di giovani facinorosi, ancorché animati da buoni propositi e da istanze condivisibili. Il vostro livello di organizzazione è tale da non lasciar dubbi in tal senso: se c'è un'armata, devono esserci dei comandanti.

– Le strade di Parigi vi indicano da tempo come il protettore, se non il mandante, delle gesta di molta teppaglia, – ribatté Yvers. – Non si può dire facciate molto per smentirle.

– La strategia è affar mio. Io dispenso denaro e protezione, io indico gli obiettivi e il modo consono di raggiungerli.

– E io non sono un vostro subordinato. Il nostro rapporto è nato dalla reciproca convenienza. La vostra ambiguità mi disgusta. Spacciate la reazione come un proseguimento della rivoluzione. Sapete bene di mentire, non siete che bottegai in cerca del tornaconto.

– O vi attenete alle direttive, o non avrete piú alcun supporto!

Dall'esterno del confessionale, uno avrebbe colto una strana concitazione nella cadenza del prete. Il bisbiglio del fedele, invece, si mantenne calmo.

– E allora ci procacceremo il soldo altrimenti. Posso mettere le strade a ferro e fuoco. Io combatto per lo spirito di Francia, *cittadino*. Come Rolando e Giovanna d'Arco.

– Finirono male entrambi, – disse Fréron. – E i loro eserciti erano veri. Se pensate di proseguire senza di me, la vostra Roncisvalle sarà un vicolo sudicio. A voi la scelta.

Il cavaliere d'Yvers sentí lo sportello aprirsi. La sagoma oltre la grata svaní, passi risuonarono nella chiesetta abbandonata.

Rimasto solo, non si alzò dall'inginocchiatoio, ma giunse le mani in preghiera.

Sancte Michaël Archangele, defende nos in prœlio; contra nequitiam et insidias diaboli esto præsidium. Imperet illi Deus, supplices deprecamur: tuque, Princeps militiæ cælestis…

6.

Il sibilo del rampino che fendeva l'aria attraversò il silenzio notturno. L'ampio gesto circolare del braccio precedette il lancio verso il ciglio del muro, poi un rumore secco quando il ferro agganciò i mattoni. L'uomo mascherato saggiò la tenuta della corda, quindi prese a salire, puntando i piedi sulla parete e issandosi a forza di braccia. Una volta in cima si mise in equilibrio sul muro, ritirò la corda e fece ancora volteggiare il rampino per lanciarlo sull'edificio accanto. Il primo tentativo andò a vuoto, ma al secondo agganciò il cornicione. Riprese la scalata.

Da qualche tempo Scaramouche esplorava percorsi attraverso i tetti, che gli consentivano di spostarsi al di sopra del livello stradale. In un paio di occasioni dileguarsi in verticale non solo gli aveva evitato d'essere inseguito, ma aveva anche contribuito a incrementare la leggenda di Scaramouche. Qualcuno giurava di averlo visto saltare su un tetto, grazie a speciali molle applicate sotto le suole.

Quella sera, però, Léo sentiva anche il bisogno di guardare le cose dall'alto, indisturbato. Ne era passato di tempo, da quando si esercitava col rampino nel cortile della *Gran Pinta*. Adesso era piú forte, piú agile, saliva senza esitazioni. Merito degli allenamenti di Bernard la Rana, e forse anche di una rinnovata acutezza dei sensi e della mente. Questa volta non c'era alcuna effrazione da compiere, nessun monopola-

tore da castigare. E non c'era nemmeno piú *La Gran Pinta*.
Férault ci era morto dentro bruciato. Era un buon diavolo,
uno di quelli che l'avevano aiutato quando stava col culo per
terra, dandogli vitto e alloggio. Una fine orribile.

Bastardi.

Raggiunta la cima, ritirò la corda, la arrotolò e la legò in
cintura. Riprese fiato, contemplando la distesa dei tetti di
Parigi. La notte era limpida, la luna mostrava la sua faccia
tonda, appena velata da rade nuvole. Una brezza lieve muoveva i lembi del mantello. Léo camminò con cautela fino a
un piccolo gruppo di comignoli. Lí in mezzo si sentí al sicuro, indistinguibile dalle ombre della notte, come un gatto o
un uccello notturno.

Stavolta i sonnambuli avevano fatto le cose in grande. Avevano colpito il cuore di Sant'Antonio. Un morto. Férault.
Svariati feriti. Persino un ragazzino, Bastien.

Il figlio di Marie Nozière.

Bastardi.

Laggiú da qualche parte, oltre la selva di comignoli, riposava Madama Ghigliottina. Di giorno seguitava a funzionare,
ma a cadere non erano le teste dei muschiatini. La Macchina
non aveva piú la stessa presenza scenica, rifletté Léo. Era come se... Come se ci si fosse assuefatti alla sua presenza. Le
cose mutavano in fretta, lo scenario cambiava, e perfino gli
attori, ma la ghigliottina non era in grado di variare l'unica
battuta, quel suono sordo e greve, che tutti ormai conoscevano sin troppo bene.

Si sfilò la maschera e la tenne fra le mani, rimirando il
profilo minaccioso del rostro, gli occhi tondi come quelli
di un gufo.

Si figurò il cartellone: «Scaramouche contro l'Armata dei
Sonnambuli». Da solo contro cento. Le sue Termopili. Del
resto, non si chiamava Leonida?

Sollevò lo sguardo sulla città. Parigi come palcoscenico, forse per l'ultima volta.

Si chiese quanto ancora sarebbe riuscito a variare sul canovaccio che stava seguendo, prima che lo ammazzassero. Si trovava forse nell'angolo? *Incantunè*? Si chiese se là sotto, da qualche parte, non vi fosse qualcun altro disposto a unirsi a quella causa persa.

Forse no. Perché a rifletterci bene, Léo doveva ammettere che la sua era una partita privata. Non era la rivoluzione ad averlo deluso, come era capitato a tanti, ma la vita stessa. Tutte le aspettative – i sogni di quand'era bambino a Villa Albergati, fin dal giorno in cui si era ritrovato sulle ginocchia del maestro Goldoni – erano sfumate. Alle sue spalle si dipanava una sequenza di volti perduti. Mingozzi, Goldoni... le persone che gli avevano dato qualcosa lí a Parigi: Colette, Férault, la sartina Marie, Andria, e poi Bernard la Rana, Adèle; i suoi avversari sul quadrato: Jean-Do, Soncourt; infine i nemici: gli odiosi giovani dorati... e l'Armata dei Sonnambuli.

Eccolo lí, in cima a un tetto, a studiare il modo di aggredire e rapinare. In nome di cosa?

Guardò il cielo nero. Chissà se esisteva un destino fissato negli astri. Chissà quale finale l'Essere Supremo aveva in serbo per lui. La coscienza gli diceva che non sarebbe stato niente di buono, ma la testaccia – il *nominepatris*, come dicevano a Bologna – ribatteva che il colpo andava restituito, proprio come sul quadrato, e doveva essere all'altezza di quello subito. A buon gatto, buon ratto. Alla battuta dell'antagonista, il protagonista doveva rispondere riprendendosi la scena.

Léo si mosse. Si spostò agile sulla costa del tetto e procedette cosí, in cerca di un confine da superare.

CONVENZIONE NAZIONALE
Estratto dalla seduta del 12 frimaio, anno III

MATHIEU Cittadini, a nome del comitato di sicurezza generale, intendo dare la piú formale smentita ai resoconti calunniosi e monarchici inseriti nei fogli pubblici da alcuni giorni. Il comitato vienc rappresentato come se avesse dato dei precettori ai figli di Capeto, prigionieri nel Tempio, e offerto loro cure paterne per assicurarsi della loro sopravvivenza ed educazione.

All'epoca del 9 termidoro, il comitato ha piazzato al Tempio un secondo guardiano fisso, perché uno solo gli è parso insufficiente. E poiché la permanenza di due individui allo stesso posto può far nascere il rischio della corruzione, il comitato ha stabilito che ogni giorno le quarantotto sezioni di Parigi forniscano un loro membro per assolvere, nel corso di ventiquattr'ore, alle funzioni di guardiano insieme agli altri due. Da ciò si deduce che il comitato di sicurezza generale non ha mirato ad altro che a un servizio di sorveglianza e dunque è estraneo all'idea di migliorare la cattività dei figli di Capeto, o di dar loro dei precettori. Il comitato e la Convenzione, infatti, sanno come si fa cadere la testa dei re, ma ignorano come educarne la prole.

CONVENZIONE NAZIONALE
Estratto dalla seduta dell'8 nevoso, anno III

LEQUINIO   Già da diversi giorni è chiaro a tutti che i malintenzionati e perfidi monarchici preparano una nuova azione. Voi non imporrete mai il silenzio ai realisti, se non li
priverete dell'unica speranza che resta loro: sto parlando
dell'ultimo rampollo della razza impura del tiranno, che
sta al Tempio. [*Applausi*] Già altre volte si è chiesta l'espulsione del fanciullo dalla Francia; io domando che i nostri
comitati ci presentino un rapporto sul modo di purgare il
suolo della libertà dall'unica vestigia regale che vi resta.

Alleanze
Dicembre 1794-gennaio 1795 (nevoso, anno III)

I.

Il cavaliere d'Yvers terminò la lettura del foglio quotidiano, e subito volle ricominciarla daccapo, partendo da testata e frontespizio. Era necessario soppesare e valutare ogni parola, ogni punto, ogni virgola. Non solo necessario, ma doveroso: quel lungo articolo era stato scritto per lui. Il giornale stesso era andato in stampa per lui. Mille copie in giro per Parigi, vendute al freddo e al gelo da un esercito di strilloni, affinché una raggiungesse lui.

Quale sperpero, pensò Yvers. Quale onore, da parte di gentaglia che d'onore era priva. Era ancora soltanto un avvertimento? O era già la dichiarazione di guerra? Nell'un caso o nell'altro, tutto procedeva. Il grande giorno era in arrivo.

Si mise piú comodo in poltrona, e tornò a studiare la missiva inviatagli dal potere termidoriano, al tempo stesso in segreto e *coram populo*.

«L'ORATORE DEL POPOLO»
di Fréron
deputato alla Convenzione nazionale

Che ai cenni della mia voce la Francia si risvegli
Senato, sii attento. Popolo, porgi l'orecchio

Prezzo: tre soldi

n. LVIII del 3 nevoso

MEZZI astuti impiegati dai faziosi per assicurarsi l'impunità dei loro crimini.

CONFUTAZIONE delle seguenti dichiarazioni gravi: esiste una fazione dittatoriale dell'opinione pubblica; l'opinione pubblica è in controrivoluzione.

PERICOLI di agitazione monarchica in seno alla coraggiosa gioventú di Parigi, contro la quale è necessario vigilare.

– Mio signore...

Yvers alzò lo sguardo dal giornale. Sull'uscio c'era La Corneille. Anche l'uomo senza naso aveva in mano un foglio, ma arrotolato e legato da uno spago. Nessun sigillo.

– Sí?

– Questa è la pianta che avete chiesto. C'è ogni dettaglio. Non solo della Torre, ma di tutto il complesso.

– Molto bene, La Corneille, – disse il cavaliere. Si alzò e prese il rotolo. – Puoi andare.

Rimasto di nuovo solo, Yvers posò l'oggetto sul tavolo, senza aprirlo. Tempo al tempo. Dopodiché, tornò a sedersi e riprese la lettura.

Le frasi erano fuochi d'artificio inumiditi, che stentavano a prendere il volo e scoppiavano a un palmo da terra. Era lo stile di Fréron. In superficie, il deputato si difendeva dagli attacchi delle altre correnti termidoriane, colpiva a destra e a sinistra, faceva professione di fedeltà alla Repubblica; sotto il primo strato, diceva a lui, a Yvers, che aveva tirato troppo la corda.

L'Armata dei Sonnambuli era crudele.

L'Armata dei Sonnambuli seminava il caos.

L'Armata dei Sonnambuli metteva in grave imbarazzo i politici che usavano i muschiatini come milizia.

E il grave imbarazzo si stava trasformando in grave pericolo.

Torniamo a quella che è stata definita «la fazione dittatoriale dell'opinione pubblica». Sotto questo nome si vogliono indicare principalmente questo giornale, «L'oratore del popolo», e i suoi amici nella Convenzione nazionale e nella gioventú. Vi è chi opera per farci desistere dall'onorevole e doloroso compito che ci siamo imposti di fronte ai nostri concittadini. Per ottenere ciò, non si rinuncia a un solo mezzo e ogni trucco viene impiegato. Mentre si interviene a gran voce contro di noi alla Convenzione, in segreto si cerca di dividerci. Traditori e mestatori ci accerchiano, per alienarci gli uni dagli altri, gettando discredito sulle persone *che le circostanze ci portano a impiegare nella nostra intrapresa*. Piccoli Machiavelli da anticamera, macchinatori mediocri e gelosi, essi vogliono disunire i patrioti. Costoro sfruttano alcuni sfortunati eccessi compiuti dalla gioventú nella sua opera mondatrice, nel suo lavoro quotidiano di mozzare le velenose code del robespierrismo, dopo che la giustizia repubblicana ne ha mozzato le teste; essi ingigantiscono tali eccessi e sbraitano la ridicola accusa, l'odiosa accusa: «L'oratore del popolo» dà ordini alla feccia! Dalle sue pagine il deputato Fréron invia monarchici e addirittura *criminali mesmerizzati* a incendiare, terrorizzare i foborghi, uccidere impunemente!

Quale turpe rovesciamento della verità, quello di rinfacciare il terrore a chi si impegna a ripulire le strade dal terrorismo. E quale mancanza di vergogna, nel ripristinare all'uopo vecchi allarmi, vagheggiando di *controrivoluzioni dei sonnambulisti*, per aizzare contro di noi i buoni abitanti dei foborghi.

Ipocrita commediante, pensò il cavaliere d'Yvers. Per ogni dove, uomini in maschera e pagliacci. Gli ultimi atti della Grande Parodia.

Sappiano i traditori che tutto questo non servirà a niente. Il popolo di Parigi sa riconoscere le serpi, e le schiaccerà, come va schiacciando, giorno dopo giorno, l'irriducibile robespierrismo.

È senz'altro vero, lo abbiamo detto, che vi sono stati eccessi. Azioni che hanno recato danno alla nostra causa e alla lotta della gioventú; azioni che vogliamo definire *spropositate*, perché non vorremmo mai sospettare in esse un proposito, un intento inconfessato: gettare sulla nostra opera il manto dell'ignominia.

Se davvero per le strade della capitale, nelle file di quella che è stata chiamata Gioventú Dorata, vi fossero fautori del restauro della

monarchia, e addirittura nuovi o vecchi fedeli del prerivoluzionario
credo mesmeriano, si tratterebbe di una cospirazione ancor piú vi-
scida e serpentina di quella che stiamo denunciando.
    Sia chiaro a tutti: noi esortiamo a vigilare e, se necessario, epu-
rare. Noi siamo i primi e piú grandi difensori della Repubblica sul
fronte interno. L'abbiamo difesa e la difendiamo dal robespierrismo; l'abbiamo difesa e la difenderemo da monarchici e quant'altro.

Presto il governo si sarebbe mosso contro i sonnambuli.
Il cavaliere d'Yvers lo aveva previsto, e perseguito, e ave-
va già pronta la nuova mossa.
La Francia intera si sarebbe fermata, sbalordita e scon-
volta, all'arrivo della piú grande notizia dalla morte di Luigi.
Il mondo sarebbe rimasto a bocca aperta.

2.

Palazzo Egualità non era mai stato il genere di luogo che
D'Amblanc amasse frequentare. L'amore mercenario lo rat-
tristava, il lusso dei ristoranti gli pareva uno spreco, il gioco d'azzardo risvegliava le sue cicatrici. A maggior ragione,
dopo tutto quel che era accaduto.
    Ma Chauvelin gli aveva rivelato che l'Armata dei Sonnam-
buli faceva capo a un custode del palazzo, l'uomo col naso
di cuoio. Sicuramente La Corneille era solo un intermedia-
rio tra il cavaliere d'Yvers e le sue milizie. Immaginava che
i due si incontrassero, di quando in quando. E il cavaliere
aveva certo bisogno di una base per le sue magnetizzazioni collettive. Da un monarchico che aveva eletto a rifugio
l'ospizio di Bicêtre, ci si poteva ben attendere che scegliesse
Palazzo Egualità come sede dei suoi intrighi. Nascondersi
nel luogo piú ovvio era una strategia di cui aveva già verificato l'efficacia.

Ecco perché, da un po' di tempo, D'Amblanc frequentava i caffè sotto le arcate e i tavoli sparsi nel giardino. Trovava penoso muoversi tra muschiatini e mervegliose, con la loro parlata demenziale, la violenza che accumulavano e avrebbero scaricato al calar del sole, la nostalgia per un tempo ingiusto e vigliacco. Non era che una versione diurna del Ballo delle Vittime.

No, cosí non andava bene.

Non andava bene che quasi ogni catena di pensieri portasse infine a quella sera. Alla donna a braccetto con Armand Chauvelin. A Cécile che gli diceva: «Dio solo sa quanto avrei voluto essere Olympe de Gouges. Sono riuscita soltanto a essere la vedova Girard».

Per distogliere la mente da quelle frasi, D'Amblanc si concentrò su chi aveva intorno. L'attenzione divenne un temperino, col quale intagliò e acuminò il proprio disprezzo verso gli Incredibili.

Per alcune settimane erano sembrati confusi, quasi sul punto di sbandare. Scaramouche ne aveva messi fuori combattimento almeno una ventina, notte dopo notte, storpiati, mutilati, uccisi in un susseguirsi di imboscate. Tuttavia, negli ultimi tempi, le azioni dell'uomo in maschera si erano fatte piú rade. Precisamente, dopo l'attacco dell'Armata dei Sonnambuli alla *Gran Pinta* di Sant'Antonio, ovvero: proprio nel momento in cui veniva piú invocato.

Bisogna fargliela pagare. Ci vorrebbe Scaramouche. Ci penserà Scaramouche. Mi sa che cercavano Scaramouche. Dov'era Scaramouche? Hanno sfidato Scaramouche.

Non vi era dubbio che Yvers avesse alzato il livello dello scontro. Forse l'eroe col mantello stava meditando su come rispondere.

Quale che fosse il motivo, i muschiatini avevano t'atto un sospi'o di sollievo, ed e'ano to'nati a sta'nazza'e.

– Occhi aperti, Jean. Vedrai che questa è la volta buona.
– Dite sempre cosí, – protestò il ragazzino. – Comincio a
pensare che non lo incontreremo mai.
– Ma no, ma no. È solo che deve aver cambiato indirizzo
e cosí non riesco piú a contattarlo. Sta' tranquillo, lo trove-
remo. Intanto cosa prendi, una cioccolata?

D'Amblanc fece segno al cameriere e gli affidò le ordi-
nazioni.

Mentre attendevano, una donna si avvicinò al loro tavolo
strascicando i piedi. Era molto pallida e dava l'impressione
di reggersi sulle gambe in equilibrio precario. Con un filo di
voce, domandò se, per favore, potevano lasciarle qualcosa
da mangiare. D'Amblanc si rese conto alla prima occhiata
che la donna aveva bisogno di un medico, oltre che di cibo.
Le indicò una sedia vuota, la pregò di mettersi comoda, ma
fu interrotto dalle grida del cameriere.

– Fila via, non disturbare i clienti, – sbraitava l'uomo,
senza tener conto che proprio il cliente lo stava invitando
a non allontanare la poveraccia. Quella però già scappava,
come un topo sorpreso in dispensa, e quando D'Amblanc le
andò dietro e la toccò sulla spalla, ebbe in cambio una sbrac-
ciata nel petto e un lasciatemi stare.

Tornò al tavolo e di nuovo sedette accanto a Jean, che già
esibiva un bel paio di baffi color cioccolata.

– Io non credo che il cavaliere verrebbe in questo posto,
– disse scuotendo la testa.

D'Amblanc gliene domandò il motivo.

– Perché questa gente... – Jean cercò le parole. – Secondo me finge di essere nobile, ma si vede bene che non lo è.
Guardate quegli uomini, per esempio –. Il dottore si voltò. Un gruppo di muschiatini si era radunato intorno alla mendicante che li aveva appena visitati. – Vedete come
ridono, parlano ad alta voce. I loro modi sono volgari. Per

questo trattano male una donna del volgo. Perché sanno di essere peggiori di lei.

I muschiatini erano quattro, accompagnati da un paio di mervegliose, che però si tenevano due passi indietro. Avevano circondato la mendicante e battevano i bastoni sul pavimento del porticato. D'Amblanc non capiva quel che stavano gridando, ma la scena era eloquente. Si alzò e si diresse verso il drappello.

Mentre camminava, le voci gli arrivarono piú chiare.

– Te l'abbiamo già detto che qua non ci devi veni'e.

– La tua vista ci schifa, *puah*.

– Se ti dài una lavata, maga'i t'ovi il modo di guadagna'ti la pagnotta.

– Ma cosí conciata, ti si può tocca'e giusto col bastone.

D'Amblanc vide alzarsi uno dei randelli nodosi che quella feccia chiamava «potere esecutivo». La donna gridò e si riparò la testa con le braccia. Il bastone si abbassò senza colpirla.

– Pau'a, eh? – sghignazzò il muschiatino.

– *Buh!* – gli fece eco un altro.

– Smettetela, – intimò D'Amblanc. Gli uomini gli riservarono uno sguardo distratto. – Sono un medico, fatemi passare. Quella donna ha bisogno di cure.

– Ma ce'to, dotto'e. Infatti noi ci stiamo p'endendo cu'a di lei. Non vedete? È lei che non vuole.

La donna aveva estratto tre ferri da calza e li stringeva fra le dita come artigli. Graffiava l'aria intorno. Ringhiava in preda a una crisi nervosa.

Il muschiatino capobanda le sputò addosso.

La donna scattò, ma fu sufficiente uno spintone per buttarla col sedere per terra.

– Pa'ola mia, dotto'e, – disse quello, – se a te piace il gene'e, goditelo tu questo fio'ellino. Noi non ci spo'chiamo le mani con una mentecatta puzzolente.

E cosí dicendo alzò una mano e indicò agli altri che era tempo di andare.

Il gruppo obbedí scancherando, e l'ultimo della schiera, abbracciato alla sua mervegliosa, mollò un calcio nella schiena della poveretta.

D'Amblanc la vide accasciarsi.

Si precipitò su di lei e le sollevò la testa.

Aveva perso i sensi.

I ferri da calza rotolarono via con un tintinnio metallico.

3.

La prima parola che raggiunse Marie nella nebbia del dormiveglia fu un nome.

– Yvers…

A pronunciarlo era una voce infantile, e il pensiero corse a Bastien, mentre un brivido la scuoteva. Forse stava ancora sognando. Perché aveva sognato, anche se non ricordava cosa. Di certo erano stati incubi, perché la sensazione che l'avvolgeva era terribile. La voce parlò ancora. No, non era la stessa, era quella di un uomo adesso, calma, profonda. Marie attese che i brividi passassero e provò a tirarsi su. Si ritrovò seduta su un letto, in una stanza sconosciuta.

Tese l'orecchio: le voci provenivano da un ambiente attiguo, attraverso la porta socchiusa.

– Non mi ricordo, signore.

– Non sono il tuo signore, Jean.

– Il cavaliere era il mio signore.

– Ti ha abbandonato, però.

Seguí un lungo silenzio. Nell'accento del bambino, Marie aveva riconosciuto qualcosa di familiare.

– Lui era buono…

– Lo ritroveremo, devi avere pazienza.

Marie si alzò, incerta sulle gambe, e riuscí a raggiungere la porta. Rimase ancora qualche istante in attesa, prima di aprirla piano.

Seduti a un tavolo, l'uomo e il bambino si volsero insieme. Il primo si alzò e le andò incontro senza foga, come se temesse di intimorirla.

– Ben svegliata. Prego, sedete qui.

La accompagnò a una seggiola standole vicino, pronto a sorreggerla. Il bambino la seguí con gli occhi grandi e scuri. Quando si fu seduta, l'uomo le porse un piatto con due patate bollite.

– Mangiate qualcosa. Dovete recuperare le forze.

Il volto dell'uomo appariva segnato dalla preoccupazione, forse dimostrava piú dei suoi anni. Lo sguardo era sincero.

– Chi siete? – chiese Marie riconoscendo a stento la propria voce.

– Sono il dottor Orphée d'Amblanc. Vi ho soccorsa a Palazzo Egualità… Avete avuto un mancamento, ricordate?

Marie frugò nella nebbia che andava dissipandosi e lasciava intravedere qualcosa. Era svenuta, sí, dopo che quei ceffi acchittati e profumati l'avevano presa in mezzo.

– I miei ferri da maglia…

D'Amblanc, imbarazzato, si guardò attorno, ma fu il ragazzino a raggiungere una mensola e portarli a Marie.

Lei li prese e li strinse in grembo, come fossero la cosa piú preziosa che aveva. Con l'altra mano impugnò la forchetta e iniziò a mangiare. A ogni boccone, che masticava lentamente, sentiva lo stomaco ringraziarla e le forze tornare.

– Come vi chiamate? – chiese il dottore.

– Marie Nozière.

– Avete un posto dove tornare?

Marie annuí in silenzio.

– Bene. Quando vi sentirete meglio posso accompagnarvi a casa, cittadina Nozière.

– Faccio da me.

Il dottore non aggiunse nulla.

Fu invece Marie a parlare di nuovo, rivolgendosi al ragazzino.

– Vieni dall'Alvernia?

Marie notò lo stupore sul viso dell'adulto.

Il ragazzino annuí.

– Sí, signora.

– Da quale paese?

– Yvers.

– Lui è Jean, – intervenne D'Amblanc. – Anche voi siete alverniate?

– Lo ero tanti anni fa, – rispose Marie tornando a concentrarsi sulle patate.

– Anche oggi andiamo a Palazzo Egualità a cercare il cavaliere? – domandò Jean.

D'Amblanc gli passò una mano sulla testa, un gesto affettuoso che smosse qualcosa nell'animo di Marie.

– No, Jean, oggi no. Dobbiamo accompagnare a casa la cittadina Nozière.

– Non c'è bisogno. Vi ho detto che me la cavo da me.

Marie fece per alzarsi, ma per un istante la vista si offuscò, le ginocchia cedettero e ricadde sulla sedia.

Si accorse che D'Amblanc la sorreggeva per il gomito. Sentirsi toccare le provocò un'ondata di paura e disgusto, e d'istinto sollevò i ferri.

D'Amblanc fece un passo indietro e alzò le mani in segno di resa.

– Vi prego, cittadina… Non intendo… Sono un medico, ve l'ho detto. Perché non vi stendete nuovamente sul letto? Tornerete a casa quando vi sentirete in forze.

Marie obbedí controvoglia e quando si fu stesa piombò in un sonno agitato, dove figure incerte, sfocate, la circondavano e la toccavano, lacerandole i vestiti e togliendole il respiro.

Quando si risvegliò, non avrebbe saputo dire quanto tempo fosse trascorso, ma la luce del giorno era diminuita. Teneva ancora in pugno i ferri da maglia e qualcuno le aveva messo addosso una coperta.

Ai piedi del letto era seduto il ragazzino. La osservava immobile, un'espressione vacua sul viso.

– Dov'è quel signore? – gli chiese. – Non è tuo padre, vero?

Jean sfiorò la coperta con la mano, osservandosi le dita.

– No, è un dottore. Siccome dormivate, è uscito. Mi ha detto di badare a voi.

Marie si alzò. Si sentiva leggermente stordita, ma almeno era in grado di reggersi in piedi. Pensò di tornarsene a casa, ma si rese conto che questo avrebbe significato lasciare il ragazzino da solo. Doveva avere suppergiú l'età di Bastien.

– E a te chi ti bada?

Lui fece spallucce.

– Quanti anni hai?

– Non lo so, signora.

Marie gli lanciò un'occhiata stranita.

– Mi stai perculando?

Il ragazzino arrossí e si portò l'indice alla fronte.

– La testa… Non funziona bene, signora… Il dottore mi cura. E mi aiuta a ritrovare il cavaliere.

Marie fece qualche passo nella stanza fino a raggiungere la finestra e sbirciò fuori, in strada. Era quasi buio. Le pareva che il ragazzino fosse un po' tocco.

– Questo cavaliere è un tuo parente? – domandò senza voltarsi.

– Nossignora.

Marie guardò la notte che scendeva oltre i vetri opachi e avvertí il richiamo della vecchia soffitta di Claire, dove sarebbe corsa a rintanarsi e magari a sbronzarsi con qualche avanzo di vino, fino a dimenticare tutto. Ma c'era qualcosa che la tratteneva. C'erano, a pochi passi da lei, quello strano ragazzino e i suoi occhi grandi, la sua storia e la sua presenza. C'erano gli incubi tornati a tormentarla dopo molti anni. C'era il bisogno disperato di aggrapparsi a qualcosa, o lasciarsi morire. C'era andata vicino. Ma era stata raccolta, riportata indietro. Per specchiare la sua solitudine nello sguardo di Jean, cosí diverso da quello di Bastien.

– Voi avete una famiglia, signora? – chiese Jean.

– Non piú, – rispose lei in tono vago.

– Allora potreste rimanere qui.

Sentirono aprirsi la porta di casa. Marie si spostò nell'altra stanza, seguita da Jean, giusto in tempo per vedere rientrare D'Amblanc con l'aria di chi ha camminato a lungo.

– Buonasera, – disse. – Sono lieto di vedervi in piedi. Jean vi ha tenuto compagnia?

Marie si sforzò senza successo di rivolgergli un mezzo sorriso.

– Sí.

– Forse dovreste mangiare qualcos'altro, sapete? Prima di andare.

Quel dottore doveva avere ben capito che ormai da un pezzo saltava i pasti. Marie pensò ancora alla soffitta di Claire, dove si era ripromessa di aspettare la sua amica tante di quelle volte da non aspettarsi piú niente. Una sera si sarebbe addormentata sul vecchio divano sfondato e non si sarebbe piú svegliata. Non c'era altro davanti a lei.

– Ho recuperato un po' di ossi per il brodo, – soggiunse D'Amblanc sfilando un cartoccio da sotto la giacca. – Renderà morbide e saporite le gallette. Poi friggerò qualche cipolla. Che ne dite?

Marie guardò il ragazzino, poi di nuovo l'uomo e infine appoggiò i ferri da maglia sul tavolo.

Quand'ebbero finito di cenare, Jean diede la buonanotte a entrambi e si ritirò a dormire nell'altra stanza.

D'Amblanc prese a caricare una pipa dalla lunga cannuccia. L'ambiente era immerso nel buio, rotto solo dalla luce di due candele.

– Che ha il ragazzino? – chiese Marie toccandosi la fronte con il dito, nello stesso gesto che aveva visto fare a Jean.

D'Amblanc accese la pipa tirando ampie boccate. Attese che le volute di fumo salissero verso il soffitto, formando strane figure mobili negli aloni di luce.

– Gli hanno fatto del male. Quando era molto piccolo.

– Dice che lo aiutate a trovare un cavaliere...

– Per la verità, è lui che aiuta me.

Marie lo guardò stranita.

– Beato chi vi capisce, – commentò con un'alzata di spalle.

D'Amblanc sorrise e seguitò a fumare.

– Perché mi aiutate? – chiese lei dopo un po'.

D'Amblanc parve riflettere.

– Voi credete a quel che sta scritto sugli stendardi della Repubblica? Fraternità...

– Forse prima, – rispose lei. – Ma adesso... Non so. Voi fate così? Prendete su le persone?

– Sono un medico.

Lo disse senza enfasi, e non aggiunse altro.

– Ce ne fossero, come voi... ma la buona volontà non basta, – obiettò Marie. – Serve pure la giustizia. Quei gecchi che mi sono venuti contro sono... – Non trovò le parole.

– Quelli lí con gli stendardi della Repubblica ci si puliscono... – si trattenne, imbarazzata.

– Sí. C'è gente che non si fa scrupoli.

– Come quelli che a Sant'Antonio hanno bruciato *La Gran Pinta* con l'oste dentro, – disse Marie.

Le tornò in mente la visita di Bastien, quando era andato a trovarla per dirle quello che era successo al foborgo. Il ricordo era vago, fitto di nebbia. Quel giorno era ubriaca.

– A Sant'Antonio ci sono andato, – annuí D'Amblanc.

– Ho visto quel che hanno fatto e tutti confidavano che Scaramouche li avrebbe vendicati.

– Eh, bella speranza. Uno da solo non basta mica.

– A volte mi viene da pensare che non esista, che sia solo una leggenda inventata dal popolo per farsi coraggio.

– Invece esiste eccome! – proruppe Marie e per un attimo si rivide stretta a Léo Modonnet, nella vecchia casa. – Io l'ho conosciuto, – aggiunse.

D'Amblanc la guardò con aria incredula.

– Scaramouche? Quello che chiamano l'Ammazzaincredibili?

– Non lo so se è lo stesso. Però l'anno scorso, a Sant'Antonio, c'era un attore italiano che andava a legnare i bottegai furboni, travestito da Scaramouche.

D'Amblanc abbassò la pipa e si protese verso di lei.

– Perché non dovrebbe essere lo stesso? – domandò ansioso.

Marie ci pensò su, cercando di decifrare la curiosità del dottore.

– Già, perché no? Io credo che sia lui.

Per un po' D'Amblanc rimase zitto. A Marie parve che stesse decidendo se confidarsi con lei. In fondo, perché avrebbe dovuto farlo? Era soltanto una derelitta raccolta sul lastrico di Palazzo Egualità. Eppure Marie sentiva di doverci sperare. C'era qualcosa, proprio lí, davanti a lei, come l'estremità di una corda che attendesse d'essere afferrata e tirata, per fare cadere un velo, ritrovare l'intenzione di vivere, imboccare un cammino che però, lo sapeva, non avrebbe portato verso la luce, ma nell'angolo piú buio della memoria.

– Sto cercando una persona, – disse infine D'Amblanc. – Una persona pericolosa. Ma come dite voi, la buona volontà non basta. Ho bisogno di alleati.

Ecco, pensò Marie. Devo soltanto alzare la mano, stringere il pugno e tirare.

– Questa persona che cercate è quel cavaliere... Quello che ha mollato il ragazzino?

D'Amblanc annuí.

– È un controrivoluzionario imboscato e sono sicuro che si trova qui a Parigi, – disse. – Credo sia il capo della banda che ha incendiato *La Gran Pinta*. L'Armata dei Sonnambuli –. Dopo un istante aggiunse: – Pensate che questo Scaramouche, questo italiano, mi aiuterebbe?

– Non lo so, – rispose Marie assorta. – A fare cosa?

– Ad arrivare fino alla testa del serpente.

Marie tornò a guardarlo.

– E tagliarla?

D'Amblanc non disse nulla, non ce ne fu bisogno. Marie si chiese se era davvero questo che voleva per sé stessa: una pista, una caccia, la vendetta dei pezzenti. La sua parte. Aveva già perso tutto, non aveva nulla da rimetterci, se non quella triste esistenza trascinata un giorno dopo l'altro. Il destino le metteva davanti l'occasione.

– Vi dico come si chiama e ci metto pure una buona parola. A una condizione, – disse, e soltanto ora le parve di avere ritrovato la propria voce. – Che prendete anche me come alleata.

– Voi? – disse D'Amblanc stupito. – Voi avete bisogno di cibo e riposo. E poi siete…

– Una donna, – lo anticipò lei. – E anche una cattiva madre, s'è per questo. E trinco forte, sacrodio. Ma la mia condizione è questa o sbrisga.

– D'accordo, – disse D'Amblanc. Le strinse la mano, come fosse un uomo. – Come si chiama questo attore?

– Léo Modonnet.

– Bene. Immagino sarà opportuno iniziare a chiedere nei teatri. Qualcuno che lo conosce salterà fuori.

4.

– Un attore italiano? Di nome Modonnet? Perché, è un cognome italiano, Modonnet? Comunque no, nella mia compagnia recitano solo Francesi. Provate a sentire al *Teatro del Pantano*, lí ogni tanto la fanno ancora, la commedia dell'arte.

– Uhm, fatemi pensare. Modonnet… Aspettate un attimo. Héctor, com'è che si chiamava quell'attore italiano col nome francese? Quello che diceva di esser figlio del Goldoni, dài. Come dici? Esatto, proprio lui, Modonnet! Alla mia età, modestamente, ho ancora una cazzo di memoria…

– Sí, certo, lo conoscevo di vista, ma qui non ci ha mai recitato, per carità. Stava in un elenco di diffidati, teste calde, gente che in un amen ti metteva sottosopra il teatro. E te lo faceva chiudere.

– Il nome non mi è nuovo, dottore. Attendete, vado nel mio vecchio ufficio a vedere se c'è un fascicolo che lo riguarda. Ecco qua. Leonida Modonesi detto Léo Modonnet, di anni trentacinque, nato a Bologna, Italia. Come sorvegliante sugli spettacoli, mi sono occupato del suo caso in due occasioni. Prima un'ammonizione, per aver scatenato una rissa al *Teatro Giscard*. Quindi alcuni giorni di prigione e una diffida scritta, per aver partecipato a una rissa nel *Teatro Civetta*. Se posso dirvi la mia, ho l'impressione che l'uomo fosse piú bravo a menar le mani che a recitare. Lo vidi anche sulla scena, mi pare al *Figuier*, e già quella volta mi fu d'avanzo. E infatti: *Giscard, Civetta, del Fico...* Tutti locali di piccolo cabotaggio, di quelli spuntati come muffe quando ci fu la liberalizzazione delle licenze. Il *Civetta*, che io sappia, ha chiuso da un pezzo. Che altro posso dirvi? Non mi occupo di teatri ormai da sei mesi, e per come sono cambiate le cose negli ultimi tempi, oggi quel Modonnet potrebbe essere l'idolo delle folle...

– Come no, me lo ricordo bene quel cazzone. Recitava qui con la compagnia di La Résistence, facevano una commedia di Scaramouche. Sí, sí, sono sicuro. Però adesso non lo so in che teatro lavorano e quello di sicuro non sta piú con loro, l'hanno cacciato via. E se lo volete sapere, per me hanno fatto bene. Come attore era capace, ma un tale coglione!

– Colette! Vieni qua, per favore. Senti, il dottore, qui, sta cercando Léo Modonnet, hai presente? Tu sai che fine ha fatto, dopo che l'abbiamo sbattuto fuori?
– Lo avevano preso come sostituto da un'altra parte, mi pare.
– Sí, esatto. Ma poi?
– Che ne so io, mica lo frequentavo piú.

– Scusate, cittadina. Non voglio farmi gli affari vostri. Ma quando vi frequentavate, a che indirizzo stava il Modonnet?
– Al numero 4 di via dell'Inferno. Quella che adesso si chiama via Blu.

– Non mi pagava l'affitto da tre mesi, mi spiego? Italiano di merda. Si credeva di essere il padrone, qua dentro. Be', l'ho cacciato a pedate, nomeddio! Dopo mi hanno detto che è andato a stare al *Grand Hôtel* di Pontenuovo. Che sopra ci faceva i suoi spettacolini da ganassa, e sotto ci dormiva. Be', gli sta bene. Che se lo mangino i topi.

– Recitava proprio qui, nella balconata di fianco alla mia. Era un buon tipo, mi faceva ridere. Eravamo italiani tutti e due, ci si teneva su col morale a vicenda. Poi ha combinato un guaio, una storia che non vi dico, e per un certo tempo s'è dovuto insabbiare. Questo non me l'ha raccontato lui, lo sono venuto a sapere. Fatto sta che non l'ho piú visto per mesi. Poi, di colpo, qualche tempo fa è ritornato, ma non a recitare. L'ho visto venir su da sotto il ponte, una mattina presto. Aveva litigato con un muschiatino e doveva farci a pugni alla barriera dei combattimenti. Mi ha chiesto di fargli da secondo, e io ci sono andato, a vederlo battagliare. Gli ha dipinto il culo a piselli, al muschiato. Tanto che si è messo a fare il pugile. Il suo impresario l'ho visto, era un marsiglie-se, si chiamava qualcosa come Bertrand. L'ho rivisto anche un'altra volta, una sera che stavo già sbaraccando. Abbiamo parlato di Goldoni… Come dite? Sí, io mi ricordo Bertrand, ma non ci metto la mano sul fuoco. Potrebbe anche essere Bernard. Aveva anche un nomignolo, aspettate…

– L'italiano era una bella buccia davvero. Sí, se l'era pre-so a mano Bernard la Rana, uno che di sberle ne capisce a carretti. Gli metteva su gli incontri e le scommesse, avevano un bel giro. Però adesso è un po' che non si fa vedere. Magari s'è rotto qualche osso e deve stare a riposo. Bernard la Rana? Oggi dovrebbe esserci uno dei suoi che si batte. Vero, Henri? Se avete tempo di aspettarlo, prima o poi si fa vedere.

– Un italiano di nome Léo Modonnet. Sí, potrei conoscerlo. Ci devo pensare. E magari mi aiuterebbe sapere chi lo cerca.

– Mi chiamo Orphée d'Amblanc, sono un medico…

– Marie, la sarta di Sant'Antonio. Ditegli che gli devo parlare.

5.

Quando sentí quel nome dalla bocca di Bernard la Rana, Léo rimase di sasso. Aveva pensato a lei di tanto in tanto, in tutto quel tempo, ma il ricordo che aveva era uno dei migliori, di quelli che conservava per certi momenti speciali, quand'era a tu per tu con sé stesso. Adesso, colpito da un fulmine a ciel sereno, doveva ammettere che in un angolo della mente aveva sperato, grazie al ritorno di Scaramouche, che lei potesse notarlo ancora. Era stato esaudito. Lei era lí, anche se faticò a crederci finché non l'ebbe davanti a sé, nel sottano di Bernard.

Era lei, ma non era la stessa. Aveva la faccia segnata, come avesse affrontato un tifone e ne fosse uscita viva, ma con ancora addosso il peso della fatica e degli abiti inzuppati. Per questo Léo la trovò ancora piú bella, anche se bella non lo era piú.

La accompagnava da un uomo, non elegante ma distinto, che si presentava come dottore e restò un passo dietro a lei.

Léo non seppe cosa dire e per fortuna fu Marie a parlare.

Disse che cercavano Scaramouche, l'Ammazzaincredibili, il castigatore dei muschiatini, e se ora non si trovavano al suo cospetto, allora avevano sbagliato persona e l'avevano disturbato per nulla.

Léo prese tempo. Chiese chi fosse il tizio che l'aveva accompagnata fin lí. E allora Marie gli fece cenno di venire avanti.

Il dottor D'Amblanc, cosí disse di chiamarsi, andò dritto al punto. Se Scaramouche combatteva la Gioventú Dorata, allora forse gli sarebbe interessato colpire il capo dell'Armata dei Sonnambuli. Lui sapeva chi era e voleva trovarlo.

– Lo sanno tutti che è il Senzanaso a guidarli, – commentò Léo.

D'Amblanc disse che no, quello era soltanto il braccio destro. C'era qualcun altro, un uomo molto piú scaltro, tanto da non farsi vedere in giro.

– Voi come lo sapete? – chiese Léo.

D'Amblanc rispose che era una lunga storia e poteva raccontargliela, se Scaramouche era disposto ad aiutarli.

Léo cercò conferma in Marie. Lo sguardo di lei gli disse che poteva fidarsi. Se le loro strade si incrociavano di nuovo, una ragione doveva pur esserci. Una variante del copione. Un inatteso cambiamento di scena. Forse anche dei personaggi.

Offrí loro due sgabelli tarlati e si mise in ascolto.

Quando D'Amblanc ebbe finito di parlare, Léo rimase a lungo meditabondo. Non era sicuro di avere afferrato tutto. La faccenda del fluido magnetico non gli tornava. Eppure, a sentire quel dottore, spiegava la straordinaria resistenza dei sonnambuli.

– Con tutto il rispetto, cittadino, questo fluido mi sembra una specie di magia…

D'Amblanc non colse la provocazione. Disse che, in un certo senso, quello che dovevano scovare era un negromante, uno stregone. Un uomo molto pericoloso. Senza di lui, i sonnambuli avrebbero perso i loro poteri.

– Chi vi dice che questo tizio non abbia trasmesso le sue... capacità anche a qualcun altro? – domandò Léo.

Era chiaro che D'Amblanc si aspettava la domanda, perché rispose senza esitare: non era quel tipo d'uomo. Non voleva allievi, ma soldati.

– Chi è? – lo incalzò l'attore.

La risposta non fece che aumentare la sua curiosità. Un piccolo nobile di spada. Una comparsa che si era fatta largo fino a guadagnare un ruolo di una certa importanza. D'Amblanc sospettava che godesse di protezioni politiche. E che avesse progetti a lungo termine.

Léo provò un vago moto di simpatia per quell'uomo. Chissà che Scaramouche non avesse trovato un degno avversario...

– È per questo che volete fermarlo?

D'Amblanc rispose che aveva i suoi motivi, non facili da spiegare. In ogni caso, quell'uomo andava fermato.

Tuttavia, Léo voleva essere certo delle intenzioni di quei due.

– E voi? – chiese rivolto a Marie. – Cosa c'entrate in questa storia?

Lei rispose che il dottore l'aveva aiutata. Le aveva salvato la buccia, e adesso lei gli rendeva il favore.

L'italiano si avvicinò a D'Amblanc fin quasi a sfiorargli il naso con il proprio.

– Guardatemi in faccia, dottore. Fate sul serio? Perché quelli non li dovrete curare. Li dovrete spacciare. Non è gente molto cortese, mi spiego?

D'Amblanc rispose che lo sapeva bene. Insieme avrebbero fatto quel che era necessario.

Léo si guardò attorno. Pensò al sottano polveroso in cui era ridotto a vivere, ai quattro stracci che indossava, al vestito di Scaramouche che Marie Nozière gli aveva procurato tempo prima, nascosto sotto il materasso di paglia, insieme al suo «bastone da passeggio». Cosa aveva da perdere?

Tornò a rivolgersi a D'Amblanc.

– Come intendete fare?

Il dottore apparve incoraggiato dalla domanda. Disse che bisognava torcere il braccio destro fino a costringere anche la testa a piegarsi.

Quell'immagine divertí Léo.

– Siete sicuro? – disse. – Il Senzanaso non gira mai da solo. Ha una scorta di quattro uomini, che lo accompagnano anche a pisciare. Gecchi forzuti, che non vanno giú finché non li ammazzi...

Ecco, pensò Léo, ora il dottore sapeva che anche lui teneva d'occhio La Corneille. Ne seguiva gli spostamenti, convinto che i cordoni della borsa li reggesse lui, ma perplesso che un relitto del genere potesse essere cosí munifico. Certo era che senza borsa i muschiati si sarebbero sciolti come merda sotto la pioggia.

D'Amblanc disse che poteva spezzare la catena magnetica. Sapeva come fare. A quel punto, glielo assicurava, sarebbero andati giú come chiunque altro.

– Sono sempre cinque contro due, – gli ricordò Léo.

– Cinque contro tre, volete dire, – soggiunse Marie.

I due uomini la fissarono sorpresi, ma la determinazione che lessero sul suo volto li spinse a non fare obiezioni.

6.

L'uomo senza naso uscí da Palazzo Egualità scortato da quattro muschiatini. Nei loro sguardi fissi e nell'andatura

rigida era possibile riconoscere i segni della sonnambulizzazione. Non sembravano sentire il gelo serale, che imbiancava
il fiato davanti alle loro bocche, e si muovevano in formazione, bastoni alla mano, disposti a quadrato intorno a chi
dovevano proteggere: uno all'avanguardia, due sui fianchi,
uno a coprire le spalle. Il loro passi risuonavano sul selciato
bagnato della via deserta. Il freddo intenso dopo il tramonto
aveva svuotato le strade. La Corneille avanzava curvo, stretto nel vecchio cappotto e nella sciarpa, dalla quale spuntava
la protesi nasale, come un piccolo becco.

Orphée d'Amblanc era nascosto nell'ombra di un portone. Non appena il drappello gli passò davanti, estrasse l'asta
del folgoratore da sotto il pastrano e mosse verso l'uomo alla
retroguardia che si voltò presagendo l'attacco ma non fece
in tempo a evitare la stoccata e urlò sentendo la scarica elettrica attraversargli il corpo e crollò a terra quando ricevette
il colpo sulla tempia.

La catena magnetica era spezzata. Gli altri tre udirono La
Corneille ordinare il contrattacco e proprio in quell'istante
Léo sbucò da un vicolo laterale e ne sprangò uno alle gambe spaccandogli una rotula. La notte fu squarciata dall'ululato di dolore.

Uno dei due rimasti in piedi gettò a terra Léo e gli si avventò alla gola con entrambe le mani mentre l'altro prese a
menare bastonate che D'Amblanc parò con l'asta del folgoratore per poi calare un fendente alla testa del muschiatino,
e un secondo, e un terzo, spacciandolo.

Léo intanto aveva afferrato forte i testicoli dell'avversario strizzandoli fino a farlo urlare e mollare la presa alla gola mentre nella sua testa Bernard la Rana diceva che *non ci
sono colpi proibiti*. Se lo scrollò di dosso e si rimise in piedi

mentre quello tornava alla carica ma D'Amblanc lo sgambet-
tò e Léo gli rifilò un paio di calci a tutta forza nelle costole
e lo lasciò boccheggiante sul selciato.

Solo allora, Léo si fermò a recuperare il fiato, ma vide La
Corneille infilarsi in un vicolo come un sorcio che cerchi riparo nell'oscurità.

Il fuggitivo percorse tutto il vicolo e quando girò l'angolo, Marie l'ebbe a portata. La Corneille sentí una fitta al
fianco e soffocò un urlo. I ferri da maglia si erano piantati
nella carne, ma il vecchio cappotto aveva in parte attutito
l'affondo. In preda al terrore, La Corneille spinse a terra
Marie e scappò via.

Léo si rese conto che D'Amblanc, impacciato dall'imbra-
catura del folgoratore, non riusciva a correre molto veloce,
quindi lo staccò, lanciandosi dietro a La Corneille a rotta di
collo. Impresa nient'affatto semplice, dato che il Senzanaso si rivelò piú rapido del previsto. Léo lo vide svoltare di
scatto in una via laterale in direzione del fiume. Lo seguí,
giusto in tempo per vederlo perdere il controllo delle gambe
e schiantarsi contro un muretto basso che chiudeva la via,
volteggiarci sopra e precipitare dall'altra parte.

Ghiaccio, pensò Léo, rallentando la corsa prima di scivolare anche lui. Si trovava nei pressi di un lavatoio, dove l'acqua era gelata e aveva formato un ampio lastrone compatto.
Raggiunse il muricciolo a piccoli passi e guardò giú. La Corneille giaceva qualche metro piú sotto. Léo individuò una
scaletta, poco distante, e scese con grande cautela, rischiando di scivolare a ogni gradino coperto di ghiaccio.

La Corneille era riverso per terra, in una condizione pie-
tosa, la protesi volata via nella caduta, i capelli impiastricciati di sangue che sgorgava dalla testa spaccata, i denti rotti.
Rantolava, mentre con le mani sembrava contarsi le costole
del fianco destro, dove Marie l'aveva ferito.

Léo bestemmiò. Quell'uomo non doveva morire. Non ancora. Non prima di aver detto dove stava il suo padrone.

Dalla murata lo raggiunsero i richiami di Marie e del dottore.

– Scendete piano, – disse Léo, ritrovando una voce che non era la sua, – qui è tutto ghiaccio.

I due scesero le scale come funamboli su una corda.

– Mi sa che sta crepando, – li informò Léo.

– Prima deve parlare, – disse Marie.

D'Amblanc si chinò sul moribondo, l'espressione preoccupata. Gli tastò il polso e confermò che non ne avrebbe avuto per molto.

– Avevate detto che sapevate come farlo parlare, – disse Marie.

D'Amblanc scosse la testa.

– In queste condizioni…

– Be', almeno provateci, sacrodio! – sbottò Marie.

D'Amblanc stese una mano sulla fronte di La Corneille, alla distanza di mezza spanna, e l'altra all'altezza delle gambe. Chiuse gli occhi e si concentrò. Il moribondo tossí sangue e saliva, e seguitò a rantolare, ma a poco a poco dal deliquio emersero delle parole.

– Mio signore… fino alla fine… io resto… vostro…

Gli altri tre tesero le orecchie. D'Amblanc rinunciò a magnetizzarlo e si chinò con l'orecchio vicino alla sua bocca per cogliere il mormorio.

– Il sangue reale… un grande giorno… un nuovo inizio… per la Francia… – La Corneille sembrava sorridere, gli occhi persi a contemplare un sogno. – Il sangue reale… mio signore… un grande giorno… il grande giorno…

Una fitta gli spezzò il respiro. Fece per riaprire la bocca, ma non ne uscí alcun suono. Il collo si irrigidí, poi la testa ricadde di lato.

– Merda! – sibilò Marie. – Ha tirato i cracchi. Se lo fotta il diavolo!

Léo imprecò con la voce roca e strozzata, massaggiandosi la gola e il collo indolenziti.

– Una faticaccia per niente, boiaddio! – Scrollò la spalla di D'Amblanc. – Andiamo via, dottore, prima che arrivi qualcuno. Alé, alé...

L'altro si tirò su e si ritrovarono tutti e tre a camminare svelti fino al lungofiume, intirizziti e spossati. A quell'ora e con quel freddo le strade erano un tetro deserto. Ai lati si aprivano finestre cieche e vicoli neri come fauci.

– Cosa facciamo? – chiese Marie ansimando. Faticava a tenere il passo degli altri due.

D'Amblanc camminava in silenzio, come all'inseguimento di un pensiero, di un'intuizione.

All'improvviso parve averla raggiunta, perché si bloccò sul posto.

– Qualcosa ci ha detto.

Léo sollevò lo sguardo dalla punta delle scarpe dove era precipitato.

– Delirava, *an's capéva un caz...*

Marie gli diede una gomitata per farlo stare zitto, quindi si piantò davanti a D'Amblanc a braccia conserte.

– Cos'ha detto?

– Un grande giorno, il sangue reale, – disse D'Amblanc. – Qual è il giorno del sangue reale?

Li guardò in attesa di una risposta, ma i due seguitarono a guardarlo con diffidenza.

– Il 21 gennaio, – disse lui. – Il secondo anniversario della morte di Luigi Capeto. È prevista una grande celebrazione. Scommetto che Yvers ha in mente un'azione per quel giorno –. Ripeté tra sé e sé le parole di La Corneille: – Un nuovo inizio per la Francia... – Guardò gli altri due, che appariva-

no già meno tetri. – È qualcosa di grosso, di importante –.
Seguí il filo dei propri pensieri fino alla conclusione. – Lui
ci sarà. Scommetterei anche su questo –. Ora si rivolse agli
altri, con un accenno di entusiasmo nella voce. – E ci saremo anche noi.

Estratto da

«IL MESSAGGERO DELLA SERA»

2 frimaio, anno III

Vogliamo qui rallegrarci della piú perfetta tranquillità, raggiunta grazie alla salutare attività del nostro governo; i fantasmi del complotto sono svaniti; non si sgozza piú un sordomuto sospettato di cospirazione [...].

I vezzi e il riso, che il Terrore aveva messo in fuga, sono di ritorno a Parigi; le nostre graziose signore in parrucca bionda sono adorabili, parola d'onore; i concerti, tanto pubblici che di salotto, sono deliziosi. Tutto prende una forma nuova; il nome di comitato rivoluzionario non fa piú tremare; un brigante in berretto frigio non ha piú diritto di vita o di morte sull'individuo che gli dispiace; le grida funebri degli amici di Robespierre non si fanno piú sentire alle nostre orecchie stanche; l'accento rauco e lugubre degli agenti dell'autorità ha lasciato spazio a modi piú allettanti. Ecco la metamorfosi che i nostri costumi hanno subito dopo la caduta del tiranno; ma gli uomini sanguinari, i Billaud, i Collot e tutta la banda dei rabbiosi chiamano questo cambiamento «controrivoluzione».

Estratto da

«IL MESSAGGERO DELLA SERA»

1° piovoso, anno III

Ieri, nella via Saint-Honoré, un carrettiere sacramentava appresso ai suoi cavalli, che non volevano muoversi; soprattutto montava in forte collera contro uno di essi, il quale, piú indocile degli altri, rampava e ragliava; il nostro uomo si abbatteva su di lui a grandi colpi di scudiscio, gridando: «Ti domerò, sacronome d'un giacobino!» E il popolo applaudiva.

Il fantoccio della libertà

21 gennaio 1795 (duodí della prima decade di piovoso, giorno del muschio, anno III)

1.

Al foborgo se ne parlava da giorni. Per le strade, nelle botteghe. Sullo spiazzo di fronte alla carcassa nera della *Gran Pinta* e nelle bettole fuori mano che davano rifugio ai suoi profughi.

I muschiatini preparano la loro festa. La Gioventú Dorata non lascerà passare il 21 gennaio come se niente fosse. Bande di Inc'edibili decapiteranno i busti di Marat e di Lepeletier.

Tra una suola e una tomaia, mattina e pomeriggio, Bastien s'era scolato un barile di quelle profezie. I vecchi amici di Treignac – e i vecchi impiccioni che si facevano comunque gli affari suoi – venivano a metterlo in guardia, a dirgli che la giornata si preannunciava rognosa, che starsene a casa era la scelta piú saggia, specie per uno che una botta in testa l'aveva già rimediata, e la seconda rischiava di spedirlo a badare per sempre le galline del prete, dietro la chiesa.

Avevano finito per convincerlo. E il termometro precipitato sotto lo zero ci aveva messo il timbro. Niente festa. Del resto – dicevano in tanti – ti pare che c'è qualcosa da festeggiare? Su questo Bastien non aveva le idee chiare: il fatto che il popolo aveva tagliato la testa al re di Francia gli pareva una roba da andarne fieri, ma quanto alla vita, non è che la Repubblica gliene avesse regalata una tanto migliore. Quel che invece gli pareva sicuro come l'oro era che in certi giorni bisognava essere lí, vedere coi propri occhi, per poi raccontarla a chi non c'era, e pure a chi c'era ma diceva

d'aver visto un'altra cosa. Quando un garzo del foborgo voleva ascoltare la storia della capa del Capeto, Bastien era or-
goglioso di poter rispondere: «Te lo si conta noi, com'è che
andò. Noi che s'era in Piazza Rivoluzione», e gli mostrava
pure il brandello di stoffa della giacca di Luigino che Treignac gli aveva regalato quel giorno. Cosí, due anni dopo quel
21 gennaio, mentre Treignac ancora dormiva, il ragazzino si
infilò le scarpe, scese in strada e si diresse verso il luogo che
piú spesso ritornava nelle voci di quei giorni.

Il giardino di Palazzo Egualità.

Già lungo il tragitto, Bastien si rese conto di aver fatto la
scelta giusta. Le voci non mentivano. Un rivolo di cittadini
sempre piú fitto gli scorreva intorno man mano che si avvicinava alla meta. Dalle vie laterali, gli elegantoni ruscella-
vano a valle e si univano alla marcia. Di quando in quando,
stando bene attento, Bastien risaliva quei torrenti, si infilava nei vicoli, e armato di un pezzo di carbone, dava il suo
personale contributo alla guerra delle scritte contro la Gioventú Dorata e l'Armata dei Sonnambuli.

Giunto al grande cancello d'ingresso, si aggregò a un gruppetto che entrava compatto, per paura che qualche guardio-
ne lo cacciasse fuori, con la scusa dei vestiti logori, dell'età
o anche soltanto per fare il lupo con l'agnello.

Dentro c'era già una bella folla, sparsa tra il colonnato,
i tavoli da gioco e i vialetti del giardino. La maggior parte
fluiva attorno a un palchetto di legno al centro della corte.
Sopra il palchetto, un trono. Sopra il trono, un gecco. Bastien si avvicinò e trovò un varco per godersi lo spettacolo.

Il gecco in realtà era un fantoccio di paglia. Aveva due facce e il corpo diviso in due metà. Davanti era vestito come un
re e portava la corona, dietro indossava il berretto frigio, una
parrucca nera e la camicia rossa dei giacobini. Dalle tasche
della giacca gli uscivano mazzi di assegnati e banconote. Nel-

la mano destra teneva un pugnale, a mo' di scettro, e nell'altra un bicchiere pieno di un liquido che sembrava sangue.

Un muschiatino pomponnato a festa salí sul palco e domandò silenzio a quelli di sotto, che sgolavano insulti e canzoni. Quindi gonfiò il petto e si mise a gridare al posto loro. Tutti notarono che, per l'occasione, pronunciava la erre.

– Popolo di Francia! Questo giorno è consacrato all'orrore per la tirannia e all'amore per l'indipendenza. Giorno fatale tanto ai realisti che ai bevitori di sangue, ai complici del Capeto e ai valletti di Robespierre. Non è soltanto al nome di un re che il popolo ha fatto la guerra, ma a ogni genere di dittatura. Testimoniamo dunque la nostra indignazione, contro i mostri che, usurpando l'autorità del tiranno, ristabilirono le bastiglie distrutte dai patrioti e fecero colare a torrenti il sangue dei cittadini.

L'applauso del pubblico abboccò alla pausa dell'oratore. Una giovane merdegliosa si spellava le mani proprio a una spanna dall'orecchio di Bastien. Il ragazzino la guardò, tutta brillocchi e merletti, e decise di non unirsi all'entusiasmo generale. Il discorso contro la tirannia e i dittatori gli era piaciuto, ma se piaceva pure a una cosí, allora doveva esserci qualcosa di storto.

L'oratore puntò il dito contro il fantoccio e riprese a parlare.

– Io ti accuso di aver saccheggiato la Francia, incarcerato i cittadini e assassinato il popolo. Io ti accuso di aver sgozzato i membri della Convenzione e di aver tentato di scioglierla, per ridurre i Francesi in schiavitú. Io ti accuso di esserti opposto ai decreti di clemenza per i cittadini detenuti senza processo. Io ti accuso, infine, di tutte le calamità che hanno colpito e che ancora colpiscono la Francia, perché esse sono tutte tue figlie. Per questo, in nome del popolo sovrano, io ti condanno a essere bruciato vivo, di fronte al luogo che fu il principale teatro dei tuoi misfatti. Le tue ceneri saranno raccolte in un pitale e gettate nella fogna di Montemarte, che d'ora in poi chiameremo: «Il Pantheon dei giacobini».

Di nuovo applausi, urla. Viva la giustizia! A morte i giacobini! Viva la Convenzione! Abbasso i tiranni!

Bastien vide decine di torce spuntare e accendersi sopra le teste. Il trono del re giacobino venne sollevato da quattro muschiatini, portato giú dal palco e seguito in corteo da tutti i presenti. Le teste ormai riempivano il giardino e tracimavano su via di Sant'Onorio. Chi diceva mille, chi seimila. Le bocche intonarono una canzone che Bastien non aveva mai sentito, ma che tutti quanti sembravano conoscere come *La Marsigliese*:

Popolo francese, popol di fratelli
puoi tu vedere senza orrore
il crimine innalzare i vessilli
della strage e del terrore?

2.

Tu soffri che questa orda atroce
di assassini e delinquenti
deturpi col fiato suo feroce
il territorio dei viventi.

Marie riconobbe la canzonaccia che aveva sentito intonare diverse volte al *Caffè Chartres*, quando elemosinava. *Il risveglio del popolo*, l'avevano chiamata. Strinse la mano di Jean e seguí il dottor D'Amblanc, che camminava lungo il corteo. Risalirono controcorrente il flusso di persone, dalla

testa con il trono del condannato fino alla coda con le peggio
canaglie, quelli che manco fingevano di essere repubblicani,
e anzi agitavano le pistole e spaventavano i curiosi, dicendo
che se beccavano un giacobino, gli aprivano un buco in testa e ci cagavano dentro. Poi tornarono indietro, fermandosi
ogni tanto a sollevare Jean in braccio, oppure D'Amblanc lo
metteva in piedi su un paracarro, perché potesse sgranare i
volti a uno a uno per riconoscere il capo dei sonnambuli, il
cavaliere d'Yvers.

Intanto Marie teneva d'occhio anche la schiera di quanti
non si univano al corteo, ma restavano in disparte a guardarlo passare, chi incitando e chi scuotendo il capo. Una
giovane donna, abiti e modi da popolana, portò le mani ai
lati della bocca.

– Venduti! – cominciò a gridare. – Venduti!

Forse immaginava che altri le avrebbero dato manforte,
perché si fermò, come in attesa dell'intervento di un coro,
ma l'unico intervento che ottenne fu quello di tre muschiatini armati di bastone che le si piazzarono di fronte.

– Venduti? – domandò quello al centro con voce glacia-
le. – Che intendi di'e?

Un uomo con la giacca sudicia si fece avanti e sollevò una
mano tra la donna e il manipolo.

– Lasciatela perdere, – disse, – È una del mio foborgo.
Non ci sta con la testa: è la matta di San Marcello, vi dico…

– Venduti! – sgolò la donna con una smorfia malata, come
a confermare le parole del paciere. – Quanto vi hanno pagato per questa bella commedia, eh? Quanto vi dànno per…

Un ceffone la raggiunse sulla guancia. L'uomo capí l'antifona e sgomberò il campo senza aggiungere verbo. La giovane donna sputò in faccia a chi l'aveva colpita.

I due muschiatini che erano rimasti zitti afferrarono le
braccia della donna e gliele piegarono dietro la schiena. Quel-

la provò a liberarsi, a urlare, ma i suoi sforzi erano vani e il terzo gecco la mise cheta con un pugno nello stomaco. Le afferrò la gonna e gliela strattonò giú fino alle caviglie, quindi fece lo stesso con i mutandoni.

Alla vista del culo nudo, il pubblico che intanto s'era radunato tutt'attorno, prese a gridare: – Frusta! Frusta! – finché un ramo spoglio e flessibile passò di mano in mano e raggiunse il centro della scena.

Il muschiatino lo levò in aria, lo fece sibilare, lo abbatté sulle chiappe bianco latte.

– E una! – gridarono gli spettatori soffocando lo sghignazzo.

Marie sentí accapponarsi la pelle. Rivide Théroigne de Méricourt. Rivide sé stessa, prima come suppliziante e poi al posto di lei, potenziale suppliziata. Adesso non erano nemmeno piú donne a infliggere la pena, ma uomini.

– E due!… E tre!…

La mano nella borsa strinse il guanto con gli artigli. Se l'era cucito poche notti prima, assicurando tre ferri da maglia sul dorso di un guanto in pelle, tagliato all'altezza dell'ultima falange, per lasciare agilità ai polpastrelli.

D'Amblanc le toccò il braccio e le disse:

– Portiamo via il ragazzino.

Marie si girò e vide Jean fissare la scena, pallido e atterrito.

– E quattro!

Marie seguí D'Amblanc e il ragazzino lontano da lí, con il cuore ridotto a una noce e la rabbia strozzata in gola.

3.

Il trono di Re Giacobino atterrò di fronte alla porta delle Tegolerie.

Gli officianti sollevarono il fantoccio, gli tolsero la giacca e le scarpe, gli piegarono le gambe per metterlo in ginocchio.

Al posto del pugnale e del bicchiere colmo di sangue, gli vennero piantate nelle mani due grosse candele accese. Infine, un tizio vestito da boia portò una corda da impiccato e gliela mise al collo a mo' di cravatta.

D'Amblanc guardava quei gesti e si domandava se lui soltanto, fra tutte le persone presenti, fosse in grado di decifrarli.

A giudicare dall'assenza di una qualunque reazione, sembrava davvero che nessuno si rendesse conto di quanto stava accadendo.

Eppure intorno a lui c'erano persone adulte, persino attempate. Persone che avevano vissuto gran parte della loro vita sotto l'antico regime. Persone che di certo ricordavano cos'era l'*onorabile ammenda*. Il colpevole scalzo, in maniche di camicia e una candela in ciascuna mano, inginocchiato di fronte alla porta di una chiesa, costretto a chiedere perdono dei suoi crimini davanti a Dio, al re e alla nazione. Nella vecchia Francia, quella era la pena per l'insulto, il sacrilegio, la malversazione, gli attentati al pudore. Ma se il condannato portava una corda al collo, allora significava che l'onorabile ammenda era una pena aggiuntiva. Un'aggravante della pena di morte, considerata insufficiente per delitti infami come il parricidio. O il regicidio.

Tra gli uomini che ora esultavano, pensò D'Amblanc, tra coloro che gridavano «A morte i giacobini!» e «Viva la Convenzione!», diversi potevano avere l'età di suo padre. Uomini e donne che come lui avevano assistito al supplizio di Damiens e lo avevano raccontato ai figli. Torturato, squartato vivo e infine bruciato sul rogo per aver tentato di uccidere Luigi XV, padre del padre dell'ultimo re di Francia. Anche Damiens, prima di essere giustiziato, aveva dovuto fare un'onorabile ammenda. La stessa pena che in quel momento veniva inflitta al fantoccio dell'ultimo regicida di Francia: Robespierre. Perché in realtà, dietro la doppia faccia del manichino, dietro le grida in favore della Repubblica, dietro le celebrazioni per la morte del tiranno, si nascondeva a malapena una festa di realisti, con chiari messaggi monarchici, per chi li sapeva e li voleva cogliere.

Una leggenda molto amata dai nostalgici del Capeto voleva che Robespierre, nato ad Arras, fosse il nipote di Damiens, nato in un villaggio nei dintorni di Arras.

D'Amblanc fece passare avanti Jean e lo invitò ad aguzzare la vista.

Sapeva che portarsi dietro il ragazzino era stato un azzardo, ma era anche l'unico modo per provare a riconoscere Yvers: sempre che la commemorazione del 21 gennaio fosse il giorno giusto per coglierlo allo scoperto. Non c'erano certezze, in proposito, ma D'Amblanc sentiva che il suo avversario non si sarebbe lasciato sfuggire l'occasione di quella giornata. Se le sue ipotesi erano corrette, esattamente due anni prima il misterioso Yvers aveva tentato di liberare il re, insieme a un piccolo manipolo guidato dal barone di Grèche. Fuggito, si era rifugiato a Bicêtre per sottrarsi alle indagini di Chauvelin. Quindi era uscito, il giorno stesso della decapitazione di Robespierre, per tornare in azione.

– Faccio onorabile ammenda delle mie colpe, e domando perdono a Dio, al popolo di Francia e alla Convenzione, per aver insozzato, devastato, umiliato la nazione e...

D'Amblanc tastò sotto il pastrano le bottiglie di Leida che portava in cintura. Scorse le dita sui fili metallici rivestiti di seta che assicuravano il legame elettrico e controllò che fosse tutto in ordine. Guardò Marie, al suo fianco, che gli chiese:

– Siete sicuro che funzioneranno?

D'Amblanc non ebbe nessuna voglia di mentirle.

– No, – rispose. – Se la tecnica non ci supporterà, confidiamo almeno nella buona sorte.

Marie sollevò lo sguardo oltre le teste davanti a lei e individuò Léo, dall'altra parte della strada. Avevano stabilito che lui si tenesse in disparte, rimanendo a vista, per poter convergere sul soggetto da due lati. Léo le rivolse un lieve cenno di intesa.

– Forza, Jean, – disse D'Amblanc al ragazzino. – Continuiamo il nostro giro.

4.

Il cortile del monastero dei domenicani era fitto di torce.

Al centro, si ergeva il rogo che avrebbe consumato il fantoccio dell'uguaglianza.

Yvers si era vestito di nero. Il bavero rialzato e la sciarpa tirata su fino a coprire il naso. Gli stessi abiti di quel 21 gennaio, che nel frattempo era diventato il 2 piovoso. La solita, insulsa danza di nomi. Anche il luogo che ora contemplava aveva cambiato il suo: non piú «Società dei giacobini, amici della libertà e dell'uguaglianza». Qualcuno adesso lo chiamava il *fu* club dei giacobini, qualcun altro il club dei *fu* giacobini, a indicare che quelli, oramai, potevano considerarsi morti. Il cavaliere d'Yvers preferiva il vecchio nome religioso.

Come due anni addietro, i suoi occhi frugavano i volti della folla e non vedevano che nasi. Becchi e proboscidi deformi. Narici enormi. Bugni purulenti. Propaggini schifose che meritavano di annusare un solo odore: quello della sottomissione, l'unico che sapessero riconoscere e apprezzare davvero.

Come due anni addietro, Yvers cercava gli sguardi dei suoi uomini, ma questa volta era certo di trovarli al loro posto, e infatti fu cosí. Sguardi sonnambuli, pronti ad agire compatti, come arti di un unico corpo. Non sarebbe mai piú stato in balia della volubilità degli uomini. Della feccia aveva fatto falange imbattibile, tesa verso uno scopo, sotto la guida di un maestro. Raggiunse Malaprez, là dove gli era stato ordinato di mettersi.

– Sono tutti ai loro posti? – chiese Yvers.

– Sí, mio signore, – rispose l'altro.

– Tu resta accanto a me, – ordinò Yvers.

Malaprez acquisí l'ordine senza battere ciglio.

I muschiatini di Palazzo Egualità intanto issavano sul rogo il manichino che avevano portato in corteo. Le torce diedero fuoco alla pira. Le fiamme salirono insieme al fumo. Un violino scandí le note della *Carmagnola*. Uomini e donne si alternarono in cerchi concentrici, pronti a saltellare nel girotondo dei rivoluzionari. Al posto dell'Albero della Libertà, il rogo di Re Giacobino. Al posto dei sanculotti, giovani dorati e muschiatini.

5.

Dalla posizione che aveva guadagnato a gomitate, su una catasta di vecchie tegole, Bastien vide l'energumeno biondo e lo riconobbe. Non avrebbe scordato quella musta finché campava. Era uno di quelli che avevano spacciato Férault alla *Gran Pinta*. Quello che aveva conciato Treignac. E riconobbe anche altri intorno a lui. Li aveva spiati alla luce delle fiamme, prima di calarsi dentro il pozzo per salvarsi la buccia. Lo stesso sguardo spaventoso. Avevano bruciato vivo il buon Férault. Bastien li aveva visti, maledizione, sapeva che gente fosse. Prese a tremare dalla testa ai piedi, mentre alcuni di loro, con le torce in mano, si disponevano intorno al grande falò, come volessero proteggerlo dalla folla. Bastien faticò a venire a capo di ciò che sentiva e, quando ci riuscí, si disse che sulla faccia di quei gecchi stava scritto che avrebbero potuto fare qualunque cosa. Gli altri invece li guardavano straniti, alcune donne lanciarono qualche oggetto per smuoverli, ma quelli rimasero piantati sul posto. Che diavolo stava succedendo? Bastien si accorse che l'aria era sgionfa di un odore acre, che pizzicava le narici. Ci mise un po' a riconoscerlo, l'aveva sentito alla bottega di Malet, il falegname. Era l'odore della resina che usava per lucidare i mobili. Non ebbe tempo di interrogare ancora il proprio naso.

– Viva la Francia! – urlarono quegli uomini. Poi portarono le torce a contatto con i propri abiti.

Bastien trattenne il fiato.

6.

Léo smise di frugare i volti tra la folla e si accorse che Marie lo stava strattonando per la manica. Lo aveva raggiunto, facendosi largo a spintoni.

– Guarda! – gli urlò esasperata.

Venne raggiunto da una zaffata di trementina. Le facce di tutti si arricciarono nella stessa smorfia. Ma non quelle degli uomini che si erano dati fuoco e adesso ardevano intorno al grande falò nel quale bruciava il fantoccio. Erano altrettanti fantocci, immobili, mentre le fiamme risalivano rapide fino alle spalle.

Marie urlò, urlò con quanto fiato aveva in gola ma non uscí suono. O forse erano le urla di tutti gli altri a coprire le sue. Léo la strinse, trattenendo in quell'abbraccio la paura e la rabbia di entrambi.

– Dove sono D'Amblanc e il garzotto?

Marie cercò di rispondergli, ma venne investita dall'odore di carne bruciata e diede di stomaco sul selciato. Léo la sorresse trattenendo il vomito a sua volta. Lei se lo scrollò subito di dosso e indicò un punto oltre la folla, poche decine di passi piú in là. Jean era sulle spalle del dottore, gli occhi sbarrati sulle fiamme. Marie riprese fiato e si asciugò la bocca sulla manica. Léo faticò a riconoscerla. Era come vederla per la prima volta. Chi era? L'accattona, l'amazzone, la magliara, la vedova, la madre… C'era un'altra donna che emergeva insieme alle altre, e l'odio che portava con sé gli era sconosciuto. Metteva i brividi, al pari di quei fantocci umani in fiamme: era come se si caricasse del lutto di tutte e ne traesse forza.

Si spinsero insieme nella calca, per raggiungere gli altri. Dovettero aprirsi un varco in mezzo agli alterchi e alle zuffe tra chi voleva vedere e chi voleva allontanarsi perché aveva visto. Un muschiatino si parò davanti a Léo, che percepí soltanto la spinta e andò a sbattere contro qualcun altro, alle sue spalle.

– Ma gua'da chi si 'ivede.

Era un ghignoso col naso schiacciato e un bastone. Lo spalleggiavano altri due amiconi. Léo lo riconobbe. Quel naso lo aveva schiacciato lui. Soncourt. Era proprio lui, il campione di *savate* dei muschiatini. E aveva un affronto da vendicare. D'istinto Léo cercò Marie, contento di non trovarla al suo fianco. Almeno con lei non se la sarebbero presa.

Il muschiatino lo guardò dall'alto in basso.

– 'iconosce'ei la tua faccia di me'da t'a mille…

I tre muschiatini si disposero intorno a Léo e sollevarono i randelli. Léo scoprí la mazza che celava sotto il pastrano e si difese. Schivò un colpo, ne parò un altro, ma Soncourt aspettava l'occasione da troppo tempo, e riuscí a piazzargli

un calcio nei maroni. Léo si sforzò di non piegarsi in avanti, ma prese una randellata sulla spalla, alla quale ne seguí
un'altra, di striscio, sull'orecchio. Mentre andava giú sperò
che almeno Marie fosse in salvo.

– Non esistono colpi p'oibiti, – disse Soncourt, ridacchiando.

7.

D'Amblanc dominò il terrore. Mentre le fiamme li az-
zannavano, quegli uomini erano fermi come statue. Privi di
ogni istinto di sopravvivenza, sottoposti al volere di qualcuno che aveva instillato in loro l'idea di uccidersi. D'Amblanc
ne ebbe l'assoluta certezza: Yvers era lí, da qualche parte.
Per niente al mondo si sarebbe perso quello spettacolo, lo
sfregio a tutto ciò in cui il secolo aveva creduto.

– Lo so che sei qui… Avanti, – disse a denti stretti.

Strinse le ginocchia di Jean. Le grida di panico della gente
impedivano di dirgli una parola di conforto.

Miliziani della guardia nazionale tentarono di irrompere
nel cortile, ma le torce umane si mossero come rispondendo
a un ordine muto. Fecero un passo verso la folla, poi un secondo, scatenando il fuggi fuggi isterico. Corpi si spinsero,
caddero e si calpestarono, nel tentativo di guadagnare l'uscita dal cortile, che però era troppo stretta perché potessero
passare tutti insieme e rimase ostruita dalla calca, mentre i
miliziani venivano respinti dal riflusso. Ecco, il quadro era
completo, pensò D'Amblanc: i sonnambuli invincibili da una
parte, le formiche impazzite dall'altra.

Pensò che se Jean fosse caduto da sopra le sue spalle sarebbe stato calpestato e si affrettò a farlo scendere. Lo prese per mano, ma quando fece per tirarlo via lui resistette.

D'Amblanc si voltò per parlargli, ma il ragazzino si era im-
mobilizzato, tremava, gli occhi chiusi.

– Jean! Jean!

Gli abbracciò la testa, tenendolo stretto al petto, tappan-
dogli le orecchie.

Troppo tardi. Sentí il ringhio montare da un anfratto
oscuro della mente del ragazzo. Continuò a chiamarlo, nella
speranza che potesse tornare indietro, ma quello che stringeva fra le braccia era ormai un animale spaventato. Il terrore del fuoco lo spinse a divincolarsi, D'Amblanc cercò di
trattenerlo senza fargli male, ma sapeva che c'era una sola
cosa da fare. Alzò l'asta del folgoratore, sentendo le cicatrici bruciare forte. I sonnambuli in fiamme avevano fatto un
altro passo avanti. Alcuni erano caduti faccia a terra e finivano di ardere, mentre altri erano persino giunti ad abbracciare qualcuno degli astanti che non aveva fatto in tempo a
scappare e adesso urlava disperato.

D'Amblanc puntò il folgoratore su Jean e gli chiese men-
talmente perdono, ma il ragazzino gli morse la mano e scappò via correndo piegato in avanti, come una scimmia.

D'Amblanc lo inseguí, menando colpi con l'asta per aprirsi
un varco tra quelli che fuggivano. La paura di perdere Jean
era piú forte di quella di finire nell'abbraccio mortale con
uno di quegli automi di carne. Sentiva che se lo avesse perso, tutto il suo lavoro, tutto ciò in cui aveva creduto sarebbe stato invano.

8.

Guardate ora, pensò Yvers, mentre contemplava i sonnambuli ardere come stelle nel firmamento e il terrore impadronirsi della gente. Guardate, ovunque siate, sparsi

sulla mappa d'Europa, voi che potete cogliere la sublime grandezza di questo gesto. Mesmer, Puységur... Guardate il successo di chi si è spinto oltre ogni vostra immaginazione. Guardate i guerrieri della nuova èra. Non un gemito. Non un moto di esitazione. Ciò che devono dimostrare dimostrano. E non sono che pochi. Cosa potremmo fare con un'Armata di Sonnambuli che ammontasse a un'intera nazione? Quali potenzialità sprigioneremo nei secoli a venire? Cosa saranno stati i Marat e i Robespierre di fronte a tutto questo? Il loro Terrore è niente di fronte a quello che vedete negli occhi della gente che scappa. Non già da una minaccia, ma dalla verità, da ciò a cui non riesce a dare un senso, poiché non vi è alcun senso. Noi siamo andati al di là, ci siamo proiettati nell'atto che afferma sé stesso senza giustificazioni, senza compromessi. Cos'è il secolo dei lumi che abbiamo alle spalle davanti alla luce che divampa da questi guerrieri, davanti all'affermazione categorica, inappellabile, eterna?

Era giunto il momento. Yvers si rivolse a Malaprez.

– Raduna l'armata. Sanno cosa devono fare. Poi raggiungimi nel posto convenuto.

Malaprez non replicò. Si fece largo in mezzo alla confusione, abbattendo chi si parava davanti.

Sotto la sciarpa, Yvers si concesse un sorriso di soddisfazione. Gli ordini erano stabiliti. I sonnambuli si sarebbero sparpagliati a piccoli gruppi per la città, attaccando briga e creando confusione.

Qualcosa di umido gli sfiorò le dita e lo distolse dai suoi pensieri.

Abbassò lo sguardo e vide un essere che gli leccava la mano. La ritrasse con ribrezzo e si accorse che si trattava di un ragazzino che uggiolava come un cane. Alzò il braccio per colpirlo e scacciarlo via, ma il ragazzo si accucciò ai suoi piedi guaendo, e in quell'istante il cavaliere avvertí l'eco di una sensazione remota. Fu come non ci fosse piú nessuno intorno. Vide gli occhi che imploravano la pietà del padrone, e si ritrovò nel castello d'Yvers, in Alvernia, prima di ogni cosa successa nel frattempo.

– Jean... Mio Dio... – mormorò incredulo. – Sei proprio tu...

Appoggiò una mano titubante sulla chioma scura. Gli anni erano trascorsi, ma nei tratti del volto riconobbe le tracce del bambino che aveva allevato.

– Sangue dei santi, Jean...

Il ragazzo-cane si lasciò accarezzare la testa e tornò a leccargli la mano. Difficile non leggere in quell'apparizione il segno del destino. Ora che tutto si compiva, tutto tornava all'origine. Jean era stato il punto di partenza. Gli uomini che bruciavano davanti a lui, in mezzo alla folla isterica, erano la tappa successiva. Ma non già il suo trionfo. Ancora poche ore, e allora sí, avrebbe avuto in mano il destino della Francia. Forse dell'intera Europa.

Sentí chiamare il nome del ragazzo, si volse e vide un uomo avanzare in mezzo alla gente. Brandiva un'arma lunga. Lo vide fermarsi quando scorse lui e Jean.

Yvers sentí il fluido accelerare.

Percepí la forza magnetica di quell'uomo.

Lui sapeva.

Conosceva Jean, lo chiamava per nome.

E Jean aveva riconosciuto lui, Yvers, il suo vecchio padrone.

Jean il cane, il segugio.

Accarezzò piú forte la testa del ragazzino e lo strinse a sé. Sentí ancora l'uomo urlare, mentre cercava di raggiungerli. Yvers estrasse lo stilo acuminato che portava nascosto nel bastone e con un gesto rapido lo conficcò sotto l'ascella del ragazzino, trafiggendogli il cuore. Lo lasciò accasciarsi agonizzante e si volse verso l'uomo che stava per raggiungerlo. Puntò una mano a palmo aperto verso di lui. L'altro si piegò dal dolore. Yvers tenne la mano puntata sull'avversario, mentre quello si contorceva a terra. La paralisi del fluido l'avrebbe ucciso in capo a un minuto.

9.

I due indiani hanno volti mostruosi. Durante la battaglia il sudore e il fumo degli spari si sono mescolati ai colori di guerra sulla faccia, colati in lacrime nere. Si passano la bottiglia di rum l'uno con l'altro, ingollando lunghe, volonterose sorsate. Un terzo guerriero se ne sta seduto vicino al fuoco cantilenando. Accanto a lui siede un bambino. C'è odore di legna bruciata e di pioggia, di muschio bagnato e foglie marce. Il cielo ruggisce, sempre più basso.

Uno dei guerrieri estrae il coltello e lo fa mulinare davanti agli occhi del prigioniero, poi con un gesto netto, rapidissimo, gli incide la pelle sulle costole. Si fa più vicino e taglia ancora, come dovesse scuoiare un cervo. L'alcol non gli fa sentire le urla, si ritrova in mano un pezzo di pelle umana e la mostra agli altri con un verso d'esultanza. Il secondo si avventa con la lama e incide sul petto, strappando un altro lembo di pelle. Le urla del prigioniero si mescolano al tuono. Il terzo taglio è all'altezza del fegato, profondo, ma non abbastanza da uccidere. Il sangue cola sul fianco, e già il fulmine è sopra di loro, la scarica elettrostatica squarcia il bosco e spacca l'albero al margine della radura, riducendolo a un tronco carbonizzato.

Gli indiani gridano, inveiscono, lo scroscio di pioggia spegne il fuoco. Il bambino si mette a piangere. L'uomo accanto a lui si alza e dice poche parole. Gli altri due sbraitano. L'uomo punta loro addosso qualcosa, un bastone forse, e li tiene lontani senza nemmeno bisogno di toccarli. Quindi scioglie il prigioniero e lo stende sotto la pioggia. Le gocce filtrano attraverso le fronde e picchiettano il volto, le braccia. L'uomo tampona il sangue e stende le mani sul prigioniero riprendendo la cantilena. Una voce nota, con un inconfondibile accento.

– *Der Blitz...* la folgore ti ha salvato, il Padrone della Vita, il Custode della harmonia kosmisca, l'Essere Supremo. O quello che altri chiamerebbero Caso.

Il ferito riesce a parlare tra le lacrime.

– Jean... non l'ho salvato... è colpa mia...

– Non puoi fare piú niente per i morti. Pensa a cosa puoi fare per i vivi. *Sie wollen leben?* Tu vuoi vivere, *mein Freund?* – Non attende una risposta. – A volte soltanto il kranco può scacciare il kranco. Il rischio di morire *ist* preferibile alla sicherezza di morire, *meinst du nicht?*

Raccoglie il bastone con cui ha scacciato i due guerrieri e lo mette in mano al ferito.

Lui riesce a portare la punta a contatto con il proprio corpo. La scarica elettrica lo attraversa in un lampo, accartocciandogli l'anima e lo stomaco.

10.

D'Amblanc aprí gli occhi e vide i bagliori del fuoco stagliarsi sul cielo grigio. Si sollevò sui gomiti e si ritrovò a fissare il proprio avversario, che ancora protendeva la mano nella sua direzione per ucciderlo, ma senza piú riuscire a nuocergli. Un attimo dopo non c'era piú, risucchiato dalle ombre. Lo spazio vuoto al suo posto pareva denso, come se la sagoma fosse rimasta tracciata nell'aria.

D'Amblanc si alzò, stringendo ancora nel pugno l'asta con la quale si era folgorato per interrompere la magnetizzazione. Tornò sui suoi passi. Jean era riverso a terra. D'Amblanc si inginocchiò e gli prese la testa tra le braccia, come aveva fatto poco prima, cercando di salvarlo. Sembrava dormisse. Non c'era molto sangue, l'emorragia era interna. Un colpo da esperto. Le lacrime appannarono la vista. Le cose in cui aveva creduto erano crollate una dopo l'altra, pensò, mentre stringeva il cadavere di Jean. Uno in piú tra i tanti. A differenza degli altri, lui era stato soltanto una vittima.

Alzò gli occhi e maledisse Yvers, dovunque fosse andato a rintanarsi. Aveva voglia di piangere, piangere di rabbia e disperazione. A cosa mai era servito salvare Jean dai boschi soltanto per farlo morire lí, nel cuore della capitale, per mano dello stesso carnefice che lo aveva rovinato? D'Amblanc tentò di biascicare una preghiera per quell'anima straziata.

11.

Marie aveva perso Léo nella ressa. Non si era potuta fermare ad aspettarlo, perché aveva visto D'Amblanc lottare con qualcuno, rialzarsi da terra e fronteggiare un uomo, che poi si era dileguato in mezzo alla gente. Senza darsi tempo di pensare, l'aveva seguito, nonostante la bassa statura le rendesse difficile tenerlo a vista.

Urtò una pila di tegole, rompendone un paio, ma tirò diritto, senza accorgersi che lí sopra era appollaiato Bastien, come un naufrago su una zattera. Il ragazzino vide Marie tuffarsi in mezzo alla calca e raggiungere l'uscita. Non ebbe nemmeno il tempo di chiamarla. D'istinto saltò giú e le andò dietro.

12.

Proteggendosi la testa con le mani e le braccia, Léo riuscí a non perdere conoscenza. Soncourt e gli altri muschiatini che si accanivano su di lui se la prendevano comoda, volevano godersi la vendetta e gli assestavano colpi alla schiena con ritmo lento e costante, uno a testa. Pensò che avrebbe dovuto rialzarsi e provare almeno a difendersi, ma quelli non aspettavano altro per spaccargli il cranio. Cosí invece gli avrebbero rotto prima tutte le altre ossa, poi il cranio. *Fev dèr int'al cul,* si disse, se devo crepare... Rotolò di fianco, ma prima che le mazzate lo investissero, sentí un colpo d'arma da fuoco e vide il capo muschiato strabuzzare gli occhi e piombargli addosso a peso morto.

Udí un altro paio di colpi secchi, legno contro ossa, ma non le sue. Con una spinta delle reni fece rotolare via il cadavere che lo schiacciava. Vide un altro dei muschiatini lungo disteso, mentre il terzo cercava di rialzarsi. Con una sforbiciata di gambe, Léo gli rifilò un calcio alla tempia e quello crollò senza piú muoversi.

Si alzò sui gomiti e si ritrovò a fissare una faccia nota. Non una faccia amica. L'ultima persona che avrebbe pensato di vedere, e che gli porse la mano e lo aiutò a rimettersi in piedi.

– Vengo per Bastien e invece trovo te, – disse Treignac con la voce biascicata e rotta dal fiatone. Era paonazzo. Impugnava una grossa pistola per la canna. Doveva averli colpiti con quella, dopo avere sparato al primo. – Quasi quasi lasciavo che ti conciassero per bene.

– Perché non l'hai fatto? – chiese Léo ancora disorientato.

– Erano tre contro uno. E poi ho un conto in sospeso con questa gente.

– Ho perso Marie, – riuscí a dire Léo. – Era con me...

Treignac bestemmiò.

– Marie non è piú affar mio, – disse. – Bastien invece sí. È venuto a ficcarsi in questo… – si guardò attorno senza trovare le parole per descriverlo. Fece un gesto volgare all'indirizzo di tutti e nessuno.

– Mi dispiace, – disse Léo. E mentre lo diceva si rese conto che era vero e se ne stupí. Quell'uomo lo aveva maltrattato e umiliato come nessun altro, ma gli aveva anche salvato la vita.

– Ce la fai a camminare? – chiese Treignac dopo una pausa troppo lunga.

Léo storse la bocca.

– Sí, sono ammaccato ma intero.

Un'altra bestemmia. Treignac indicò l'ingresso del cortile, dal quale i miliziani della guardia nazionale stavano riuscendo a entrare.

– C'è un'altra uscita, laggiú, – disse Treignac. – Muoviti!

I due sgattaiolarono verso la piccola porta sul muro in fondo, dalla quale già in molti stavano defluendo. Prima di varcarla, Léo scorse la figura di D'Amblanc, accasciato accanto al corpo di Jean, e tornò indietro, inseguito dagli insulti di Treignac. Solo quando fu appresso al dottore si accorse del sangue. La testa riversa del ragazzino fugò gli ultimi dubbi.

– Yvers, – disse D'Amblanc.

– Dov'è andato? – ringhiò Léo.

D'Amblanc non rispose.

– Marie? – chiese ancora Léo.

– Era con voi, – disse D'Amblanc.

– Dobbiamo andare via, – disse Léo, adocchiando i miliziani che erano ormai entrati nel cortile e bastonavano alla cieca.

D'Amblanc esitò.

– Dovete lasciarlo, – disse Léo. – Non c'è piú niente da fare per lui.

– Non posso…

Léo fu tentato di mollare entrambi e battersela alla svelta. Treignac lo chiamava dall'uscio in fondo al cortile, scomodando santi e madonne. Léo afferrò il dottore per la spalla e lo scosse.

– Andiamo, *diobòno!* Farvi arrestare non serve a niente!

D'Amblanc tirò su col naso, appoggiò la testa di Jean per terra con inutile cautela. Quindi si lasciò trascinare via per un braccio.

I tre uomini imboccarono la porta che sbucava sugli orti dietro il convento, la stessa da cui era fuggito Yvers.

Carnevale di spettri
Poco dopo

1.

Yvers si era allontanato rapido dal convento, compiendo un giro largo e ritornando lungo via di Sant'Onorio. Aveva imboccato un paio di svolte, camminando spedito verso il punto convenuto. Aveva approfittato del tragitto per recuperare la calma e il controllo dei pensieri. La ricomparsa di Jean era un segno, si era detto al momento. Si domandò se da qualche parte, là in mezzo alla massa indistinta di umani e nasi deformi, non si celassero anche Juliette e Noèle, e chissà chi altri, lasciati in Alvernia anni prima. Spettri che riaffioravano dal passato per assistere al suo trionfo. Impossibile. Eppure qualcuno aveva usato Jean come un cane da tartufo per scovare lui...

Rischiò di scivolare sul ghiaccio, ma si aggrappò a un paracarro e mantenne l'equilibrio. Era quasi all'appuntamento. Niente e nessuno avrebbe fermato l'azione. Non ora che si apprestava a compiere il suo capolavoro. Scorse la sagoma di Malaprez nei pressi del ponte. Fidato, leale Malaprez. Non ebbe bisogno di dirgli nulla, sapendo che non si sarebbe aspettato parole. Tese l'orecchio, in cerca dei suoni che spezzavano la sera di Parigi. Vaghi rumori di folla giungevano lungo il fiume. Yvers se ne compiacque. Grazie ai Sonnambuli, sarebbe stata una notte agitata. Il cavaliere affiancò il suo scudiero e i due procedettero fino a una casa della Rivadritta, non lontano dall'Isola di San Luigi. Bussarono tre volte piú una e la porta si aprí.

All'interno, un uomo gobbo e mal rasato li salutò con deferenza e fece strada in un'anticamera, illuminata soltanto da un candelabro e dalle braci del fuoco. Yvers tese la mano, ricevette le carte e le controllò.

– Questa è la nomina. La carta civica?

L'uomo gli allungò anche quella. Yvers la lesse con calma poi chiese:

– Che ne hai fatto di lui?

Il gobbo ostentò un ghigno complice.

– Riposa in fondo al fiume, signore. Con una pietra alle caviglie.

Yvers annuí e si rivolse al taciturno Malaprez.

– Andiamo.

– Mio signore... – bofonchiò timidamente il padrone di casa.

Yvers lo vide portarsi una mano sul cuore.

– Lunga vita all'Armata dei Sonnambuli... Lunga vita alla Francia... Lunga vita al Re...

Il cavaliere lasciò l'abitazione con l'immagine di quel meschino soldato che li osservava dall'uscio, fiero di avere fatto la propria parte in un'impresa talmente grande che a stento poteva coglierne le implicazioni.

Camminarono di buon passo, ma senza correre, per non destare sospetti. La notte era ormai scesa, il campanile di Nostra Signora suonò le nove. Dovevano sbrigarsi. Per fortuna mancava poco. Rallentarono soltanto in vista delle mura di cinta, oltre le quali svettavano i palazzi del Tempio. Si fermarono in un androne, dove Yvers sfilò di tasca la coccarda tricolore e la affisse al bavero della giacca, facendo in modo che il mantello la lasciasse scoperta. Infine consegnò il bastone a Malaprez.

– Dio vi assista, signore, – disse questi.

Yvers parve non averlo sentito.

– Se non sarò uscito entro un'ora, vattene via. Lascia Parigi, – disse.

– Se sarà cosí andrò in Vandea, – rispose l'altro, suscitando lo stupore di Yvers per la scoperta di quella determinazione. Malaprez aveva guardato oltre l'eventuale fallimento del piano, pensò il cavaliere. Si era visto solo e aveva pensato a come procurarsi una buona morte.

– Sei un ottimo soldato, Malaprez. Saresti sprecato tra quei bifolchi.

Senza attendere una replica, Yvers si incamminò verso l'ingresso del castello.

Giunto sotto il colonnato si palesò al portiere.

– Viva la Repubblica, cittadino.

– Chi è là?

– Sono Pouland, – rispose Yvers. – Il commissario designato di giornata.

Consegnò i documenti.

– Siete in ritardo, – disse l'uomo controllando le carte e confrontandole con l'informativa del comune.

– C'è parecchia confusione in città, sapete? – ribatté Yvers con calma. – È stata una giornata campale… e la notte non porterà consiglio.

Il portiere annuí con ampi cenni della testa.

– Lo so, lo so… un gran polverone. Molti dei nostri sono ancora fuori, per dare man forte alle guardie delle altre sezioni.

Lasciò indugiare lo sguardo ancora un poco sull'uomo che aveva davanti, dopodiché tirò la fune che azionava il campanello all'interno e fece segno di varcare il cancello.

Yvers procedette attraverso il cortile verso l'imponente Palazzo del Gran Priore, che fungeva da caserma per la guarnigione del Tempio. Sulla porta lo attendevano due guardie.

– Siete in ritardo… – disse uno dei due. – Seguitemi.

Lo condusse attraverso il palazzo, fino all'uscita che dava sul secondo cortile.

Yvers si accorse di sudare, nonostante il freddo della sera, e dovette ricorrere a tutta la padronanza di sé per mantenere il respiro e il battito regolari. Attraversarono il secondo cortile, costeggiando gli orti, fino a giungere davanti alla guardiola che controllava l'accesso nel muro di cinta della Torre.

– Il commissario di giornata! – annunciò l'accompagnatore.

Dall'interno si palesò un volto assonnato.

– Non c'è mica bisogno di gridare, – disse in tono seccato e tirò il campanello per chiamare il compagno, che stava nel casotto di là dal muro.

Infilò nel cancelletto una grossa chiave dall'impugnatura ad anello, mentre l'altro guardiano faceva lo stesso dalla parte opposta della serratura.

– Buonasera, cittadino, – disse Yvers mentre varcava il cancello.

L'altro rispose con un grugnito e gli indicò l'uomo che lo stava aspettando. Mentre si allontanava, Yvers lo vide infilarsi nella guardiola, dove al lume di candela lo attendeva un piatto fumante.

– Buonasera. Sono il commissario Laurent. Siete Pouland?

– Sí, – disse Yvers.

– Molto bene. Venite, vi accompagno.

Procedettero in un'atmosfera irreale, passando sotto i filari di alberi che circondavano la Torre, struttura solitaria, massiccia e al tempo stesso slanciata verso un cielo di lavagna, con i pinnacoli che sembravano sfiorarlo.

A Yvers vennero in mente le fiabe. Era come trovarcisi dentro. Ma non era una principessa che stava andando a liberare.

2.

Quando vide Yvers entrare nel Tempio, Marie si domandò che razza di faccende potesse avere là dentro, a quell'ora
di notte. Sbirciando oltre l'angolo dell'edificio, si rese conto
che il compare era rimasto indietro, ma senza allontanarsi.
In attesa. Già, ma di cosa? Il freddo congelava i dubbi nella testa, rendendoli piú duri da scalfire. Si chiese dove fossero finiti il dottor D'Amblanc e Léo Modonnet. Possibile
che toccasse a lei sola? Cosa poteva fare? Tornare indietro
a cercarli, con il rischio di perdere Yvers? E se anche fosse
riuscita ad affrontarlo? C'era l'altro, il biondo, grosso come
una montagna. Due uomini contro una donna. Ecco dove
l'aveva portata la volontà di andare avanti, compiere ciò che
non avrebbe mai sperato di poter fare. Fu sul punto di perdere tutta la propria forza. La forza dei disperati. Ne aveva
mai conosciuta un'altra? Sí, per una breve stagione, forse
sí. Si era sentita unita alla gente del foborgo, al popolo di
Parigi, chissà, forse della Francia. Erano stati padroni del
proprio destino. Ma adesso... era soltanto una donna sola,
al freddo, di fronte a un muro insormontabile.

Oppressa dalla valanga di pensieri, Marie non poté accorgersi della piccola figura che si acquattava poco distante. Se
si fosse voltata e avesse scrutato pochi metri di notte piú in
là, avrebbe distinto la sagoma di un ragazzino.

3.

Treignac lanciò un grugnito e si piantò in mezzo al vicolo,
a malapena raggiunto dalla luce fioca di un lampione d'angolo. Si appoggiò al muro ansimando come un mantice, una

nuvola di fiato bianco davanti alla faccia. Gli altri due tornarono sui loro passi. Dopo avere lasciato il cortile del convento avevano camminato senza una direzione precisa, con l'unico scopo di allontanarsi da là.

Léo si avvicinò a Treignac e solo allora si rese conto di quanto fosse malconcio. Un occhio era mezzo serrato, la faccia pallida, un braccio pendeva inerte lungo il corpo e una gamba pareva piú rigida dell'altra. Non erano i segni della colluttazione con i muschiatini.

– Che ti è successo?

– I sonnambuli, – rispose Treignac ansimando. – Quando sono venuti in visita a Sant'Antonio... mi hanno lasciato un bel ricordino.

D'Amblanc intanto si era accosciato dov'era, appoggiandosi al muro di un caseggiato.

– Devo ritrovare Bastien, – disse Treignac. – Spero... che non gli è capitato niente.

– Chi è Bastien? – chiese D'Amblanc.

– Il figlio di Marie Nozière, – rispose Léo. – Avrà sí e no dodici anni –. Si rivolse a Treignac. – Magari è tornato a casa. Ce la fai fino al foborgo?

La faccia di Treignac si contrasse nello sforzo di pronunciare tutte le parole che aveva in mente.

– Se sono riuscito a salvarti la buccia... riesco pure... a tornarmene a casa sulle mie gambe –. Poi con fatica aggiunse: – Di' un po'... sei sempre tu il buffone che spacca le teste di quei bellimbusti?

Léo annuí e Treignac si concesse un mezzo sorriso. Quello di chi ha vinto una scommessa con sé stesso.

– Che fine avrà fatto Marie? – chiese.

– Vedrai che ritroviamo anche lei, – disse Léo. – Col freddo che fa avrà cercato riparo da qualche parte.

Si avvicinò a D'Amblanc, che pareva ancora sconvolto.

– Dottore, è meglio andare a casa. Qui ci congeliamo soltanto il culo, con rispetto parlando.

Non ottenne risposta.

Treignac claudicò fino ad accostarsi all'orecchio di Léo.

– Chi era il ragazzino che ha lasciato là? – chiese. – Suo figlio?

Léo non fece in tempo a rispondere, perché D'Amblanc lo precedette.

– No. Era sotto la mia tutela, però. E io l'ho esposto al pericolo. È colpa mia se è morto.

– L'avete fatto per una buona causa, – disse Léo. – Quanta gente è finita all'altro mondo per una buona causa… Nemmeno si conta piú.

– Quel ragazzino contava, – tagliò corto D'Amblanc, in tono tetro. – Almeno per me. Il minimo che posso fare è non andarmene a casa dopo averlo visto ammazzare come un cane.

Léo non seppe cosa ribattere. Sentiva un gran freddo, le botte ricevute sulle braccia e la schiena dolevano da morire.

– Cos'altro potete fare? – chiese sconsolato.

– Fermare Yvers.

Dalla zona buia dove D'Amblanc stava accovacciato, la sua voce giungeva come disincarnata, eppure la sua sagoma era visibile, macchia piú scura dell'angolo scuro in cui stava rincantucciato.

– A quest'ora può essere ovunque, – disse Léo.

– Vi sbagliate, – ribatté D'Amblanc. – Può essere in un luogo soltanto.

– Come fate a dirlo? Prima vi ha parlato? – chiese Léo.

– No, – rispose D'Amblanc. – Ma per un momento tra lui e me si è creata una catena magnetica. Credo che mi abbia involontariamente trasmesso un'immagine. Qualcosa su cui sono impegnate le sue forze mentali.

– Cosa avete visto? – chiese Léo in tono scettico.

– Un bambino.

Il sospiro di Léo sibilò nel vicolo.

– Ammesso che quello che dite sia possibile, cosa della quale mi permetto di dubitare, dottore, siete sicuro che non fosse Jean?

Treignac tossí forzatamente per segnalare l'avvicinarsi di qualcuno. Gli altri due rimasero zitti finché un ubriaco barcollante non ebbe trascinato la sua ombra incerta fino in fondo al muro, canticchiando una canzone sconcia.

– Quello che ho visto non era Jean, – rispose secco D'Amblanc, quando furono di nuovo soli. – Era un bambino pallido e malridotto. Piangeva. L'ho riconosciuto, era il delfino di Francia. Una volta l'ho incontrato, non posso sbagliare.

Léo incrociò lo sguardo di Treignac e gli fece segno di non fare troppo caso a quei discorsi.

– Ricordate cosa ci ha detto La Corneille prima di morire? – riprese D'Amblanc. – Ha parlato del sangue reale. Io pensavo che si riferisse alle celebrazioni per la morte di Luigi, ma mi sbagliavo. Il sangue del re è quello che scorre nelle vene di suo figlio. Capite?

– Capisco che siete sconvolto per la morte di Jean… – disse Léo.

D'Amblanc annuí.

– Lo sono. Nondimeno ora tutto mi appare chiaro. Spingere quegli uomini a darsi fuoco non era che un diversivo, una messa in scena per distogliere l'attenzione di tutti. L'obiettivo di Yvers è il delfino.

– Ma perché? – chiese Léo esasperato. – Avete detto che già una volta ha provato a liberare il re e ha fallito… Perché dovrebbe ritentare adesso?

– Provate a immaginare cosa accadrebbe se il delfino venisse rapito, – disse D'Amblanc. – Ogni fazione accuserebbe l'altra di essere dietro il complotto. La Convenzione finirebbe nel caos. Una pace coi vandeani diverrebbe impossibile. Le potenze d'Europa pagherebbero convogli d'oro a chiunque avesse in mano l'erede al trono di Francia. Con il delfino nelle mani, Yvers ottiene tutto ciò che vuole in un colpo solo.

Léo scosse di nuovo il capo.

– Il delfino è rinchiuso nel Tempio. Quello è il posto piú presidiato di tutta Parigi. Nemmeno i sonnambuli riuscirebbero a entrare.

– I sonnambuli no, – disse il dottore. – Ma Yvers forse sí.

– Da solo contro l'intera guarnigione? – sbottò Léo sempre piú incredulo.

D'Amblanc si rialzò e Léo lo sentí armeggiare con le cinghie del folgoratore. La cintura di bottiglie di Leida e l'asta di legno vennero deposti a terra.

D'Amblanc si sbarazzava del marchingegno per potersi muovere piú rapidamente. Era chiaro che aveva preso la sua decisione e sarebbe andato. Toccava a Léo scegliere, adesso.

– È una bella corsetta da qui fino al Tempio, *diobòno*, – disse rivolto piú che altro a sé stesso. – Con questo freddo bastardo, poi… – aggiunse. Infine guardò ancora D'Amblanc, rassegnato.

Il dottore si mosse. Léo sibilò tra i denti, maledicendo sé stesso.

– Addio, – disse a Treignac. – Ho il presentimento che ci rivedremo soltanto all'inferno.

L'altro sorrise, poi gli allungò la pistola, un paio di cartucce e una fiaschetta di polvere.

– Prima di arrivarci… vedi se ti può servire questa.

– Non ne ho mai usata una, – disse Léo rigirando l'arma tra le mani.

– È carica. Cerca di non spararti su un piede, – disse Treignac. – Buona fortuna, pagliaccio.

4.

Le due sentinelle sulla porta presero in consegna i documenti che Yvers porse loro e andarono a registrarli su un grosso libro, custodito all'interno della Torre.

Yvers seguí Laurent su per una corta rampa di scale. La luce era scarsa, una lampada a olio pendeva dal soffitto a volta illuminando lo scarso mobilio dello stanzone. Due uomini sedevano a un tavolaccio, intenti a mangiare formaggio. Il piú giovane si alzò e disse di chiamarsi Gomin. Yvers sapeva che era l'aiutante di Laurent ed entrambi erano incaricati di vegliare sul delfino.

– Conoscete la procedura? – domandò il terzo, dopo essersi presentato come Gourlet, il guardiaporte.

Yvers annuí.

– Dovreste mostrarmi le chiavi, – disse.

– E il delfino, ovviamente, – aggiunse Laurent.

– Ovviamente, – ripeté Yvers con un sorriso di cortesia.

– Dorme nel suo alloggio, – disse Laurent indicando il piano di sopra. – Prego, da questa parte.

I due commissari residenti estrassero ciascuno una chiave. Lo stesso fece Gourlet. Con quelle, aprirono i lucchetti che serravano una scatola metallica e ne ostentarono il contenuto davanti agli occhi di Yvers: erano le chiavi di tutte le porte della Torre. Quindi fecero strada su per la scala a chiocciola, con un candelabro ciascuno. A mano a mano che salivano, Gourlet apriva le porte che interrompevano l'ascesa. Al primo piano, Yvers sbirciò in fondo al corridoio la stanza delle guardie, stravaccate sulle brande o intente a fumare la pipa. Infine giunsero agli appartamenti del prigioniero.

La prima cosa che Yvers notò fu la dichiarazione dei diritti dell'uomo e del cittadino affissa a una parete. Lassú il freddo era piú intenso. L'unico calore emanava da una vecchia stufa, dietro la quale si innalzava un tramezzo. La metà superiore era costituita da una lunga vetrata, che consentiva di guardare dentro la stanza senza dovervi entrare.

Circa a metà si apriva una finestra con sbarre di ferro abbastanza larghe da passare il vitto al prigioniero.

I quattro uomini si accostarono al divisorio. Laurent fece segno a Yvers di guardare dentro. Oltre il vetro, il cavaliere distinse una sagoma distesa su un letto. Il chiarore del volto emergeva dalla penombra. Nel silenzio della Torre poteva sentire il respiro pesante del ragazzino.

– Ha una brutta tosse, – commentò Laurent. – Ho ottenuto di farlo passeggiare sugli spalti nelle ore piú calde del giorno, perché possa respirare aria pulita e ricevere un po' di sole.

– Molto saggio da parte vostra, – disse Yvers.

– A volte lo facciamo scendere dabbasso e cerchiamo di svagarlo un poco, – aggiunse Gomin timidamente. – Gli ho insegnato a giocare a dadi –. Si lasciò scappare un sorriso che si spense sull'espressione fredda di Yvers.

– Mi pare di capire che la salute generale del prigioniero vi preoccupi, – disse rivolto a Laurent.

– Non vi nascondo, cittadino, che quando ho ricevuto questo incarico ho riscontrato nel ragazzo i segni della scrofola, – disse il commissario.

– Un re scrofoloso è davvero un paradosso, – commentò Yvers, poi, di fronte al silenzio degli altri, aggiunse: – La sorella?

– Gode di buona salute. È al piano superiore, negli appartamenti dove fu rinchiusa la madre.

Yvers annuí serio.

– Bene. Non voglio distogliervi oltre dalla vostra cena.

Gomin intervenne sollecito.

– Possiamo offrivi un bicchiere di vino, cittadino Pouland? Fa piuttosto freddo…

Questa volta il sorriso riuscí meglio.

– Volentieri. E fermatevi anche voi, cittadino Gourlet. Questa notte il gelo entra nelle ossa.

Il guardiaporte annuí contento, fregandosi le mani per scaldarle, quindi fece strada verso la scalinata.

Ridiscesero i gradini con molta cautela, fino all'ammezzato dei commissari, chiudendosi le porte alle spalle, una dopo l'altra.

Gomin depositò sul tavolo quattro bicchieri e si affrettò a riempirli da un fiasco, mentre gli altri si accomodavano.

Yvers scrutò l'ambiente intorno a sé. La luce fioca delle candele e il fuoco nel camino illuminavano appena la volta di pietra e le spesse pareti della Torre.

– È uno strano contrappasso, non trovate?, che questa rocca, costruita dai cavalieri templari, si trovi oggi a custodire l'ultimo discendente di quei monarchi che distrussero l'ordine del Tempio.

La voce profonda di Yvers saliva fino al soffitto, si arrampicava sui muri, impregnava le porosità della roccia.

Laurent sorseggiò il vino.

– Noi però non siamo qui per vendicare i templari, – disse, – ma per volontà del popolo francese.

Yvers accondiscese al commento con un sorriso enigmatico.

– Ne convengo, cittadino Laurent. Nondimeno, a pensarci bene, potreste essere considerati i piú devoti al re.

Gourlet scolò il proprio bicchiere d'un fiato, tradendo un vago nervosismo. Subito lo riempí di nuovo.

– Cosa volete dire? – chiese.

La voce di Yvers si fece ancora piú sinuosa e avvolgente.

– Uno come me, che passa e va, non può nemmeno immaginare cosa significhi restare qui con lui ogni giorno. Accudirlo, preoccuparsi della sua salute… – fissò Gomin, che distolse lo sguardo, – insegnargli a giocare ai dadi.

– In fondo il signor Carlo è un ragazzino come gli altri, – disse il guardiano, e subito si zittí imbarazzato. Era evidente che faticava a sostenere lo sguardo di Yvers e per questo teneva le palpebre mezze chiuse, puntando gli occhi sul bicchiere intonso dell'interlocutore.

Il cavaliere stese le mani sul tavolo, in direzione degli altri tre.

– Sentinelle, guardiani, mura, cancelli… È una buona metafora della Francia. Sorveglianti che sorvegliano altri sorveglianti, che ne sorvegliano altri ancora. Mura che cingono altre mura. A volte viene spontaneo chiedersi se è per questo che è stato fatto ciò che è stato fatto –. Le ombre sulle pareti danzavano al ritmo della voce, che sembrava provenire dalle pareti stesse, come fosse la Torre a parlare. – Immagino che ci si possa sentire stanchi. Non già di fare il proprio dovere per la patria, ma di vivere in una prigione in cui si è al tempo stesso carcerieri e carcerati. Sempre all'erta, aprire e chiudere chiavistelli, controllare documenti, per tenere fuori un nemico che non ha piú alcun bisogno di entrare, giacché ci costringe a vivere prigionieri. Ci si può sentire stanchi, attori di una pantomima, complici di un autoinganno. E magari, nei momenti di maggior solitudine, nelle notti d'inverno, si rimpiangono gli anni Ottanta, quando le cose erano piú semplici, comprensibili, alla nostra portata. E viene voglia di scendere dalle mura, lasciare il cancello, smettere di scrutare –. Laurent, fissava il vuoto, Gomin e Gourlet tenevano gli occhi chiusi. – Rilassare lo sguardo finalmente. Dormire. Dimenticare. Sognare di essere altrove, in un paese che non conosce conflitto... senza cancelli... senza pensieri –. Anche Laurent chiuse gli occhi. La voce proseguí: – Non c'è felicità nell'imporsi questa insulsa solitudine da reclusi, nel presidiare la morte lenta di un ragazzino per scrofola... tosse... deperimento... Perché è ciò che accadrà e voi lo sapete. Liberatevi. Liberatelo. È quello che nel fondo dell'animo voi volete. Che tutti, lui e voi, possano uscire da qui e andare in cerca del proprio vero destino. È cosí. È per questo che ora mi darete le chiavi.

Yvers si alzò cauto, senza che gli altri reagissero. Erano immobili, addormentati sul posto, e lui sapeva che non si sarebbero risvegliati contro la sua volontà. Frugò nelle loro tasche e trovò le tre chiavi che aprivano la scatola metallica con tutte le altre. Laurent l'aveva rimessa al suo posto, nella scansia di un armadio. L'aprí ed estrasse quel che cercava. Quindi prese a salire per la scala a chiocciola, al buio. Cercò la serratura della prima porta a tentoni, l'aprí delicatamente e la lasciò socchiusa alle proprie spalle. Lo stesso fece con le altre. Giunto all'altezza degli alloggi delle guardie, passò davanti al corridoio, rapido e silenzioso come un'ombra. Quando aprí l'ultima porta si ritrovò di nuovo faccia a faccia con la dichiarazione. Vi poggiò sopra una mano, tamburellandovi le dita, come a saggiarne la consistenza. Parole, pensò. Cos'erano le parole di fronte alla volontà? Puységur aveva detto: «Credete e volete». Ecco il suo migliore discepolo mettere in pratica il precetto in tutta la sua potenza. Attraversò l'anticamera. L'unica luce era il tenue bagliore proveniente dalla garitta della stufa. Quindi inserí le chiavi nella porta dell'alloggio di Luigi Carlo ed entrò.

Appena fu dentro si accorse che il lieve russare non si udiva piú.

– Sei l'uomo della merda?

La voce bianca del ragazzino lo fece trasalire. Per un attimo fu incerto su cosa rispondere, meravigliandosi di sé stesso. Non doveva spaventarlo. Se il ragazzino avesse urlato, le guardie sarebbero piombate lí in pochi secondi. Recuperò il controllo del respiro.

– Sono il vostro liberatore, altezza reale, – disse.

Diede il tempo al ragazzino di assimilare l'informazione.

– Non ti credo, – fu la risposta. – Vuoi trascinarmi giú nel gabinetto.

– Vi porterò fuori di qui, via da Parigi e dalla Francia. Verrete tratto in salvo a Vienna, dove vi attende vostro zio.

– E mia sorella? – chiese di nuovo la voce bianca. – Portate anche lei?

Yvers deglutí la tensione.

– Certamente. Dopo. Prima devo portare voi. Quindi tornerò a prendere anche vostra sorella.

Aveva già fatto due passi avanti. Gli occhi ormai abituati alle tenebre avevano individuato il volto candido del delfino. Yvers estrasse di tasca un flacone e vuotò il contenuto su un fazzoletto, impregnandolo bene. L'odore invase l'aria.

Prima che il ragazzino potesse reagire, Yvers gli saltò addosso e gli soffocò il grido con il fazzoletto imbevuto di etere. Il principe non oppose resistenza. Yvers ebbe la sensazione di avere tra le braccia un corpo rassegnato a qualunque destino. Ecco cos'era diventato il rampollo della famiglia reale di Francia. Un'inerte pedina nelle mani altrui. Non sarebbe mai stato un capo d'uomini, poiché non è già il sangue a trasmettere la volontà, ma lo spirito. Nessuno aveva mai temprato lo spirito di quel ragazzino. E ormai era tardi.

Per sincerarsi che fosse svenuto, lo scrollò un paio di volte. Quindi si tolse il mantello, legò assieme i polsi del delfino con il pezzo di corda che aveva portato con sé e se lo caricò sulla schiena come fosse uno zaino. In questo modo manteneva le braccia libere. Si rimise il mantello, in maniera che coprisse il corpo del principe, e sollevò il cappuccio sulla testa. Stava nuovamente sudando e non certo per il caldo. Le gocce cadevano sul pavimento producendo un ticchettio irreale. Doveva sbrigarsi. L'impresa piú difficile fu scendere per la stretta scala a chiocciola con il peso sulla schiena. Fermarsi ad aprire e richiudere tutte le porte, ripassare davanti agli alloggiamenti delle guardie, scendere all'ammezzato e infine riporre le chiavi nella scatola, dentro il mobile. I tre sonnambuli non si erano mossi affatto.

– Commissario Laurent, – disse Yvers. – Ora vi alzerete e mi condurrete all'uscita.

Laurent aprí gli occhi, rivelando lo sguardo spento di un automa. Scostò la sedia e si mosse verso l'uscita. Yvers lo seguí, con il suo fardello.

5.

Marie vide due uomini giungere correndo a perdifiato e puntare dritti verso l'ingresso del Tempio. Li riconobbe quando erano già presso le colonne: Léo e il dottor D'Amblanc. Fece per uscire allo scoperto e raggiungerli, ma subito si trattenne. Se li aveva visti lei, questo valeva anche per il compare di Yvers acquattato nell'ombra poco distante.

Si forzò a pensare in fretta. I suoi amici erano sulla strada giusta, raggiungendoli non avrebbe dato loro alcun particolare aiuto. Se invece Yvers fosse riuscito a sfuggire loro, forse lei avrebbe ancora potuto seguirlo. E poi c'era l'altro, il compare biondo. Yvers aveva un alleato che al momento opportuno sarebbe potuto intervenire.

Marie si appiattí di nuovo contro il muro gelato, battendo i denti per il freddo e la tensione. Doveva aspettare ancora.

6.

– Sono il dottor D'Amblanc. E questo è il mio assistente. Devo controllare le condizioni di salute del delfino.

Il portiere fece segno ai due di avvicinarsi. Il chiarore di una lanterna illuminò i volti.

– D'Amblanc? Mi ricordo di voi. Siete stato qui... Dio, sembrano passati secoli. Avete il lasciapassare del comune?

D'Amblanc porse la carta civica e il vecchio documento che portava sempre con sé, il lasciapassare firmato da Chauvelin ai tempi dell'Alvernia.

– Questa è la mia nomina ad agente del comitato di sicurezza generale, – disse in tono risoluto. – Il comitato ha validi motivi di ritenere che stanotte l'incolumità del delfino sia minacciata. Devo assicurarmi che stia bene.

Il portiere prelevò il documento con aria annoiata.

– Con questo non posso farvi entrare, cittadino. Serve la carta del comune, e poi il consiglio avrebbe dovuto avvertirmi del vostro arrivo.

D'Amblanc si avvicinò.

– L'allarme è giunto poco fa. Non c'è stato tempo di avvisarvi.

– Dovevate almeno farvi scrivere due righe con la data di oggi, mi spiace...

D'Amblanc trasse un profondo respiro dominando a stento la rabbia. Fu sul punto di sbottare, ma Léo glielo impedí, toccandogli il braccio e facendosi avanti.

– Come vi chiamate, cittadino? – chiese al portiere.

– Io? Émmanuel Darque.

– Émmanuel Darque, se questa notte accadrà qualcosa al delfino, sapete chi riterranno responsabile? Colui che non ci ha fatti entrare. Cioè voi.

Il portiere lo guardò storto.

– Io faccio soltanto il mio dovere di buon patriota... Non ci provate a mettermi in mezzo! Sto a questo posto da tanti anni, dai tempi del principe di Conti.

Léo gli mostrò un sogghigno malizioso, degno di un grande attore.

– Capisco... Quindi secondo voi quale testa farebbero cadere? Quella di un agente del comitato di sicurezza o quella di un vecchio servitore dell'antico regime?

Per qualche istante i dubbi si diedero battaglia sulla faccia dell'uomo, la cui espressione mutò come il volgere rapido delle stagioni. Alla fine, sembrò avere un'illuminazione.

– Sentite: io adesso tiro il campanello che squilla dritto dritto nella Torre. Cosí arriva uno dei commissari e la facciamo prendere a lui, la decisione.

Detto questo si attaccò a una cordicella e aspettò, mentre un nevischio sottile cominciava a scendere dal cielo.

L'attesa si fece lunga. Darque suonò ancora e ancora, senza successo.

– Vedete? – lo incalzò D'Amblanc. – È come vi dicevo. Sta succedendo qualcosa, là dentro.

Il portiere, allora, si attaccò a un'altra cordicella.

– Ora chiamo due guardie, – disse, – e vi faccio scortare alla Torre. Però entrate voi soltanto, dottor D'Amblanc. Il vostro assistente non ha nessun lasciapassare.

D'Amblanc fece per protestare, ma Léo glielo impedí ancora.

– Uno è meglio di nessuno, – sentenziò. Poi a bassa voce, tra sé, aggiunse: – Stasera è destino che io mi geli le chiappe.

Il clangore del cancello risuonò nella notte e Léo fece segno a D'Amblanc di entrare.

Il dottore recuperò i documenti e si affrettò verso le guardie che gli venivano incontro.

7.

Laurent e Yvers giunsero davanti alla guardiola sulla cinta della Torre. L'ombra degli alberi e il turbinio della neve rendevano le loro sagome ancora piú indistinte.

– Chi è là? – ringhiò la sentinella.

– Il commissario Laurent. Con me c'è il commissario Pouland, che sta uscendo.

Silenzio.

Poi la voce della sentinella tornò a farsi udire.

– Pouland è il commissario di giornata. Deve restare dentro fino a domani sera.

Yvers si fece piú vicino, concentrato nello sforzo di non mostrare la fatica per il peso che aveva sotto il mantello.

– Di nuovo buonasera, cittadino. Il fatto è che dentro la Torre si gela. E si dà il caso che a un isolato da qui, proprio a un tiro di voce, abiti un'amica che stanotte amerebbe essere confortata nella sua fede repubblicana.

Le sue parole vennero accolte dal sorriso complice della sentinella.

– Se mi lasciate uscire, – proseguí Yvers, – giuro solennemente che sarò di ritorno non appena le avrò dato ciò che chiede. Giusto il tempo di assicurare quell'anima alla causa della patria.

– Come no, – commentò l'altro. – L'ultimo commissario che mi ha detto cosí è tornato all'alba, e si sentiva il puzzo di vino e di fica dal Palazzo del Gran Priore fino a qui.

Yvers pensò il peggio, ma poi udí la sentinella dare la voce al collega sull'altro lato del muro e il rumore metallico dei chiavistelli che venivano aperti all'unisono.

– Laurent, – disse la sentinella, – voglio essere contraccambiato. Domani sera potrei averla io, una repubblicana da confortare.

Yvers gli strinse la mano, ostentando un sorriso sudato, sopra la sciarpa che celava le braccia legate del delfino.

– Sono certo che Laurent vi coprirà, amico mio. Viva la Repubblica.

– E le repubblicane! – concluse l'altro sghignazzando.

Il cuore di Yvers batteva a mille. Era fuori dalla cinta interna. Ora doveva procedere fino al Palazzo del Gran Priore.

– Aspettate… – lo richiamò la sentinella Richard.

Yvers si gelò.

– I guardiani potrebbero farvi delle storie. Se volete, vi mostro l'uscita di servizio. Ogni tanto la usiamo per andarci a fare un bicchiere.

Il cavaliere riprese a respirare. La fortuna aiuta gli audaci, pensò.

La sentinella Richard gli fece strada con la lampada in mano e lo condusse fino al cortile delle vecchie scuderie del Tempio.

– Proseguite dritto per quel viottolo, non potete sbagliare. Il cancello in fondo dà diretto sulla via. Dite alla sentinella che vi mando io. Mi conosce, eravamo insieme sotto le armi. E date un bacio da parte mia alla vostra bella.

– Grazie, – riuscí a dire Yvers. – A buon rendere.

Imboccò il viottolo. Il dolore alle spalle era ormai insopportabile, dopo pochi passi dovette fermarsi a riprendere fiato. Si accosciò, in modo che il peso del ragazzino non gravasse piú sulla schiena. Mancava pochissimo, ormai. L'ultimo sforzo.

Avvertí di nuovo la sensazione provata nel cortile dei giacobini. Percepí la concentrazione di fluido magnetico, poco distante. Possibile che quell'uomo fosse anche lí? Se era riuscito a usare Jean come un segugio, poteva benissimo essere. Un magnetista potente. Quasi quanto lui. Un degno avversario. Yvers si rialzò con grande sforzo e si inoltrò nel buio, sotto la neve che scendeva lenta e in fiocchi sempre piú grandi.

8.

Quando D'Amblanc si trovò davanti la sentinella Richard fu colto da un pessimo presentimento.

Forse era l'espressione della sua faccia quando gli aveva chiesto se qualcuno aveva lasciato la Torre quella sera.

Richard rispose che l'unico a essere uscito era il commissario di giornata.

– Da solo?

– Altroché. Non l'avete incrociato soltanto perché l'ho fatto passare dall'uscita di servizio.

– Dove? – disse D'Amblanc afferrandolo per il bavero della giubba.

Richard, stupito da quell'impeto, si fece docile.

– Qui accanto, si procede lungo il muro e poi giú a sinistra dopo le scuderie.

– Voi, – disse D'Amblanc alle guardie, – andate dentro a controllare che è successo ai commissari.

I due si guardarono e decisero che era meglio seguire il consiglio.

Un istante dopo, D'Amblanc correva verso le scuderie. Individuò il viottolo, lo imboccò e riprese a correre nell'oscurità.

9.

Yvers procedette a braccia allargate per non sbattere contro le pareti, fino al cancello.

Si fece riconoscere dalla sentinella.

– Chi siete? – chiese quello.

– Il commissario Pouland. Richard mi ha concesso di uscire da qui per non dare nell'occhio. Affari privati. Gli ho promesso di essere di ritorno prima dell'alba con un paio di fiaschi di vino per tutti.

– Uhm. Allora uno lo portate a lui e l'altro lo lasciate qui. Altrimenti sbrisga.

– Affare fatto, – tagliò corto Yvers.

Il cancello venne aperto e Yvers intravide il traguardo. Ancora pochi passi e sarebbe stato salvo.

Avvertí i passi di corsa nel viottolo alle proprie spalle.

– Fermate quell'uomo! – sentí gridare. – Non fatelo uscire!

La sentinella non ebbe il tempo di rendersi conto di nulla. Ricevette un colpo al setto nasale con la parte bassa del palmo della mano aperta, che glielo conficcò nel cervello. Crollò come un sacco vuoto. Yvers uscí rapido.

Indugiò appena un istante. Quanto bastò per confermare la sua sensazione. L'inseguitore era uno soltanto. Lo stesso di quel pomeriggio ai giacobini, ne era certo. Il cavaliere ebbe la netta consapevolezza di trovarsi di fronte all'avversario di tutta la vita. Davanti a lui, ansimante, stava il suo doppio. L'uomo che era riuscito ad arrivargli piú vicino di chiunque altro. Nell'oscurità, con la neve che gli planava in faccia, non riusciva a distinguerne i tratti, ma per qualche ragione lo immaginò con il volto di Pinel. Di Marat. Di Robespierre.

Non trattenne un sorriso. Quindi fischiò e si mosse verso Malaprez, che già attraversava la strada per andargli incontro.

– Uccidilo, – gli disse. – Ci ritroviamo al ponte.

Il gigante biondo marciò spedito verso D'Amblanc, che sbucava dall'uscita di servizio senza aspettarsi l'attacco. Nello sguardo di Malaprez non c'era niente. Nient'altro che l'ordine impartito e che avrebbe eseguito senza scrupolo alcuno.

Sguainò la lama nascosta nel bastone del cavaliere, ma prima che potesse calare il fendente, uno sparo spezzò in due la notte. Un suono secco, come uno schiocco di frusta o un petardo.

Malaprez vacillò, portandosi una mano alla base del collo, da cui fuoriusciva uno zampillo di sangue. Léo gli stava dietro le spalle, a un solo passo di distanza, la pistola ancora spianata e fumante.

– Svelto, dottore, è andato di là! – disse indicando la via piú a destra nel bivio che si apriva di fronte a loro.

Malaprez tornò a sollevare la lama contro D'Amblanc, che schivò il primo affondo, per un soffio. Prima che l'energumeno potesse portarne un secondo, Léo gli fu addosso. Si aggrappò alla sua schiena, si arrampicò su di lui come una scimmia e prese a colpirlo alla testa con il calcio della pistola. D'Amblanc ne approfittò per smarcarsi e correre dietro a Yvers.

Léo si sentí abbrancare da quelle mani enormi e scaraventare a terra, sopra il foglio ancora bianco che copriva il lastrico della strada. Malaprez gli stava davanti. Una scia di sangue gli copriva la spalla e metà del petto. Anche i capelli erano impiastricciati. Léo pensò che sarebbe morto cosí, ucciso da quell'essere mostruoso, schiacciato come un pidocchio. Ingloriosa fine per un uomo del suo talento, proprio dopo avere fatto la migliore *rentrée* della sua carriera.

Malaprez oscillò ancora, infine crollò giú lungo disteso. La neve si macchiò di sangue e di fango.

– *Acsé*, – disse lui rimettendosi in piedi.

Dal cancello del Tempio sbucava fuori un drappello di soldati della guarnigione.

– *Qué a i armittän l èsen e i marón*, – disse Léo a sé stesso, mettendosi a scappare. Mentre si allontanava, pensò che non ne poteva piú. Se fosse uscito vivo da quella nottata, non voleva piú correre per un bel pezzo. *Boiaddio*.

10.

Yvers svoltò il terzo angolo, ormai a duecento tese dalle mura del Tempio, con le spalle spaccate dal dolore.

Ma fu una fitta lancinante al fianco a mozzargli il fiato e il passo.

Abbassò gli occhi e vide tre spilloni di ferro piantati appena sopra l'anca. Barcollò all'indietro, mentre il sangue gli irrorava le dita.

Un ginocchio cedette.

Qualcuno uscí dall'ombra del vicolo. Una sagoma piccola. Gli spilloni spuntavano dal guanto che indossava.

Una donna.

Yvers annaspò. Guardò meglio.

Gli scappò un ghigno d'incredulità.

I fantasmi si erano dati convegno, senza dubbio. E non per celebrarlo.

– Tu… – mormorò.

Dovette appoggiarsi al muro e trarre un paio di respiri profondi.

Poi una voce giunse da un'altra direzione.

– Mamma...

La voce di un ragazzino.

– Mamma... – ripeté.

11.

Questa volta Marie aveva colpito con molta piú forza. Non voleva sbagliare. Non voleva rischiare un colpo a vuoto come era successo con il Senzanaso. Stavolta aveva forato abbastanza a fondo da rendere difficile la fuga.

L'unica cosa che non aveva tenuto in conto era l'arrivo di Bastien. Impossibile da prevedere quanto difficile da accettare. Proprio in quel momento.

Lo sentí chiamarla di nuovo, nonostante la neve che seppelliva i suoni. Il ragazzo teneva lo sguardo sul guanto con gli artigli dai quali gocciolava ancora il sangue del cavaliere d'Yvers.

– Stai indietro, Bastien.

Da dove si trovava, Marie poteva vedere entrambi. L'uomo e il ragazzino.

I lineamenti regolari dell'uno e dell'altro.

Il naso piccolo, dritto.

Gli stessi occhi chiari.

Marie sentí la rabbia salirle dalle viscere alla gola. Una rabbia che covava da dodici anni.

Alzò gli artigli e con una zampata cancellò per sempre quel viso.

12.

Il cavaliere tamponò il sangue con la sciarpa. Si toccò il viso con una mano, rendendosi conto dello scempio. Il naso tagliato in due, un occhio cieco per il sangue che colava dal sopracciglio spaccato, la guancia e il labbro superiore aperti fino all'osso. Attraverso il taglio, con la punta delle dita, sentiva distintamente i denti. Strinse saldamente la sciarpa, come se quella presa dovesse tenere assieme i brandelli della sua faccia. Anche il fianco doleva, dove la maledetta lo aveva sforacchiato.

Bagascia infame. Come aveva potuto... La ricordava a malapena, non era che una serva... Figlia di contadini... La volgare gleba che si alza fino a lordare il viso dei grandi uomini. Ecco a cosa aveva portato la rivoluzione.

Sputò, digrignò i denti. Alzò lo sguardo sulla donna e il bambino e vide che non erano soli. Al loro fianco, sotto i coriandoli bianchi di quel carnevale di spettri, c'erano altre figure. Riconobbe il viso angelico di Noèle. Quello volitivo di Juliette. E anche una bambina, che non conosceva, ma i cui occhi erano familiari.

Erano lí per vederlo morire, ma non avrebbe mai dato loro questa soddisfazione.

Non lui. Si mosse, ma scivolò sull'impasto di neve e mota di una canaletta di scolo, finendo per terra. Con uno sforzo sovrumano si rimise in piedi, lordo e sanguinolento. Fece un passo, due, ritrovò le gambe. Provò a sollevare il delfino, ma non ci riuscí. Il fallimento aveva il sapore del sangue e del freddo che gli inondava la bocca. Si accorse che il delfino aveva ripreso i sensi e lo guardava. Come tutti gli altri.

Yvers sputò ancora un grumo per terra, poi sparí nel buio del vicolo, inseguito dai fantasmi.

13.

Marie sfilò il guanto artigliato e passò una mano tra i capelli bagnati di Bastien, che la guardava con gli occhi di chi vede una persona per la prima volta.

– Ti avevo detto di stare con Treignac, – disse lei. – Ed è quello che devi fare da qui in avanti. Prometti.

Il ragazzino annuí, senza ritrovare la voce.

– Prometti, – insistette Marie.

– Promesso, – riuscí a dire Bastien nella strozza.

Sopraggiunse D'Amblanc, a corto di fiato e con una selva di domande sulla faccia.

Marie indicò il delfino, che era ancora seduto per terra, come fosse su un prato spruzzato di inverno, a guardarsi intorno.

– È chi penso che sia?

D'Amblanc annuí.

– Non è poi tanto diverso dal mio Bastien, – disse lei con la voce roca.

Orphée d'Amblanc si avvicinò con cautela a Luigi Carlo. Si stupí di trovarlo cosí calmo.

Per chissà quale ragione gli tornò in mente la voce di Hébert che mille mesi prima gli diceva: «È opportuno che usiate il "tu"».

Era opportuno? Sí, anche se i motivi erano ormai completamente diversi.

– Coraggio, ti aiuto a rialzarti.

Lui gli porse la mano e D'Amblanc lo rimise in piedi.

Quattro sguardi si fissarono nel fondo buio del vicolo in cui era scomparso Yvers.

– Chi era quell'uomo, mamma? – chiese Bastien.

Marie non ebbe bisogno di cercare una risposta, perché giunse dall'altro ragazzino.

– Io l'ho riconosciuto. Era l'uomo della merda.

D'Amblanc sentí sciogliersi la tensione nello stomaco e dovette ricacciare giú una lacrima che aveva fatto capolino all'occhio destro.

– Parla perfino come Bastien! – commentò Marie. E rifilò una mezza scoppola al figlio.

– Ehi! – si lamentò quello.

Marie mostrò il guanto con gli spilloni.

– Non te l'ho data con questo. Ricordati che hai promesso.

– È meglio andare a casa, – disse D'Amblanc tenendo ancora per mano Luigi Carlo.

– Mi riportate al Tempio, signore? – chiese lui.

D'Amblanc lo guardò senza sapere cosa rispondere. Pensò a Jean, che a casa non sarebbe piú tornato. Poi una voce dall'accento tedesco tornò a consigliarlo.

Non puoi fare piú niente per i morti. Pensa a cosa puoi fare per i vivi.

Fu Marie a toglierlo dall'imbarazzo, mentre in lontananza si alzavano grida di sbirri.

– Dov'è finito Léo?

D'Amblanc scrutò dalla parte opposta, dove uno sparuto lampione resisteva alle tenebre e illuminava la bufera di stracci ghiacciati.

– Sono convinto che se l'è cavata.

Si incamminarono nella notte, costeggiando il muro. Quando entrarono nel fascio di luce, Bastien si fermò. Tirò fuori dalla tasca il pezzo di carboncino e tracciò una scritta sbilenca. La contemplò soddisfatto, appena un'occhiata prima di raggiungere gli altri.

VIVA SCARAMOUCHE.

Atto quinto

Come va a finire

1. *Sui sanculotti e sul quartiere di Saint-Antoine.*

Nella primavera del 1795 la plebe parigina insorse contro il potere termidoriano. Il primo episodio si verificò il 12 germinale (1° aprile), quando una folla di popolani occupò la Convenzione al grido di «Pane e costituzione dell'anno I». In poco tempo le guardie sgomberarono l'aula. Nei giorni seguenti i capi dell'insurrezione vennero condannati a morte e i deputati montagnardi che li avevano appoggiati furono destinati alla deportazione nelle colonie d'oltreoceano. Questo non fece che inasprire gli umori dei ceti popolari, che infatti poco tempo dopo diedero l'ultimo colpo di coda.

La mattina del 1° pratile (20 maggio) Parigi si svegliò tappezzata di manifesti che incitavano il popolo all'insurrezione. I primi a sollevarsi furono i quartieri di Saint-Antoine e Saint-Marceau, seguiti dagli altri. Gli insorti cinsero d'assedio le Tuileries, rompendo il cordone di guardie e muschiatini che difendevano il palazzo, e fecero irruzione nell'aula con picche, coltelli e vecchi schioppi. Il deputato Féraud, un ex girondino che aveva partecipato all'arresto di Robespierre il 9 termidoro ed era il responsabile dell'annona di Parigi, affrontò i sanculotti cercando di impedire loro l'ingresso. Venne freddato da un colpo di pistola. Il cadavere fu decapitato, la testa issata su una picca e mostrata al presidente

dell'assemblea, che fu costretto a chinare il capo in omaggio
alla giustizia del popolo. Dopodiché una giovane popolana,
Aspasie Carlemigelli, pestò il macabro trofeo con gli zoccoli
fino a ridurlo a una poltiglia sanguinolenta.

Nelle ore che seguirono, i deputati montagnardi super-
stiti fecero approvare forzatamente all'assemblea l'amnistia
per i loro compagni deportati e una serie di provvedimenti che avrebbero messo fine al potere termidoriano. Verso sera però la folla iniziò a tornare ai quartieri d'appartenenza. Nel cuore della notte tre deputati, tra cui Fréron,
riuscirono a scappare dal palazzo e a raggiungere alcuni
reparti dell'esercito fedeli alla Convenzione che poi guidarono sulle Tuileries. La folla venne scacciata dai soldati,
aiutati da gruppi di muschiatini, e i deputati montagnardi
furono arrestati.

Il mattino dopo, 2 pratile (21 maggio), gli insorti occupa-
rono il palazzo del comune. Fréron intanto spedí bande di
muschiatini a sloggiare la folla che andava raccogliendosi vicino alla Convenzione. Il giorno successivo arrivò in città un
contingente di truppe regolari per ristabilire l'ordine e disar-
mare i «terroristi». Il 4 pratile l'esercito occupò il quartiere
di Saint-Antoine e il giorno dopo liquidò definitivamente gli
ultimi focolai di rivolta.

La repressione che seguí fu durissima. Gli arresti di massa
investirono soprattutto il quartiere di Saint-Antoine e coin-
volsero indiscriminatamente coloro che avevano appoggiato
Robespierre. Sei deputati montagnardi condannati a morte
si suicidarono in carcere.

Il 12 pratile (31 maggio) venne soppresso il tribunale rivoluzionario.

Aspasie Carlemigelli, detta la Furia della Ghigliottina o
anche l'Ultima Tricoteuse, venne ghigliottinata insieme ai
capi dell'insurrezione, all'età di ventitre anni.

L'alleanza fra termidoriani e realisti produsse la stagione del Terrore Bianco che da Parigi si estese a tutta la Francia. A Lione, Aix, Marsiglia, i giacobini vennero massacrati nelle carceri. La ghigliottina seguitò a funzionare a pieno ritmo. Il potere termidoriano si consolidò con l'instaurazione del direttorio, al quale avrebbe posto termine solo il colpo di stato del 18 brumaio, anno VIII (9 novembre 1799), per opera del generale Napoleone Bonaparte. Bisognerà attendere il luglio del 1830 per vedere di nuovo il popolo parigino sulle barricate.

2. Su Leonida Modonesi.

Il nome di Léo Modonnet (circa 1759-?) di professione attore, compare nei verbali di polizia relativi alle insurrezioni sanculotte di germinale e pratile dell'anno III. Gli agenti di sicurezza Vidal, Clairmont e Figuier lo citano tra molti altri nelle loro vane indagini circa l'identità «del criminale mascherato detto Scaramouche». L'interrogatorio di tal Gérard Mignon, facchino, abitante di Saint-Antoine, è l'ultimo documento in lingua francese che contenga il nome di Léo Modonnet o Madonais o Madonné (5 messidoro, anno III - 23 giugno 1795).

Tuttavia, la raccolta della «Gazzetta di Bologna», conservata nella biblioteca dell'Archiginnasio, restituisce il nome di Leone Madonnesi in un elenco di attori, impegnati al *Teatro Comunale* per la stagione estiva 1805.

La cronologia di tutti gli spettacoli rappresentati nel *Gran Teatro Comunale* di Bologna, dalla solenne sua apertura il 14 maggio 1763 a tutto l'autunno del 1880, riporta il seguente cartellone:

ESTATE 1805
anno IV della Repubblica italiana

Si rappresenteranno due Balli e una Commedia

I Balli saranno d'invenzione e direzione del Cittadino Antonio Muzzarelli bolognese, il primo dei quali Eroico e Grande avrà per titolo:

IL RATTO D'ELENA

L'altro da destinarsi.

Ballerini di Concerto n. 24.
Con n. 60 Figuranti.
Maestro al Cembalo e Direttore dei Cori, Tommaso Marchesini.
Primo Violino e Direttore d'Orchestra, Francesco Rastrelli.
Il vestiario, proprietà dell'impresario, sarà d'invenzione di Luigi Uccelli
Il macchinismo sarà di Carlo Sarti.

La Commedia avrà per titolo

CHI LA FA L'ASPETTI

o sia *La burla restituita in cambio*
del Grande Maestro Goldoni.

Attori: Maestro Gottardo, linaiuolo, Leone Madonnesi – Placida, sua moglie, Rosa Pinetti – Maestro Agapito, Paolo Ferrari – Pandolfo, mercante, Felice Pellegrini – Costanza, figlia di Pandolfo, Teresa Belmonte – Roberto, amante di Costanza, Paolo Capelli – Leandro, amico di Roberto, Luigi Lollini – Bernardo, oste, Giuseppe Tomasini.

L'abbonamento per dette recite sarà di scudi 4 moneta, escluso rame, da pagarsi metà all'atto d'abbonarsi, l'altra metà terminata la prima opera.

Impresario, Luigi Antonini.

Il compilatore della cronologia, Felice Romani, aggiunge a piè di pagina questa nota:

> N. B. Il 21 giugno 1805, giunse in Bologna S. M. l'imperatore Napoleone I, e nella terza sera fu dato in suo onore un Gran Veglione, con la rappresentazione della Burla e dei Balli. Quindi si aprí l'arco retrostante al teatro, unendosi cosí il giardino del Guasto, splendidamente illuminato, locché faceva un sorprendente effetto.

Il celebre agronomo Filippo Re, nel suo *Giornale della mia vita*, racconta cosí la festa bolognese in onore di Napoleone:

> La sera del 23 giugno vi furono gran fuochi di gioja sulla piazza del Mercato, ove in una elegante Galleria intervennero le Loro Maestà, e dopo andarono al *Gran Teatro* per assistere alla messa in scena di una commedia del Goldoni. L'imperatore ne fu a tal punto divertito che volle di persona complimentarsi con il primattore.

3. *Su Bernard la Rana*.

Di Bernard Macchia, detto Bernard la Rana, le cronache non registrano che la sua attività di maestro d'arme. Il cognome, se non si tratta di un soprannome, potrebbe indicare un'origine italiana, o corsa. Negli anni successivi, è ricordato in diversi elenchi come uno dei protagonisti di quella che molti considerano la fase «classica» delle *savate*, in contrapposizione alla fase «romantica», ottocentesca, che vedrà l'introduzione delle tecniche di pugilato inglese e, alla fine del secolo, dei guantoni. Della sua biografia successiva, come di quella precedente, non si conosce niente di preciso. Interessante il fatto che un Macchia compaia nell'entourage di Charles Charlemont, uno dei maestri piú importanti del XIX secolo, e venga ricordato per una tecnica assai simile al «colpo della rana» che aveva reso famoso Bernard. Ipotizziamo che possa trattarsi di un discendente.

4. *Su Claire Lacombe, Pauline Léon e Jean-Théophile Leclerc.*

Claire Lacombe (1765-?), arrestata il 2 aprile 1794, passò per le prigioni parigine di Port-Libre, del Plessis e di Sainte-Pélagie per poi finire a quella del Luxembourg, dove ritrovò i suoi amici Pauline Léon (1768-1838) e Jean-Théophile Leclerc (1771-?). I due si erano sposati nel novembre del 1793 (il contratto di matrimonio porta la data del 22 brumaio). In quell'occasione, Pauline dichiarava di aver ripreso l'attività di famiglia, cioè la produzione e il commercio di cioccolata. Poco piú tardi, Théophile aveva ricevuto la chiamata alle armi e si era trasferito a La Fère, nell'Aisne, sede di una famosa scuola di artiglieria. Qui lo raggiunse la moglie. I due vennero arrestati il 3 aprile e condotti al carcere del Luxembourg tre giorni dopo.

In seguito alla caduta di Robespierre, Pauline e Claire scrissero diverse lettere e petizioni per chiedere la grazia, anche a nome dei loro ottocento compagni di galera, firmandole rispettivamente «Cittadina Léon, donna Leclerc» e «Cittadina Lacombe, donna libera».

Nella richiesta di rilascio scritta da Claire Lacombe e datata 24 termidoro, si legge:

> La mia condotta è stata quella di una donna onesta e degna della libertà che ho sempre difeso. Ho sacrificato alla nazione tre anni della mia vita; e non avendo né figli né marito, considererò motivo di felicità il servirla ancora.

Trascorsa una settimana da queste parole, Théophile e Pauline varcano il cancello del carcere e le loro sagome si perdono tra la folla. Sappiamo solo, da una lettera in favore del fratello incarcerato, che nel 1804 Pauline viveva a Parigi come istitutrice e che, probabilmente, suo marito era vivo (infatti si firma ancora: «donna Leclerc»). Nel 1835, trovia-

mo il suo nome tra gli eredi del fratello morto, e possiamo
cosí localizzarla nel villaggio di Bourbon-Véndée, domiciliata
in casa della sorella. Infine, nei volumi dello stato civile del
comune di Bourbon-Vendée (oggi La Roche-sur-Yon), l'atto di decesso n. 215 del 1838 riguarda Anne-Pauline Léon,
vedova Leclerc, morta il 5 ottobre all'età di settant'anni.

Claire Lacombe, al contrario dei coniugi Leclerc, non
riuscí a farsi rilasciare altrettanto rapidamente.

L'unica testimonianza che la riguarda durante il periodo
di detenzione è contenuta in uno scritto di Joachim Vilate,
agente del comitato di salute pubblica e giurato del tribunale
rivoluzionario. Finito in carcere come «robespierrista», l'autore tentò di scagionarsi con vari scritti. Tra questi: *I miste-
ri della madre di Dio svelati*, terzo volume delle *Cause segrete
della rivoluzione del 9 e 10 termidoro*, pubblicato a Parigi il
27 gennaio 1795.

A pagina 40, scrive Vilate:

> Tre giorni fa sono sceso nella galleria di questa casa d'arresti, per
> acquistare, come tutte le sere, una candela. La gente ignora chi sia
> la bottegaia, esempio sorprendente dei colpi imprevisti della rivo-
> luzione. Ci si ricorda piuttosto la celebre Lacombe, attrice rinoma-
> ta, e presidente della società fraterna delle amazzoni rivoluzionarie,
> ed è lei che s'è messa a fare la commerciante, per i minuti piaceri dei
> prigionieri di stato, suoi compagni di sventura. Strano effetto delle
> volgari idee di merce e profitto! Prima che prendesse questa decisio-
> ne, la si poteva immaginare, sulla scena, pronta a interpretare il suo
> ruolo, la testa alta, lo sguardo fiero, l'incedere maestoso; ora inve-
> ce semplice, gentile con i clienti, non è piú che una piccola borghese
> modesta, tirata a quattro spilli, esperta nel vendere la sua mercanzia
> al prezzo piú alto. Incarta, per cortesia, la candela in un fazzoletto di
> carta che vale da solo i cinquanta soldi ai quali la vende; tocca pagare,
> ogni sera, questa somma, senza contare il prezzo di qualche piccola
> mela renetta, che vende a sette soldi l'una.

Due dossier, conservati nell'archivio nazionale di Francia a nome *Lacombe*, registrano il fatto che la donna uscí di prigione il 1° fruttidoro, anno III (18 agosto 1795) e che tre mesi piú tardi era in cartellone nei teatri di Nantes, dove trovò ingaggio come attrice per recitare nei ruoli di «regina, nobildonna e gran maliarda». Tornò a Parigi nel pratile dell'anno VI (1798), ma pochi mesi dopo fece perdere ogni traccia di sé. Non si conoscono né il luogo né la data di morte. L'ultimo documento che la riguarda è la nota di un informatore di polizia, datata 16 settembre 1798, conservata in uno dei due dossier summenzionati. In essa si legge che Claire Lacombe lasciò la capitale in compagnia di una donna che lei stessa aveva fatto assumere come sarta di scena in uno dei teatri dove recitava. Di costei non è menzionato il nome.

5. *Su Marie Nozière.*

Il nome di Marie Nozière (1767-?) compare nell'elenco dei centocinquantadue arrestati al quartiere Saint-Antoine dopo l'insurrezione di pratile dell'anno III (1795), ma non in quello dei giustiziati o dei deportati. Se ne può dedurre che venne rilasciata, come accadde ad altri.

Il 7 fruttidoro, anno IV (24 agosto 1796), una cittadina Nozière compare tra i testimoni dell'incendio avvenuto al *Gran Teatro* di Nantes, durante la rappresentazione dell'opera *Zémire et Azor* (archivio municipale di Nantes, dossier *Grand-Théâtre*).

Deposizione della cittadina Nozière.
Io sottoscritta, sarta di scena del *Gran Teatro* della Repubblica, dichiaro che mentre era in corso il terzo atto, le macchine che dovevano sollevare la gabbia di Azor cedettero di colpo, si ruppe un cavo,

e in quel momento vidi lo scenario trasparente dell'appartamento di Zemira prendere fuoco insieme a un altro telo. Qualcuno cercava di tranquillizzarci gridando: «Non è niente», ma io ho alzato gli occhi e ho visto le fiamme che erano già sul soffitto. Allora sono corsa verso il foyer degli attori, che già bruciava, e quindi nel gabinetto delle armi, che gli sta di fianco, e dove s'erano rifugiate diverse persone. Subito dietro di me arrivava il direttore, e grazie a lui abbiamo incitato la gente che era là a prendere le spade e le armi di scena e a far saltare le serrature di una porta che ci teneva prigionieri. Eravamo appena usciti, quando sentimmo il frastuono del lampadario che crollava sul parterre.

In seguito, non esistono altri documenti che possano illuminare la sorte di Marie Nozière. Tuttavia, negli archivi dipartimentali dell'Alta Loira (Alvernia), il suo nome compare piú di una volta, tra gli atti dello stato civile del comune di Saint-Julien-des-Chazes. Si tratta senza dubbio di diversi casi di omonimia, ma in particolare dovrebbe essere lei la Marie Naugère (scritto cosí e corretto a margine), figlia di Antoine Nozière e Joséphine Reboux, nata il 17 luglio 1767. Questo fa della nostra Marie la pro-pro-pro-prozia (sorella del quadrisavolo) di Violette Nozière, famosa patricida degli anni Trenta del XX secolo, ritratta in film e romanzi, icona dei surrealisti francesi e per questo celebrata dagli Area nella canzone del 1978 *Hommage à Violette Nozières* [sic].

6. *Su Bastien e Treignac.*

Septime Passounaud detto Treignac, commissario di polizia a Saint-Antoine dal 1792 al 1794, di professione ciabattino, scompare dalle cronache dopo il colpo di stato del 9 termidoro. Il censimento napoleonico del 1801 registra un «Passounaud, ciabattino» residente a Saint-Antoine. È l'ultima notizia che si ha di lui.

Nell'elenco degli arrestati dopo l'insurrezione di pratile, compare invece il nome di «Bastien Nozière, figlio di Marie Nozière e di padre ignoto». Se l'arresto della madre potrebbe essere dovuto ai suoi trascorsi con le cittadine repubblicane rivoluzionarie, risulta difficile immaginare l'arresto di Bastien senza un suo coinvolgimento diretto nelle giornate convulse del maggio 1795. Anche Bastien venne scarcerato, probabilmente in quanto minorenne. Qui cessano le notizie su di lui.

Tuttavia, resta da rilevare che un «Bastien Passounaud» compare tra i nomi degli insorti durante la rivoluzione di luglio del 1830. Si tratta di uno dei rivoltosi che guidarono l'assalto dei parigini alle Tuileries, tra il 28 e il 29 luglio, sbaragliando le truppe reali e occupando il palazzo. Non è dato sapere se possa trattarsi della stessa persona. A quella data Bastien avrebbe avuto quarantasette anni.

7. Su Armand Chauvelin.

La prima notizia che abbiamo di Armand Chauvelin (1755-?), dopo le vicende qui raccontate, risale al 10 vendemmiaio, anno IV, quando egli invia alla Convenzione un rapporto riservato riguardo ai preparativi di rivolta orchestrati dai monarchici. Questo rapporto, insieme ad altri simili, permetterà alle truppe parigine, guidate anche da Napoleone Bonaparte, di prendere rapide contromisure e di difendere la Repubblica dall'assalto di circa venticinquemila insorti.

Poco piú tardi, nel frimaio dello stesso anno, Chauvelin è tra i primi aderenti alla riunione degli amici della Repubblica, meglio nota come «club del Panthéon». Qui ascolta i discorsi di Gracco Babeuf e di Filippo Buonarroti, convinti sostenitori di un ritorno alla costituzione giacobina dell'anno 1, al fine di raggiungere la perfetta uguaglianza e la felicità comune. Il club viene chiuso l'8 ventoso dell'anno IV, per ordine del comandante in capo dell'esercito dell'interno, cioè ancora una volta Napoleone Bonaparte.

Ritroviamo Armand Chauvelin l'11 maggio 1796, incarcerato nella prigione del Tempio, in compagnia di Babeuf, Buonarroti, Amar, Rossignol, Darthé e dei principali esponenti della congiura degli eguali, una cospirazione che intendeva rovesciare il direttorio, abolire la proprietà privata e collettivizzare le terre. Condotto di fronte all'alta corte di Vendôme, viene scagionato un anno più tardi, l'8 pratile, anno IV (27 maggio 1797), mentre la ghigliottina si abbatte su François Noël detto Gracco Babeuf.

In seguito le sue tracce si perdono, finché il 15 nevoso dell'anno IX (5 gennaio 1801) la polizia lo arresta con l'accusa di aver attentato alla vita di Napoleone Bonaparte, tramite un carretto esplosivo piazzato in rue Saint-Nicaise alla vigilia di Natale. Il complotto si sarebbe rivelato di matrice monarchica, ma sulle prime le indagini si indirizzarono negli ambienti degli ex e neogiacobini, e furono un buon pretesto per colpirli. Tra gli imputati, insieme a Chauvelin, figura anche il generale Jean-Antoine Rossignol, già implicato nella congiura degli eguali. Entrambi vengono condannati senza processo, insieme ad altri sessantotto, e deportati nelle isole Seychelles, dove giungono il 22 messidoro (11 luglio 1801) dopo ottantanove giorni di traversata. In seguito a ripetuti incidenti tra i coloni locali e i proscritti, trentadue di questi vengono ulteriormente deportati nell'isola di Anjouan, alle Comore, e qui trattenuti in cambio di un rifornimento di armi per il sultano, in lotta con le tribù pagane del Madagascar. Ventuno dei nuovi arrivati si ammalano e muoiono nel giro di pochi giorni. Altri otto fuggono verso la Grande Comore e poi Zanzibar (si veda J.-B.-A. Lefranc, *Le sventure di numerose vittime della tirannia di Napoleone Bonaparte, ovvero Rassegna delle disgrazie di 71 francesi deportati senza giudizio alle isole Seychelles, in seguito all'attentato con la macchina infernale del 3 nevoso anno IX (24 dicembre 1800). Da parte di una delle due sole vittime sopravvissute alla deportazione*, Veuve Lepetit, 1816). Il nome di Armand Chauvelin non figura né tra i compagni del fuggitivo Lefranc, né tra i decessi di Anjouan, mentre risulta che Jean-Antoine Rossignol morí di dissenteria, ad Anjouan, il 27 aprile 1802.

La notizia della sua banale scomparsa venne accolta con grande incredulità a Parigi, e in particolare al faubourg Saint-Antoine, il quartiere natale di Rossignol. Nacquero sul suo conto e su quello dei suoi compagni numerose leggende, culminate con la pubblicazione, nel 1817, di un romanzo in quattro tomi di A.-P.-F. Ménégault, intitolato *Il Robinson del quartiere di Saint-Antoine; ovvero relazione delle avventure del generale Rossignol e del sig. A. C***, suo segretario. Deportati in Africa all'epoca del 5 nevoso; contenente nuove nozioni sull'interno dell'Africa, e dettagli sugli sviluppi di una repubblica fondata da Rossignol presso il Monomotapa, e della quale egli era ancora presidente nel 1816.*

È difficile resistere alla tentazione di immaginare che la sigla A. C*** sia la traccia romanzesca lasciata dal nome di Armand Chauvelin, sebbene della Repubblica fondata da Rossignol nelle terre degli attuali Mozambico e Zimbabwe non vi sia alcun riscontro storico.

8. *Su Franz Anton Mesmer.*

Franz Anton Mesmer (1734-1815), «scopritore» del magnetismo animale, benché considerato un ciarlatano dagli scienziati del suo tempo, fu in effetti molto probabilmente lo scopritore dell'ipnoterapia. Al contrario di Puységur, non volle però mai rivelare pubblicamente le proprie tecniche, ammantandosi di un'aura misteriosa ed esoterica fino alla fine dei suoi giorni. Dopo la partenza da Parigi, nel 1786, si dice abbia iniziato a praticare l'alchimia, in una località presso Avignone, sotto la guida di un ex monaco benedettino, alla ricerca dell'elisir di lunga vita. Per interpretare gli enigmatici messaggi dell'ex monaco, Mesmer compí svariati viaggi attraverso l'Europa centrale. Pare che nel 1794, a Schaffhausen, in Svizzera, riuscisse infine a distillare l'elisir che gli restituiva vigore e giovinezza. Nel 1799 pubblicò le proprie memorie: *Mémoire de Franz Anton Mesmer, docteur en mèdecine, sur ses decouvertes*. Nel 1802 una zingara gli predisse la data e la causa della sua morte. Tredici anni dopo, riconoscendo i segni di quella profezia, si preparò al trapasso. Di lí a poco ebbe un attacco di apoplessia, in seguito al quale spirò il 5 marzo 1815.

9. *Sul marchese di Puységur.*

Nel tomo quinto della *Biographie des hommes vivants*, pubblicata a Parigi nel 1819 da L.-G. Michaud, si dice che Armand-Marie-Jacques de Chastenet, marchese di Puységur (1751-1825),

adottò di buon grado, ma con moderazione, i principî della rivoluzione e successivamente fu comandante della scuola d'artiglieria di La Fère e maresciallo di campo. Diede le dimissioni nel 1792. Rientrato al focolare, fu accusato di corrispondere con i fratelli emigrati e trattenuto in prigione per due anni a Soissons, con la moglie e i figli. Divenuto, dopo il colpo di stato del 18 brumaio 1799, sindaco di Soissons, diede le dimissioni nel 1805.

In maniera molto simile, al limite del calco, nel secondo volume della loro *Histoire de Soissons*, pubblicata nel 1837, Martin e Lacroix scrivono:

> allo scoppio della rivoluzione, non seguí l'esempio dei fratelli e della gente del suo rango: non emigrò; ma, avendo ritenuto di doversi dimettere [dall'esercito] dopo il 10 agosto, divenne sospetto al governo repubblicano: venne accusato di corrispondere con i due fratelli emigrati; fu arrestato; detenuto due anni a Soissons con la moglie e i figli, ebbe la fortuna di non finire davanti al tribunale rivoluzionario. Chiamato da Napoleone a reggere la città che era stata testimone delle sue disgrazie, rivestí l'incarico di sindaco per cinque anni, poi si ritirò, dopo il 1805, nella sua tenuta di Buzancy.

Queste notizie hanno generato la convinzione molto diffusa che il marchese di Puységur venne incarcerato durante il Terrore giacobino, che infatti aveva scarsa simpatia per i magnetisti, gli aristocratici e i nobili emigrati. Tuttavia, nel tomo quarto della *Biographie moderne*, pubblicata da P.-J. Besson a Lipsia nel 1806 – e dunque anteriore alle due opere sopra citate – si afferma che Puységur

> si pronunciò in favore della rivoluzione e ne adottò i principî di buon grado, ma si condusse con moderazione. Nondimeno, dopo la morte di Robespierre, le autorità costituite di Soissons diedero l'ordine di andare al suo castello di Buzancy, e di disarmarlo come terrorista. Dopo la rivoluzione del 18 brumaio 1799, fu nominato sindaco di Soissons.

Il tomo terzo di un'altra *Biographie moderne* (Parigi 1816) descrive pressappoco gli stessi avvenimenti con le stesse parole.

A rafforzare quest'ultima versione, contribuisce anche la carriera di drammaturgo del nostro sonnambulista. Dai giornali parigini, infatti, si evince che l'opera comica in un atto *L'intérieur d'un ménage republicain*, firmata dal cittadino Armand de Chastenet, venne rappresentata per la prima volta al *Théâtre des Italiens* il 4 gennaio 1794, ed ebbe quarantasei repliche. Pare difficile che, sotto il Terrore, si permettesse a un autore imprigionato per tradimento, di riempire i teatri con le sue pièce. Il seguito, intitolato *Paul et Philippe*, andò in scena nel 1795 e fece quattro repliche.

Non a caso, dopo quell'anno, la prima opera di Puységur che viene rappresentata a Parigi è *Le juge bienfaisant*, messa in scena il 15 ottobre 1799 al *Teatro Feydeau*, poi al *Teatro del Marais*. Totale: sei repliche. Sembra dunque piú verosimile che la prigionia di Puységur sia da collocare nel periodo termidoriano o del direttorio, tra il 1796 e il 1799.

La lettera firmata Jean Courier che riportiamo in questi epiloghi (vedi oltre), sembra essere la conferma definitiva di quest'ultima datazione, in attesa di ulteriori riscontri documentali.

Dopo le dimissioni da sindaco di Soissons, il marchese si dedicò alla pubblicazione di una serie di saggi basati sulla propria esperienza di sonnambulista. Del 1807 è il trattato *Del magnetismo animale considerato nei suoi rapporti con le diverse branche della fisica generale*; del 1811 *Ricerche, esperimenti e osservazioni fisiologiche sull'uomo nello stato di sonnambulismo naturale e nel sonnambulismo provocato dall'azione magnetica*; del 1812 *Forse i pazzi, gli insensati, i maniaci e i frenetici non sono che sonnambuli turbati?*; del 1813 *Appello ai saggi osservatori del secolo decimonono riguardo alla decisione presa dai loro predecessori contro il magnetismo animale, e fine del trattamento del giovane Hébert*.

Negli ultimi due trattati, Puységur descrive le cure che riservò a un ragazzino di dodici anni, Alexandre Hébert (nessuna parentela con il rivoluzionario parigino), preda di attacchi nervosi, deliri, esplosioni di rabbia e crisi autolesioniste. Durante il trattamento, il marchese intuí il grande potere terapeutico della semplice relazione tra me-

dico e paziente. Il giovane Hébert verrà condotto a Parigi
da Puységur, per farlo visitare al piú noto alienista della
sua epoca:

> Dopo aver descritto al signor Pinel la malattia del piccolo Hé-
> bert, gliel'ho presentato. Egli ha palpato la sua testa e riconosciuto
> la cicatrice dell'operazione che ha subito; allora ho magnetizzato il
> bambino, che ha ripetuto le sue solite risposte, e in particolare che
> nell'operarlo per un ascesso in testa gli avevano asportato per sba-
> glio un pezzo di cervello.
>
> Io non so, mi ha detto Pinel, fino a che punto posso aggiungere
> fede alle visioni sonnambule di questo ragazzino, [...] ma posso as-
> sicurarvi che gli studi anatomici di Tizio e Caio (non ricordo i nomi
> degli anatomisti che mi ha citato) dimostrano che un uomo può vi-
> vere anche senza una parte di cervello, e tanto peggio per i sistemi
> che non s'accordano con questo fatto acclarato.
>
> Il signor Pinel mi ha invitato, per quest'inverno, quando torne-
> rò a Parigi, a visitare i pazzi e gli alienati del suo ospedale, al fine di
> provare su alcuni di loro il potere dell'influenza magnetica.

Puységur è sepolto nella cripta della chiesa di Buzancy,
nell'Aisne.

A partire dal 1884 i suoi scritti vennero riscoperti da
Charles Richet (in seguito premio Nobel per la Medicina),
che riconobbe in lui uno dei pionieri dell'ipnoterapia. A
tutt'oggi, Puységur è annoverato tra i precursori delle scienze psicologiche.

10. *Su Philippe Pinel e Jean-Baptiste Pussin.*

Philippe Pinel (1745-1826) è considerato uno dei principali artefici della riforma illuminista che portò al «trattamento
morale» dei pazienti psichiatrici.

Il 14 ventoso dell'anno III (4 marzo 1795), una delibera
del soccorso pubblico lo nomina medico in capo all'ospedale

della Salpêtrière, incarico che mantenne per il resto della vita. Nel 1801, ottenne che Jean-Baptiste Pussin (1746-1811) lo raggiungesse come sorvegliante degli alienati.

Sebbene Pinel abbia sempre riconosciuto, nei suoi scritti, di aver appreso da Pussin molti elementi della sua pratica terapeutica, l'importanza di quest'insegnamento è rimasta offuscata per quasi due secoli. Solo nel 1978, con il ritrovamento delle *Osservazioni del cittadino Pussin sugli alienati*, si cominciò a capire quanto il «sindaco» di Saint-Prix avesse già sperimentato e ottenuto prima dell'arrivo di Pinel a Bicêtre. Tuttavia, bisogna considerare che queste *Osservazioni* portano la data del 21 dicembre 1797, e sono pertanto una ricostruzione postuma, successiva all'incontro tra Pinel e Pussin:

> Il lavoro mi pare grandemente necessario, non solo perché costituisce un esercizio fisico, ma anche perché offre una distrazione. Il lavoro, infatti, appartiene a quella categoria di rimedi psicologici sulla quale insisto particolarmente. Pertanto, dev'essere senza dubbio per ignoranza o per errore che il liceo delle arti, in una delle sue sessioni pubbliche, ha presentato l'ospizio di Avignone come l'unico luogo in Francia dove si pratica tale terapia degli alienati, quando io non ne ho avuta nessun'altra, a mia disposizione, negli ultimi tredici anni.

Oggi, di fronte all'ingresso dell'ospedale della Salpêtrière, si erge una grande statua in bronzo di Philippe Pinel.

Il filosofo Michel Foucault, nel suo fondamentale *Storia della follia nell'età classica* (1961), considera il dottor Pinel non tanto l'iniziatore di una cura «piú umana» per gli internati di Bicêtre, quanto piuttosto il responsabile del passaggio dalla loro coercizione fisica a una piú nascosta, ma non meno invasiva, coercizione mentale.

11. *Sull'alienato rinchiuso a Bicêtre con il nome di «Auguste Laplace».*

Nel diario-giornale di Philippe Pinel compare, in data 27 febbraio 1795, una nota circa un internato, che risulta essere al secondo soggiorno a Bicêtre, registrato col nome di Auguste Laplace. A quanto riporta Pinel, il paziente presentava orribili cicatrici sul volto. Il naso era stato strappato, asportato quasi di netto. Al paziente era stata applicata una protesi di cuoio, che contribuiva, stando all'estensore del diario, a conferirgli «un'aria tetra e trista».

Pinel descrive il delirio di questo soggetto in una pagina di singolare efficacia:

> Il paziente non pare conservare memoria di sé, se non per quanto riguarda alcuni eventi dell'infanzia, e non ricorda né il suo precedente periodo di internamento, né alcuno degli episodi che si riferiscono ai nostri precedenti rapporti. Non pare consapevole, per la maggior parte del tempo, della sua mutilazione e del suo aspetto ripugnante. Solo quando coglie il proprio riflesso in un vetro, in uno specchio o in una pozza d'acqua, la consapevolezza della menomazione, in tutta la sua evidenza, si affaccia alla coscienza e determina crisi violente.
>
> In particolare, il soggetto attraversa lunghe fasi affabulatorie, in cui racconta degli avvenimenti che occorrono in quella che parrebbe la corte di qualche sovrano orientale. Queste fasi possono durare giorni e giorni.
>
> Il paziente parrebbe identificarsi con un personaggio storico e si rivolge al sottoscritto con il nome del sovrano «Cosroe» o «Re dei Re». Esorta gli altri pazienti a schierarsi con tutte le forze dalla parte del bene, che personifica in una divinità degli antichi Persiani, Ōrmazd. Nei suoi deliri, pare riferirsi a figure della vita pubblica di anni recenti. In particolare, si riferisce a Robespierre e a Saint-Just alle volte come manifestazioni di Ahriman, che definisce come «l'avversario», o semplicemente «il male». Alle volte però gli stessi personaggi vengono citati o presentati come «Ar-

cangeli» di Ōrmazd. Viene generalmente evitato e temuto dagli altri pazienti, se si fa eccezione per una piccola cerchia alla quale assegna immaginari compiti e doveri d'etichetta nel contesto delirante che abbiamo descritto.

Nelle pagine seguenti del diario scompare ogni riferimento a questo paziente, che peraltro Pinel smetterà di visitare dal 29 aprile, giorno del suo effettivo trasferimento alla Salpêtrière.
Nei registri di Bicêtre non è riportata la data dell'eventuale dimissione, né quella della morte dell'alienato Laplace.

12. Su Orphée d'Amblanc.

Del dottor Orphée d'Amblanc (1758-?), attivo a Parigi negli anni della rivoluzione, si perde ogni traccia a partire dal gennaio del 1795. Il suo nome non compare piú in alcun elenco degli esercitanti la professione medica in città, nelle segnalazioni di polizia, nelle liste dei coscritti o dei giustiziati di quegli anni. D'Amblanc è uno dei tanti personaggi «minori» della grande storia risucchiato nei meandri del tempo.
A fronte di questa sparizione, è possibile rinvenire un indizio, ma non già una prova, circa la sua sorte. Lo si trova nell'epistolario del marchese di Puységur, conservato nell'archivio di stato di Soissons, e consiste in una lettera datata 21 dicembre 1799 indirizzata a Puységur da un certo Jean Courier, residente a Fontainebleau, dipartimento della Senna e della Marna:

Caro amico,
concedetemi la familiarità di chiamarVi cosí, non soltanto per quanto abbiamo condiviso negli anni, ma soprattutto per la gioia che mi invade alla notizia della Vostra ritrovata libertà. Leggere il

nome del mittente sulla Vostra lettera dopo tanto silenzio mi aveva già lasciato sperare nelle migliori nuove, ma le parole che avete
scritto hanno superato ogni mia aspettativa.

Vero è che il ritorno a casa, agli affetti e alla vita non ripara
il torto che Vi è stato fatto, giacché niente potrà risarcirVi. Eppure capisco cosa intendete quando mi scrivete che nessuno in
quest'epoca di rivolgimenti e rivoluzioni può dirsi propriamente
innocente. Non lo siamo, ne convengo, ognuno ha fatto la propria
parte, attore o spettatore poco importa. Ad altri e non già a Voi
è toccata una sorte assai diversa, sulla pubblica piazza. Di essere
ancora qui, dunque, possiamo rallegrarci, anche se non siamo piú
gli stessi di un tempo e percorriamo la strada con un altro passo.
Diverso il mio dal Vostro, come abbiamo avuto modo di scoprire,
e ciononostante, lo voglio credere, in un'unica direzione.

Sono lieto di sapere che la Vostra salute non ha risentito della
reclusione e che siete impaziente di rimettervi all'opera. Quanto
alla mia attività di cui mi chiedete con grande premura, sappiate
che in questi due anni, cosí come nei due precedenti, le terapie
sono proseguite con regolarità e profitto da parte del mio giovane paziente. Egli fa progressi di giorno in giorno. Tuttavia sono
giunto alla conclusione che la migliore terapia sia la felicità e la
serenità di una crescita equilibrata, ottenute tramite vita sana e
buone relazioni d'affetto. La prima è garantita al giovane dalla benevolenza della Signora che ci ospita; le seconde stanno nascendo
con il trascorrere del tempo insieme. La stessa padrona di casa ha
maturato una grande simpatia nei confronti del giovane. E se non
fosse cosí poco avvezza a trattare con i fanciulli, non avendo avuto
figli, si potrebbe ipotizzare che nutra per lui un affetto parentale.

Quanto alla sua educazione, io stesso, come sapete, nei limiti
delle mie forze e capacità, mi sono incaricato di impartirgli lezioni
nelle principali materie: Filosofia, Matematica, Storia, Letteratu-
ra, potendomi avvalere della non piccola biblioteca di questa casa.
Cosí ho la pretesa di coltivare e fare sbocciare in lui quei principî morali e quelle virtú che hanno ispirato le migliori gesta della
nostra epoca. Se non lo ritenessi possibile, se dovessi pensare che
il sangue e la nascita – e non già la buona educazione e la buona
vita – determinano il nostro destino, dovrei allora sconfessare ciò
in cui ho sempre creduto. Mi riferisco all'irriducibile fiducia che
nutro nella capacità dell'Uomo di trascendere la bestialità, per rea-

lizzare fino in fondo la propria natura di animale politico. Se non credessimo questo, se non pensassimo la libertà, l'uguaglianza e la fratellanza tra gli uomini un destino a cui improntare le nostre azioni, allora nessuna delle sfide che abbiamo lanciato alla storia, e con esse nessuno dei nostri sbagli, avrebbe avuto senso. Che questo giovane possa crescere come un cittadino libero tra eguali e un individuo virtuoso rappresenta ai miei occhi la vittoria della Luce e della Ragione sugli avversari di sempre, Tenebre e Brutalità. Se oggi mi si dovesse chiedere se ritengo questo un buon motivo per avere agito come ho agito, assumendo anche il rischio piú estremo, ebbene risponderei che esso non è soltanto buono, ma invero anche l'unico. Giacché le rivoluzioni passano, restano gli uomini, che portano sulle spalle l'avvenire.

Piú volte, in questi anni, ho rivolto a me stesso il quesito che incombe su quelli come Voi e me, ma si potrebbe dire su ogni altro essere vivente, ogni giorno che trascorre sulla terra. Come possiamo sapere quando facciamo il bene e quando invece, finanche al di là della nostra volontà e intento, agiamo in senso contrario? Ebbene, la verità è che non lo sappiamo. Possiamo soltanto cercare di illuminare la notte che ci circonda con il piccolo lume che reggiamo tra le mani, senza mai desistere.

Ecco dunque, amico mio, o *mein Freund*, come avrebbe detto il nostro comune Maestro, l'augurio per chi ha ritrovato la propria libertà. Possiate non perdere mai l'intenzione di perseguire la strada della conoscenza e della cura del mondo e di coloro che lo abitano.

Il Vostro leale
nunc et semper

Jean Courier

13. *Su Cécile Girard.*

Della vedova Girard (1760-1831) si sa che visse nella sua casa presso la foresta di Fontainebleau fino alla fine dei suoi giorni, senza mai risposarsi. Negli archivi del comune non risultano infatti atti di matrimonio che la riguardino. Alla sua morte, in assenza di eredi diretti, le sue proprietà pas-

sarono a un nipote, figlio di suo fratello. Non c'è conferma
che la «Signora» citata nella lettera di Jean Courier a Puységur fosse Cécile Girard, né, eventualmente, si sa cosa possa
essere stato dei suoi «ospiti».

14. *Su Luigi Carlo Capeto, delfino di Francia.*

Da piú di due secoli circolano voci, leggende e teorie del
complotto sull'evasione del delfino di Francia e sulla sua sostituzione con un altro ragazzino. Queste storie, nate dalla
fantasia popolare, non sono suffragate da nessuna prova,
a parte le solite «strane coincidenze» che si citano in certi
casi. Nel corso degli anni, schiere di storici hanno cercato
di rintracciare indizi e testimonianze, mentre i romanzieri
si divertivano a inventare complicità, minacce, nascondi-
gli e magie.

Negli archivi non vi è traccia di quanto avvenne al Tempio nella notte tra il 21 e il 22 gennaio 1795. Se, come qui
raccontiamo, il prigioniero fu liberato in quel frangente, per
ovvie ragioni le autorità termidoriane ne tennero nascosta
la fuga. E forse già l'indomani, nella Torre fu rinchiuso un
sostituto.

Proprio il 22 gennaio 1795 (3 piovoso, anno III) il deputato
Cambacérès fa rapporto alla Convenzione su «gli individui
della famiglia Capeto, attualmente in Francia». Il rapporto
– «sul modo di purgare il suolo della libertà dall'unica vestigia regale che vi resta» – è stato richiesto da Lequinio meno
di un mese prima.

> Finora – dichiara Cambacérès dalla tribuna – la prudenza ave-
> va messo da parte tale questione. Oggi le circostanze sembrano
> esigere ch'essa venga esaminata, sia per confutare speranze cri-
> minali e sventare perfide manovre, sia per fissare definitivamente

l'opinione del popolo, manifestando le diverse considerazioni che possono rischiararla.

Non vi sono che due partiti da prendere riguardo a tali individui: o bisogna espellerli dal territorio della Repubblica, oppure bisogna trattenerveli in cattività.

Trattenendoli, si può temere che essi siano una fonte inesauribile di disordini e agitazioni, che la loro presenza serva da pretesto ai malintenzionati per calunniare la Convenzione e dividere il popolo. Al contrario, se questi individui venissero banditi, non significherebbe mettere nelle mani dei nostri nemici un lascito funesto, che può divenire eterno motivo d'odio, di vendetta e di guerra? Non sarebbe offrire un centro e un punto di raccordo ai vigliacchi disertori della patria?

Se l'ultimo dei re fosse riuscito nei suoi disegni, se avesse potuto portare le sue speranze e la sua famiglia in terra nemica, e se il caso o il successo delle nostre armi avessero messo nelle vostre mani il suo erede, che avreste fatto di questo rampollo di una razza impura? Lo avreste restituito? Certo che no. Un nemico è meno pericoloso in nostro potere che nelle mani di coloro che ne sostengono la causa.

Supponiamo ancora che l'erede di Capeto si trovi in mezzo ai nostri nemici: presto verreste a sapere che egli è presente ovunque le nostre armate devono combattere; e anche quando la sua esistenza sarà terminata, lo si ritroverà ovunque, e questa chimera servirà per nutrire a lungo le speranze dei Francesi traditori.

Vi è dunque poco pericolo a tenere in cattività gli individui della famiglia Capeto, mentre ce n'è molto a espellerli. L'espulsione dei tiranni ha quasi sempre preparato il loro ristabilimento, e se Roma si fosse tenuta i Tarquini, poi non avrebbe dovuto combatterli.

Cinque mesi più tardi, il 9 giugno 1795 (21 pratile, anno III), i dottori Dumangin, Pelletan, Jeanroy e Lassus firmano la seguente dichiarazione:

Arrivati tutti e quattro alle undici del mattino alle mura esterne del Tempio, siamo stati ricevuti dai commissari che ci hanno introdotto nella torre. Giunti al secondo piano, siamo entrati in un appartamento, nella seconda stanza del quale abbiamo trovato sul letto il corpo di un infante che ci è sembrato di circa dieci anni e che i commissari ci hanno detto essere quello del figlio del defunto Luigi Capeto, e che due di noi hanno riconosciuto essere l'infante al quale indirizzavano le loro cure da qualche giorno. I suddetti commissari ci hanno dichiarato che quest'infante era morto la vigilia, verso le tre del pomeriggio.

I quattro dottori procedono dunque all'autopsia, durante la quale Pelletan – stando alle sue dichiarazioni del maggio 1814 – sottrae il cuore del piccolo cadavere. Quindi concludono il documento dichiarando che

tutti i disordini dei quali abbiamo fatto dettaglio sono evidentemente l'effetto di un vizio scrofoloso, che persiste da lungo tempo, e al quale si deve attribuire la morte dell'infante.

I due medici che «riconoscono» nel corpo del defunto quello del bambino che curavano «da qualche giorno», sono Pelletan e Dumangin. Quest'ultimo aveva ricevuto l'incarico soltanto il giorno prima del decesso. Il primo, invece, si occupava del prigioniero da circa una settimana, in seguito alla morte del dottor Pierre-Joseph Desault, avvenuta il 1º giugno, dopo aver curato il bambino nel mese di maggio.

Lo stesso 9 giugno, il deputato Sevestre informa la Convenzione della morte del «figlio di Capeto, incomodato da qualche tempo da un gonfiore al ginocchio destro e al gomito sinistro».

Il cadavere venne inumato il 10 dello stesso mese nel cimitero di Sainte-Marguerite, dopo un rito funebre molto discreto e senza alcuna lapide o stele di riconoscimento.

Da allora, le ipotesi di un'evasione del delfino e di una sua sostituzione si moltiplicarono e acquistarono sempre piú credito.

Nel 1800, la pubblicazione del romanzo *Il cimitero della Maddalena*, di Jean-Joseph Regnault-Warin, diede ulteriore diffusione e notorietà alla leggenda. L'autore, in questo caso, attribuisce l'azione e il complotto a François-Athanase Charette de La Contrie, capo indiscusso della rivolta di Vandea.

Il grande successo del libro aprí la strada a una serie di presunti delfini, che credettero di trovare nelle sue pagine una base verosimile per i loro racconti di fuga, clandestinità e intrigo. Il primo di questa lunga lista, che comprende almeno quaranta nomi, fu Jean-Marie Hervagault, un inveterato impostore, che riuscí a radunare una discreta schiera di partigiani. Condannato il 17 febbraio 1802 per truffa, furto d'identità e vagabondaggio, venne imprigionato a Soissons, poi a Bicêtre, dove morí l'8 maggio all'età di trentuno anni.

Il piú celebre e riconosciuto di questi pretendenti al trono di Francia è senz'altro Karl Wilhelm Naundorff, un orologiaio prussiano. Giunto a Parigi nel 1833, mentre si teneva il processo contro un altro sedicente delfino – il duca di Richemont – Naundorff si spinse fino a denunciare Maria Teresa per essersi impadronita di alcune sue proprietà. Per questo motivo venne arrestato ed espulso e terminò la sua vita nei Paesi Bassi. L'epitaffio sulla sua tomba recita: «Qui giace Luigi XVII, re di Francia», mentre nel certificato di morte è nominato come «Carlo Luigi di Borbone, duca di Normandia». Ancora oggi, i suoi discendenti si fregiano dell'appellativo «di Borbone» e gestiscono il sito dell'Istituto Luigi XVII.

Un altro caso da segnalare è quello di Éléazar Williams, missionario cristiano presso la nazione irochese degli Oneida, nello stato di New York, nonché traduttore in lingua mohawk del *Libro delle preghiere comuni* della chiesa episcopale americana. Williams era riuscito a convincere gli Oneida e altri gruppi di nativi a trasferirsi in Wisconsin, dove il governo degli Stati Uniti offriva loro le terre intorno alla Green Bay. Si dice che il missionario intendesse mettersi a capo di un «impero indiano», ma dopo una decina d'an-

ni, nel 1832, gli Oneida lo respinsero, sostenendo che non
si prendeva abbastanza cura dei loro interessi, spirituali e
no. Nel 1842, infine, il vescovo degli episcopali gli proibí
di rappresentare quella chiesa. A quanto pare, in quell'anno Williams aveva riportato un grave incidente – un albero
gli era cascato in testa – e da quel momento aveva cominciato a farneticare, sostenendo, tra le altre cose, di aver incontrato su un traghetto a vapore, proprio l'anno prima, il
principe di Joinville, terzo figlio di Luigi Filippo I, il re della cosiddetta «monarchia di luglio». In quell'occasione, il
principe gli avrebbe rivelato che lui, Éléazar, altri non era
che il delfino di Francia, liberato dalla prigione del Tempio e affidato ai Mohawk di Kahnawake. Williams infatti
era cresciuto in quel villaggio, figlio di un capo meticcio,
Tehorakwaneken detto Thomas, e di una donna irochese,
Mary Ann Konantewanteta. Tuttavia, a causa della sua car-
nagione molto chiara e dei capelli biondi, si poteva pensare
che fosse un figlio adottivo della coppia, secondo l'antica
consuetudine irochese. Il reverendo sostenne anche che il
principe cercò di fargli firmare un foglio che attestava la sua
abdicazione, in cambio di una cifra ingente. L'incontro tra
i due è storicamente accertato, ma non ne esistono verbali
né testimonianze dirette.

Tornato a vivere tra i Mohawk di Akwesasne, Williams
si fece costruire una fattoria-castello che ancora oggi porta il
nome di *Lost Dauphin Cottage*, cosí come in Wisconsin esistono una Lost Dauphin Road, un Lost Dauphin State Park
e un *Lost Louie's Restaurant*.

Nel 1854, John Halloway Hanson pubblicò un libro dal
titolo *Il principe perduto, fatti tendenti a provare l'identità di
Luigi XVII di Francia e del reverendo Éléazar Williams, missionario tra gli indiani del Nordamerica*. È probabile che il
sedicente «Looy the Seventeen», figlio di «Looy the Six-

teen and Marry Antonette» che compare nelle *Avventure di Huckleberry Finn* di Mark Twain sia ispirato alla figura e alle pretese del reverendo Williams.

Tutte queste teorie sembrano aver ricevuto il colpo di grazia all'alba del terzo millennio, quando la scienza, grazie alla prova del Dna, ha dimostrato che il cuore dell'infante morto al Tempio, e sottratto dal dottor Pelletan durante l'autopsia, ha una grande compatibilità genetica con i discendenti di Maria Antonietta.

Resta tuttavia da dimostrare che il cuore analizzato sia effettivamente quello del prigioniero morto nella Gran Torre l'8 giugno 1795.

Quel cuore, infatti, è stato protagonista di incredibili peripezie. Rubato, ritrovato, saccheggiato, inseguito, raddoppiato, passato per la Spagna e l'Italia, soltanto nel 1975 è approdato alla cripta reale della basilica di Saint-Denis, alla periferia di Parigi.

Per di piú, Luigi Carlo aveva un fratello, Luigi Giuseppe, morto di tubercolosi a otto anni, nel 1789. Anche il suo cuore venne conservato in un'urna, com'era tradizione per i re di Francia. Profanato durante la rivoluzione insieme ad altre reliquie, viaggiò per Parigi come un raffreddore.

Nel 1815 Luigi XVIII, nuovo monarca di Francia, progettava di riunire i due piccoli cuori nella basilica di Saint-Denis, ma rifiutò quello «di Pelletan» e finí per farsi scappare anche quello di Luigi Giuseppe, del quale si perdono le tracce nel 1817. Nessuna scienza può dimostrare che i due cuori non siano stati scambiati l'uno per l'altro. D'altra parte, nessuna prova di compatibilità genetica è stata operata tra il cuore «di Pelletan» e le ossa trovate nel cimitero di Sainte-Marguerite, esumate ormai in tre occasioni, senza che mai se ne trovassero di compatibili con l'età del delfino (dieci anni).

Dopo due secoli di bare scoperchiate, scavi di fosse comuni, romanzi, tricoscopie, processi, esami del Dna mitocondriale, cuori imbalsamati o sotto spirito, l'enigma del Tempio sembra tutt'altro che risolto, a dispetto della cerimonia funebre con la quale, l'8 giugno 2004, il cuore «di Pelletan» è stato sistemato nella cappella dei Borboni della basilica di Saint-Denis.

15. Sull'Armata dei Sonnambuli.

Se nella prima fase del potere termidoriano, confusa nella variopinta folla della *Jeunesse Dorée*, fu attiva una banda controrivoluzionaria che ricorreva a tecniche di controllo mentale, nei documenti sono rimaste poche tracce del suo passaggio, e nessuna posteriore al 2 di piovoso dell'anno III. Gli indizi piú significativi della sua esistenza sono i misteriosi accenni fatti da Louis-Marie-Stanislas Fréron sul n. LVIII del suo giornale «L'Orateur du peuple», diffuso a Parigi il 3 nevoso dell'anno II: «Criminali mesmerizzati [mandati] a incendiare, terrorizzare i foborghi [...] nuovi o vecchi fedeli del prerivoluzionario credo mesmeriano».

Nessuno ha ancora trovato le basi fattuali del patrimonio di leggende popolari – rimasto vivo nelle *classes dangereuses* di Parigi per buona parte del XIX secolo – su «gecchi strani che li picchiavi e non andavano giú», e sul giorno in cui un manipolo di «uomini con gli occhi spenti» incendiò l'osteria *La Grande Pinte*. Non mancano nemmeno i riferimenti a «scritte che nessuno le capiva», fiorite sui muri della città nell'estate e autunno del 1794. Queste storie, inevitabilmente, sono intrecciate a quelle su Scaramouche. Chi volesse partire da questi indizi per volare con l'immaginazione, può cominciare dal testo di Édouard Thierry, *Dell'in-*

*fluenza del teatro sulla classe operaia: conferenze tenute il 22
e il 29 giugno 1862 agli incontri dell'Associazione politecnica,*
Panckoucke, Parigi 1862.

Si dice che Peter Hammill, cantante e leader dei Van der
Graaf Generator, scrisse la canzone *The Sleepwalkers* (1975)
dopo che un amico parigino gli aveva raccontato alcune leggende del faubourg Saint-Antoine: «La notte, quest'armata
senza mente, le schiere non spezzate da dissensi | è mossa
all'azione e il suo incedere non rallenta. | Al passo, con gran-
de precisione, questi danzatori della notte | avanzano contro
le tenebre. Quant'è implacabile il loro potere!»

Piú avanti, Hammill ricorre alla precisa espressione «the
army of sleepwalkers». L'Armata dei Sonnambuli.

16. *Su Scaramouche.*

A partire dal 4 pratile dell'anno III, le guardie setacciaro-
no per giorni il quartiere di Saint-Antoine, ma non trovarono traccia di Scaramouche. Piú di un funzionario e ministro termidoriano sospettò di aver pescato nella rete l'alter
ego dell'eroe. «Forse non lo sapremo mai», scrisse Fréron
al suo collega Tallien.

In ogni caso, i «terroristi» erano vinti e sottomessi. Le
scritte «Viva Scaramouche» furono coperte e le autorità
termidoriane smisero di preoccuparsi dell'ultimo paladino
dei sanculotti.

Nel periodo del direttorio (1795-99) e per tutta l'avventura napoleonica non si registrò piú alcuna azione di Scaramouche, e ciò parve dare ragione a chi credeva che l'uomo
sotto la maschera fosse morto.

L'eroe non riapparve nemmeno nella congiura degli eguali
al fianco di Babeuf, Buonarroti, Darthé e Chauvelin. Tutta-

via, lo si trova menzionato nel discorso della pubblica accusa
al processo contro «Babeuf e altri», riferimento che sembra
dirla lunga su quale turbamento avesse seminato nei poteri
costituiti. Il discorso fu letto dal cittadino Bailly durante le
sedute dell'alta corte di giustizia del 7, 8 e 9 fiorile dell'anno V (26-28 aprile 1797). Ecco il passaggio dove fa capolino
il nostro eroe:

> Sí, la Francia non sarebbe che un deserto orrendo se la Convenzio-
> ne, liberata il 9 termidoro, non avesse precipitato Robespierre e il suo
> abominevole comune nella voragine che essi stessi avevano scavato.
>
> Ma non tutti i faziosi erano periti con lui; sembra che egli abbia
> lasciato la sua anima in eredità alla coorte che trainava al proprio
> seguito, e la sua cenere sia destinata a riprodurre, per la sventura
> dell'umanità, tutti i flagelli di cui siamo stati testimoni.
>
> Questa coorte, che alimenta i vizi e le furfanterie, è tanto fecon-
> da di capi quanto lo è di misfatti; è stata opera loro la lugubre farsa
> di «Scaramouche», lo spregevole assassino di cui si fece apologia sui
> muri di Saint-Antoine e Saint-Marceau! Ed è stata opera loro il 1°
> di pratile: ricordiamo che il grido d'adunata era «Pane e la costitu-
> zione del '93», ma il vero fine era impedire alla Convenzione di da-
> re alla Francia una costituzione repubblicana che fosse saggiamente
> organizzata.

Nella celebre ricostruzione di Buonarroti *Storia della cospirazione per l'uguaglianza, detta di Babeuf, seguita dal processo al
quale diede luogo*, pubblicata a Bruxelles nel 1828, si legge:

> Una numerosa forza pubblica sorvegliava il tribunale; ciascun
> imputato era tra due gendarmi. La sala era vasta, e il settore riser-
> vato al pubblico fu sempre gremito di un popolo che sovente ap-
> plaudí gli accusati, giammai gli accusatori, fatta eccezione per un
> batter di mani sarcastico quando [Bailly] qualificò Scaramouche,
> l'eroe mascherato di Saint-Antoine, come «spregevole assassino»,
> vibrando d'indignazione per le scritte che l'avevano celebrato sui
> muri di quel foborgo.

Mentre Buonarroti scriveva queste frasi, non poteva sapere
che di lí a poco lo spettro di Scaramouche sarebbe riapparso.

Durante le «Tre gloriose» (27, 28 e 29 luglio 1830), mentre il popolo di Parigi si scontrava coi soldati di Carlo X, si impadroniva del municipio e costringeva il monarca ad abdicare, i muri della città si riempirono di scritte quali «È tornato Scaramouche», «Scaramouche è con noi», e la piú significativa di tutte: «Scaramouche siamo noi».

Nel 1848 il popolo insorse contro un altro monarca, Luigi Filippo d'Orléans. La mattina del 24 febbraio, dopo ventiquattr'ore di rivolta e una notte di sparatorie e violente repressioni, fra gli insorti prese a circolare in migliaia di copie la stampa di una vignetta incendiaria. Vi era raffigurato Scaramouche – maschera a becco, mantello e berretto frigio – intento a cacciare al di là della Manica, con una poderosa pedata nelle terga, un pingue Luigi Filippo. La didascalia recitava: «Va te branler ailleurs!» [Vai a farti delle seghe altrove]. Poco dopo, la folla prese d'assalto le Tuileries e cacciò dalla Francia l'ennesimo re.

Ma per il proletariato di Parigi la rivoluzione non andò come sperato. Il 22 giugno i lavoratori degli Ateliers Nationaux si sollevarono contro il nuovo governo borghese. La rivolta fu duramente repressa, i morti furono circa quattromila, e altrettanti prigionieri furono deportati in Algeria. L'ultima barricata a cedere all'assalto nemico fu quella del quartiere Saint-Antoine. Alcuni dei suoi difensori indossavano maschere da Scaramouche.

Ventitre anni dopo, un foglio della Comune di Parigi si chiamò «Le Scaramouche». Non ne sono sopravvissute copie. Sappiamo della sua esistenza soltanto perché lo nomina Prosper-Olivier Lissagaray nella sua *Storia della Comune del 1871*, nel paragrafo del capitolo xxv intitolato *Passeggiata attraverso Parigi*:

> Partiamo dalla Bastiglia. Gli strilloni sfondatimpani vendono il «Mot d'ordre» di Rochefort, «Il Père Duchesne», il «Cri du peuple»

di Jules Vallès, «Le Vengeur» di Félix Pyat, «La Commune», il
«Tribun du peuple», l'«Affranchi», lo «Scaramouche» [...]. Il «Cri
du peuple» tira centomila copie. È il primo a uscire: canta insieme
al gallo [...]. Non comprate piú di una volta «Il Père Duchesne»,
benché tiri sessantamila copie. Non ha niente di quello di Hébert.
Piú echeggiante quest'ultimo è lo «Scaramouche», col suo linguaggio sfrontato, i modi di dire degli operai di Saint-Antoine [...]. La
testata è un omaggio al famoso Ammazzaincredibili del '94, di cui
si dice fosse un attore italiano. Di chiunque si trattasse, nella rivoluzione di oggi affiora anche il suo ricordo.

Indice

Edizione						Anno			
4	5	6	7	8	9	2020	2021	2022	2023